LA VIDA INVISIBLE

Esta obra obtuvo el Premio Primavera de
Novela 2003, convocado por Espasa Calpe
y Ámbito Cultural, y concedido por el si-
guiente Jurado: Ana María Matute, Ángel
Basanta, Antonio Soler, Ramón Pernas y
Rafael González Cortés

Juan Manuel de Prada

LA VIDA INVISIBLE

ESPASA

ESPASA ℮ NARRATIVA

© Juan Manuel de Prada, 2003
© Espasa Calpe, S. A., 2003

Diseño de la colección: Tasmanias
Ilustración de cubierta: Fernando Vicente
Foto del autor: Anna Löscher
Realización de cubierta: Ángel Sanz Martín

Depósito legal: M. 13.323-2003
ISBN: 84-670-0477-0

Espasa, en su deseo de mejorar sus publicaciones, agradecerá cualquier
sugerencia que los lectores hagan al departamento editorial por correo
electrónico: sugerencias@espasa.es

Impreso en España/Printed in Spain
Impresión: Mateu Cromo Artes Gráficas, S. A.

Editorial Espasa Calpe, S. A.
Complejo Ática - Edificio 4. Vía de las Dos Castillas, 33
28224 Pozuelo de Alarcón, Madrid

A mi padre

Hay una vida invisible, subterránea como un venero, por debajo de esta vida que creemos única e invulnerable, o quizá sobrevolándola, como una ráfaga que parecía inofensiva y que, sin embargo, se inmiscuye en los huesos, dejándonos su beso estremecido. Cuando esa vida invisible nos roza sentimos por un instante que la tierra nos falta debajo de los pies. Es una impresión fugaz, un sobresalto que apenas dura lo que dura una extrasístole, lo que dura la impresión de caída en las fases de duermevela que preceden al sueño, lo que dura el contacto furtivo y viscoso de la culpa cuando mentimos atolondradamente, sin saber siquiera que estamos mintiendo y, desde luego, sin vislumbrar las consecuencias de esa mentira. Pero del mismo modo que el corazón ya restablecido guarda memoria de aquella palpitación que resintió su cadencia, del mismo modo que la vigilia alberga nebulosamente el recuerdo de aquella caída ingrávida que prolongó nuestro sueño, del mismo modo que la conciencia nos aflige con una suerte de dolor retrospectivo cada vez que evocamos nuestra mentira piadosa o involuntaria, así la vida invisible que se cruzó en nuestro camino arroja su reverberación sobre nuestra vida física, que creíamos indemne y a salvo de zozobras. A veces, esa vida invisible adquiere la textura prolija e intrincada de un tapiz, a veces la envolvente diafanidad de una gasa; cuando rozamos muy sutilmente su tejido nos replegamos, pusilánimes o escarmentados, como el caracol se repliega en su concha, pero a nuestro refugio nos llevamos para siempre la reminiscencia de ese contacto que es vívido y perdurable como una culpa que se pudre, obstinado como esos secretos que hubiésemos preferido no llegar a conocer.

Aunque luego finjamos que esos secretos nunca nos fueron revelados, su compañía nos atosiga y atormenta para siempre. A la postre, el secreto, que creíamos recluido en las mazmorras del remordimiento, aislado en esas bodegas que la vida invisible excava en nuestro pasado, indescifrable para quienes nos rodean, acaba mostrándose como el ahogado acaba ascendiendo a la superficie del agua después de haber anidado un tiempo en el lecho del río, enredado entre el légamo y las algas. Sólo que, para entonces, el ahogado se ha convertido en un amasijo de carne corrompida, mordisqueado por los lucios que hallaron en él su pitanza y convirtieron su fisonomía en un borroso y nauseabundo jeroglífico. También los secretos, como los cadáveres de los ahogados, acaban mostrando su rostro de pavorosa hinchazón, tarde o temprano. A veces es la vibración que produce un cañonazo (el estrépito de un acontecimiento súbito e impremeditado) lo que los devuelve a la superficie; a veces es la propia descomposición, que esponja los tejidos celulares (la inercia de los días, que pervierte y hace fermentar ese secreto) convirtiendo el cadáver del ahogado en una vejiga abotargada que vuelve a flotar. De un modo u otro, el secreto que creíamos a buen recaudo, sumergido en las catacumbas de la vida invisible, termina acatando ese designio de ascensión que le dicta la fatalidad, y entonces su descubrimiento (su anagnórisis, si empleamos la jerga de las tragedias clásicas) desata el enojado desconcierto, la ofendida perplejidad, el aturdido horror, también la enconada desconfianza de quienes se consideran con razón traicionados. Quizá el descubrimiento del secreto posea un benigno efecto de catarsis sobre quien, en su día, prefirió mantenerlo prisionero en su conciencia, pero ese alivio nunca compensa las penalidades posteriores, que incluyen reproches no formulados e irrespirables silencios cuando se sucede el curso pesaroso de los días, sobre los que gravita el cadáver de nuestra traición, oliendo a carne que se pudre.

Todo este largo exordio para reconocer que había traicionado a Laura. La había traicionado sin llegar siquiera a traicionarla, porque las circunstancias me lo impidieron, pero mi deslealtad fallida, que yo había pretendido confinar en los sótanos de la vida invisible, creyendo que allí moriría por asfixia o inanición, había echado raíces como la semilla que anhela ser árbol, se había ramificado en mil imprevistos renuevos, había crecido con esa pujanza que tienen algunas hierbas un poco antes de hacerse maleza, un poco antes de hacerse impenetrable bosque. Y ahora la vida invisible que latía bajo tierra me oprimía con su abrazo de bosque sin salida, y me obligaba a rendir mi resistencia con esa especie de anticipación lúgubre y resignada con que aceptamos lo irremediable.

—¿La has oído? —me preguntó Laura—. ¿Has oído cómo grita?

Yo no había oído nada, quizá porque estaba abstraído en mis cavilaciones, que eran la ratonera donde se debatía mi culpa. Nos hallábamos en un pasillo de hospital, alumbrado por la luz impávida y cenital de unos fluorescentes que parecían dispuestos para diseccionar cadáveres; las butacas, de algún crepitante material acrílico, no se ahormaban al molde del culo; el suelo recién encerado mostraba esas cicatrices o rasguños que las suelas de goma dejan sobre las superficies pulimentadas; la temperatura y la humedad eran vigiladas por artilugios demasiado similares a cámaras ocultas y hasta se oía una musiquilla ambiental que aspiraba a aplacar el nerviosismo de quienes aguardaban el veredicto del quirófano. Todo ello convertía el lugar en un ámbito aséptico, ahuyentado de sombras, confortable y nauseabundo como un sueño de morfina. Me atreví, por primera vez desde nuestra llegada al hospital, a contemplar largamente a Laura, que tenía ese aspecto derrengado y fúnebre de los maniquíes que han sido apartados del escaparate y arrumbados en la trastienda de unos grandes almacenes. Seguramente mi aspecto era más o menos el mismo.

—Ahora sí. Escucha.

Era un grito lejanísimo, un alarido prolongado y sin embargo nada pavoroso, casi me atrevería a decir que exultante. Habíamos llegado al hospital a la carrera, cuando Elena ya navegaba por los laberintos de la inconsciencia, allá donde el dolor no se distingue demasiado del abandono que precede a la muerte. Había roto aguas y su vientre se abombaba, tenso y expectante como la piel de un tambor.

El olor del líquido amniótico enguantaba mis manos, era un olor ancestral, casi febril, como de ungüento anterior a las sofisticaciones de la cosmética. Me sorprendió su transparencia ambarina, muy distinta de la tonalidad sanguinolenta que yo había imaginado. Mientras la ambulancia nos conducía alocadamente al hospital, contemplaba ensimismado el vientre grávido de Elena en contraste con sus piernas casi reducidas a la osamenta, aquellas piernas que yo había llegado a acariciar muy someramente, cuando aún eran blandas y codiciosas. Contemplaba cómo el líquido amniótico empapaba su pantaloncito de cuero y cómo extendía su mancha sobre la camilla, como una flor parsimoniosa que se despereza. Elena no pronunciaba una sola queja, se limitaba a mirarme con una expresión beatífica que sublimaba el dolor, con ese gesto pasmado que se les queda a quienes, después de haber recorrido los pasadizos de la locura, contemplan por fin la quimera que han concebido entre alucinaciones. El conductor de la ambulancia tomaba las curvas sin reducir la velocidad, la noche se estrellaba en el parabrisas, velocísima y escoltada de farolas. A cada frenazo, a cada viraje brusco, a cada acelerón, el cuerpecillo de Elena se desmadejaba sobre mí. Sus últimos vestigios de fortaleza los empleaba en protegerse el vientre con ambas manos, pero no conseguía oponer resistencia a las sacudidas y zarandeos del viaje. «Es nuestro hijito, es nuestro hijito que viene», empezó a musitar, entre las neblinas de la inconsciencia, y ya no cesó de repetir estas palabras, cada vez más inconexas y entrecortadas, hasta que llegamos al hospital. Laura me escrutaba con una mirada que no acusaba ni juzgaba, pero tampoco llegaba a comprender del todo. El olor cálido de aquel líquido por el que parecía derramarse la vida —la delgadísima, escuálida vida— de Elena embriagaba el aire.

—Pobrecilla, no sé de dónde sacará fuerzas para gritar tanto —se lamentó Laura.

La oíamos gritar muy a lo lejos, como si su voz nos llegase en jirones después de haberse erosionado en las esquinas del aire. Quizá las sucesivas paredes que su voz se iba tropezando en el camino aligerasen de dolor sus gemidos, quizá la distancia borrase las aristas de ese dolor, pero lo que llegaba hasta nosotros era más bien el eco de un júbilo. Desgarrado, y hasta agónico si se quiere, pero júbilo a fin de cuentas. Y ese fondo de alegría casi animal que enaltecía sus gritos era lo que los hacía más estremecedores. Sabíamos que Elena estaba pariendo sin anestesia, saboreando sin lenitivos la lenta destilación del dolor: cuando llegamos al hospital, ya no quedaba tiempo para preparar la inyección epidural, mucho menos para aguardar sus efectos. A la luz impía de los fluorescentes, la postración y el deterioro de Elena se hicieron más notorios y lacerantes: el cabello que había sido rubio enmarañado como un estropajo, los labios embadurnados de un carmín ofensivo, la piel macilenta y, sobre todo, aquella delgadez de radiografía, aquel cuerpecillo de cigüeña pisoteada apenas velado en su desnudez por unos andrajos que delataban la naturaleza infamante del oficio al que la habían arrastrado la locura y el amor desesperado. Cuando por fin apareció el médico de guardia, ataviado con la bata verde de las operaciones, Elena ya había iniciado las contracciones de expulsión; las sábanas de la camilla no tardaron en quedar profanadas por aquel flujo de imperiosa vida que se le escapaba entre las piernas. El médico trató de apaciguarla enjugando el sudor de su frente con una mano quizá exhausta de improvisar operaciones de urgencia. Elena se arqueaba y su vientre adquiría una plenitud túrgida, casi inverosímil, como de planeta a punto de salirse de su órbita. Antes de que la vida invisible irrumpiera en mi medrosa vida y la desbaratase, la mera premonición de la sangre me producía mareos; ahora, en cambio, la brusca hemorragia que se extendía sobre las sábanas de la camilla no me ofendía la vista, más bien ejercía sobre mí un efecto balsámico, casi hipnótico.

—Será mejor que no entren —resolvió el médico—. Será un parto muy difícil, ya es demasiado tarde para anestesiar.

Un par de enfermeras habían rodeado a Elena, brindándole sus brazos para que tuviera algo donde aferrarse e interrumpiera sus manoteos. Una sonrisa dócil se había coagulado en sus labios, como una máscara contra el dolor; entre las nieblas del desvanecimiento me miraba y musitaba: «Es nuestro hijito, es nuestro hijito que viene». Aquella letanía, repetida machaconamente, me increpaba como una condena. Y se trataba, además, de una condena sin apelación posible, porque la vida invisible lo había dictaminado así, y contra los veredictos de la vida invisible no valen recursos ni coartadas. Nuestro silencio —tan irresoluto, o quizá compungido— había llegado a exasperar al médico; el camillero, a una indicación suya, ya empujaba a Elena a través de pasillos que parecían la antesala de un patíbulo, hasta hacerla desaparecer detrás de una de esas puertas de doble hoja que se quedan batiendo durante minutos porque no hay un quicio que las detenga, como agitadas por corrientes de aire o por los efluvios de algún pecado. El vaivén de aquellas puertas, al principio impetuoso y chirriante, luego cansino, me sirvió de distracción y también de escapatoria para no afrontar la mirada de Laura, que había adoptado esa expresión llena de cansada dulzura de las estatuas. Después, los gritos del parto, amortiguados por la distancia, nos habían brindado un motivo de diálogo que soslayaba otras inquisiciones más enojosas. Pero los gritos se interrumpieron de súbito, como si alguien los hubiese estrangulado con un hilo de bramante, y los fluorescentes volvieron a imponer su música sin melodía. El silencio era alto y hostil como un acantilado de hielo.

—¿Recuerdas que fui yo quien te obligó a que no cancelaras tu viaje a Chicago? —dijo Laura, que parecía adivinar la deriva de mis pensamientos.

Siempre me había atemorizado ese don innato de Laura para inmiscuirse en los pensamientos ajenos. Poseía dotes adivinatorias que la emparentaban con las sibilas, lo que hacía más penosamente estériles mis esfuerzos por guardar secretos o aliñar mentiras piadosas.

—Di —porfió—. ¿Lo recuerdas?

No podía olvidarlo. Su insistencia había actuado a modo de sortilegio, invocando esa vida invisible que hasta entonces se había mantenido a buen recaudo. El silencio volvía a oprimirnos con su presencia de cadáver tumefacto.

—Claro que lo recuerdo. Me propusiste que matara las horas callejeando por Chicago, buscando su secreto. Todas las ciudades reservan un secreto, me dijiste. Sólo hay que saber buscarlo.

Entonces llegó hasta nosotros, al principio acuciado de balbuceos, luego terso y afilado como un puñal, el llanto de un recién nacido. Era un llanto que crecía sobre sí mismo, tozudo como las olas que insisten en su acoso a una playa. Durante siete meses, aquel niño había crecido hostigado por el frío, devastado por las hambrunas que habían dejado a su madre reducida al esqueleto (pero en el vientre guardaba un último rescoldo de fe), envilecido por el trasiego de hombres de fisonomía borrosa que ensuciaban a su madre con su hastío o su lujuria. Durante siete meses, había sobrevivido al peregrinaje destructivo de su madre, había crecido con esa obstinación aterida que bendice a los supervivientes, y ahora que por fin respiraba el aire enemigo lo vencía con su llanto, lo despreciaba con su llanto, lo injuriaba con su llanto.

—Todas las ciudades reservan un secreto —repitió Laura en un susurro—. Tú lo descubriste, pero no podías imaginar que te siguiera los pasos.

Al fondo del pasillo, las puertas de doble hoja volvieron a batir con ímpetu, como si las hubiera golpeado aquel llanto que crecía con huraño alborozo, engreído de proclamar su existencia.

Libro primero

El guardián del secreto

Pero quizá deba comenzar esta historia contando cómo desvelé el secreto que Chicago me tenía reservado, el secreto que me permitiría escribir un libro y asomarme a una vida que ni siquiera sospechaba. Fue allí, en aquella ciudad pálida de miedo, donde sentí por primera vez la pululación de la vida invisible, mientras callejeaba por sus avenidas deshabitadas, siguiendo la pista de una anciana llamada Fanny Riffel. Con la certeza que otorga la distancia, comprendo ahora que aquella pululación (que yo creía pasajera e intrascendente) constituyó en realidad un aviso o premonición de lo que vendría después, un presagio de la cadena de azares que perturbarían mi existencia más o menos plácida y confiada. Y ahora que me dispongo a recapitular esa cadena de azares, vuelve a mi recuerdo la mirada de Fanny Riffel, seguramente porque esa misma mirada que parecía venir desde muy lejos, desde más allá de las telarañas de la locura, la vería luego repetida en los ojos de Elena, la mujer que vino a mi encuentro para recordarme que nada se hace impunemente, ni siquiera los actos que no llegan a consumarse, ni siquiera los deslices más nimios o vergonzantes que creíamos confinados en las mazmorras de la clandestinidad.

Nada hubiese resultado más natural que acordar una suspensión con los organizadores de mi conferencia en Chicago, por lo demás bastante lánguidos o pasotas, pero fue la propia Laura quien me incitó a respetar el compromiso adquirido; supongo que en su actitud subyacía un afán por demostrarme que nuestra próxima boda no iba a perjudicar mi dedicación a la literatura. Confesaré que aquel viaje a Chicago —como solía ocurrirme con cualquier infracción de mi sedentarismo— ya me asustaba como una tortura aplazada antes de que mi noviazgo con Laura se consolidase, pero cuando por fin el cura de nuestra ciudad levítica nos adjudicó una fecha para ratificar nuestros esponsales la zozobra que me producía el viaje trasatlántico quedó empequeñecida o aplastada por el miedo paralizante que me ocasionaba la renuncia a la soltería. Y, de repente, a esos miedos más o menos íntimos o inconcretos se sumó —anegándolos, anulándolos— el horror televisado, el horror como una eucaristía sacrílega, repartido por todos los rincones del mundo.

—Ahora ya no tienes disculpa. Tienes que viajar para palpar de cerca ese horror.

La voz de Laura había sonado acuciante, como urgida por una trepidación que intentaba sobreponerse a la consternada perplejidad. Durante horas habíamos permanecido absortos ante el televisor, rumiando aquellas imágenes que atentaban contra la verosimilitud e instauraban el apocalipsis. Dos aviones descarriados se habían clavado en las Torres Gemelas de Manhattan como cuchillos en la mantequilla. Un humo de horno crematorio, espeso por la combustión de tantas y tantas almas pilladas desprevenidamente, se extendía sobre el cielo de Nueva York. Los rascacielos heridos se tambaleaban ante el ojo impávido de la cámara, habían perdido esa petulancia esbelta de las arquitecturas que se atreven a hacer cosquillas a Dios en las plantas de los pies. En los pisos más elevados, allá donde las Torres Gemelas se convertían en piras funerarias, se apiñaba en las ventanas una multitud que clamaba en vano por su rescate, tremolando pañuelos y lanzando deprecaciones o súplicas sin destinatario. El escrutinio lejanísimo de la cámara impedía discernir sus aspavientos de angustia, sus rasgos tiznados o lívidos por los primeros síntomas de la asfixia, su desesperación de insectos que hormiguean en busca de una escapatoria que no existe. Parecían insectos despojados de alas, un enjambre de insectos acorralados en las galerías ciegas de su colmena, pero eran hombres clamando por una salvación imposible, hombres y mujeres con su equipaje de humanidad sobre la espalda, con sus pecados y sus anhelos y su genealogía interrumpida. Hombres y mujeres que en el mismo instante en que el beso calcinado del humo les arrebatara la respiración contemplarían retrospectivamente, como en un gigantesco Aleph, su existencia mortal y ya pretérita: quizá alguno recordase aquella carta que nunca envió a su destinatario y que ahora quisiera franquear y depositar en un buzón, a modo de despedida casi póstuma; quizá otro recordase que había dejado un fuego de la cocina encendido, y ese recuerdo invasor y absurdo le impidiera dedicar sus últimos segundos conscientes a la evocación de sus hijos, huérfanos para siempre; quizá otro más, en su búsqueda perentoria de un interlocutor o confidente, teclease en su teléfono móvil una combinación aleatoria de números que no se correspondiesen con ninguna de las combinaciones que guardaba en la memoria o en la agenda, y estuviese despidiéndose de una persona anónima, dedicándole palabras con vocación de testamento que se perderían en el aire como pavesas o briznas de hierba, palabras como semillas estériles revoloteando en un torbellino de angustia. Y habría otros, en fin, que impetrarían al cielo la gracia de una suspensión o un aplazamiento de su condena, una porción de tiempo suplementario que les permitiese concluir una tarea inacabada, quizá tan sólo unos días para retirar una demanda de divorcio y buscar una reconciliación imposible con el marido que desertó de casa, quizá tan sólo unas horas para acompañar a sus hijos a la escuela, quizá tan sólo unos minutos para confesarle a una secretaria de la oficina contigua su insensato amor. Pero el cielo, de quien son los siglos y el tiempo, no les otorgaba esos días, esas horas, esos minutos, y las llamas ya buscaban su piel como una yedra candente, y el humo enturbiaba sus lágrimas y adormecía sus gritos, y la muerte, la muerte igualatoria, los convocaba en su regazo. Algunos, olvidando que no poseían alas, se arrojaban al trampolín del aire con los brazos extendidos, como golondrinas tullidas o Cristos a los que falta el asidero de una cruz. Otros, menos resolutos o más estoicos, seguían enarbolando sus pañuelos inútiles, como pasajeros de un barco que abandona el amarradero.

—No puedo verlo, no puedo verlo.

Las palabras de Laura, como una jaculatoria de incredulidad, se fundían con las del locutor televisivo, incapaz de glosar con coherencia aquella epifanía del caos. La muerte ajena —sobre todo la muerte parsimoniosa, la muerte que se regodea en los trámites de la agonía—, cuando es retratada de cerca, estimula nuestra compasión: distinguimos los rasgos del moribundo, nos asomamos a su mirada inmóvil en la que cabe todo el alboroto sordo de la sangre que ya deja de fluir y nos fundimos con su furia o su resignación. En cambio, la muerte retratada de lejos, la muerte espiada a esa distancia en que las proporciones humanas se desdibujan sobre un paisaje abigarrado, adquiere una crueldad mucho más lacerante. No llegamos a apiadarnos del muerto, cuyos rasgos no hemos podido atisbar, pero el horror que su muerte suscita es más vívido, más ininteligible también, porque no admite una traducción inmediata en sentimiento y se queda enquistado para siempre, como un mineral de espanto, en nuestra memoria. El mito de la Gorgona, que petrificaba a quienes osaban mirarla, se reencarnaba en la pantalla del televisor, convertida por un día en un ojo sin párpado que repartía por cada casa el horror de la hecatombe.

—No puedo verlo...

Laura proseguía su jaculatoria, acurrucada contra mí, tapándose el rostro con ambas manos, pero entre los intersticios de los dedos escudriñaba el televisor, desafiando como yo el temor a convertirse en estatua de sal. Las Torres Gemelas se desmoronaron, primero una y después la otra, como si estuviesen fabricadas de hojaldre, arrastrando en su caída miles de vidas que no eran sino pajas aventadas o granos entregados a la rueda del molino. Vidas como jarrones reducidos a añicos, vidas como escombros que habría que recoger con un badil, cuando la polvareda se asentase, cuando aquella nube en la que revoloteaban las almas de los muertos por fin acatase las leyes de la gravedad. Pero a la mente criminal que había urdido la escabechina no le importaba el cómputo de mortandades (o en todo caso le importaba muy someramente, como al director de escena le importan los movimientos calculados y previsibles de los comparsas), ni la confusión pánica de los supervivientes, ni los afanes heroicos de los bomberos que se internaban entre las cenizas hasta entregar su hálito. Le importaba que ese pandemónium fuese retratado por las cámaras con la impavidez que se exige a los testigos más entregados a su vocación de imparcialidad. Le importaba que las cámaras inmortalizaran su obra. Este sibaritismo del espanto, este regodeo orgulloso de quien emplea miles de vidas como un mero *atrezzo* que añade suntuosidad al espectáculo de su crimen resultaba aún más obsceno, más insoportablemente obsceno, que la contemplación de la hecatombe.

—Mañana mismo mando un correo electrónico a los organizadores de la conferencia y me escaqueo —dije.

Llevábamos casi diez horas enganchados al televisor, como esclavos obedientes de la Gorgona. Tras repetir dos o tres mil veces las imágenes de los aviones clavándose en las Torres Gemelas como cuchillos en la mantequilla, y otras dos o tres mil veces las imágenes de los edificios derrumbándose como fábricas de hojaldre, los diversos canales rellenaban la programación con una morralla de películas de asunto catastrófico o terrorista que mezclaban en su trama secuestros aéreos y amenazas bacteriológicas y meteoritos de puntería menos afinada que los kamikazes de Bin Laden.

—Pero si es precisamente ahora cuando debes viajar... Seguro que encuentras inspiración para tu próxima novela.

Laura zapeaba con premiosidad en busca de un noticiario que aclarase la turbamulta de rumores confusos que llegaban desde allende el océano. De repente, apareció en todos los canales el presidente Bush: pronunciaba un mensaje que se pretendía sereno en aquella hora de tribulación, y también lleno de promesas expiatorias. Seguramente sus asesores le habían pedido que imitara el tono de aquella alocución que Roosevelt había lanzado a los americanos tras el bombardeo de Pearl Harbor. Pero la retórica de Bush sonaba mucho más roma y monocorde, y aunque se esforzaba por impostar un tono admonitorio cuando interpelaba al enemigo sin rostro, sus palabras quedaban aplastadas por el recuerdo de su defección poco honrosa: pues en lugar de quedarse quietecito en su palacio presidencial, había volado con «destino desconocido», que es como en la jerga del eufemismo se denomina la comarca de Villadiego.

—Ya lo oyes —dije—. Han cerrado su espacio aéreo. Todos los vuelos quedan suspendidos.

—De aquí hasta que te toque viajar a ti queda mes y pico. —Laura me dirigió una sonrisa aflictiva—. ¿No será que estás acojonadito?

—¿No será que quieres quedarte viuda antes incluso de casarte? —le lancé una pescozada—. Te advierto que, si no hay boda, no cobrarás pensión.

Yo había amado a Laura durante el último tramo de la infancia, allá en nuestra ciudad levítica, y también durante la taciturna pubertad, con ese amor trágico y derrochón que no se detiene a esperar correspondencia. Después le había perdido el rastro durante casi quince años en los que nunca llegué a olvidarla del todo, porque las mujeres amadas en esas etapas de nuestra vida siguen ejerciendo sobre nuestra memoria un influjo legendario, una forma sublimada de nostalgia que las embalsama de perfección y las encumbra a la categoría de arquetipos platónicos. Las mujeres que luego se suceden en nuestro itinerario sentimental son, en cierto modo, reflejos desvanecidos de aquel arquetipo, reminiscencias más o menos aproximadas de aquel modelo canónico. Yo tuve la suerte (o quizá fue una estrategia de la fatalidad; quizá esta historia, con sus prólogos y afluentes, sea una gran urdimbre de fatalidades) de que Laura irrumpiera otra vez en mi vida trayendo consigo la memoria idealizada del pasado. Si la infancia es —como quería Rilke— la patria del hombre, los amores que alcanzamos a vislumbrar mientras habitamos esa patria adquieren el prestigio de las efemérides sagradas. Nuestro exilio por la edad adulta es, en alguna medida, un intento —con frecuencia lastimoso y casi siempre mendicante— de revivir esas efemérides.

—Ya está. No aguanto más.

Era Laura quien manejaba siempre el mando a distancia, ese cetro del hogar. La pantalla del televisor, mientras se eclipsaba, emitió un chisporroteo de electrones despavoridos; luego, en lugar de sumirse en la misma oscuridad que reinaba en la habitación, quedó nimbada de una timidísima fosforescencia, como si se le hubiese quedado atrapada entre las tripas alguna de las miles de almas volátiles que peregrinaban por el mundo tras la hecatombe de Nueva York. El silencio se paseaba por la casa, descalzo y de puntillas.

—¿Te has fijado? —me sobresaltó Laura—. No llega ni un solo ruido de la calle.

Hablaba con esa aspereza arenosa que emplean los sonámbulos en sus monólogos. Al declinar la tarde habíamos abierto las ventanas para espantar el cadáver de la canícula, que se pudría en algún rincón de nuestra casa después de haberse pavoneado durante meses por las calles de Madrid, infectándolas con su aliento de asfalto derretido. Asentí a esa observación, mientras escrutaba su perfil de camafeo en la sombra y sus manos que se alzaban en mitad del aire en busca de una batuta que dirigiera aquel concierto de silencios. Entre los sentimientos que me inspiraba Laura se contaba desde el principio de nuestro noviazgo, y aun desde el prólogo adolescente de nuestro noviazgo, allá en la ciudad levítica (cuando Laura no accedía a mis requiebros y olímpicamente me desdeñaba), una especie de miedosa veneración muy similar a la que los antiguos profesaban a las sibilas. Siempre había creído atisbar en las pausas y sobrentendidos que salpicaban su conversación, en su forma tan elusiva de asentir y en sus medias sonrisas un brote de clarividencia que se me escapaba, que se me sigue escapando.

—Mira, ven.

Se levantó del sofá que durante diez horas había sido el recipiente de nuestro derrengado asombro y, tomándome de la mano, me condujo a través del pasillo. La cabeza se me llenaba de zumbidos, como si respirara a través de una escafandra, quizá para protegerme de la congoja que me producía aquel silencio, luctuoso y expectante a un mismo tiempo. Por la ventana del salón, que solía traernos una algarabía de cláxones disputándose la preeminencia en el tráfico, se colaba la noche. Tragué saliva, y los zumbidos huyeron de mi cabeza en medio de ese sigiloso tropel con que huyen los ratones asustados.

—Asómate.

Seguí la indicación de Laura, que ya se había inclinado sobre el alféizar y asomaba medio cuerpo a la calle. Absurdamente pensé que alguien podría confundir su camisón con los pañuelos inútiles que enarbolaban las víctimas de las Torres Gemelas. Desde la ventana de nuestro salón se ve la desembocadura de la calle Princesa, como un río impetuoso, y los rascacielos de la Plaza de España, como acantilados engreídos, y más allá la Gran Vía, escoltada de edificios que abren sus zaguanes a un cafarnaúm de gentes hipnotizadas por los cartelones de los cines y el batiburrillo de los escaparates y el reclamo de los neones. Los cartelones seguían allí, y también los escaparates y los neones, pero su llamada no encontraba destinatario; Madrid tenía ese aspecto esmerilado y prófugo de las ciudades que cobijan el secreto de un crimen, la inminencia de un naufragio. Muy de vez en cuando, un automóvil rasgaba el silencio y se saltaba los semáforos; muy de vez en cuando, un transeúnte con aire de perro sin amo emergía de algún portal y avanzaba por la acera con pasos medrosos o escurridizos, elevando la mirada a un cielo del que habían desertado las estrellas. También las ventanas de los edificios permanecían a oscuras, unánimes en su luto; imaginé a otros madrileños refugiados como nosotros en sus casas, desarrollando facultades nictálopes mientras escuchaban los boletines radiofónicos, quizá acordándose de sus abuelos, que habían sobrevivido en una ciudad sitiada sin más alimento que unas pocas peladuras de patatas, pendientes del último parte del frente, con su aritmética trucada de bajas y su munición de retóricas triunfalistas. Un helicóptero batía la noche y deslizaba su sombra de reptil jurásico sobre las fachadas de los edificios; su vuelo rasante sobre las azoteas despertaba un escalofrío entre las hojas de los plátanos, que se columpiaban en sus ramas como ante la convocatoria de un otoño prematuro. Un periódico desmantelado propagó sobre el asfalto una sementera de papeles volanderos en los que viajaban noticias de un mundo ya extinto, noticias que en apenas unas horas se habían incorporado a la nostalgia de otro siglo; cuando el helicóptero por fin se alejó, Gran Vía arriba, los pliegos de papel descendieron como mortajas abrumadas de tipografía.

—¿Dónde se habrá metido la gente? —pregunté en voz alta, un poco retóricamente, para exorcizar el silencio.

—Quizá esté escondida bajo tierra, como la secta de los ciegos en la novela de Sábato —dijo Laura, estremecida por un escalofrío.

La visión insensata de una vida subterránea en sótanos y cloacas y túneles del metro me transmitió una sensación de viscoso desasosiego, como si de repente me hubiese lamido una vaca. El camisón de Laura, al abrigar la palpitación de su pecho, adquiría una consistencia casi membranosa.

—Menos mal que no somos supersticiosos —me burlé, tratando de disipar el encantamiento de la Gorgona—. Si lo fuéramos, después de lo visto hoy, aplazaríamos nuestra boda.

—Todavía estamos a tiempo... —dijo Laura, para proseguir la chanza. Hizo una pausa y me miró de hito en hito, con una seriedad casi acongojada—. Bromas aparte, tenemos que seguir haciendo nuestra vida como si tal cosa. Y eso incluye tu viaje a Chicago.

Me exasperaba su insistencia:

—¿Qué se me ha perdido allí? Si Madrid parece, de repente, una ciudad fantasma, ¿te imaginas la animación que habrá en Chicago?

—Puedes dedicarte a buscar su secreto.

—¿Secreto? ¿Qué secreto? —estallé. Absurdamente, me sentía acechado de aprensiones.

—Todas las ciudades tienen un secreto. Una llave que franquea el paso a otra ciudad desconocida.

Había impregnado sus palabras de un aplomo demasiado enfático. Para rehuir su mirada inquisitiva asomé yo también medio cuerpo sobre el alféizar de la ventana con la excusa de escudriñar el vuelo ya apenas audible del helicóptero, que parecía llevarse a los últimos supervivientes de una epidemia que hubiese asolado la ciudad; quizá Laura y yo fuésemos apestados que dejaba atrás. Por un segundo, me sentí como un vagón desenganchado de la vida, herrumbroso y abandonado a la intemperie en mitad de un desierto.

El miedo paralizante que me agarrotaba por aquellos días, bien lo sé, nada tenía de novedoso o particular. Todos los novios primerizos, sin distinción de sexos, padecen idénticos síntomas a medida que se aproxima su boda; de repente, surge ante ellos un horizonte de escollos que hace complicadísima la navegación. El novio primerizo intuye entonces que su navío no tardará en embarrancar entre esos escollos que un segundo antes, con insolente desdén, ni siquiera se rebajaba a considerar, y trata de rectificar su derrota, pero descubre con pavor que el timón no responde a sus maniobras. A la postre, una racha de viento favorable suele evitar la colisión pero, mientras dura su amenaza, el miedo lo agarrota y le hace añorar el seguro puerto de la soltería. En ese período de medroso atenazamiento que precede a la boda me hallaba yo cuando viajé a Chicago, y aunque mi estado de ánimo no nacía de la inseguridad ni de la tibieza de mis sentimientos, su persistencia me infundía remordimientos ofensivos como un oprobio. A Laura jamás le describí la naturaleza inasible de mi miedo, por temor a tropezarme con su incomprensión y, sobre todo, porque la consideraba una expresión de debilidad, sin detenerme a pensar que quizá también a ella la aprisionase, en los recovecos más íntimos de su conciencia, esa misma debilidad.

Siempre presumimos en el prójimo una resolución que suple nuestros balbuceos y dubitaciones, sin entender que esa presunción es recíproca, porque la incertidumbre es nuestro estado crónico. En aquellas semanas que precedieron a nuestra boda prefería creer que mis indecisiones quedaban subsanadas por la fecticia determinación que atribuía a Laura. Por eso, cuando ella insistió tozudamente para que viajase a Chicago, cifré en aquella expedición tan poco remuneradora y tan mal remunerada la esperanza de aliviar el enjambre de aprensiones que se agitaba dentro de mí.

Luego, esa esperanza de alivio no tardaría en desvanecerse, tan pronto como me instalé en el avión que me depositaría en Chicago. Apenas lo ocupábamos diez o doce pasajeros, y eran tantos los asientos vacantes, y tan esquivas y suspicaces las miradas que intercambiábamos entre nosotros, que parecíamos asistentes a un velatorio del que hubiesen desertado los familiares del difunto. A todos nos habían inspeccionado el equipaje con ferocidad inusitada en busca de adminículos punzantes o afilados; a todos, además de obligarnos a pasar por el rutinario detector de metales, nos habían cacheado (nada me fastidia más que me palpen los micheliness); a todos nos había quedado, tras los trámites del registro, un regusto de intimidad desvalijada, y también un sentimiento mixto de bochorno y humillada impotencia. Hacía algo menos de dos meses que habíamos visto, repetida hasta el hastío por televisión, la hecatombe de las Torres Gemelas. El recuerdo de esas imágenes, mezclado con los residuos de despecho que nos habían dejado los registros del aeropuerto, dibujaba en nuestras facciones rasgos de hosca pusilanimidad, como de condenados al patíbulo. Cuando ya estábamos dispuestos para el despegue, el piloto políglota o siquiera bilingüe carraspeó, a través de la megafonía, antes de darnos la bienvenida; entre los pasajeros del avión se produjo una reacción de repeluzno unánime, como si se temieran que fuese a anunciar un secuestro, pero lo que formuló el piloto, tras las frases protocolarias de rigor, fue la invitación a ocupar los asientos delanteros. Así nos premiaba la compañía aérea la temeridad de no haber cancelado nuestra reserva:

—Nuestras azafatas tendrán mucho gusto en brindarles los servicios de la clase preferente. En nombre propio, y en el de la tripulación, les deseo un feliz viaje.

Quizá fuese porque la desconfianza aún reconcomía a algunos pasajeros; quizá porque aquel ofrecimiento les resultaba sospechosamente magnánimo y temían que a la postre les fuesen a cobrar un suplemento. El caso es que, por prevención o cazurrería, algunos declinaron la invitación. Yo la acepté de inmediato con gozo indisimulado; confesaré que, desde la lejanía plebeya de mis asientos en clase turista, siempre había imaginado los vuelos en clase preferente, al otro lado de la cortinilla, como bacanales con derecho a masaje tailandés. Conmigo se lanzaron a la conquista del lujo otros pasajeros; como yo, se arrellanaron en las espaciosas butacas y comenzaron a apretar los botoncitos que inclinaban los respaldos y extendían unas repisitas en los pies y permitían elegir entre diversos canales televisivos, todos ellos políglotas o siquiera bilingües, como el dadivoso piloto. En estas manipulaciones me hallaba engolfado, jubiloso como un palurdo de visita en Disneylandia, cuando me abordó una pasajera.

—Perdone, ¿es usted, verdad?

Lo había dicho con una voz medrosa y a la vez exultante, anticipándose a mi respuesta. Era una muchacha de sonrisa convulsiva e ingenua, mucho más ingenua que su indumentaria, que era ceñida hasta el ahogo. Me ofuscó su cabello, como un casco dorado que le alcanzaba, en una melena corta, el nacimiento del cuello y también la frente hasta las cejas (pero las cejas no eran rubias, sino enconadamente negras) con un flequillo pizpireto. No soy una persona célebre, aunque a veces mi rostro lo divulguen los periódicos, sobre todo los suplementos literarios, para ensañarse con mis novelas; cuando alguien, muy raramente, me reconoce, suelo adoptar una actitud de cautelosa coquetería que también he detectado en otras gentes del gremio.

—Alejandro Losada, el escritor. ¿Es usted, verdad?

Su sonrisa era insistente, además de convulsiva. La enmarcaban unos labios carnosos, apretados de vida, que no disentían de la nariz chata (nariz de boxeadora, recuerdo que pensé, impíamente) ni de los ojos glaucos, húmedos por la reciente explosión de alegría. Era una muchacha de facciones redondeadas, quizá vulgares en su mezcla de voluptuosidad e inocencia, pero a esas facciones, mejorándolas, se sumaba una impresión de generosidad, de incesante entusiasmo que, a diferencia de otros entusiasmos, no parecía forzado ni hipócrita.

Ocultaba los brazos en la espalda; la breve camiseta que contenía su opulencia dejaba al aire el perplejo ombligo y también las clavículas hasta su confluencia, como arbotantes que sostuvieran el escote.

—Sí, soy yo, me temo —consentí por fin, más halagado que cauteloso.

—No te lo vas a creer, pero... —ahora mostró los brazos, eran mollares y osados como su tuteo— estoy leyendo un libro tuyo.

Me mostraba un ejemplar de mi última novela, con aquella portada indecorosa y paletísima que los editores me habían impuesto, para escarnecerme. Hice un gesto conmiserativo:

—Ufff... Espero que sobrevivas a la experiencia.

Un par de azafatas empujaban los carritos de la prensa por el pasillo central. La muchacha primero amagó con recogerse tras el respaldo de mi butaca pero, un segundo antes de que las azafatas le impidieran el paso, preguntó:

—¿No te importa si me pongo a tu lado, en el asiento de la ventanilla?

Podría ser una plasta que no dejase de abrumarme con su cháchara hasta Chicago, pero su entusiasmo rendía cualquier reticencia. O quizá más bien la rindiese su belleza vulgar y oferente, aunque yo prefiriera fingirme ajeno a ella.

—¿Por qué habría de importarme?

No hizo falta que me levantara para facilitarle el acceso (ventajas de la clase preferente), tan sólo replegar un poco la repisita en la que ridículamente descansaban mis pies, como si aguardaran los servicios de un limpiabotas. Aunque el espacio entre las filas de asientos era sobrado, la muchacha actuó como si fuese angosto y pasó de espaldas, cuidando de no rozarme; inevitablemente (o quizá sí podría haberlo evitado, pero me faltaron reflejos o ganas), le miré el culo, que no era magro, aunque lo aprisionara un pantalón vaquero.

—Perdona, ni siquiera me he presentado. —Se había puesto en cuclillas sobre el asiento y se balanceaba levemente, como si quisiera comprobar la calidad del relleno—. Elena Salvador. Soy profesora de música en un instituto de Valencia. Profesora interina, por el momento.

Desde la megafonía, nos aturdían con una murga políglota o siquiera bilingüe, describían absurdas instrucciones de salvamento (como si alguien aún no supiese que en los accidentes de aviación no

se salva ni el apuntador) que las azafatas ilustraban con una coreografía muda y desganada, sabiendo que nadie les hacía ni puñetero
caso, fuera de algún salidorro con afición a las pantomimas.

—Eres mi escritor favorito, no me pierdo ninguno de tus libros
—continuaba Elena.

El zumbido de los motores convertía su locuacidad en un revoltijo
de aspavientos. Hablaba y hablaba sin descanso, sin dimitir de su
sonrisa. Yo asentía bobaliconamente, sordo ante lo que presumía una
catarata de elogios, mientras el avión se embalaba y la tierra se divor-
ciaba de las leyes de gravedad, como ocurre en los sueños. También
como en los sueños, sentí esa impresión, placentera y abismal a un
tiempo, de vértigo en las tripas, como si de repente una serpiente se
desentumeciera dentro de ellas.

—... no te ofendas. Me gusta, pero no tanto.

Ahora el zumbido de los motores se iba apaciguando, a medida
que ascendíamos. En la sonrisa de Elena, que aguardaba mi respuesta, se transparentaba cierta indulgencia.

—¿Cómo has dicho? Perdona, pero el ruido...

—Nada, no te preocupes, una chorrada. Pensarás que soy una
caradura.

Pero su cara era blanda y liberada de aristas, incitante y honrada
como la cara de esas chicas que anuncian compresas y otros apósitos
sanitarios.

—En serio, no te cortes —la animé, con esa familiaridad que a veces los escritores brindamos a quien nos lee, para enseguida arrepen-
tirnos—. Dispara.

Íntimamente, me avergoncé de introducir términos tan coloquia-
les en mi conversación, que además sonaban postizos puestos en mis
labios. También me avergonzó pensar que la entrometida Elena pudiera entender que me estaba haciendo el coleguita, para ligármela.
Y me avergonzó todavía más (con una vergüenza aderezada de remordimientos) pensar que, en efecto, estaba empleando el mismo
lenguaje desenvuelto —arteramente desenvuelto— que empleaba en
mis conversaciones con mujeres, antes de comprometerme con
Laura.

—Supongo que es una impresión a primera vista, seguro que a
medida que avance en la lectura cambiaré de opinión. —Elena dispa-
raba como una metralleta, tomándome la palabra, y con una imperti-

nente puntería, además—. Mi opinión no vale una mierda, no soy especialista en literatura. Pero ésta no es tu mejor novela; quiero decir que de momento no me lo parece.

Ensayó un mohín travieso y refugió el cuello entre los hombros, como los niños que desean hacerse perdonar un desliz y de paso esquivar un guantazo. Volvió a sonreír con indulgencia, como si con esa sonrisa me absolviese de las superficialidades que enfangaban mi último libro; no sabía Elena que, en mi fuero interno, yo juzgaba esas superficialidades con más severidad que nadie.

—¿Te has ofendido? —me preguntó compungida—. Sí, te has ofendido... No me lo perdonaré jamás. —Hablaba como si aún no se explicase los motivos de su enfadosa osadía—. Sí, te he ofendido.

Y su voz se hacía implorante y enfurruñada. Me había ofendido, en efecto, pero no tanto por formular un juicio desconsiderado como por haber removido el fondo de una ciénaga que yo siempre procuraba rodear. Nadie mejor que yo sabía que me había dejado engatusar por las melopeas y ardides de la musa mercenaria en lugar de encerrarme en ese silencio incorruptible del escritor que sólo anhela la gloria; pero ese reproche tácito que yo había logrado mantener como en sordina se imponía, brutal y extemporáneo, en los labios de una muchacha a la que ni siquiera conocía. Nada resulta tan embarazoso como confesarse sin ambages ante un recién llegado.

—No, si quizá tengas razón. —Las azafatas nos atiborraban de piscolabis y licores variopintos. Calculé que, con un poco de suerte, Elena acabaría sucumbiendo a la somnolencia; esta expectativa me aliviaba—. Hay libros que uno escribe para tomarse un respiro. Ya sabes, hay que recargar las pilas para el próximo pero, mientras tanto, los editores te achuchan; y, además, hay que comer.

Apenas tendría cuatro o cinco años menos que yo, pero en ese lapso de tiempo se agolpaban, como fardos de decrepitud, esos instantes irrecuperables en que uno declara abolidos para siempre los alborozos de la juventud. Elena me escuchaba como imbuida de una avidez y una curiosidad que también habían sido mi patrimonio, cuatro o cinco años antes.

—Pero no hablemos de literatura —propuse—. O al menos no de mi literatura, es un tema aburridísimo.

Elena mostró su contrariedad con un respingo; por debajo de la camiseta, sus senos protestaron con un temblor gemelo. Por la ventanilla se veía un cielo empedrado de nubes, como un colchón incitando a los suicidas.

—¡Qué dices! —protestó, escandalizada—. No se me ocurre tema más divertido.

—Mucho mejor que escribir libros es vivirlos —dije, con nostalgia del hombre de acción que me hubiese gustado ser—. Vivir novelas distintas cada día.

—Pero... ¿estás loco? —ahora la ofendida era ella—. La vida se queda para las personas vulgares como yo. El arte es una forma de vida superior. A mí me hubiera gustado saber componer sinfonías, pero como soy del montón me tengo que conformar con enseñar solfeo a una pandilla de cenutrios con acné.

Me figuré, con una suerte de envidia melancólica, las calenturas que Elena desataría entre aquella pandilla de cenutrios con acné. Todavía insistió:

—Y mientras yo les enseño lo que es un pentagrama, tú estarás luchando en tu escritorio, haciendo brotar belleza de las palabras. ¡Menuda diferencia!

Habría preferido gustarle por otras razones que nada tuvieran que ver con el manejo cansado de las palabras; ni siquiera la vanidad satisfecha por la alabanza aplacaba mi decepción. Mucho más admirables que mis presuntas virtudes literarias se me antojaban su opulencia y su entusiasmo, toda esa plétora de vida que ella encarnaba, inconsciente quizá de ello, todo ese exceso de vida que se desbordaba en su sonrisa convulsiva y en sus dientes absortos.

—Por ponerte un ejemplo —proseguí mi argumentación—. Yo viajo a Chicago por una razón aburridísima. Tengo que soltar un rollazo de conferencia, entre el público no habrá más que hispanistas somnolientos. En cambio, a ti seguro que te aguarda alguna aventura.·¿A que sí?

Elena se mordió el labio inferior con sus dientes que ya no eran absortos, sino incisivos. Con un calambre o leve escalofrío atisbé por una fracción de segundo la marca de momentánea palidez sobre la carne en ascuas.

—¿A que sí? —insistí.

—Ojalá, pero no creo. —No detecté en sus palabras ninguna insinuación—. Me quedaré sólo un par de días, lo justo para conocer un poco la ciudad y tomar el enlace. En realidad viajo a Vancouver, pero no había vuelo directo.

—¿Vancouver? Eso está en Canadá, ya casi en la costa del Pacífico, ¿no? —Me estaba dando la razón: un viaje tan dilatado, aunque sólo fuese por el trajín de escalas y aeropuertos, tenía que deparar forzosamente alguna aventura—. ¿Y qué se te ha perdido en Vancouver?

No se le había perdido nada; allí la aguardaba su novio, un violinista que trabajaba para la orquesta sinfónica de aquella ciudad. Elena me narró las vicisitudes nada convencionales de su noviazgo con un principio de éxtasis, mientras el avión huía del crepúsculo y las azafatas nos aturdían con su monótona obsequiosidad. Había avistado a William —así se llamaba el agraciado— desde el gallinero del Palau de la Música de Valencia; su sueldo de profesora interina, nada rumboso, no le permitía acceder a la platea. La Orquesta Sinfónica de Vancouver interpretaba la *Sinfonía Júpiter* de Mozart; lo hacía con una suerte de cansina corrección o exhausto academicismo, como si estuviese ejecutando un castigo. En el arranque del primer movimiento Elena ya había detectado, entre la indolencia de los instrumentos de cuerda (achacó este inicio mortecino a las alteraciones que el cambio horario habría introducido en el reposo de los intérpretes), un hilo de vivacidad, de rebelde exultación que se resistía a perecer. Un par de minutos después, cuando los violines dialogaban con los bajos —*allegro vivace*— anticipando los motivos del tercer movimiento, Elena pudo individualizar al joven que contrariaba el abatimiento de los otros. No era particularmente atractivo; desde la lejanía, pudo distinguir la calvicie que le trepaba por las sienes y colonizaba la coronilla, las mejillas demacradas, la mirada emboscada en la cueva de unas tímidas ojeras. Al iniciarse el segundo movimiento William cargó sobre sus espaldas el cadáver de la orquesta: su violín sostenía la emotividad del pasaje, mitigaba la postración del oboe y la flauta, deslizaba su secreto tesoro de síncopas y tejía la delicada urdimbre de los arpegios que los demás se encargaban de dilapidar, en un batiburrillo muy respetuoso de la cadencia, pero refractario a la emoción. Sólo cuando el desarrollo del motivo admitía la octava alta, el violín de William alzaba el vuelo para distinguirse del oboe, que servilmente lo seguía a ras de tierra. Antes de iniciarse el minueto del tercer movimiento, William había reclinado su demacrada mejilla sobre el violín, como si quisiera transmitirle amorosamente su fiebre; este gesto, que participaba del misterio y de la delicadeza, acabó de rendir a

35

Elena. Trompas y timbales desbarataban el ensimismamiento, aunque el violín de William se imponía con limpidez, dirigiendo la melodía; los rencorosos fagotes, oboes y flautas infamaban su eco en la secuencia de las disonancias, que resolvían con grosería y ramplona impiedad. La violencia aparatosa del cuarto movimiento —*molto allegro*— era interpretada por la orquesta con un ímpetu de charanga que encontró la connivencia del público; en medio de tanta pomposidad, las fugas de William imponían un contrapunto huraño, como de animal que se desangra lejos de la manada para morir solo. La furia del movimiento poseía a William, su cuerpo se arqueaba sobre el instrumento —tenía una estampa flaca, un poco desgalichada, a la que un frac poco lustroso no añadía apostura— y respiraba a través de él; ahora era un centauro de madera y carne, incendiado de fuegos íntimos, y la orquesta un mero acompañamiento que distraía al público de lo que verdaderamente importaba; no a Elena, sin embargo, que también respiraba por el violín de William. Al concluir la bacanal sonora urdida por Mozart y destrozada por la Orquesta Sinfónica de Vancouver, se quedó en su butaca, expoliada por la pujanza de un sentimiento que nunca antes la había visitado, mientras el público del gallinero —pero también el más empingorotado de la platea— aplaudía sin demasiado criterio, como cumpliendo con un rito que justificaba el desembolso. Los músicos correspondían a los aplausos con reverencias de pingüino, pero William sólo dispensaba su atención al violín, cuyas cuerdas parecía auscultar en busca de alguna recóndita afonía; ajustaba las clavijas del mástil y acariciaba la madera como si le pasara la almohaza a un caballo que aún conservase en la piel el calor estremecido de la carrera. Entonces William alzó la mirada (siempre refugiada en la cueva de las ojeras, un poco displicente o sombría) y la paseó por el gallinero hasta dar con Elena, porque *sabía* que ella, sólo ella, había escuchado su música entre la estridencia de la otra música que aplaudía el público gregario.

—¿Qué quieres decir con «*sabía*»? ¿Tienes poderes telepáticos? —la interrumpí.

No negaré que en aquella interrupción jocosa subsistía algún residuo de resentimiento por el mal trago que Elena me había hecho pasar un rato antes. Su copiosa sonrisa se derrumbó por un momento ante mi agresión y me sentí un poco miserable; quizá fue este remordimiento lo que me impidió entrever la semilla de locura que Elena albergaba bajo aquella apariencia de vulgar belleza redimida por la generosidad y el entusiasmo. La locura incubándose, como se incuba la vida invisible.

—¿Por qué te burlas de mí? —me censuró, con sincera perplejidad—. ¿A ti nunca te ha ocurrido que de repente, como si fuera una corazonada, te sientes inexplicablemente unido a otra persona?

Las azafatas persistían en la tabarra de los piscolabis, los brebajes y las pijaditas. Ahora tocaba el turno de retirar las bandejas con los restos de comida profiláctica y desaborida que nos habían propinado; en la bandeja de Elena, el muslo de pollo apenas mordisqueado tenía un aspecto granuloso, como de piltrafa envenenada. Las turbulencias extraían a nuestros intestinos un concierto desafinado de borborigmos.

—Ya no quise quedarme a la segunda parte del concierto —prosiguió Elena, restablecida del afligido estupor que le había causado mi ironía—. Como soy asidua a los conciertos del Palau, tengo algunos bedeles amigos. Logré sonsacar a uno de ellos y enterarme del hotel en que se hospedaban los miembros de la orquesta.

En el vestíbulo del hotel, para suspicacia de conserjes y recepcionistas, aguardó el regreso de los canadienses, que fue tardío y un poco caótico. Aunque habían llegado molidos por el viaje trasatlántico, no quisieron acostarse sin empedrar su estómago con una paella y ceder a la melopea del vino. Liberados de las angosturas de la etiqueta y náufragos en la marejadilla de la borrachera, los músicos tenían un aspecto como de leñadores hiperbóreos expulsados de algún bosque mitológico por haberse follado en sus parrandas a las náyades y ondinas del lugar. William llegaba entre los más rezagados del grupo, también entre los más serenos (pero a veces la serenidad es una expresión del hastío y la desolación); lo abordó junto al mostrador de recepción, antes de que pidiera la llave de su cuarto. Ahora podía abrevar en su mirada sombría, que no era exactamente triste ni agriada, sino más bien prisionera de una pasión que se había resignado a ocultar pudorosamente porque no encontraba destinatarios a su altura, capaces de valorarla en su justa medida; la proximidad corroboró a Elena que no se trataba de un hombre guapo, era demasiado enclenque y abstraído para resultar guapo. Pero debajo de sus facciones casi céreas Elena creyó atisbar una calavera de tortuosa belleza. Le sonrió con su sonrisa desarmante (demasiado convulsiva para mi gusto, pero portadora de incitaciones, sobre todo para un hombre que viene del frío y los pentagramas) y no hubo más.

—Nada más que se pueda contar, quiero decir —remató, acomodándose en la butaca.

El alborozo le permitía columpiarse dentro de sus ropas a pesar de que eran muy ceñidas. Sus dientes volvían a ser absortos, pero ya no se dedicaban a admirarme, ahora invocaban el recuerdo de unos episodios que pronto se renovarían. Me sobrevino un ramalazo de celos incongruentes que me apresuré a repudiar, por respeto a Laura (pero Laura no estaba allí, Laura no podía verme); supuse que, de haber estado presente, no le habrían complacido los derroteros de nuestra conversación.

—¿Nada más? —protesté.

—Retrasó su regreso a Vancouver una semana —transigió Elena—. Por fortuna, la orquesta no tenía una agenda demasiado apretada. Te pareceré una cursi, pero fue la semana más feliz de mi vida. Con decirte que no salimos del hotel... El pobrecito William se volvió sin conocer Valencia.

—¿Y después?

—Después, a distraer el ayuno con llamadas, con correos electrónicos... —Elena ya se estaba arrellanando en la butaca, tanteando la posición idónea para descabezar una siesta—. Y chateamos todas las noches; no te puedes imaginar los progresos que he hecho con mi inglés macarrónico. Así durante más de un mes: los compromisos no le han permitido volver a España y a mí me ha costado mucho juntar el dinero del viaje. Con la birria que me pagan no hay quien ahorre.

Sus últimas palabras ya se enredaban en una telaraña de ronroneos. Se descalzó con una suerte de deleitoso desparpajo, haciendo palanca con la repisita de los pies en el talón; no tenía reparos en mostrarse descalza a un extraño (tampoco los había tenido en contarle las vicisitudes de su idilio) porque sus pies eran menudos e invitaban a la prosternación. Contemplé sin rebozo las venillas que descendían por su empeine, como vetas de algún esbelto mineral o cursos de sigilosa agua, y los dedos que se arracimaban como un cardumen de peces que balancea la corriente, haciendo difícil su cómputo. El esmalte de las uñas era nacarado, con irisaciones que espejeaban al reflejar mi deseo.

—Que descanses —dije en voz alta, para espantar mis peligrosas cavilaciones—. ¿Quieres que te despierte antes de llegar a Chicago?

Pero ya no me oía. En su sueño quizá viese al violinista William, porque había en sus labios un fruncimiento apenas perceptible de satisfacción y luego un benigno sosiego que se fue derramando por el resto de su fisonomía a medida que su respiración se acompasaba. Como las azafatas habían cesado o siquiera interrumpido sus tejemanejes, aproximé mi rostro al suyo para sentir la cadencia de su hálito, su tibieza de pajar donde germina el heno, y cerré los párpados, temulento de aquella vida que le asomaba entre los dientes. Ahora que la sonrisa convulsiva había desertado por fin de su rostro, ahora que una voluptuosa placidez la había suplantado, adquiría un encanto mayor que hacía más apetecible o venial la vulgaridad de sus rasgos: la nariz chata (nariz de boxeadora, pensé otra vez, ahora con lascivia), el cabello requemado por el tinte rubio, las cejas negras como un dique frente al flequillo que tapaba su frente. Espié el vaivén de su respiración, como un fuelle que inflamaba sus senos, el hoyo liviano pero intrincadísimo del ombligo y, sobre todo, el escorzo de sus caderas (se había acurrucado en posición fetal en el asiento) y los muslos como husos que se desbordaban, desafiando las costuras del pantalón vaquero. Mi última novela yacía junto a ella, como un despojo; no sé si contagiado por esa visión, me sentí miserable por profanar su indefenso sueño con mi espionaje, que era sucio y desleal. Un segundo después me sentí abyecto, porque también era sucio y desleal con Laura (pero Laura no estaba allí, Laura no podía verme), a quien tanto amaba.

Para distraer aquella momentánea debilidad, me entretuve hurgando en el neceser de viaje que las azafatas nos habían repartido, en alguna de sus solícitas idas y venidas. Había, entre otras chorradas, un antifaz acolchado, incluido presuntamente para favorecer el descanso. Me lo puse para borrar las tentaciones contemplativas, como el enfermo refresca su frente con una cataplasma. El antifaz era incómodo, me oprimía las sienes con su goma y dificultaba el parpadeo, pero al menos cegaba la visión de la durmiente Elena.

Las azafatas seguían revoloteando entre las butacas cuando me aparté el antifaz. Trataban de exorcizar con su presencia incesante (juraría que se turnaban, como en una carrera de relevos) el fantasma de Bin Laden, con quien inevitablemente habían soñado los muy escasos pasajeros, a juzgar por los síntomas de congestionado horror que mostraban tras la siesta. No había llegado a pegar ojo, pero la pugna callada con mis atavismos me había mantenido ajeno a las obsequiosidades de las azafatas, y también a los partes meteorológicos que periódicamente emitía desde la cabina el piloto políglota o siquiera bilingüe, para ganarse el sueldo y el derecho a la huelga. Habían enchufado ya la música enlatada (un soniquete muy apto para acompañar las abluciones matutinas de un asesino múltiple), señal inequívoca de que iniciábamos las maniobras de descenso y aterrizaje. Las azafatas ordenaban a los pasajeros que se abrocharan los cinturones de seguridad (yo no había llegado a desabrocharlo, para que actuase a modo de cinturón de castidad); las casi diez horas de vuelo les habían marchitado el cutis, emborronado la cortesía y anticipado la jubilación. El cielo, esa fábrica de mitologías, se deshilachaba de nubes que acolchaban el descenso. Seguía siendo de día, como en las novelas mejor intencionadas.

—Has echado una buena cabezada —me saludó Elena tan pronto como me aparté el antifaz—. Y eso que la dormilona parecía yo.

El mundo, o su maqueta, comenzaba a hacerse visible a través de la ventanilla; tenía un tedioso parecido con las imágenes captadas por el satélite Meteosat, pero en colorines. Elena había vuelto a calzarse.

—¿O no estabas dormido? —me perturbó su beligerancia—. ¿Te estabas haciendo el dormido, para escaquearte?

—¿Escaquearme de qué? —protesté.

Yo bien sabía de qué había querido escaquearme: la llamada indescifrable de sus dientes, el hoyo liviano pero intrincadísimo de su ombligo, sus pies menudos que invitaban a la prosternación.

—De contarme tu historia, si es que la tienes —se apresuró a responder—. Yo te conté lo de William.

Reparé en que había avanzado en la lectura de mi novela cuatro o cinco capítulos, precisamente los más apretados de confidencias, así que ya podía considerar colmada su curiosidad. En los merodeos y circunvoluciones previos al aterrizaje el avión parecía despeñarse por una escalera, o descender a saltos sus peldaños; a cada salto, el alma se desasía del cuerpo y tardaba una décima de segundo en ocupar otra vez su hueco. El tránsito por la estratosfera había espesado mi saliva, le había añadido una aspereza que era a la vez expeditiva y pusilánime:

—Me caso dentro de nada —resumí.

Elena se aferró a su sonrisa como nos aferramos a una altiva dignidad para esquivar los arañazos del agravio. Pero yo no había pretendido agraviarla, tan sólo deseaba rectificar algunos signos de desenvoltura en los que había incurrido al principio del vuelo, signos que Elena podría haber confundido con maniobras propias del galanteo.

—Comprendo —dijo.

Y se atrincheró detrás de mi novela, ofreciendo a mi contemplación la portada indecorosa y paletísima que los editores me habían impuesto, para escarnecerme. El silencio, edulcorado por la musiquita enlatada, me hizo sentir todavía más miserable que unas horas antes, cuando me sorprendí concibiendo lujuriosas ensoñaciones. Experimentaba un sentimiento que el lenguaje no registra (o no registra con una sola palabra), equidistante del orgullo y de la culpa, que quizá admita una explicación en el ámbito de las patologías masoquistas; consiste en renunciar a lo que nos gustaría haber hecho y en congratularnos de no haberlo hecho, saboreando las delicias del sacrificio y lamentando a un tiempo nuestra irresolución. Todo muy alambicado, como se ve. El avión ya pegaba botes sobre la pista de aterrizaje y la inercia nos propulsaba hacia delante en nuestros asientos. Elena perseveraba en la lectura fingida de mi novela, pero se había olvidado de pasar las páginas.

Luego, el silencio se haría aún más vergonzoso y magullado en el autobús que nos conducía hasta el pabellón de llegadas. El crepúsculo caía sobre las pistas del aeropuerto O'Hare de Chicago y aletargaba nuestra tristeza de animales enjaulados. Elena se apoyaba sobre una de las barras de sujeción del autobús y se dejaba zarandear en las curvas, como un fardo mal estibado; se le había descompuesto el maquillaje y alborotado el pelo, y los poros de su piel se abrían, exudando una grasilla que agriaba su juventud. Tenía un aspecto pasivo y bestial (luego, ante el espejo del lavabo, en el hotel que los organizadores de mi conferencia me habían asignado, comprobaría que mi aspecto era idéntico) y no se recataba de bostezar. Los pasillos del aeropuerto O'Hare, condecorados de inscripciones patrióticas y esquelas que recordaban a los muertos en la hecatombe de las Torres Gemelas, acogieron el eco de nuestras pisadas con esa indiferencia desahuciada que tienen los páramos donde se amontona la chatarra. Los escaparates de las tiendas habían retirado sus bisuterías y extendido, a guisa de crespones, banderas de la nación humillada que clamaba una expiación. En los otros vuelos que acababan de llegar al aeropuerto debían de viajar tan escasos viajeros como en el nuestro, porque en las dependencias donde se recogía el equipaje las cintas giratorias apenas evacuaban, de vez en cuando, una maleta huérfana que su propietario también huérfano recogía como pidiendo disculpas por existir. Había policías a porrillo y también militares con incongruentes uniformes de campaña y dispuestos a achicharrar a balazos al primero que saludara en dirección a La Meca. Por los altavoces del aeropuerto se oía un discurso del presidente Bush, atribulado y hostil a partes iguales, en el que se anunciaba el resultado de las primeras operaciones de represalia en Afganistán. Olía a estado de sitio, que es un olor de náusea retenida y búnker mal ventilado, un olor agrio de cucarachas pisoteadas y cloroformo a granel.

—Por ahí viene nuestro equipaje.

Había hablado para conjurar la impresión de asfixia que me atenazaba y también para rasgar ese silencio como de adúlteros por telepatía que nos iba infectando, tanto a Elena como a mí. Cuando se inclinó sobre la cinta giratoria (su culo desafiando las costuras del pantalón vaquero), volví a sentir el apremio de ese confuso sentimiento al que antes me referí, mezcla de orgullo y de culpa y de nostalgia. Siempre se añora lo que nunca tuvimos ni disfrutamos.

—Ahora tengo que buscar el mostrador de Air Canadá —se excusó Elena. Su mirada se había vuelto huidiza o consternada—. Quiero dejar cerrado mi vuelo a Vancouver.

—Te acompañaría con mucho gusto, pero los organizadores de mi conferencia habrán venido a recogerme. Quizá se alarmen si...

La falsedad me rechinaba entre los dientes como un gozne mal engrasado. Entre Elena y yo crecía el cadáver del silencio, comido por los gusanos.

—Ni se te ocurra, por favor. No los hagas esperar más. —Hizo una pausa que revelaba una pugna entre su desamparo y su enojo—. Yo me hospedaré en un hotelito muy modesto que se llama Comfort Inn. Si tú me dieras el nombre del tuyo...

—El caso es que no me lo sé —mentí; más que miserable, me sentía francamente felón—. No sé cómo podríamos...

—Nada, nada, olvídalo. —Ahora su sonrisa era lastimada—. Si te apetece, me llamas. Y si no, seguro que otra vez coincidiremos, en algún otro avión.

—Me temo que la próxima vez será en clase turista.

La broma había sonado exhausta entre el monótono discurrir de las cintas giratorias. Nos besamos en las mejillas, o más bien las rozamos protocolariamente, mientras los besos se perdían en el aire, rehuyendo a su destinatario. Mientras me encaminaba hacia la salida, donde aún habría de prestar mi maleta y mi pasaporte al escrutinio de los militares que buscaban entre los equipajes pasquines de Al Qaeda, pensé un tanto ridículamente que acababa de rehuir una de esas asechanzas o conjuras cósmicas que conspiran contra los matrimonios en ciernes. Sentí, sin embargo, más contrición que alivio.

—¡Ya te contaré qué me pareció tu novela cuando el azar nos junte en otro avión!

Me volví un segundo, para contemplar su figura juvenil y tan deseable, y le dirigí un último gesto de asentimiento. La distancia le impediría reparar en ese gesto, como a mí me impedía distinguir que su sonrisa había degenerado en un rictus de cansancio. Ninguno de los dos sabíamos que el azar, ese incógnito juego de simetrías, ya había puesto en marcha sus estrategias para enredarnos en un juego de confusión y violencia. El azar, convertido en una cinta atrapamoscas.

Todavía hoy, cuando me dispongo a reconstruir aquel capítulo de mi existencia que durante un tiempo creí sepultado en los sótanos de la vida invisible, me parece increíble que la muchacha que estuvo sentada conmigo en el avión acabase destruyéndose en un peregrinaje por los tenebrosos pasadizos de la locura. Aquella impresión de generosidad, de incesante entusiasmo, que me había transmitido en nuestro primer encuentro actuaría ya para siempre como una percepción retrospectiva que agigantaba la magnitud de mi desliz, tan venial en su origen, tan grave en sus consecuencias. El viaje al fondo de la noche que Elena iba pronto a iniciar debió de ser tan largo y abismal y complicado de meandros que no puedo evocarlo sin ceder a las lágrimas. En apenas unos meses, Elena viajó desde un extremo de sí misma al otro, desde aquella sonrisa efervescente y convulsiva que parecía en armonía con el mundo hasta esos finisterres de abandono donde naufraga la humanidad. Quizá cuando llegó a ese destino final, tras el trayecto erizado de espinas y sufrimientos impronunciables, ya ni siquiera supiese de dónde venía. A mí, en cambio, las etapas de ese viaje me lacerarían con una avalancha de abrumadores recuerdos, vívidos y ciertos como las estaciones de un vía crucis que yo mismo había desatado. Inconscientemente, tal vez, pero la inconsciencia no atenúa la culpabilidad del delincuente; incluso la agrava.

Los organizadores de mi conferencia, demasiado señoritingos para emplear sus energías en tareas subalternas, habían enviado al aeropuerto O'Hare a un chófer con el consabido cartelito identificatorio. Durante el trayecto hasta Chicago apenas crucé palabra con él, fuera de las fórmulas de cortesía y bienvenida que se preceptúan en estos casos. El coche, silencioso como un reptil, enfiló la autovía Kennedy, escoltada de vías férreas por las que se perseguían los trenes, como mamuts de herrumbre que ensordecían el silencio con sus vagidos. La autovía Kennedy estaba desierta, y sus cinco carriles tenían esa suciedad expoliada que tienen las carreteras cuando acaban de acoger una repentina diáspora. La hecatombe de las Torres Gemelas había convertido al país entero en una Atlántida sumergida que rumiaba una venganza. Mientras esa venganza o expiación llegaba (pero nunca llegaría del todo), la vida de sus ciudades más populosas se había hecho subterránea y cifrada, como si sus habitantes fuesen miembros de una masonería que sólo abandonara sus madrigueras al conjuro de contraseñas convenidas. Esta adopción de la vida subterránea como recurso defensivo, que hubiese cambiado la fisonomía de cualquier ciudad, se hacía muy especialmente notoria en Chicago, la metrópoli que vive encaramada en las nubes. El ocaso infamaba con sus harapos los suburbios, donde se hacinaban las tribus de la miseria, compartimentadas según su procedencia geográfica y su aportación de melanina. Un poco más allá, sobre el horizonte apretado de rascacielos, la luz postrera del día adquiría una textura como de polen mugriento. Ni en las casas abyectas y destartaladas de los pobres ni en las casas suntuarias y cenitales de los ricos se atisbaba el resplandor de una lámpara; quizá las casas de Chicago las habitasen los descendientes de aquellas vírgenes necias de la parábola evangélica.

El curso del río Chicago acompañaba al coche en su recorrido hacia la ciudad sin lámparas; su presencia despavorida a lo lejos era la sombra de un caballo huyendo entre una ciega putrefacción de algas y juncos y diques de cemento. Cuando por fin desembocamos en la avenida Michigan y desfilamos entre sus edificios, presuntuosos y erguidos como estandartes de soledad, me acometió un doble desamparo: el mío propio y, adherido a él, parasitándolo, el desamparo que simultáneamente minaría a Laura en nuestro piso madrileño; este desamparo hubiese sido triple si me hubiese acordado entonces de Elena, extraviada por los pasillos laberínticos del aeropuerto O'Hare, pero la nostalgia de su presentido cuerpo era una herida que ya creía cicatrizada y confinada para siempre en las cámaras del olvido. Desde la ventana de mi cuarto en el Hotel Westin (situado en un modesto décimo piso, una altura insignificante para una ciudad que repite las ambiciones de Babel) se avistaba la mole ahusada del John Hancock Center, el rascacielos que cobijaba el saloncito de actos donde yo habría de pronunciar mi conferencia ante un público esmirriado de hispanistas al borde de la jubilación. Un retazo claudicante de luz se aquietaba sobre la fachada acristalada del edificio. Apenas me hube instalado, me abalancé sobre el teléfono y marqué el número de nuestro piso madrileño. Un segundo después advertí que la diferencia horaria iba a convertir mi llamada en un sobresalto para la durmiente Laura y estuve a punto de colgar, pero enseguida decidí que sería mejor no retractarme, pues el teléfono ya había establecido comunicación. Laura tardó casi medio minuto en descolgar; por los ruidos que se filtraban a través del auricular (como si el océano que nos separaba estuviese arremetiendo con el ejército de sus olas), deduje que lo había hecho a tientas, arramblando con el despertador y la lámpara de mesilla y la muralla de libros que inspiraban con sus argumentos plomizos el sueño de Laura, el bendito sueño de Laura que no merecía ser profanado.

—Perdona, creo que te he despertado —la saludé, ensayando un tono que se pretendía compungido y travieso a la vez.

Su voz, en cambio, sonó ensombrecida por esa súbita irritación que nos asalta cuando alguien interrumpe nuestro descanso:

—Estaba soñando un sueño idiota.

—Bueno, supongo que todos los sueños tienen algo de idiotas —la tranquilicé sin demasiada convicción, contrariando mi fe supersticiosa en los sueños—. ¿Y éste de qué trataba?

Había procurado que mi curiosidad no sonase apremiante, pero Laura debió de detectarla, porque trató de escabullirse:

—Ya ni me acuerdo. De algo demasiado embarullado.

—Venga, no te hagas de rogar —dije—. Dime de qué trataba.

—Te vas a reír de mí. Resulta que el día de la boda me dejabas compuesta y sin novio.

Las cristaleras del John Hancock Center llamearon con un último vestigio de luz agónica; luego, casi instantáneamente, un mordisco de noche se arrojó sobre ellas. Fue como si el sueño de Laura se cerniera de pronto sobre Chicago.

—Bueno, espero que al menos no te hubiese dejado por otra —bromeé.

En el fondo temía que Laura, con sus brotes de clarividencia, adivinase la tentación que me había asaltado durante el viaje.

—Pues yo juraría que sí, porque alguien me traía tus huevos cortados en una bandeja.

Laura sofocó una risa al otro extremo de la línea.

—Mis huevos... Un sueño de castración. Freud hubiese hecho negocio contigo.

Me esforzaba por sostener la broma. El mobiliario de la habitación, que un minuto antes me había pasado desapercibido, de tan trivial y desangelado, cobró de repente un aspecto lóbrego. Crujió, en algún lugar inconcreto, un mueble. Fue un chasquido breve y seco, seguramente causado por la dilatación de la madera o por algún otro fenómeno natural perfectamente explicable que, sin embargo, me contagió una vivísima zozobra, como si el sueño de Laura caminase entre las sombras.

—¿Te pasa algo, Alejandro?

—Joder, que si me pasa... Se me han puesto por corbata.

Laura lanzó una carcajada, ahora decididamente aviesa.

—Anda, tonto, que lo de la castración era una trola —dijo—. Pero que conste que me dejabas sola en la iglesia.

Dirigí una mirada exhausta hacia la cama donde habría de dormir. Un instintivo pavor se derramó sobre mí cuando reparé en las arrugas del edredón, agravadas por la oscuridad, que parecían conservar el molde de un cuerpo humano. Quizá la mujer de la limpieza se hubiese tumbado sobre la cama, para aliviar los dolores de la osteoporosis y el reúma, una vez concluidas sus faenas. O quizá el ocupante anterior había echado una siesta a deshoras, cuando ya debería haber abandonado la habitación. O quizá (eran pensamientos enfermos que se expandían como las ondas que una piedra deja sobre la superficie de un estanque) algún otro cliente del hotel se había sentido indispuesto (un mareo, una náusea, un vértigo, una angina de pecho, una embolia cerebral), mientras aguardaba en el vestíbulo del hotel la llegada del taxi que lo condujese al aeropuerto, y lo habían trasladado a aquella habitación desocupada para asistirlo en su desvanecimiento o agonía. Alargué una mano hacia el edredón, que tenía el tacto frío y viscoso de un cadáver.

—¿Sigues todavía ahí?

La voz de Laura me sobresaltó como una puerta cerrada con estrépito.

—El viaje no ha debido de sentarme nada bien. Me noto un poco mareado.

De un zarpazo, alisé las arrugas del edredón.

—Yo también ando medio tarumba con todo este jaleo de la boda.

Creo que tanto a Laura como a mí nos amedrentaba el matrimonio —aunque no lo confesáramos— porque era la llave que abría las puertas de una convivencia en la que ya no era posible el escamoteo. El noviazgo permite un juego recíproco de prestidigitaciones entre los amantes, que despliegan el repertorio de sus virtudes y dejan en la trastienda su provisión de defectos; pero, con el matrimonio, esa provisión mantenida hasta entonces a buen recaudo irrumpe con el ímpetu de un río crecido para recordarnos que nada se hace impunemente, ni siquiera los actos que no llegan a consumarse, ni siquiera los deslices más vergonzantes o clandestinos.

—O sea, que viajaste en clase preferente por toda la jeta. —Acababa de contarle a Laura las muy escasas vicisitudes del vuelo, pero sin mencionar a Elena, sin mencionar mi desliz no consumado—. ¿Y qué tal fue la experiencia?

—Indiferente —mentí—. Vine casi todo el viaje amodorrado. Diez horas tiradas a la basura.

Temía que, pese a las leguas de océano que nos separaban, Laura descubriese mi mentira en una de esas iluminaciones intuitivas que la visitaban tan a menudo, pero nada sospechó entonces, no sé si por fortuna o por desgracia. El resto de nuestra conversación discurrió por la senda de las menudencias domésticas y las ternezas desgastadas por el uso, esa munición rutinaria que caracteriza cualquier coloquio entre enamorados. Que el amor tiene un ingrediente de entontecimiento lo demuestran estas conversaciones, que abundan en los mismos asuntos desteñidos con una insistencia que ruborizaría a cualquier testigo accidental. Los amantes, encapsulados en su amor, se susurran estas banalidades y se quedan tan panchos; si alguien se las estuviera grabando y volvieran a escucharlas unos minutos después de haberlas pronunciado, se avergonzarían de su cursilería, pero mientras dura el sortilegio de la conversación las profieren sin rebozo.

—Claro que te quiero, tonta. ¿Cómo puedes dudarlo?

—Pero me gusta que me lo repitas.

Los coloquios amorosos están compuestos de palabras borrachas que trastabillean y caminan sinuosamente, dando rodeos para volver al lugar de partida, y así hasta el infinito, como animales amarrados a una noria que, pese a la repetición de su tarea, no muestran señales de cansancio. Laura me iba desgranando las tribulaciones de los preparativos, las fricciones con nuestras respectivas familias (empecinadas en mangonear la lista de invitados a la boda), los fatigosos trámites administrativos en juzgados y sacristías. En su enumeración de trabas e impedimentos había un resignado cansancio que yo sentía como una humillación: a nadie le gusta ver aplastadas sus ilusiones, que cree únicas e inéditas, bajo una escombrera de requisitos que se repiten, de generación en generación, desde que el mundo es mundo. Reconoceré, sin embargo, que mientras Laura me exponía estas enojosas trivialidades crecía dentro de mí una especie de alegría maligna, pues mi incompetencia para resolver estos engorros me habría obligado a postergarlos indefinidamente, con el consiguiente aplazamiento de la boda. Al menos así, desde mi particular exilio en Chicago, mi remolonería no obstaculizaba los preparativos. En contrapartida (porque no hay pecado, ni siquiera por omisión, que no arrastre su penitencia), tendría que convivir con aquella desazón que crecía dentro de mí, contaminando con su respiración la penumbrosa región de los secretos. Mientras hablaba con Laura había encendido el televisor y me paseaba indolentemente por los canales sin sonido. En un noticiario estaban emitiendo un documento extraño y cautivador: se trataba de una filmación bastante chapucera realizada en Kala Jangi, una ciudadela de Afganistán que las tropas de la llamada Alianza del Norte habían convertido en prisión para los talibanes que habían depuesto las armas. Un hombre barbudo y famélico, de hinojos sobre el suelo y con los codos atados detrás de la espalda, era interrogado por un agente de la CIA.

—Y dime —Laura ya había comenzado a despedirse—, ¿qué piensas hacer en Chicago?

El peso de la soledad (de la mía propia, pero sobre todo de la que había arrojado, por egoísmo o cobardía, sobre Laura) me tornaba más y más taciturno.

—Buscaré su secreto, como tú misma me aconsejaste. A lo mejor ahí afuera hay una novela esperándome.

Enseguida me arrepentí de haber formulado estas palabras, tan fatuas o absurdas. Cuando colgué, la ciudad se agolpaba en la ventana de mi habitación, expectante y venenosa, como aquellos dragones de las mitologías que custodiaban un tesoro frente a la avaricia de los viajeros. Devolví al televisor su volumen para descifrar el sentido de aquella filmación que magnetizaba mi interés. El agente de la CIA se esforzaba por arrancar una respuesta al talibán, que perseveraba en su mutismo: «Tienes que decidir si deseas vivir o morir —le decía—. Si quieres morir, lo harás aquí mismo. O bien puedes decidir pasar el resto de tu vida en la cárcel. De ti depende, amigo. Sólo podemos ayudar a los tipos que se avienen a hablar». El talibán, de rasgos juveniles bajo la máscara del fanatismo, comprendía a la perfección las palabras de sus captores, pero rehusaba responder; con estupor, con un leve escalofrío, descubrí que se trataba de un occidental. Ahora el agente de la CIA, puesto en cuclillas ante él, lo interpelaba con una voz algo exasperada: «Esos aviones también mataron a musulmanes como tú. —No supe discernir si aquellas palabras eran una increpación o una súplica—. Había cientos de musulmanes en las Torres Gemelas. ¿Es que no vas a decir nada?».

La filmación se había detenido en un plano corto que escrutaba el rostro del talibán. El locutor anunció que, apenas unas horas después de haberse grabado aquel documento, los presos de la ciudadela de Kala Jangi se habían rebelado, apropiándose de los fusiles y de las granadas de sus guardianes. Durante tres días (que fueron los que la aviación americana tardó en bombardear el lugar y reprimir la revuelta), los presos fugados se dedicaron a diezmar a sus carceleros; el agente de la CIA encargado de aquel interrogatorio, un tal Mike Spann, se contaba entre las bajas; era el primer americano caído en Afganistán. Mientras el noticiario ensayaba el obituario del compatriota pensé, con una especie de repeluzno, que quizá Spann hubiese sido asesinado por el joven talibán al que había intentado sonsacar infructuosamente, el joven talibán cuya vida había perdonado, con hastiada magnanimidad. Aquella simetría adquirió la nitidez del horror cuando el locutor televisivo reveló la identidad del talibán, que había sobrevivido a las batidas del ejército americano: se llamaba John Walker Lindh, y había nacido en Washington, D.C., apenas veinte años atrás.

Escuché hipnotizado la peripecia biográfica del joven John Walker Lindh, americano de pura cepa reconvertido en acérrimo talibán. Sus padres, convencidos de que la educación de su hijo debía discurrir por los senderos de la más alborozada libertad, sin ataduras ni disciplinas, lo habían matriculado en una *high school* alternativa, donde el pimpollo pudo prescindir de asistir a las clases a cambio de entrevistarse con sus profesores una vez a la semana. Pronto descubriría Walker la figura de Malcolm X; la lectura de sus memorias y la visión de la película hagiográfica de Spike Lee lo decidieron a seguir el ejemplo de aquel mártir que hizo de la violencia una mística helada. Como Malcolm X, John Walker Lindh entendió que la mejor manera de transformarse en un hombre nuevo sería convertirse al islamismo. Mientras sus padres iniciaban los trámites de divorcio, John Walker Lindh les expuso a ambos su deseo de marcharse a Yemen, donde se impartían infalibles reglas nemotécnicas para aprenderse de una tacada los 6.666 versículos del Corán. Sus padres consintieron en sufragar el cursillo, para que su primogénito nunca los pudiese tachar de tacaños y represores de su vocación. Mostraron entonces en el televisor un retrato de John Walker Lindh que testimoniaba su tránsito por la adolescencia: allí comparecía un muchacho ataviado con una chilaba, de aspecto atónito e inofensivo, con una barba intonsa que descendía rala por las mejillas y se hacía copiosa en el mentón, apuntalando unos labios que podríamos calificar de pasmados o lúbricos. Tras una estancia de casi dos años en Yemen, que le había servido para abrevar en los manantiales de su nueva religión, en 1999 John Walker Lindh volvió a Estados Unidos; en California hizo buenas migas con una jarca de misioneros islámicos, especializados en reclutar incautos para las organizaciones más extremistas, que sugirieron al neófito que completase sus estudios en la escuela de teología de Bannu, al noroeste de Pakistán. Sus padres, una vez más, sufragaron encantados el nuevo viaje del retoño, ejemplo palmario del clima de libertad religiosa que se respiraba en el hogar ya escindido.

John Walker Lindh había sido educado, en efecto, en la más laxa libertad; había aprendido, también, a odiar minuciosamente esa libertad. Su expedición a la escuela de teología de Bannu fue, a la postre, un viaje al corazón de las tinieblas que, como en la narración de Conrad, le descubriría la oscuridad que anegaba su propio corazón. Un día reunió sus exiguas pertenencias —quizá fue entonces cuando arrojó a las llamas su pasaporte estadounidense y las fotografías que le recordaban unos vínculos consanguíneos y triviales— y decidió cruzar la frontera de Afganistán. Ante sus pies se extendía un laberinto más hondo e intrincado que la mera locura, un laberinto donde no había escaleras que subir, ni puertas que forzar, ni fatigosas galerías que recorrer, ni muros que le vedasen el paso. Seguramente John Walker Lindh no había leído a Borges, escoliasta de *Las mil y una noches*, pero se disponía a recorrer el laborioso desierto, ese laberinto que el escritor argentino sólo se atrevió a soñar.

Imaginé el peregrinaje de John Walker Lindh por riscos y pedregales que sólo habían hollado antes los escorpiones y las cabras. Imaginé sus labios, que antaño habían sido pasmados o lúbricos, resquebrajados por la sed y las plegarias nunca atendidas. Lo imaginé tambaleándose por dunas acechadas de fantasmas, enredado en su propia soledad. Imaginé sus noches insomnes, abrasadas por el deseo vivísimo de inmolarse en las hogueras de su nueva fe. Sabemos, gracias a ese mismo escritor argentino que seguramente John Walker Lindh no había leído, que cualquier destino, por largo y complicado que sea, consta en realidad de un solo momento: el momento en que el hombre sabe para siempre quién es. En una de aquellas noches de agonía desesperada, John Walker Lindh fue socorrido por un talibán de mirada gélida y barbas intonsas como las suyas; fue entonces cuando supo que quería ser como ese hombre, profesar su fanático sacerdocio, disgregar su conciencia en una conciencia superior que amparase sus quimeras. Quizá sin saberlo, John Walker Lindh ya se había convertido en otro hombre que no recordaba al antiguo.

Durante dos años vivió jornadas de monótona barbarie: escuchó con impávida delectación el llanto de las niñas que eran liberadas de su clítoris, esa excrecencia del diablo; contempló con trémula emoción el derrumbamiento de los Budas de Bamiyán, ídolos de una religión de ascetas pusilánimes; asistió con exultante arrobo, a través de un televisor averiado, a la destrucción de unos rascacielos erigidos por la soberbia de un pueblo remotísimo e ininteligible. Con perplejidad y repugnancia, John Walker Lindh descubrió que los supervivientes de aquella hecatombe hablaban un idioma idéntico al que, con aciaga insistencia, ensuciaba su lengua en sueños, pero apartó la tentación de la insidiosa piedad sumándose al júbilo que embriagaba a sus hermanos talibanes. Cuando John Walker Lindh fue apresado en la ciudadela de Kala Jangi, al norte de Afganistán, y golpeado por las culatas de unos fusiles que amenazaban con escupirle su plomo, no pudo evitar que su lengua farfullara una frase en ese idioma enemigo que aún lo visitaba, pertinaz, en sueños. Para su sorpresa, ese instante de debilidad sería su salvoconducto.

La televisión propagaba imágenes en las que John Walker Lindh, ya en poder de las tropas estadounidenses, aparecía con las manos esposadas y ataviado con un uniforme de recluso, de un naranja chillón e infamante que lo hermanaba con los repartidores de bombonas de butano. Sus padres reclamaban magnanimidad al Gobierno estadounidense y formulaban peticiones lloriqueantes para que se les permitiera entrevistarse con el hijo pródigo que, para refutar la parábola evangélica, no se había rebajado a regresar a la casa paterna. Menos magnanimidad exigía la gente de la calle, deseosa de que se reinstaurase la orgiástica ley de Lynch para poder despedazar con sus propias manos y dientes al traidor que había manchado de vergüenza el orgullo patriótico de un pueblo herido. Para un espectador neutro (y sin embargo hipnotizado) como yo, resultaba especialmente turbador, y también un acicate para mis fantasiosas meditaciones, determinar el momento en que John Walker Lindh asumía su destino y se despojaba de los ropajes del hombre antiguo para renegar de su familia, de su memoria, de su patria. ¿Puede un hombre dormirse siendo una persona y despertarse siendo una persona antípoda? ¿Qué súbita revelación puede desencadenar esta metamorfosis? ¿Qué pasadizos de secreta locura desembocan en ese páramo donde nuestra percepción del mundo sufre un apagón, un cortocircuito, y nos arroja a una larga travesía por las tinieblas del alma? En esa aceptación de la oscuridad como hábitat natural había algo de entrega a una fuerza de carácter sobrenatural; como el sacerdote que sigue el llamado de su vocación, John Walker Lindh había abrazado esa fuerza oscura, hasta convertirla en su claridad sustentadora.

Había sido, sin duda, en ese laberinto donde no hay escaleras que subir, ni puertas que forzar, ni fatigosas galerías que recorrer, ni muros que le vedasen el paso, donde se había consumado esa transformación. Chicago se extendía más allá de la ventana, laberíntico como el desierto, igualmente expedito de escaleras y puertas y galerías y muros; en algún paraje recóndito de su geografía escondía el secreto que quizá también propiciase mi metamorfosis, ese instante definitivo en el que se decidiría mi destino. Cuanto más me entregaba a estas sutiles correspondencias entre la vida de aquel perturbado John Walker Lindh y mi propia vida plácida y burguesa, más próximo me sentía a ese estado de ánimo, permeable al milagro o a la fatalidad, que nos desvela el sentido del mundo. Quizá yo también, como John Walker Lindh, me estuviese volviendo loco.

Postrado y febril, me derrumbé sobre el edredón de la cama, que mantenía el molde que otro cuerpo había dejado antes de mi llegada.

A cababa de cumplir los doce años, esa edad en que el aturdimiento se manifiesta en la búsqueda de imposibles Griales. En el colegio de mi ciudad levítica nos contaron en cierta ocasión un episodio legendario que dotaba a nuestros paisanos de una genealogía espiritual en la que se fundían el afán de libertad y el ímpetu de justicia. A mediados del siglo XII, sucedió que el pueblo se sublevó contra la tiranía nobiliaria y la subsistencia de sus rancios privilegios. Gobernaba entonces la ciudad, por designación real, el regidor Álvarez de Vizcaya, un déspota que aplastaba a nuestros antepasados con alcabalas y diezmos y gabelas que los iban reduciendo a la miseria. Entre los privilegios de que los nobles gozaban en aquella época se incluía un derecho de opción preferente sobre las mercadurías expuestas a venta pública en el mercado de la ciudad; sólo cuando los miembros de la aristocracia se habían aprovisionado de viandas, eligiendo siempre las piezas más lustrosas y apetecibles, podían abastecerse los plebeyos. Este privilegio, según establecían los fueros locales, se extendía hasta el fin de la hora tercia; desde ese momento hasta el mediodía era el turno de los burgueses y menestrales, que tenían que conformarse con las sobras. Pero ocurrió un día que a la tienda de un pescadero llegó una famosa trucha de lomo moteado y muy sabrosa apariencia en la que ningún noble reparó mientras duró su prioridad. Un maestro zapatero ya había acordado con el tendero el precio del pez cuando se interpuso en la transacción un criado del regidor Álvarez de Vizcaya invocando el mencionado derecho de opción preferente, que sin embargo ya había caducado, pues el sol se aproximaba a la mitad de su recorrido. Trabóse allí mismo porfía y lluvia de mojicones entre el criado y el zapatero, a la que pronto se sumaron otros menestrales y lacayos de la nobleza hasta que, en medio del tumulto, el zapatero pudo llevarse la trucha, convertida ya en trofeo y estandarte del motín que se avecinaba.

Esa misma tarde los nobles, rencorosos de la simbólica derrota, se reunieron en una iglesia para celebrar una asamblea en la que se adoptarían las medidas de escarmiento contra el pueblo levantisco. Los plebeyos, a su vez, hartos de soportar vejaciones, se juntaron, mientras tanto, en una campa extramuros de la ciudad y decidieron acabar por las bravas con aquella insufrible dominación. Armados con los aperos de su oficio, hoces y bieldos y trillos, gubias y garlopas y punzones, rodearon la iglesia y conminaron a los nobles a disolver el conciliábulo y a dimitir de su prepotencia. Como los nobles, acogidos a sagrado, se creían a salvo de cualquier intemperancia de la chusma, respondieron con gran ludibrio e hilaridad a sus vindicaciones y se carcajearon de sus amenazas, cada vez más enconadas a medida que crecían las risas dentro de la iglesia. Pero aquella nobleza infatuada de sus privilegios calibró mal el aguante de sus vasallos, que trancaron las puertas de la iglesia, apilaron haces de leña junto a los muros y les prendieron fuego con una tea. Así fue como la nobleza de nuestra ciudad levítica pereció, abrasada por el fuego o asfixiada por el humo que entraba en la iglesia por rendijas y ventanas; ni las plegarias que dirigieron a Dios, ni las tardías peticiones de clemencia bastaron para ablandar el corazón de los plebeyos.

Y aquí, de repente, irrumpía el milagro, con su perfume de poesía, en mitad de la prosa tremebunda de la leyenda: cuando las llamas ya alcanzaban el sagrario, embravecidas por esa lujuria que produce el olor de la carne socarrada, las Hostias consagradas que allí se custodiaban escaparon a la incineración. Como una bandada de cándidos pájaros que emigran en pos de un clima menos riguroso, las Hostias abandonaron el copón, sobrevolaron las llamas y se colaron por una tronera, para ir a refugiarse a otra iglesia. La imagen de aquellas Hostias volátiles, como rodajas de Dios transportadas por una ráfaga de viento, alumbradas por el sol helado de mi ciudad, trastornó al niño atolondrado de pubertad que yo era entonces con una rara perturbación en la que se mezclaban el ramalazo místico y una indescifrable sensación de pérdida. En mis noches de insomnio, para espantar el acecho de las tentaciones lúbricas, imaginaba las Hostias sobrevolando el río de mi ciudad levítica, como un sueño de pureza evadida, enredándose entre las hojas de los álamos y los chopos en busca de otra iglesia (románica siempre) que les prestase su refugio, su humedad de cripta, su silencio de siglos que las hiciese fermentar hasta convertirlas en un manjar con propiedades de elixir.

Yo acababa de iniciarme por entonces en las lecturas artúricas; engolfado en su bosque de maravillas célticas y amores corteses y torneos alumbrados de sangre y adulterios clandestinos y penitencias que elevaban la carne hasta los altares de la castidad, no me exigió demasiado esfuerzo figurarme que aquellas Hostias escondidas en el sagrario de alguna iglesia sin culto eran un nuevo avatar del Santo Grial en el que José de Arimatea recogió la sangre de Jesucristo. También me figuré, en el colmo de la insensatez o la puerilidad, que yo mismo era la reencarnación de Sir Galahad, y que triunfaría en la búsqueda si lograba mantenerme casto. Logré embaucar con mis ensoñaciones a algunos compañeros de clase y organizar expediciones en busca de las Hostias sobrevivientes del motín de la trucha; expediciones nocturnas a las iglesias sin culto de nuestra ciudad que incorporaban a su séquito a las chicas más intrépidas de la pandilla, entre las que se contaba Laura. Como suele ocurrir en esos años confusos en que la niñez pesa sobre los hombros como un pecado, las chicas habían desarrollado una madurez desdeñosa que a nosotros, los varones, nos resultaba aún lejana, y si nos acompañaban en estas correrías era más bien para burlarse de nuestra ingenuidad y corromperla mientras se fumaban a hurtadillas un cigarrillo o cuchicheaban sobre la apostura de los bigardos que frecuentaban el instituto, chicos tres o cuatro años mayores que nosotros que ya se habían desasido definitivamente de la infancia y las hacían sentirse, siquiera por sugestión, mujeres. Como las Hostias volátiles se escabullían a nuestra pesquisa piadosa o sacrílega y persistían en vedarnos su secreto, acabábamos por sucumbir al reclamo de las chicas más guarrillas de la pandilla (entre las que nunca se contó Laura, bastante estrecha por entonces), que nos zaherían poniendo en entredicho nuestra virilidad y proponiéndonos actividades algo más deshonestas que aquella caza del gamusino eucarístico. Enrabietados, resolvíamos este clima de inminencia sexual emparejándonos a voleo; y, emboscados entre las tinieblas crujientes de carcoma y fragantes de incienso fosilizado, buscábamos acomodo en un presbiterio derruido, en una capilla lateral rezumante de verdín, en un confesionario descuajeringado que podría haber inspirado a Georges Bataille. Allí, prófugos de las enseñanzas de Sir Galahad, tumbados sobre cascotes que nos lastimaban la espalda o recostados sobre paredes de una piedra desmigajada, nos metíamos mano premiosamente, sin llegar nunca a nada, atenazados por la impericia. Por el techo de aquellas iglesias sin culto que el cabildo o el consistorio no se habían preocupado de retejar, se colaba la luz medrosa de las estrellas a través de grietas y rendijas que hubiesen bastado para propiciar otro éxodo de las Hostias volátiles, escandalizadas de nuestros forcejeos. A veces, esos forcejeos apenas duraban un minuto, porque el temblor exultante y contrito que nos producía la comisión del pecado era más pujante que la mera lujuria; así que nos volvíamos a casa con el tesoro de la virginidad a cuestas.

Laura permanecía siempre al margen de estos escarceos, espiándolos con curiosidad entomológica, pero juraría que todos los chicos de la pandilla convocábamos su rostro distante mientras nos magreábamos con las chicas más casquivanas, feas y tediosas, que eran las que antes accedían a nuestros requerimientos. Muchos años después, cuando el azar me devolvió a Laura y pude consumar por fin mi amor con ella más allá de las veneraciones contemplativas, comprobé que las reminiscencias de la infancia son la mejor gasolina del amor. La evocación de aquellas expediciones en pos de las Hostias volátiles (a las que atribuíamos poderes maravillosos, quizá la facultad de mantenernos eternamente jóvenes o de otorgarnos alguna ciencia infusa) nos transmitía a ambos, tantos años después, un calambre de vida colmada y fértil, y aderezaba nuestro amor de un clima muy placentero.

Aquella primera noche en Chicago traté de dormirme arrullado por estos recuerdos para ahuyentar el desasosiego que me habían instilado la proximidad de Elena en el avión y la peripecia biográfica del renegado John Walker Lindh. Sentí que mi sueño era un pájaro en cautiverio que se deslizaba entre los barrotes de su jaula para volar libremente por las alcobas de la realidad. Pero, de pronto, ese pájaro que era mi sueño descubría que, acostumbrado al encierro, su vuelo era sofocado y alicorto; entonces empezaba a darse topetazos contra las paredes, embestía estérilmente contra los cristales de las ventanas o quedaba atrapado en alguna angostura, entre los muebles y la pared, y allí se iba asfixiando en un revoloteo de congoja, sepultado en vida. Me vi como desde una atalaya, tumbado en aquella misma cama de hotel, convertido en un cadáver (pero en un cadáver extrañamente lúcido y consciente de su estado), con las manos entrelazadas sobre el pecho y los ojos obscenamente vidriosos, obscenamente abiertos. Procedentes de mi ciudad levítica (que en el sueño era algo así como un arrabal o pedanía de Chicago), se colaban a través de la ventana de la habitación un par de Hostias volátiles. Después de sobrevolar mi cadáver en un vuelo circundante, como luciérnagas en plena ceremonia del galanteo, las Hostias venían a posarse, como monedas de Caronte, sobre las cuencas de mis ojos para bendecir mi viaje a ultratumba y evitarme la contemplación de los horrores que allí me aguardaban.

Desperté y me llevé las manos a los ojos para impedir que las Hostias emprendieran otra vez su vuelo al detectar los síntomas de mi resurrección (quiero decir, de mi retorno a la vigilia), pero en su lugar sólo me topé con las legañas del viaje, que tenían una calidad de ámbar hecho añicos. Todavía bajo los efluvios de aquel sueño, empecé a organizar mentalmente mis caminatas por Chicago, en pos de su secreto. La misión era inabarcable y quimérica, tan inabarcable y quimérica como tratar de contener toda el agua del océano en un hoyo excavado en la playa, sobre todo considerando que apenas contaba con una semana para llevarla a cabo. Recordé un pasaje de *Las confesiones* de San Agustín en el que se relata el desenlace de la crisis que asedia al futuro obispo de Hipona y su definitiva conversión al cristianismo. Agustín se halla en Milán, alojado en casa de su amigo Alipio; las meditaciones sobre su estado han desatado en su corazón «una gran tormenta, cargada con una copiosa lluvia de lágrimas». A impulsos del pudor, Agustín farfulla unas palabras de excusa y se retira «de modo que ni la presencia de Alipio pudiera servirme de estorbo». En el jardín de la casa, tendido a la sombra de una higuera, en la soledad vedada al escrutinio del sol, las tribulaciones de Agustín hallan una expansión agónica: «¿Hasta cuándo, Señor, estarás por siempre irritado? —clama—. No recuerdes más mis antiguas iniquidades». Entonces, mientras el llanto y la amargura vuelven a hincarle sus garfios, Agustín oye, procedente de una casa vecina, una voz como de niño o niña que canturrea: *Tolle, lege; tolle, lege.* La sugestión de esta cantinela («Toma, lee; toma, lee») infunde a Agustín la certeza de que, abriendo al azar el libro que tiene a su alcance (un volumen con las epístolas de San Pablo) y leyendo al azar el primer versículo en el que se pose su mirada, se tropezará con las palabras que rectificarán su destino. Agustín realiza la prueba y, en efecto, halla la cita esclarecedora: «Al instante —nos dice—, al terminar de leer aquella frase, se disiparon todas las nieblas de la duda, como si una luz segura se hubiese difundido sobre mi corazón».

Mi búsqueda del secreto de Chicago tendría que reunir esas mismas características providenciales del *tolle, lege* agustiniano. Resolví comprar un plano de la ciudad y registrar sobre él mis vagabundeos, que no tendrían más método que la arbitrariedad. Así —pensaba yo—, zarandeado por el capricho de los paseos sin rumbo, lograría alcanzar ese estado de suprema beatitud o saludable vacío interior que consiste en saberse irremisiblemente perdido. Ese mismo estado ya lo había atisbado en mis caminatas por Madrid cuando, recién llegado de mi ciudad levítica, aún podía considerarme un forastero en aquel laberinto de infinitos pasos. Las ciudades babélicas como Madrid o Chicago crecen como organismos vivos que engullen y trituran a sus viandantes. En mis paseos por Madrid, que se prolongaban durante horas y solían desembocar en el peligroso crepúsculo, con frecuencia me asaltaba la impresión de que yo también había sido engullido. Y es que mi propósito no era otro que extraviarme dentro de la ciudad, pero también dentro de mí mismo, disgregar mi pensamiento en una nebulosa de percepciones inconexas hasta que comenzara a sentir que no estaba en ningún sitio, que no pertenecía a ningún sitio, que no era nadie sino tan sólo unos ojos neutrales que registran la realidad y un cuerpo que claudica al cansancio. En este deambular sin rumbo ni medida comprobaba que había otras personas que vagaban con idéntico propósito o, mejor dicho, con idéntica falta de propósito. Si me acercaba a ellas para preguntarles por una dirección concreta se encogían de hombros, farfullaban una disculpa y me miraban con misericordia o ironía. Algunos mostraban un desaliño lindante con la mendicidad y arrastraban los pies;

en sus facciones estragadas por la derrota parecían anidar los primeros síntomas del desquiciamiento. Quizá aquellas personas se hubiesen propuesto desvelar el secreto de Madrid, como yo entonces me proponía absurdamente desvelar el de Chicago, y esa misión inacabable los había ido convirtiendo, tras meses o años de búsqueda infructuosa, en fantasmas peripatéticos o merodeadores de su propia sombra.

Yo no disponía de meses ni de años para ingresar en esta hermandad de criaturas descatalogadas que se desvanecen en el olvido, rumbo a ninguna parte, quizá hacia su propia extinción, pero estaba dispuesto a emplear la semana de mi estancia en Chicago en excursiones temerarias hacia los confines de una ciudad que sólo conocía por los prospectos turísticos y las recreaciones de cartón piedra que ha divulgado el cine. Tampoco conocía (y esto hacía más insensato aún mi proyecto) la naturaleza del secreto que me proponía desvelar. Ignoraba si lo custodiaba la propia ciudad, escondido en sus entrañas, o si tendría que escudriñarlo en los rostros de sus habitantes. Ignoraba si me sería deparado por una azarosa revelación o si tendría que interpretar algún signo de apariencia jeroglífica. Ignoraba si ese secreto se manifestaría milagrosamente, como las Hostias volátiles de mi niñez o el Santo Grial del ciclo artúrico, o si tendría que acertar a leerlo en los renglones anodinos en que está escrita la vida. Ignoraba, incluso, si su manifestación dependía de agentes puramente externos o si más bien se alojaría dentro de mí, entre el séquito de zozobras que una ciudad extranjera suscita en el viajero. Pero esta naturaleza difusa de mi misión no hacía sino confirmarme en el empeño; mi disposición de ánimo tendría que ser, como la de San Agustín al abrir al buen tuntún el libro de las epístolas de San Pablo, crédula y expectante. *Tolle, lege.*

En la avenida Michigan los rascacielos se apretaban unos contra otros, apoyándose en los hombros del vecino para descollar sobre su coronilla. Todos ellos, con su sincretismo arquitectónico y su vocación de vértigo, parecían candidatos a unas pruebas de *casting* convocadas por Bin Laden. Los quioscos aparecían tapizados por la efigie del renegado John Walker Lindh, que asomaba monótonamente en las portadas de los periódicos como aquellos forajidos que estimulaban la avaricia de los cazadores de recompensas, allá en el salvaje Oeste. Pronto aprendí cuál debía ser mi actitud como paseante sin rumbo. Observé que, cuando se me ocurría mirar a los ojos de otro transeúnte que se cruzaba conmigo en la acera, enseguida provocaba sus recelos. Chicago era en aquellos días una ciudad de autómatas paranoicos que cumplían su itinerario procurando no rozarse con los otros autómatas que caminaban a su lado. Si no deseaba llamar la atención o ganarme una regañina, debía acatar las reglas de ese unánime comportamiento espectral y no hacer nada que me distinguiera de los demás. Así, dejando que mi conciencia se impregnase lentamente de ese clima de anónimo sonambulismo, logré pasar inadvertido entre el tráfago humano del centro, que poco a poco se fue disolviendo a medida que se iniciaba el horario de oficina. Hacía un frío enjuto y lloviznaba, pero al cabo de las horas esa llovizna que era casi una exudación atmosférica humedecía las ropas, y entonces el frío penetraba hasta los huesos.

Caminé y caminé por calles sin fondo que a veces dejaban asomar un retazo del lago Michigan, con su color de mineral sucio y su música de galerna. La fisonomía urbana perdía elevación a medida que me alejaba del centro, cediendo protagonismo a bloques de edificios casi gemelos que se multiplicaban hasta invadir el horizonte en un fatigoso juego de espejos. Mientras recorría barrios que ni siquiera figuraban en el plano que había adquirido en un quiosco, me asaltaba la impresión de estar atrapado en una tupidísima tela de araña. Casi sin darme cuenta, me sorprendía con el abrigo calado y las articulaciones entumecidas; así, seguro de haber contraído una pulmonía, tomaba un tren elevado que iba dejando detrás de sí, como escenarios desmontables, casas residenciales con jardines clónicos y marquesinas que parecían dispuestas para favorecer el trabajo de los vendedores ambulantes de Biblias, casuchas de madera con la pintura descascarillada y ropa tendida en las ventanas, cobertizos como galpones asediados por montañas de automóviles desguazados que se iban disgregando en una hojarasca de herrumbre, descampados donde quizá se perpetrasen violaciones y descuartizamientos. Los trenes elevados de Chicago atronaban los arrabales de la ciudad como catafalcos sobre ruedas. Cuando alcanzaban el final de la línea se detenían muy perezosamente, como desangrándose sobre la vía, rechinantes y cetáceos, nostálgicos de una playa que acogiese sus cadáveres para siempre y los dejara pudrirse a la intemperie.

Abismado en mis cavilaciones, o simplemente inmerso en ese estado de suprema beatitud que consiste en saberse perdido, bajaba en estaciones siniestras que los mendigos ocupaban con sus camastros acolchados de cartones y sus fogatas encerradas en bidones. Eran mendigos góticos, altos como farolas, negros de mugre o melanina, con peinados a lo rasta que emboscaban sus facciones y otorgaban a sus cabezas un aspecto como de nidos de murciélagos o de festín de sanguijuelas. Solían increparme en una jerga inextricable, pero alguna vez también me invitaron a probar las viandas que socarraban al fuego del bidón ensartadas en alambres o ganzúas, o me tendían una botella en la que viajaban los dialectos de la saliva y la piorrea. Confesaré que me amedrentaban más sus convites que sus increpaciones.

En los cuatro primeros días de búsqueda por Chicago sólo regresé al hotel para derrumbarme derrengado sobre la cama. Ni siquiera me preocupaba de apartar el edredón que tan fúnebres lucubraciones me había inspirado a mi llegada. Me recuerdo rebuscando en los sótanos de una librería de saldo, acechado por un fluorescente que lanzaba desde el techo un ronroneo epiléptico, respirando el polvo profuso y la humedad de volúmenes que aún permanecían intonsos con la esperanza de encontrar entre sus pliegos un billete olvidado, una flor prensada, un escolio manuscrito que orientase mis pesquisas. Me recuerdo descifrando los epitafios del cementerio de Graceland bajo los alfileres de la lluvia, absorto ante las hileras de túmulos que obstruían la respiración de la tierra, prietos como los anaqueles de una biblioteca que albergase el infinito catastro de la muerte. Me recuerdo refrescando la fiebre de la frente sobre el cristal de una gran pecera, en el acuario John G. Shedd, mientras una pareja de barracudas silenciosas como espadas me miraban sin parpadear y me referían sus confidencias en un lenguaje de burbujas y boqueadas. Me recuerdo entrando en una iglesia presbiteriana que habían acondicionado como bingo para recaudar fondos de ayuda al ejército, con el predicador armado de un megáfono y pregonando los números que el bombo escupía al albur (pero hasta en ese albur trataba yo de encontrar algún recóndito argumento), mientras las feligresas más buenorras repartían los cartones entre el público, montadas sobre patines y vestidas muy exiguamente con unas falditas plisadas de franjas rojas y blancas que, de vez en cuando, dejaban asomar unas braguitas azules y estrelladas, como patrióticas *cheerleaders*. Me recuerdo sentado en un banco de Lincoln Park, devorando una hamburguesa con sabor espongiforme, mientras un pelotón o comando de individuos disfrazados con trajes galácticos que incluían mascarillas antigás y guantes de látex, así como fumigadores de bacterias, se congregaba ante un sobre sospechoso de contener esporas de carbunco. Me recuerdo siguiendo a un vagabundo que blasfemaba en un idioma próximo al arameo y entreveraba sus blasfemias con citas del Apocalipsis, mientras extraía piedras de una bolsa de plástico y las arrojaba por encima del hombro, como aquel Deucalión de la Antigüedad, quizá con el deseo de que se transformasen en una sementera de plagas. Me recuerdo persiguiendo el declinar del sol e internándome en una barriada de puertorriqueños que me miraban con más misericordia que hostilidad, porque para entonces ya se alojaba en mis retinas esa ceguera que apaga el rescoldo del miedo. Me recuerdo, tambaleante y al borde del desmayo, arrastrando los pies por callejones sólo frecuentados por gatos que revolvían los cubos de basura y por putas tiradísimas que me reclamaban con una voz sinuosa o jadeante, hasta que un coche celular las ahuyentaba, deteniéndose ante mí con un súbito frenazo.

—¿Algún problema, amigo?

Del coche celular había descendido un policía de graduación, quizá sargento, con el pelo reglamentariamente cortado a cepillo y el rostro socavado de cráteres, como estigmas de una viruela o un acné voraz. Cuando hablo en inglés, adopto un tono como de somorgujo, supongo que por vergüenza de delatar mis tropelías sintácticas.

—Me he perdido.

Su compañero o subalterno aguardaba debruzado sobre el volante y me miraba con ese indescifrable asco que dirigimos a las cucarachas pisoteadas que aún patalean, ahogadas entre la papilla color mostaza de sus tripas. El sargento había afianzado una mano sobre la pistolera.

—¿Has venido a pillar? ¿Estás enganchado?

Utilizaba palabras de una jerga facinerosa que se me escapaban, y esbozaba una extraña sonrisa helada, desprovista de humor, en la que se concitaban el desafío, la arrogancia, quizá también cierta forma de regodeo en la calamidad ajena. El hálito le brotaba de la boca como un penacho espectral.

—No, en serio. —Procuré aferrarme al último residuo de tranquilidad que me restaba—. Había salido a pasear y me he perdido.

El sargento volvió su rostro socavado de cráteres hacia el subalterno, que inmediatamente abandonó su postura de relajo y dictó unas instrucciones crípticas al interfono que los conectaba con comisaría. La noche se estrellaba sobre el callejón, como un ascensor sin cables arrojado desde los trasteros del cielo.

—Estupendo —dijo el sargento, sin dimitir de su jovialidad torva—. ¿Y dónde vives?

Tenía una mella en los dientes incisivos, como residuo de una infancia rácana de calcio o testimonio de un sopapo mal encajado; eran unos incisivos prominentes y un poco montados entre sí, que contrastaban con los colmillos apenas visibles, refugiados en la encía. Alarmado, pensé que quizá fueran colmillos retráctiles que se desenvainarían cuando estallase el inminente acceso de cólera.

—Estoy hospedado en un hotel de North Michigan, cerca del John Hancock Center —me esforzaba por irradiar honradez—. The Winston, creo que se llama. O The Westin. O algo así.

Mi dubitación agravó la incredulidad del sargento, que se rascó un poco chabacanamente la barbilla; quizá los cráteres epidérmicos actuasen a modo de sensores que detectaban inverosimilitudes en la declaración de los sospechosos tornándose picajosos. Habló a su subalterno, sin volver el rostro:

—¿Has oído eso, Brad? Este mamón está de pitorreo.

Con esa brusquedad alucinada que caracteriza el devenir de los sueños, en donde los sucesos ocurren porque sí, ajenos a las modulaciones y bisagras por las que transcurre la realidad, el subalterno llamado Brad abandonó el coche celular, empuñando con ambas manos una pistola. Era un tipo pálido como una radiografía, de una delgadez ensañada y ascética; quizá vegetariano, quizá estajanovista de la masturbación.

—Debe de pensar que nos chupamos el dedo —continuó el sargento; y luego, tras comprobar que la pistola del subalterno Brad me disuadiría de cualquier veleidad heroica, se aproximó a mí hasta rebozarme los morros con su aliento—. ¡Puta morralla hispana! La avenida Michigan queda a cuatro millas de aquí. ¿A quién quieres engañar?

Levanté los brazos instintivamente, en previsión de que el subalterno Brad albergase dudas sobre mis intenciones y le diese por matar los nervios apretando el gatillo. La sensación de irrealidad era tan opresiva y rigurosa que ni siquiera sentía miedo, pero traté de que mi voz sonase sojuzgada como un halago:

—No deseo engañarle, señor. Me llamo Alejandro Losada. —No me atreví a declarar mi oficio, que en aquel contexto de testosterona derramada hubiese sonado ridículo o petimetre—. He venido a Chicago a pronunciar una conferencia.

—Su pasaporte —me interrumpió el sargento, con un laconismo fiero.

Los cráteres que socavaban su rostro se ensombrecían de una tonalidad cárdena y palpitante. Hice ademán de llevarme una mano al bolsillo interior del abrigo, para rescatar la cartera. En una décima de segundo, el sargento había desenfundado y me oprimía la vena yugular con el cañón de su pistola.

—¿Es que me la quieres jugar, chusma? —El aliento le olía a mantequilla de cacahuete—. Brad, encárgate tú.

El subalterno Brad se movía arqueando las piernas, como si ejecutara los pasos de un baile obscenamente patoso, mientras su dedo índice acariciaba el gatillo con un movimiento rítmico y apenas perceptible; parecía que estuviese excitando un clítoris, para hacerlo titilar. Me había agarrado de los pelos del cogote y me empujaba contra el capó del coche celular, que mantenía los faros encendidos, abrevando la noche de tinta.

—Cachéalo antes de nada —ordenó el sargento a mis espaldas.

El subalterno Brad me atizó un coscorrón contra la chapa del automóvil; antes que el dolor, sentí el sabor cálido y acre de la sangre saliendo en tropel de las narices. Extrañamente, en lugar de discurrir el modo de salvar mi pellejo, pensé en Laura, y no con un sentimiento de pérdida o desolación, sino como hubiese pensado en ella mientras la veía vestirse cada mañana, con esa flotante e incluso idílica complacencia que produce la cotidianidad. Pensé en su sonrisa numerosa y en su ceño pensativo y en su modo lentísimo de bajar los párpados. Y pensé que, cuando le contase las vicisitudes de mi expedición a Chicago, debería omitir este episodio infamante. Si es que vivía para contarlo.

—No va armado —constató el subalterno Brad después de cachearme concienzudamente. Por el tacto subrepticio de sus dedos concluí que, en efecto, había accedido a la delgadez mediante un severísimo y recalcitrante uso del manubrio—. Y aquí está el pasaporte.

Había arrojado al suelo mi cartera después de hurgar en sus diversas fundas y estuches, quizá en busca de alguna estampita porno que le matase el mono. El sargento se agachó para aprovechar la luz convaleciente del faro, pero la presbicia o el analfabetismo dificultaban su labor.

—¿Qué pone ahí?

—Español —le ayudó el subalterno Brad. Parecía buscar la casilla donde figurase como profesión terrorista kamikaze o asesino en serie—. Joder, ¿España no es una región del Brasil? En Brasil hay unas tías pistonudas.

Reparé entonces en mi postura más bien indecorosa, de hinojos y con la cara recostada sobre el capó del coche, respirando dificultosamente a través de la sangre ya coagulada que obstruía mis orificios nasales. Pero al menos la trepidación del motor, todavía ronroneante, me transmitía su calor. A mis espaldas, los dos policías proseguían su remodelación del mapamundi; empleaban una jerga muy sórdida y alejada del diccionario Webster's, por el que yo me había aproximado al inglés:

—No, tío, te equivocas. Portugal es una región del Brasil; pero eso es Europa, así que no te emociones porque queda muy lejos. —Ahora la jovialidad del sargento era más resuelta y zaheridora—. España está debajo de México, entre Guatemala y el canal de Panamá. Allí las tías son unas chaparras y con careto de chimpancé; no sirven ni para fregar váteres.

—Bueno, potorro tendrán, al menos. Yo con eso me conformo, no soy racista.

Soltaron al unísono una carcajada caníbal. Las putas tiradísimas del callejón habían desaparecido en alguna sima o cloaca de clandestinidad, pero los gatos ya se habían acostumbrado a nuestra presencia y volvían a remejer los cubos de basura. Uno de ellos, escuálido como una lección de anatomía, trepó sobre el capó del coche celular y lameteó el charquito de sangre que había brotado de mis narices, luego se relamió el bigote con golosa delectación y empleó mi espalda como tobogán para descender otra vez hasta el suelo. La postura genuflexa me había entumecido las piernas, notaba el hormigueo de la inmovilidad como un bicarbonato efervescente disolviéndose en la corriente sanguínea.

—Bueno, ¿y qué hacemos con este elemento? —preguntó al fin el subalterno Brad.

Había empezado a nevar sigilosamente. El sargento se lo pensó y repensó rascándose los cráteres de la cara, que quizá fuesen el rastro calcinado de las pústulas y vesículas que lastiman a las bestias sarnosas. Cerré los ojos, dispuesto a acatar el veredicto que se le antojase. Pero el sargento, que unos minutos antes parecía dispuesto a desinfectar América de hispanos apestosos, tuvo un rapto de clarividencia, o más bien escuchó ese aviso de cordura que bendice a los miserables un segundo antes de consumar su fechoría.

—Levántese, amigo. —Incluso había vuelto a adoptar el inglés recopilado en mi diccionario Webster's—. Vamos a llevarlo al Hotel Westin, donde dice que se hospeda.

Me había tendido una mano de ganapán o mamporrero que rechacé. Había decidido perseverar en el mutismo, como el renegado John Walker Lindh ante el interrogatorio del agente de la CIA. Extrañamente, no profesaba rencor alguno a aquella pareja de matones, ni tampoco sentía crecer dentro de mí ese enviscamiento que sigue a la humillación y el vilipendio; más bien aceptaba lo ocurrido como una prueba que me hacía invulnerable, como una súbita revelación que me mostraba el envés de la realidad. Había sobrevivido a la prueba, había logrado descifrar ese laberinto donde no hay escaleras que subir, ni puertas que forzar, ni fatigosas galerías que recorrer, ni muros que me vedasen el paso; ahora ya nada me afligía, nada me turbaba, había alcanzado esa ataraxia que predicaban los griegos.

—También debe entender nuestra postura —trataba de disculparse el sargento, mientras el subalterno Brad conducía hacia el centro a través de barriadas arrasadas por la incuria—. Estamos en situación de alerta. Tenemos órdenes muy estrictas de detener a cualquier sospechoso antes de que atente contra nuestra nación. Y comprenderá que el lugar y la hora no jugaban a su favor.

La nieve seguía cayendo, ingrávida y dulcísima como el maná del Éxodo. Por su voz atropellada, como por el parpadeo premioso de su subalterno Brad, se notaba que estaban un poco acojonados, como si les hubiesen administrado una guindilla por vía rectal. El sargento continuó con la misma cháchara exculpatoria durante todo el trayecto, mientras el vacío y oscuro mundo se deslizaba al otro lado de la ventanilla, conteniendo la respiración. Quizá pretendía que escribiese una carta a sus superiores, encomiando su comportamiento y proponiéndolo para un ascenso. Pero, bajo el barniz de amabilidad que esmaltaba sus excusas, aún alentaba un resquicio de prevención o recelo que rompería en estallido de cólera si, en la recepción del hotel, descubría que les había mentido. Por suerte, nada más irrumpir en el vestíbulo, un conserje muy zalamero (aunque intimidado por la presencia de los policías y también por mi aspecto magullado) me anunció que el cónsul español había llamado en más de cinco ocasiones a lo largo del día, para ponerse a mi disposición y anunciarme su asistencia a la conferencia que pronunciaría a la mañana siguiente. Una vez expelido el recado, el conserje dimitió de la locuacidad y parpadeó como un pajarillo que se despierta con las patas cercenadas.

—¿Ocurre algo? —balbució.

El sargento, amedrentado ante la posibilidad de haber desencadenado un conflicto diplomático, recuperó su rictus de jovialidad hueca, pero por los cráteres cutáneos le afloraba el sonrojo:

—Nada en absoluto. —Un levísimo temblor se le escapaba por la mella del diente incisivo—. El señor se había perdido, y hemos tenido mucho gusto en traerlo. Disfrute de su estancia en Chicago, señor.

Me tendió otra vez su mano de ganapán o mamporrero, y el subalterno Brad imitó su gesto (a la luz del vestíbulo, noté que se comía las uñas, seguramente para matar la ansiedad entre paja y paja); ambas se quedaron suspendidas en el aire mientras me daba la vuelta y me encaminaba hacia el ascensor. Un rato después, cuando el agua de la ducha me lavaba la sangre reseca de los orificios nasales y la mugre de mis vagabundeos por el extrarradio de la ciudad y el aliento ofidio de los agentes de policía, me sentí liberado y como enteramente fuera del mundo, sin punto de partida ni destino concreto, receptivo al secreto que Chicago quisiera depararme. Había traspasado ese umbral anímico que nos hace impermeables a los síntomas o indicios de misterio que se agazapan bajo la corteza de la realidad, y me anegaba una especie de exultación telúrica, un afán de abrir los poros de la piel y las ventanas del alma a ese caudal de voces susurradas que componen la vida invisible. Era aquel un estado de plácida exaltación que ni siquiera me permitía reparar en el cansancio, tampoco en el reloj; por eso, antes de entregarme al sueño, telefoneé a Laura con el propósito de confiarle mis avances, pero me tropecé con mi propia voz enlatada y sermoneadora que dictaba instrucciones desde el contestador automático. Fue entonces cuando reparé en las manecillas fosforescentes de mi reloj, despatarradas sobre las tres menos cuarto; calculé la diferencia horaria y concluí que Laura ya se habría incorporado a su puesto en la Biblioteca Nacional. La imaginé ataviada con su guardapolvo azul mahón, que le borraba cualquier asomo de turgencia, recorriendo los anaqueles abarrotados de mamotretos polvorientos, sirviendo las peticiones sesudas o caprichosas que los lectores le formulaban, quizá con el turbio anhelo de tocar los mismos libros que ella había prestigiado con su tacto.

Colgué sin dejar mensaje alguno. La nieve proseguía su itinerario vertical y lentísimo, descendiendo sobre Chicago con esa caridad que tiene el pudor ante la desgracia ajena. Sobre el asfalto de la avenida Michigan, sobre las azoteas de los edificios, ya había empezado a cuajar una alfombra núbil que fosforescía en la noche. Me sorprendí sucumbiendo a la incitación de la nieve, y también al recuerdo de Elena, mi azarosa compañera de vuelo, cuya belleza, vulgar y efervescente, participaba de la candidez y la voluptuosidad. Me había dicho que sólo permanecería un par de días en Chicago antes de tomar el enlace a Vancouver, donde la aguardaba su novio violinista y atormentado, pero al separarnos en el aeropuerto aún no había cerrado su vuelo. Desde la hecatombe de las Torres Gemelas, el tráfico aéreo se había adelgazado hasta extremos anoréxicos; todos los días se suspendían vuelos, se postergaban vuelos, se cancelaban vuelos. La nieve se había transformado en cellisca, azotada por un ventarrón que la ensuciaba de hollín; también mi recuerdo de aquella azarosa compañera de viaje se ensució con la evocación de sus circunstancias anatómicas: el cabello teñido de rubio, la sonrisa insistente y convulsiva, las clavículas como arbotantes que sostenían su escote, el perplejo ombligo, el culo nada magro estrangulado por el pantalón vaquero, los pies que invitaban a la prosternación.

Mientras buscaba en la guía telefónica, pacifiqué mis remordimientos con excusas ruborosas: me convencí de que necesitaba conversar con alguien; me convencí de que, invitando a Elena a mi conferencia, aliviaría su soledad y, de paso, realizaría una obra de misericordia que me recompensarían en el cielo. Recordaba el nombre del «hotelito muy modesto» en el que se hospedaba o se había hospedado, Comfort Inn, mientras durase su estancia en Chicago. Me desconcertó un tanto no haberlo olvidado, porque soy hombre con escasa o nula retentiva para estas minucias, pero Laura no estaba allí, Laura no podía verme.

—Buenas noches. Dígame.

El portero del Comfort Inn hablaba con una voz remolona y gutural, como emanada de la somnolencia. Había desbaratado su descanso, y también iba a desbaratar el descanso de Elena, que pegaría un respingo en la cama cuando el teléfono emitiese su primer pitido en la oscuridad de su cuarto, y quizá sufriese una taquicardia, si es que era delicada del corazón. Pero tanta prevención resultaba ridícula y quisquillosa —me apresuré a pensar—, porque Elena ya se habría marchado a Vancouver tres o cuatro días antes.

—¿Oiga? —A la somnolencia, el portero sumaba cierta exasperación—. ¿Dígame?

—Perdone. Buenas noches. Mire, en realidad creo que la persona por la que pregunto ya no se hospeda en ese hotel, pero quizá sí y por eso llamo.

Mi atolondramiento y la escurridiza sintaxis inglesa alambicaban mis frases.

—Ya, claro. Pero dígame por quién pregunta —me cortó el portero. Su exasperación triunfaba sobre la somnolencia.

—Es una joven española. Se llama Elena, Elena Salvador, y viaja sola.

A través del auricular, la voz del portero se esponjó de afabilidad y alcahuetería:

—Acabáramos. Rubia, ojos verdes, un culito de pantera.

Jamás había reparado en los culos de las panteras, a los que presupongo prestaciones felinas. Me escandalizaron las confianzas que se tomaba el portero del Comfort Inn; su procacidad y el tonillo celestinesco que había empleado en la descripción ahondaban mi complejo de culpa.

—Se marchó hace tres días... —comenzó.

Se derramó sobre mí ese alivio contrito que auxilia al pecador cuando, pese a sus empeños, no consigue perpetrar su pecado.

—Lo que yo me suponía. Muchas gracias, en cualquier caso —farfullé, deseoso de colgar.

— ... Pero regresó esta tarde. Y no se la veía muy feliz, si he de serle sincero —su voz encubría ahora una melosa reconvención—. Yo en su lugar no dejaría escapar a esa muñeca.

Quise rectificar sus osadas presunciones, pero el muy cabrito ya había desviado mi llamada. Me aferré al auricular, obstruyendo con una mano el micrófono; de repente, la turbación que me atenazaba se había convertido en parálisis.

—¿William?

Supuse que se hallaba apostada ante la mesilla, o incluso sosteniendo el teléfono sobre su regazo, porque no dejó que sonase ni una décima de segundo. Su voz era urgente y luctuosa, azuzada por algún trastorno que la mantenía en vela.

—¿William? ¿Eres tú? —Ahora la voz se iba extinguiendo mientras sobre ella se desplomaban unos sollozos que la hacían ininteligible—. ¿Por qué tanta crueldad? ¿No podías haberme avisado?

Tardé en asociar aquellas palabras, que al principio me parecieron incongruentes, con el novio violinista que la aguardaba en Vancouver, el violinista demacrado y sombrío que la había enamorado con su interpretación de la *Sinfonía Júpiter* de Mozart, el violinista prófugo que había faltado a la cita y la había dejado tirada en una ciudad pálida y extranjera. Las frases (que eran más suplicantes que recriminatorias) se desangraban en un gemido entrecortado y otra vez se recomponían, mientras los pulmones aún no habían consumido su depósito de aire, para quedar por fin truncas, ahogadas por las lágrimas:

—¿Y por qué me llamas ahora, si no quieres decirme nada?

Yo me mantenía, en efecto, mudo y consternado, curioso y a la vez arrepentido de haberme colado en su intimidad, como cuando por accidente descubrimos a través de la ventana a una vecina que se pasea desnuda por su casa, pero, tras el perplejo descubrimiento, en lugar de bajar las persianas, perseveramos en el espionaje. Ahora Elena trataba de adecuar su ofuscamiento y sus espasmos a la lengua nativa del violinista, pero el resultado era angustiosamente macarrónico:

—*Why, William? Why you are cruel?* —y luego regresaba al castellano, desmenuzada por el llanto—: Te quiero, William. Todavía te quiero...

Lo que vino a continuación era un dialecto ininteligible, una argamasa de dolor humillado y furia desatada y súplicas genuflexas que impetraban la limosna de una respiración amiga, de un gesto que la salvara del naufragio.

— ... Por Dios te lo pido. Por Dios te lo pido.

La nieve descendía sobre el mundo, impertérrita y casta, demorada e impía, sepultando aquel hilo de voz que me llegaba a través del auricular. Cuando colgué, me supe —yo también, como los policías que me habían aprehendido, como aquel violinista prófugo al que involuntariamente había suplantado durante unos minutos— capaz de cualquier crueldad.

Los organizadores lánguidos o pasotas de mi conferencia no se molestaron siquiera en cancelarla tras la nevada de la noche anterior. De modo que, a los impedimentos y razones disuasorias ya existentes —su celebración en un rascacielos pintiparado para los ejercicios de puntería de Al Qaeda, la convocatoria matutina, el reclamo poco seductor de mi nombre—, se sumaba aquella tupida alfombra blanca que no invitaba a salir de casa. En un esfuerzo encomiable, pero estéril, por rectificar el pasotismo o languidez de los organizadores, el cónsul español había obligado a comparecer a todos los empleados de su oficina, compensándolos quizá con promesas de permisos y flexibilidad de horarios; pero ni siquiera estos enjuagues y sobornos bastaron para remover de sus fisonomías el enfurruñado desdén, que se fue robusteciendo de bostezos a medida que mi charla (repetida a pequeños intervalos por un traductor salmódico) avanzaba, renqueante y desganada, hacia su desenlace. El propio cónsul, anticipando el desaguisado, también se había ocupado de aportar una remesa de hispanistas, en su mayoría jubilados, que se dispersaban por la sala, consultando ostentosamente el reloj y rebulléndose inquietos en la butaca, mientras lanzaban miradas pánicas a los ventanales, de un cristal ahumado y a prueba de huracanes, pero no a prueba de aviones kamikazes.

Unas nubes bajas y pedregosas tapiaban la vista panorámica de la ciudad; pensé que los inquilinos de los apartamentos más encumbrados del John Hancock Center tendrían que telefonear a portería, para inquirir las condiciones meteorológicas, antes de elegir su vestuario y salir a la calle. Nos hallábamos en un piso próximo a la azotea, y aunque la construcción del rascacielos incorporaba a su estructura toneladas de hormigón y vigas de acero, todos los asistentes nos sentíamos como cucañistas encaramados en una resbaladiza pértiga. No lograba arrancar de la memoria los sollozos de Elena, que mis remordimientos agigantaban, y me lastimaba pensar que mi silencio cobarde (incongruente, además, con el previo rapto de temeridad que me había impulsado a telefonearla) podría haber agravado su desesperación, arrastrándola incluso al suicidio. Imaginaba a Elena exánime sobre la moqueta de una habitación de hotel, atiborrada de barbitúricos, con el cuerpo torcido en un escorzo y descalza (imaginé las venillas que descendían por su empeine, que apenas unos días antes me parecieron vetas de algún esbelto mineral o cursos de sigilosa agua, obstruidas por una sangre negra como el alquitrán); imaginé también a una pareja de policías procediendo, con más rudeza que diligencia, al levantamiento del cadáver (en mi figuración, esos policías portaban los rostros del sargento excavado por los cráteres cutáneos y de su subalterno Brad) y, ya por fin, imaginé al portero zascandil y alcahuete que, a las preguntas insistentes de los policías, recordaría la llamada intempestiva que la difunta había recibido la noche anterior, la llamada de un español que hablaba con circunloquios y que, sin duda, podría esclarecer con su testimonio las circunstancias que habían rodeado el suicidio de aquella muñeca: rubia, ojos verdes, un culito de pantera.

—Y ahora nuestro invitado entablará muy gustosamente coloquio con ustedes.

El cónsul español, un hombre de porte aristocrático y modales correctísimos, ejercía de maestro de ceremonias, supliendo la languidez o el pasotismo de los organizadores de la conferencia. Para sostener el simulacro y prevenir ese sentimiento de vanidad ultrajada que acomete a los escritores cuando su auditorio se atrinchera en el silencio, el cónsul español había rogado a los hispanistas jubilados que llevasen preparada alguna preguntilla no demasiado incómoda ni capciosa. Mi conferencia había sido deshilvanada, y además infractora del asunto estipulado («La nueva literatura española», habían titulado mi intervención los organizadores lánguidos o pasotas, pero yo había preferido divagar sobre otros asuntos menos deleznables); aunque no creo que los hispanistas se hubiesen enterado de nada. A una indicación del cónsul, desdoblaron con prontitud de autómatas unos billetitos en los que habían redactado sus deberes.

—¿Qué opinión le merece la literatura *spanglish?* —me preguntó el hispanista más lanzado.

—La misma que el pensamiento navarro —abrevié, parafraseando a Baroja. Pero nadie entendió la mención críptica; quizá nadie conociese tampoco la figura retórica denominada oxímoron.

—¿Se considera discípulo del realismo mágico de García Márquez y Borges? —aventuró otro, nada avergonzado de su empanada mental.

—Le ruego que no blasfeme contra Borges, ni lo mezcle con malevos.

A cada nueva pregunta, yo me iba poniendo más borde y asqueadamente lacónico, pero los hispanistas, en un alarde de disposición masoquista, siguieron afligiéndome con sus curiosidades folclóricas. Reparé entonces en un tipo que desentonaba entre el público atildado de hispanistas y funcionarios del consulado; se había refugiado en la última fila de butacas y desde allí, en regocijada soledad, se partía de risa mientras el coloquio avanzaba hacia su consunción. Era un cincuentón muy macarra, con ese aspecto entre pirado y belicoso que se les queda a los contestatarios después de haberse fumado toda la marihuana que cultivan en su jardín. Tenía el cabello de un rubio ceniciento, muy largo y greñudo, reunido en una coleta; sus facciones, hiperbóreas y un poco bestiales, tenían una belleza amedrentadora que me recordó al actor Rutger Hauer, el predilecto de Laura, antaño replicante en *Blade Runner* y hogaño villano en bodrios pestíferos. Como Rutger Hauer, era fornido como un leñador, con unos brazos historiados de tatuajes que reptaban sobre su piel como faunas concebidas en algún delírium tremens. Vestía, desmintiendo los rigores invernales, una camiseta sin mangas y un chaleco de tela vaquera, desflecada y un poco gorrina, a juego con un pantalón que le esculpía el paquete, y calzaba unas botas repujadas y puntiagudas en las que se echaban de menos las espuelas. Me sorprendió que lo hubiesen dejado acceder al edificio; pero cuando reparé en sus ojos heladores, entendí que no habría portero capaz de vedarle el paso. Al advertir el motivo que ilustraba su camiseta sin mangas, empecé a profesarle cierta simpatía: a pesar de la distancia y de la sombra, distinguí la efigie inconfundible de Fanny Riffel, una *pin-up* de los años cincuenta a la que yo había dedicado en mi juventud de articulista mercenario alguna semblanza de pretensiones más o menos líricas.

—¿No le gustaría que Almodóvar adaptase alguna de sus novelas? —proseguían los hispanistas.

—Tendría que adaptarla mucho, la verdad, para aproximarla a su mundo —contesté desganadamente.

—¿Pero a usted le molestaría que sus personajes fuesen travestis? —insistió otro, deseando cazarme en un renuncio homofóbico.

—Con tal de que estén bien operados...

Para impedir que el silencio sobrevenido asfixiara al auditorio, el cónsul español se adueñó del micrófono ante el que yo había evacuado mis impertinencias y declaró concluida la reunión. Los únicos aplausos que infringieron la marcha ofendida de los hispanistas brotaron de las manazas de aquel oyente macarrísima, que aprovechó la languidez o pasotismo de los organizadores y el disgusto del cónsul para abordarme. La efigie de Fanny Riffel se atirantaba en su camiseta, tierna y descocada como una zagala que acabase de aprender a guiñar un ojo.

—Menuda jarca —me saludó el desconocido, en una jerga tan alejada del diccionario Webster's como la que había utilizado la pareja de policías la noche anterior.

—Y que lo diga. —Me amilanaba su presencia y la ferocidad de sus facciones—. Pero ya está uno acostumbrado.

Entonces el cincuentón arrojó sobre la mesa que me había servido de parapeto durante la conferencia una revista que había mantenido enrollada hasta ese momento. Era un ejemplar de *Playboy*.

—Es para usted, se lo regalo —hablaba con una especie de tímida tosquedad—. Pero debo presentarme. Mi nombre es Tom Chambers.

Era frecuente que, a la conclusión de una conferencia, me abordasen dementes más o menos pacíficos, empeñados en brindarme su averiada amistad, o en abrumarme con sus peripecias biográficas (deseosos de inspirar mi siguiente novela), o en encalomarme sus poemas épicos en octavas reales para que yo recomendara su publicación a las editoriales más preocupadas por el descubrimiento y promoción de nuevos talentos. Pero nunca me habían asaltado con un obsequio tan descolocante.

—Se lo agradezco mucho, pero...

—Ni siquiera la ha mirado. Haga el favor —me interrumpió Chambers. El azul de sus ojos era a la vez suplicante y conminatorio.

No se trataba de un *Playboy* cualquiera, sino de un ejemplar del número de diciembre de 1956, en el que la *pin-up* Fanny Riffel había posado disfrazada de Santa Claus. Me apresuré a hojearlo, más por granjearme la enemiga de los organizadores lánguidos o pasotas de mi conferencia (con los que no deseaba compartir mesa y mantel, así me llevasen a rastras) que por verdadero interés. A Fanny Riffel le había profesado cierta veneración diez años atrás, cuando le dediqué una semblanza para una serie de fascículos dedicados a las tías más macizas del siglo XX, pero de aquella antigua veneración ya sólo me quedaba un residuo de nostalgia.

—Leí su artículo sobre Fanny. Es lo mejor que se ha escrito sobre ella —insistió, un poco mendicante, Chambers.

Entonces recordé que, en efecto, aquella semblanza de intenciones más bien elegíacas había sido mi primer texto vertido a la lengua inglesa. Por no sé qué intrincados vericuetos, aquel fascículo de poca monta llegó a manos de Hugh Hefner, el propietario de *Playboy*, que me remitió una carta ditirámbica. Sobre Hefner yo había leído anécdotas patidifusas; sabía —quizá con una pizca de envidia, porque la vulgaridad y el horterismo son virtudes envidiables— que vivía en un rancho con aspiraciones de Arcadia guarrindonga, rodeado de un gineceo de rubias neumáticas y despampanantes y unánimemente lerdas, todas ellas dispuestas a rendirle pleitesía a cambio de un reportaje gráfico donde pudiesen mostrar sus atributos mamarios. En su carta, que leí con una suerte de regocijada perplejidad, Hefner se confesaba rendido admirador de Fanny Riffel, a la que había llegado a tratar cuando, a mediados de los cincuenta, le dedicó la portada y las páginas centrales de su revista. Deseaba reproducir mi artículo en un número especial de *Playboy*, una suerte de homenaje o *revival* consagrado a «la mujer más hermosa que recuerdo haber conocido, y créame que he conocido a muchas». Esta frase, escrita con tranquila petulancia, servía de preámbulo a otro párrafo mucho más sentido, en el que el magnate del onanismo industrial se declaraba obsesionado por el recuerdo de Fanny Riffel, tan distinta de otras muchachas de belleza chabacana o estridente que habían ilustrado su revista, y se mostraba muy preocupado por su suerte, que nadie conocía, puesto que se había enterrado en vida, al estilo de Salinger.

—Sabe a qué artículo me refiero, ¿verdad? —me interpeló Chambers, haciendo añicos mi abstraimiento.

—Sí, claro. Ahora lo recuerdo. Pero Hefner ni siquiera me envió un ejemplar de la revista. Nunca llegué a verlo publicado.

—No se preocupe, yo tengo varios —dijo Chambers, que parecía dispuesto a cargarme con una colección completa de *Playboy*.

Publicar en aquella revista no era lo mismo que publicar en *The New Yorker*, pero añadía a mi currículum un pintoresquismo que, sin llegar a enorgullecerme, me halagaba, así que me apresuré a responder a Hefner, otorgándole mi permiso para traducir y reproducir mi artículo sobre Fanny Riffel, que no era más que una divagación en torno a un fantasma, o en torno a la imagen ensoñada de ese fantasma. Me sentí tan generoso que, incluso, lo exoneré de pagarme; quizá, en la más secreta cámara del inconsciente, anhelaba que Hefner hubiese premiado esa generosidad invitándome una semanita a su rancho.

—No, no se preocupe usted —abrevié para quitarme de encima a Chambers—. Tampoco tengo tanto interés.

—Pero en su artículo usted parecía un trovador de Fanny Riffel —insistió.

La introducción de aquel término tan provenzal rechinaba en labios de Chambers como un anacronismo o un melindre. Intenté zafarme de su acoso.

—Eran otros tiempos. Había que ganarse la vida.

Avancé por el pasillo central, a través de la sala vacía y umbrosa; los organizadores lánguidos o pasotas habían apagado las luces, y las nubes pedregosas seguían tapiando la visión panorámica de la ciudad. Entonces Chambers me tomó del brazo con una mano suasoria; reparé en sus tatuajes, que incluían calaveras con las cuencas relamidas por la cola de una serpiente y otros motivos no menos fúnebres.

—Puede seguir ganándosela ahora —me escupió con hosquedad. Sus ojos garzos habían dimitido del parpadeo—. Podría escribir una novela sobre Fanny Riffel.

—Por favor, suélteme.

Notaba la presión de su mano en el antebrazo, como un cepo o un tórculo. Pensé que de un momento a otro me levantaría en volandas, a puro pulso, como hace Rutger Hauer con el alfeñique de Harrison Ford hacia el desenlace de *Blade Runner*.

—La novela de su vida —masculló entre dientes, mordiéndose la rabia—. Una novela escrita a partir de una historia real que nadie conoce.

—¿Que nadie conoce? —intenté imprimir hilaridad a mi réplica, pero era una hilaridad atragantada e incómoda—. ¡Pero si se han escrito decenas de biografías sobre Fanny Riffel! ¿Está usted loco o qué?

No había acabado de formular esta pregunta y ya me estaba arrepintiendo, temeroso de su reacción furibunda. Pero, para mi sorpresa, esa reacción no se produjo; por el contrario, Chambers, lastimado en su orgullo, cedió en el acoso y me soltó el brazo. Una herrumbre de desaliento se derramó sobre sus ojos garzos.

—Y ahora, si me permite...

Avancé hacia la salida, donde ya sólo me aguardaba un bedel, tras el escaqueo de los organizadores lánguidos o pasotas y la desbandada del cónsul, que había arrastrado consigo a los empleados de su oficina y a los hispanistas jubilados. Las nubes habían remontado hacia lo alto y se estaban dispersando; Chicago, de repente, se congregaba ante el ventanal.

—Las biografías sólo cuentan la primera parte de su vida, hasta que abandonó el trabajo de modelo sin dejar ni rastro. —La voz de Chambers, a mis espaldas, era apenas un murmullo con modulación de cantinela—. Yo le ofrezco lo que vino después.

Desde aquella atalaya, Chicago era una ciudad petrificada por el frío, un desierto polar que me brindaba su secreto, después de haberme sometido a pruebas que desafiaban mi pundonor y también mi credulidad. Sentí una pululación interna, un vértigo que nacía de esa inminencia febril que se desata en nosotros ante la resolución de un enigma. Me volví:

—¿Cómo ha dicho?

La voz le brotaba de los labios rugosa y difícil, estragada por una tristeza milenaria:

—La segunda parte, que sólo yo conozco. Su vida escondida, desde que se retiró hasta hoy mismo. Y puedo mostrársela. Puedo mostrarle a la anciana Fanny Riffel.

Asentí, al principio cautamente, luego con decisión y aplomo. Chambers también asintió desde las sombras; a sus espaldas, la nieve fosforescía, inconsútil e íntima, como los misterios que aguardan su desvelamiento.

Luego, en el hotel, mientras consumía las horas que me separaban de ese desvelamiento, me entretuve hojeando cien y hasta mil veces el ejemplar de *Playboy* de diciembre de 1956 que Chambers me había regalado. En sus páginas centrales, Fanny Riffel posaba en cuclillas (sus muslos deliciosamente ensanchados, como tulipanes en la plenitud de su floración), junto a un árbol de Navidad, con un gorrito de Santa Claus ladeado sobre su tupidísima melena de ala de cuervo y un guiño en la mirada que el flequillo y la sonrisa incitadora enmarcaban con una promesa de accesible felicidad. Sus senos, vistos casi de perfil, tenían una carnalidad aterida y nada atosigante (nada que ver con los senos recauchutados que algunos años después empezarían a colonizar *Playboy*), y en su piel desnuda, que evitaba la exhibición del vello púbico, no había atisbo de obscenidad. Creo que el milagro de su belleza consistía, precisamente, en ese halo de desarmante inocencia que irradiaba, aun en los retratos más escabrosos.

Y creo que la razón última de mi atracción por Fanny Riffel, casi una década después de haber escrito aquella semblanza que pertenecía a mi poco decorosa prehistoria literaria, había que buscarla en su sonrisa. Era una sonrisa convulsiva e ingenua que transmitía a su rostro una impresión de generosidad, de incesante entusiasmo; una sonrisa idéntica a la que yo había descubierto en Elena, mi azarosa compañera de vuelo. Absurdamente, pensé que ambas mujeres eran emanaciones de un mismo arquetipo. La efigie de Fanny Riffel, de aquella Fanny Riffel que fue apodada «Reina de las Curvas» por el ejército clandestino de sus adoradores, se ha convertido ya en un icono de la cultura *underground*, en el fetiche oscuro de una época que legó a la posteridad una mitología de criaturas tronchadas en flor, juguetes rotos que, enaltecidos o envilecidos por la nostalgia, han estimulado la avaricia devota de los coleccionistas. Fanny Riffel pertenece a la misma generación y a la misma estirpe desahuciada que Marilyn Monroe; pero, aunque su destino común de derrota las hermane, las vicisitudes de su gloria son muy diversas, casi antípodas, hasta el extremo de que Fanny, a juicio de sus admiradores, podría entenderse como el reverso de sombra de Marilyn. Inquilina perpetua de esos sótanos donde se hacinan los tabúes y los anhelos prohibidos de una generación, Fanny Riffel ni siquiera llegó a disfrutar de una fama aireada o saludable; su reinado nunca se extendió más allá de las cabinas de los camiones y los dormitorios comunales de los reclutas, de los cajones de doble fondo y los somieres protegidos por un mullido colchón donde los adolescentes esconden las pruebas de su pecado, de las trastiendas donde se expiden las mercancías de contrabando y los envíos contra reembolso que ocultan su verdadera naturaleza con un sobre de aspecto anodino u oficial para que los familiares del destinatario no descubran sus hábitos viciosos. Sería muchos años después, cuando Fanny Riffel ya había abandonado su carrera de modelo más o menos pornográfica, cuando un puñado de dibujantes de tebeos y arqueólogos de la erotomanía resucitasen su figura, convirtiéndola en un modelo estético de la transgresión y el *kitsch* (o del *kitsch* transgresor, si se prefiere) y en un inagotable venero de inspiración.

Aquellas fotografías tomadas en estudios de mobiliario menesteroso, aquellos cortometrajes de ocho milímetros en los que Fanny Riffel comparece ante la cámara sin tomarse demasiado en serio su papel de estricta dominanta o bailarina exótica, que antaño circulaban de matute entre una cofradía de salidorros inconfesos o vergonzantes, se cotizan hoy a precios mareantes en las casas de subastas más respetables del mundo. En todas esas fotografías granulosas y películas con saltos de eje comparece siempre la misma muchacha increíblemente hermosa, increíblemente incontaminada por la sordidez de las situaciones que interpreta. Fanny Riffel tenía una melena muy fosca y tupida que se cepillaba sin descanso hasta extraerle un brillo agreste, y un flequillo que oscurecía su frente de colegiala y se recortaba, justo un centímetro por encima de sus cejas, como sustituyendo ese ceño que nunca debe faltar en las chicas malas. Tenía una mirada desvalida y vivaracha, de un azul monástico que contrastaba con las pasiones calenturientas o nauseabundas que desataba en sus admiradores. Tenía una sonrisa en la que asomaba una dentadura húmeda y una lengua que, dependiendo del mohín, podía transmitir una contraseña virginal u obscena. Tenía unos brazos mórbidos, a menudo velados por guantes de cuero negro que le trepaban hasta más arriba del codo, acechando su piel blanquísima, y que ella misma se desenfundaba, en el curso de sus exhibiciones, con una parsimonia aprendida de Rita Hayworth. Tenía unos senos nada copiosos ni estridentes que se deshojaban sobre su cuerpo como cachorros perplejos, cuando no había un sostén que los cautivase, o bien se juntaban, como un racimo pugnaz, cuando la enjaezaban con uno de aquellos corsés blindados de corchetes que tanto estimulaban la concupiscencia de su clientela. Tenía un torso como de plastilina, adiestrado en mil y una danzas y contorsiones inverosímiles, y un vientre que copiaba la luna, perturbado por un ombligo que a veces quedaba oculto por las bragas que se embutía en sus sesiones fotográficas, bragas un poco ortopédicas, ribeteadas exageradamente de encajes y puntillas para avivar los furores fetichistas. Tenía un culo opulento, mortificado por el elástico de esas mismas bragas ortopédicas, unas caderas tensas que atirantaban la piel y unos muslos blandos, mitigados en su blancura por unas medias de costura que los estrangulaban, haciéndolos aún más apetecibles. Tenía, sobre todo, un desparpajo que era como una segregación natural de su cuerpo y que la convertiría, allá por la década de los cincuenta, en la reina de las *pin-ups*, en la modelo más solicitada de calendarios y revistas sicalípticas, en la favorita de los soldados que aguardaban el embarco hacia Corea y también de muchos padres de familia puritanos que desaguaban sus tedios conyugales machacándosela en el váter.

Pero quizá convenga aquí resumir la biografía de Fanny Riffel, o siquiera la biografía de su vida visible, porque de la vida escondida que sucedió a su retirada sólo Tom Chambers tenía noticia. Fanny Riffel había nacido en Chillicothe, Illinois, en 1923, cuando ya sus padres habían incrementado el censo del condado con otros tres vástagos que la precedieron en el aprendizaje de la miseria y el nomadismo. Su padre, veterano de la Gran Guerra que había cosechado una ráfaga de metralla y una neurosis indeleble en las líneas de vanguardia, rodaba de empleo en empleo por los talleres mecánicos de los alrededores; su madre mendigaba ayuda en la iglesia baptista de la localidad y muy de vez en cuando era contratada como fregona por los granjeros de la zona, que no siempre le pagaban puntualmente la calderilla estipulada. Aquella infancia funámbula en los alambres de la necesidad se hará, además, trashumante cuando los padres de Fanny sean desahuciados de la casucha que habitan por impago de alquiler. Los años de la Depresión enseñaron a Fanny a jugar sin juguetes, a caminar sin zapatos, a estudiar sin libros, a vestir los harapos que la beneficencia le adjudicaba, remendados con esa abigarrada anarquía de telas y colores que sólo se permiten los pobres de solemnidad.

El robo de un automóvil y el asalto carnal a una jovencita en un granero conducirán al padre de Fanny, un mujeriego de la peor calaña, a la cárcel. La madre, en la que ya asoman los primeros síntomas de derrumbamiento, decide entonces internar a sus hijos en un orfanato, incapaz de procurarles sustento. Cuando, a los doce años, Fanny regrese al desvencijado hogar familiar, al que acaba de incorporarse el padre trapacero y lujurioso después de sus vacaciones a la sombra, es una niña lastimada por un prematuro desánimo, de una timidez patológica que su progenitor aprovechará para saciar con ella sus apetitos. A estos abusos furtivos se referirá Fanny en alguna de sus últimas entrevistas, con una especie de desalentada resignación, como si los considerase episodios de una obligatoria servidumbre. Pero, aun en los aturdimientos de una adolescencia asediada por la pobreza y los instintos salaces de su progenitor, Fanny Riffel empieza a soñar con una vida superior que le permita huir de ese légamo moral que amenaza con asfixiarla. El refugio de los cines pueblerinos, en donde brilla el rostro inalcanzable de tantos actores y actrices venerados, le ayuda a concebir su quimera de liberación. Se afana en los estudios y consigue una beca para prolongarlos en un instituto de Peoria, donde estrenará su incipiente talento interpretativo en diversas funciones escolares. Un año antes de graduarse, cuando ya las turgencias de su cuerpo arrasan en los certámenes locales de belleza, pierde la virginidad con un compañero de instituto en el asiento trasero de un coche que aguarda el desguace a las afueras de Peoria; ese tálamo precipitado será la alegoría premonitoria de su itinerario sentimental, que nunca dejará de dar tumbos por las chatarrerías del fracaso.

Fanny estudia magisterio en Chicago, aprovechándose de otra beca a la que ha resultado acreedora tras su brillante graduación en el instituto. Chicago, con su horizonte afilado de rascacielos, la embriaga y ofusca y le infunde el espejismo de creerse próxima a esa forma de vida superior que había soñado en la oscuridad de las salas de cine. Cuando obtenga el título de maestra a los veintiún años, probará suerte en una escuela para muchachos descarriados y reacios a la instrucción, redimidos de los suburbios fabriles de Chicago. Será durante esta breve experiencia docente cuando Fanny descubra, con más espanto que orgullo, los arrebatos libidinosos que desata entre la población masculina, representada allí por unos adolescentes de hormonas en estado de efervescencia que aprovechan cualquier disculpa para rozarse contra ella. Su interinidad como maestra se resolverá cuando los dirigentes de la escuela reparen en los alborotos que su presencia ocasiona a los alumnos, y seguramente también a los demás maestros, tan atildaditos y observantes del precepto dominical. Fanny Riffel, despachada con excusas poco convincentes, no tendrá problemas para conseguir empleos de secretaria, pero serán siempre empleos efímeros a los que renunciará tan pronto como sus sucesivos jefes le empiecen a exigir prestaciones menos protocolarias que la mera mecanografía. Hacia 1945, quizá sin haberse percatado, se ha convertido en una mujer de belleza que compendia y trasciende los cánones estéticos al uso; en su combinación de impetuosa carnalidad e intacta pureza, los hombres hallan el acicate de su lujuria y también de sus instintos de profanación. Fanny decide entonces sacar rendimiento monetario de ese palmito que hasta entonces ha conservado en una urna, protegido del escrutinio de los pretendientes que la acosan. Asiste a varias pruebas de *casting* en las que, a la postre, siempre resulta descartada, bien por mantenerse inexpugnable a los acercamientos carroñeros de la tribu cinematográfica, bien porque su dicción un poco paleta malogra las expectativas que despierta su anatomía. Un día, mientras se tuesta al sol en la playa, un fotógrafo le pide permiso para hacerle un retrato; cuando quiere darse cuenta, el fotógrafo ya ha consumido tres carretes en la celebración de un cuerpo que parece absorber toda la luz de la mañana. A su alrededor se ha congregado un corro de curiosos que siguen embelesados la sesión; el fotógrafo, con el índice acalambrado de tanto apretar el disparador de la cámara, le pregunta, aturdido por el mismo embeleso que los mirones espontáneos: «Señorita, ¿es usted consciente de que ha nacido para que la fotografíen?». Fanny Riffel, pese a las repetidas importunaciones que ha sufrido, sigue sin ser plenamente consciente de su belleza. Quizá esa inconsciencia o púdica modestia la hagan aún más deseable a los ojos de los hombres, por el contraste entre su candor natural y el torbellino de pasiones que desata. Pero el fotógrafo de la playa, que trabaja como *freelance* para varias compañías publicitarias, rectifica esa inconsciencia (y también ciertas torpezas o excesos en las poses de Fanny) y convierte a la anónima chica de la playa en el emblema de una promoción de cremas bronceadoras. Los cartelones que invitan a los bañistas a embadurnarse con estos potingues se convertirán pronto en el reclamo más poderoso del lago Michigan.

Empiezan a lloverle las ofertas publicitarias. Las calles se llenan de anuncios que difunden la figura de una Fanny Riffel que ya domina a la perfección sus habilidades gestuales y sabe fingirse risueña o enfurruñada, escamada o gozosa, según las características del producto que tenga que vender, pero dejando siempre en las comisuras de los labios un amago de pucherito al que no sobrevive ninguna resistencia. En 1947, se completará la metamorfosis de aquella chica de Chillicothe, Illinois, en Reina de las Curvas: un amigo fotógrafo le recomendará que sustituya su convencional melena, repartida en crenchas, por otra que disimule su frente algo abombada con un flequillo al estilo de Louise Brooks. Fanny alquila un apartamento de soltera al norte de la ciudad, en LaSalle esquina con Elm Street; las exiguas dimensiones de la vivienda le enseñarán a desenvolverse en lugares cerrados con la soltura que luego mostrará en sus películas picantes, rodadas en cuchitriles en los que apenas puede rebullirse. En este mismo año sufrirá un asalto brutal y mancomunado que le dejará secuelas irreversibles: mientras pasea por la avenida Michigan, deteniéndose ante los escaparates de las tiendas más distinguidas, un individuo muy elegantemente trajeado le dirige un par de piropos que no infringen los códigos de la cortesía; cuando ella por fin reacciona con un gesto de sonrojada gratitud, el desconocido le propone que acepte ser su pareja por una tarde, en el salón de baile Aragon, en el Northside. Se trata de un tipo de sonrisa embaucadora, un poco bucanera, con un bigotito copiado de Gilbert Roland (aunque, a juzgar por el aplomo que emplea en su cortejo, más bien se cree una reencarnación de Errol Flynn); tiene una estampa más larguirucha que gallarda que no desentona con su voz de barítono. A Fanny los hombres larguiruchos y con voz de barítono le suscitan, un tanto irracionalmente, confianza. Además, el Aragon siempre ha sido, desde su infancia rural en Chillicothe, un lugar asociado a la leyenda: nada le gustaba más, allá por los años sombríos de la Depresión, que escuchar las emisiones que la cadena WGN radiaba en directo desde aquel salón que siempre contaba con las mejores orquestas, y aunque ya no la separase del mítico Aragon la distancia geográfica, seguía retrayéndola el precio de la entrada, demasiado caro para una joven que hace sus pinitos como maniquí para fotógrafos de medio pelo. Pero el desconocido del bigote plagiado de Gilbert Roland parece tener bien abastecida la cartera, según lo pregona su traje muy esmeradamente planchado, y Fanny, que se pirra por el baile, comienza a padecer esa forma de ahogo o premonitoria decrepitud que fustiga a los solitarios. La propuesta le parece inocua, así que accede a subirse en el automóvil del desconocido, que persevera en su actitud cortés y la halaga con una cháchara tan lisonjera como desenfadada.

Cuando el coche se detenga en un semáforo para recoger a otra pareja de individuos algo peor encarados, Fanny comenzará a concebir pensamientos ominosos. Pero todavía la conversación entre los tres hombres discurre vivaz, así que se esfuerza en espantar sus temores. Al poco, sin embargo, el coche toma un desvío hacia una carretera comarcal y recoge a otra pareja de individuos, esta vez ya indisimuladamente astrosos y de modales rudos, que se apretujan en el asiento trasero con los anteriores. Un minuto antes de sentir el filo de una navaja apretando su yugular, Fanny ya sabe que el baile no figura entre los proyectos prioritarios de la banda. El último tramo del trayecto hasta el descampado donde por fin se detiene el automóvil discurre en un silencio cenagoso, sólo alterado por la trepidación del motor y por las obscenidades que de vez en cuando le escupen sus secuestradores, mientras le palpan con unas manos batracias los senos por encima del suéter. Las lágrimas le ofuscan la mirada, como la lluvia que ha empezado a caer ofusca el parabrisas, cuando le ordenan descender del coche, que ha quedado oculto entre las lomas de desperdicios de un vertedero; la lluvia ha hecho fermentar toda aquella inmundicia, que eleva al crepúsculo un hedor mareante y pútrido. Mientras chapotea entre las basuras, mientras sus secuestradores le anticipan, como desde una lejanía de pesadilla, las sevicias que se proponen infligirle, Fanny recuerda, en un rapto de lucidez desesperada, que los chicos del instituto solían renunciar asqueados a sus apremios carnales cada vez que la visitaba la menstruación. «Me temo que no os va a gustar —balbuce, con una voz apenas discernible entre la telaraña de sollozos que apresan su garganta—. Acaba de bajarme la regla.» La advertencia, sorprendentemente, ejerce un efecto disuasorio sobre los violadores, que se juntan en conciliábulo para decidir su reacción ante aquel contratiempo imprevisto. La lluvia sigue martilleando con monotonía sobre las montañas de desperdicios, sigue borrando los contornos del mundo, sigue apelmazando la melena de Fanny, que ya no tiene el brillo de un ala de cuervo, sino la textura derrotada de un pingajo, sigue desliendo el rímel de sus pestañas, que desciende por las mejillas ensuciando sus lágrimas. Entre la monotonía de la lluvia y el marasmo del horror, Fanny escucha la propuesta de uno de sus raptores, que consiste en rajarla allí mismo. Al final se impone la solución menos criminal del hombre que la embaucó ante el escaparate de la avenida Michigan (pero a estas alturas Fanny ya no distingue sus facciones), que también es la solución más escrupulosa y la más satisfactoria, pues los cinco desean aplacar pronto los bestiales apetitos que los han conducido hasta el vertedero. Le ordenan que se arrodille sobre los desperdicios que rasgan sus medias y laceran sus rodillas y la obligan a hacerles una felación; uno tras otro vacían su calentura en la boca de Fanny, su boca que había nacido para acoger una sonrisa convulsiva e ingenua, su boca de labios promisorios que, después de este episodio, se quedarán resquebrajados y mudos. Así la dejan los cinco, reducida a un gurruño que gime con un delgadísimo ruido gutural, bajo la lluvia que la hunde más y más entre las montañas de desperdicios. Tendrá que regresar a Chicago por calles poco concurridas, descalza y harapienta, como en su niñez sin juguetes.

Fanny no denunció nunca a sus agresores; prefirió guardar para sí el recuerdo de aquella humillación, que iría extendiendo su purulencia sobre su estabilidad emocional. En alguna entrevista que le hicieron en sus días de discutible gloria, Fanny se atrevió a mencionar este episodio, pero siempre como de pasada y embarulladamente, en un tímido desahogo que no bastó para exorcizar el influjo que irradiaría sobre el resto de su vida. Proponen algunos estudiosos de la psiquiatría que las víctimas de asaltos sexuales suelen desarrollar, a modo de antídoto contra la memoria, una insensata promiscuidad que a veces subliman con un cierto exhibicionismo. No sé si estos alambicados mecanismos mentales guiaron la conducta de Fanny a partir de entonces, lo que sí está demostrado es que se tornó más desinhibida y descarada, y que empezó a frecuentar los clubes de fotógrafos aficionados de Chicago, donde no tardó en convertirse en la modelo más cotizada. Quienes tuvieron la suerte de retratarla durante aquellas sesiones la evocan con infinita delectación e infinita nostalgia: todos ellos coinciden en afirmar que, a diferencia de otras modelos que no tardaban en mostrar síntomas de fatiga o hastío, Fanny disfrutaba posando. Había en su actitud una alegría casi desesperada (y es que a veces la alegría postiza puede ser la válvula de escape de quienes no tienen escapatoria) que excedía la mera coquetería y que la fue convirtiendo en una maniquí infalible, a la que ningún fotógrafo, por desmañado o inepto que fuese, detectaba un gesto desganado. Cuando la sesión se alargaba y la complicidad con el fotógrafo lo permitía, Fanny no tenía ningún rebozo en liberar del sostén sus senos como cachorros desvalidos, tampoco en quitarse las bragas, para mostrar su culo opulento y el pubis negrísimo y ojival, como la catedral de un culto perseguido. Muy pocas fotografías con desnudos integrales de Fanny Riffel han sobrevivido hasta nuestro días, pero en las que he podido ver nada se añade al encanto más discreto de las que la retratan ligera de ropa, porque en ella la insinuación valía siempre más que la explicitud. Digamos que la crudeza genital deshonra su belleza.

Fanny llegó a ganar más dinero en una sola de aquellas sesiones para fotógrafos aficionados, que apenas duraban tres o cuatro horas, que con el sueldo semanal que recibía trabajando como secretaria para negociantes y empresarios que se creían, además, con derecho de pernada. Entre el gremio de los fotógrafos, en cambio, Fanny encontró siempre un respeto muy próximo a la unción religiosa; nunca, ni siquiera en las sesiones de exteriores (para las que exigía una tarifa doble) que se organizaban en playas recónditas de arrecifes y bosques añosos de arces, tuvo que lamentar que alguno se propasara, aunque la continencia de los fotógrafos no la exonerase de los espionajes menos comedidos de los gamberros que deambulaban por aquellos parajes, tampoco de la vigilancia de la policía, que con cierta asiduidad desbarataba estas sesiones, aduciendo que promovían el alboroto público; pero más de uno se quedaría con ganas de sustituir la cachiporra por una cámara.

A comienzos de los cincuenta, la fama de Fanny Riffel ha desbordado el círculo restringido de los clubes de fotografía *amateur* y las agencias publicitarias locales. Retratistas afamados llegan desde Nueva York, convocados por el filón inagotable de su hermosa naturalidad, y alquilan sus servicios para utilizarla como reclamo en estuches de discos, cajas de cerillas, portadas de noveluchas *pulp* y anuncios variopintos. También en estos años se prodiga en las *girlie magazines,* un subgénero de quiosco a mitad de camino entre la sicalipsis y el *burlesque,* con sus ribetes de cursilería *camp.* En estas revistas, los adultos americanos de la época refrescaban la mirada en la cabalgata de chicas en bañador o en lencería churrigueresca, que protagonizaban unas a modo de tiras cómicas en las que se exponían las tribulaciones que una joven virtuosa y desprevenida debía arrostrar para repeler los ataques de la jauría masculina. Así, Fanny posaba ataviada de criada a la antigua usanza, con cofia y mandil, agachándose para fregar el suelo mientras su señor espiaba los amenos paisajes que se ofrecían a su escrutinio (y de su boca brotaba un bocadillo que rezaba: «Cáspita con la moza»); o bien, en el papel de una postulante a soprano que, en su afán de ascender por la escala musical, reventaba los corchetes de la falda, mostrando a la concurrencia sus medias prendidas por ligas y sus bragas recargadísimas de puntillas (y de su boca brotaba un bocadillo que rezaba: «¡Recórcholis! Si yo sólo quería dar un do de pecho...»); o bien, enfrentada en pugilato a un figurante disfrazado de gorila que le arrancaba la ropa a zarpazos —una prenda por cada zarpazo—, hasta que por fin Fanny lo noqueaba de un puñetazo y, victoriosa, clavaba el tacón del zapato en la barriga del oponente (y de su boca brotaba un bocadillo que rezaba: «Y dile a tu papá King Kong que no me envíe niñatos»). Todo, como se ve, muy enternecedoramente casposillo, con un toque de vodevil travieso que, a juzgar por las decenas o cientos de *girlie magazines* que prosperaron en la época, debía de hacer las delicias de su público.

Será Klaus Thalberg, el dueño de una tienda en la que se despachaban estas revistas, junto a golosinas para los niños y estampas de las estrellas hollywoodienses, quien proponga a Fanny Riffel un trabajo casi clandestino que favorecerá su leyenda. Klaus Thalberg había observado que los mozalbetes (y no tan mozalbetes) que merodeaban las *girlie magazines* solían mutilarlas, aprovechando algún momento de barullo en la tienda, precisamente en aquellas páginas ocupadas por los retratos de Fanny Riffel. Cuando supo que era casi vecino de aquella preciosidad, corrió al apartamento de LaSalle Street y se apostó en el portal, esperando que Fanny regresara de uno de aquellos clubes de fotógrafos aficionados donde se le habían elevado altares de adoración nocturna y diurna. Tras la obligatoria presentación, Thalberg, que era bonachón y tripudo, pero también expeditivo, no se anduvo con circunloquios: le pagaría ochenta dólares (el triple de su tarifa habitual) por cada sesión, con la única condición de que, además de posar para las fotografías, dejase que registraran sus evoluciones en película de celuloide. A Fanny le halagó la expectativa de protagonizar películas; como, además, aquel hombrecillo rechoncho que le formulaba la oferta ostentaba el mismo apellido que el mítico magnate cinematográfico, creyó fantasiosamente que su sueño de adolescencia comenzaba a moldearse.

Durante los siguientes cinco años, Fanny Riffel rodó más de cien cortometrajes en el estudio que Klaus Thalberg había improvisado en el sótano de su tienda. El escenario invariable y archisabido, la iluminación lóbrega y el mobiliario paupérrimo otorgan a estos cortometrajes una característica atmósfera de mazmorra mal ventilada y morbosa transgresión. Al principio, las actuaciones de Fanny Riffel (invariablemente mudas) consistían simplemente en menearse ante la cámara al ritmo desenfrenado de una música que no oímos; en esas danzas sin orden ni concierto, Fanny se cimbrea hasta el agotamiento, hace jeribeques obscenos, se relame y carcajea, se sacude los senos siempre recogidos en el sostén y vuelve la espalda al objetivo de la cámara para que el contoneo de sus caderas no pase inadvertido. Su vestuario, que a veces incorpora elementos exóticos (velos de gasa y bragas con flecos de lentejuelas en las danzas orientales, castañuelas y bragas con faralaes en las danzas aproximadamente españolas), incluye siempre medias de costura y zapatos de tacón inverosímil que la obligan a bailar de puntillas, con el consiguiente impuesto de hinchazones y agujetas en los pies. Como Thalberg vendía sus cortometrajes por catálogo y contra reembolso a una clientela de gustos muy concretos y monotemáticos, no tardará en encauzar su producción hacia aquellos asuntos más demandados por unos compradores que necesitaban abastecer sus desviaciones con imágenes cada vez más tenebrosas y retorcidas, como rescatadas de las alcantarillas donde anidan las perversiones.

Así será como Fanny Riffel, la Reina de las Curvas, se especialice en películas de fetichismo y disciplina que incluyen todas las variantes de la extravagancia, sin transgredir nunca los límites de esa malicia pudibunda que Thalberg se había impuesto como marca de estilo. Fanny protagonizará escenas de *bondage* en las que se deja amordazar y maniatar por otras modelos de aspecto algo vacuno; o bien, embutida en corsés de cuero y armada de férulas, propinará azotainas a otras modelos escuálidas que patalean con gran aspaviento cada vez que Fanny les propina cachetes de mentirijillas en el culo. También aquí su versatilidad para desempeñar con igual convicción irónica las funciones de sumisa o estricta dominanta la convierten en la más solicitada por la clientela de Thalberg. A medida que pasen los años, las películas de Fanny ganarán en sofisticación *bizarre* hasta alcanzar cúspides delirantes, como la del cortometraje *Captive Jungle Girl*, en el que una Fanny con biquini de leopardo acrílico es amarrada y suspendida en el aire con un complicado ingenio de cuerdas y poleas, mientras su castigadora le zurra la badana con una almohaza.

En un rodaje cualquiera de estas películas pugilísticas, mientras Fanny era sometida por su contrincante a llaves que reclamaban articulaciones de plastilina, sintió un chasquido en su rodilla que la dejó tiritando de dolor. Con la pantorrilla desencajada e inerte y un moratón que extendía su mancha de lividez, Fanny fue socorrida con inútiles remedios caseros (cataplasmas y bolsas de hielo, también un entablillado bastante chapucero), pues Thalberg no se atrevía a llevarla a un ambulatorio, donde hubiesen indagado las circunstancias que habían rodeado la rotura. Luego, a medida que la hinchazón aumentaba y los dolores se agudizaban, Thalberg la condujo en automóvil hasta LaSalle Street, cargó con ella hasta el tercer piso donde se hallaba su apartamento y la dejó tendida sobre la cama, aquejada de delirios que la hacían desvariar. Aquella noche, Thalberg veló el sueño ajetreado y gemebundo de su modelo; hacia el alba, rendido por el cansancio y tras comprobar que Fanny se había aquietado, consintió en bajar los párpados. A las pocas horas, Fanny lo despertó con sus canturreos; estaba fresca como un pimpollo y le tendía un tazón de café humeante. Estupefacto, Thalberg dirigió la vista hacia su rodilla, repentinamente ilesa y sin sombra de tumefacción. Con una sonrisa absorta, Fanny le confesó —y nunca dejaría de confesarlo sin rebozo, en las muchas entrevistas que le hicieron— que, en mitad de la noche, había escuchado una voz recia y reverberante que le exigía: «Fanny, extiende la pierna». Obedeció sin titubeos, y constató que el dolor se había evadido, y que los huesos se habían soldado milagrosamente. Enaltecida por un temor reverencial, Fanny decidió que esa voz curativa procedía de Dios. Y, a partir de entonces, siempre encontraba un hueco entre película de dominación y película de fetichismo para acudir a la iglesia baptista del barrio; a veces, para ahorrar tiempo, llevaba debajo de la ropa pudibunda de feligresa la lencería satánica que le reclamaban los clientes de Thalberg.

Entre esos clientes, emboscado tras una tupida red de intermediarios, se hallaba el mismísimo Howard Hughes, ricachón enamoradizo y pigmalión recalcitrante de actricillas que previamente habían de satisfacer sus requerimientos venéreos. Fanny viajó a California, en uno de aquellos autobuses épicos que cruzaban el país, sonámbulos de pasajeros que huían de su propia sombra, y realizó una serie de pruebas en los estudios de la RKO, que el millonario Hughes regentaba con modales de capataz o tratante de esclavos. La leyenda quiere imaginar un encuentro personal entre estos dos personajes que un día decidieron celar su existencia y hacerse invisibles; también quiere imaginar que Fanny rechazó las aproximaciones de Hughes con una bofetada que le valdría la enemiga del millonario. Pero más probable es que su acento demasiado rústico y sus dotes interpretativas más bien limitadas la apartasen definitivamente de aquella quimera incubada durante su adolescencia, en los cines pueblerinos. Resignada a su destino de musa para onanistas, Fanny regresa a Chicago y vuelve a posar para Klaus Thalberg, que no puede pagar sus servicios con paseos en limusina y borracheras de champán francés, pero que al menos la mira con ojos de padre cachazudo, incluso cuando ejecuta ante él sus irresistibles números de *striptease,* siempre improvisados y siempre jubilosos, aunque la gangrena del fracaso empiece a corroerla por dentro.

Vistas hoy, aquellas películas y series fotográficas pueden resultar conmovedoramente cándidas, incluso irrisorias. Pero en la época en que fueron rodadas, tan acechada por las manías persecutorias del puritanismo, bordeaban los márgenes de la ilegalidad. Al abrigo del clima paranoico desatado por la caza de brujas, un senador del partido demócrata, Estes Kafauver, crea un comité dedicado a perseguir la pornografía. Con la connivencia del FBI y de los inspectores postales, Kafauver viola impunemente los envíos contra reembolso de Klaus Thalberg y confisca varios cortometrajes protagonizados por Fanny Riffel, que proyectará en Washington ante un público de correligionarios y periodistas pazguatos. En estricta justicia, no se puede acusar a Thalberg de divulgación pornográfica, pues sus modelos nunca aparecen desnudas (incluso se aseguraba de que llevasen siempre dos bragas superpuestas, para que no se les transparentara el vello púbico), por lo que Kafauver sustenta sus imputaciones sobre la muy subjetiva convicción de que el contenido de sus películas fomenta la violencia y la degeneración espiritual. Thalberg y la propia Fanny son convocados a Washington, donde tendrán que prestar declaración ante el comité senatorial presidido por Kafauver, mientras los periódicos de la capital magnifican el incidente con campañas de un sensacionalismo chillón y tremebundo. Cuando Kafauver se encare con Fanny en el estrado, enarbolando una colección de estampas en las que ella misma aparece ataviada con la consabida parafernalia sadomasoquista, obtendrá de la acusada una respuesta que lo desarmará con su espontánea ingenuidad: «Pero, senador, no me diga que no son preciosas...».

Esa misma ingenuidad, que antes le había permitido permanecer incontaminada, caminando a pie enjuto por los barrizales del envilecimiento, inclinó benévolamente a sus juzgadores. Tampoco Thalberg salió del todo malparado, pues evitó la cárcel, aunque a cambio tuviera que acatar el oprobio social y la orden de destruir los negativos de sus películas, que hoy sólo se conocen a través de las copias exhumadas a regañadientes por sus compradores. Pero aquella experiencia inquisitorial iba a hacer mella en Fanny, quien, a su regreso a Chicago, se tropezará con un insistente rumor, seguramente calumnioso, según el cual habría llegado a posar, durante sus sesiones con fotógrafos aficionados, en posturas de explícito contenido genital, o incluso en plena ejecución de actos escatológicos. Ciertamente Fanny se había dejado retratar, sobre todo en sus inicios, en estado de embriaguez (se emborrachaba con apenas media copa), pero no podía imaginarse envuelta en situaciones tan abyectas. Cuando supo que circulaban bajo cuerda retratos suyos burdamente trucados en los que aparecía copulando con sujetos ignotos y empezó a recibir anónimos procaces, Fanny decidió que había llegado el momento de desaparecer en un anonimato que le permitiera expiar su existencia pasada.

En esta diáspora que la irá difuminando lentamente hasta tornarla invisible, aún hará escala en Florida. Será en Miami donde acceda a posar por última vez, ante la insistencia de la fotógrafa Bunny Yeager, que recorría incansablemente las playas del país, por encargo de Hugh Hefner, en busca de una modelo digna de ocupar las páginas centrales de *Playboy*. Fanny no se ajustaba al canon neumático y chabacanote impuesto por esta revista, pero Bunny Yeager supo enseguida que se hallaba ante una belleza que desbordaba el molde efímero y cambiante de los cánones. Tras vencer las reticencias de una Fanny en la que creyó advertir los síntomas de una incipiente (o no tan incipiente) obsesión religiosa, Bunny Yeager alquiló sus servicios durante un par de semanas durante las cuales, además de completar el reportaje navideño de *Playboy*, tiró casi mil fotografías de una luminosidad gozosa que son el canto de cisne de la Reina de las Curvas. En esas casi mil fotografías, convertidas luego en opíparo manantial de derechos de autor para Bunny Yeager, Fanny ya es una mujer de sazonada madurez en cuyo cuerpo asoman los primeros indicios de celulitis (pero es una celulitis apetecible y núbil), que improvisa escorzos y acrobacias en la playa con una exultación saltarina que parece augurar un futuro benigno. Nunca estuvo tan bella, tan esperanzadoramente bella.

Pero, o bien esa esperanza se malogró, o bien cristalizó en una felicidad demasiado enclaustrada en sí misma. De la noche a la mañana Fanny se esfuma sin dejar ni rastro. Los amigos que la llamaban a su apartamento de LaSalle Street se aburrieron de no obtener respuesta; los pitidos del teléfono sonaban hasta el agotamiento, como si reverberasen en un caserón en el que se acaba de cometer un crimen, o peor aún, eran bruscamente interrumpidos por alguien que no se identificaba y guardaba un abominable silencio. Bunny Yeager, la última fotógrafa que la retrató, asegura que, en cierta ocasión, después de mucho insistir, logró contactar con Fanny; cuando le propuso reunirse para una nueva sesión, una voz adelgazada hasta el susurro, una voz como de fantasma afónico o ánima en pena la atajó, desde el otro extremo de la línea: «No creo que al Señor le agrade». Y colgó. Fueron sus últimas palabras conocidas, su escueto testamento, su despojada renuncia a la mujer que había sido. Nunca se supo si, a partir de aquel año de 1957, Fanny Riffel estrenó una vida distinta que refutase o simplemente arrinconase la anterior. Muchos rastreadores de su intimidad se habrían esforzado por descifrar los motivos de aquel retiro riguroso, pero las pistas endebles que manejaban se estrellaban finalmente contra un callejón sin salida, obligándolos a aventurar hipótesis rocambolescas o amarillistas: para unos, Fanny Riffel se habría suicidado atiborrándose de barbitúricos y adentrándose, indolente, en el mar; para otros, su obsesión religiosa la habría empujado a emparedarse en vida en algún convento, o quizá a alistarse en alguna expedición de misioneros para perecer en alguna intrincada selva, devorada por una tribu caníbal o por una fiebre no menos caníbal; los más fantasiosos u optimistas proponían que habría cambiado de nombre y rectificado algunas circunstancias de su rostro en el quirófano antes de casarse con algún millonario europeo que la habría cubierto de joyas y de hijos. Yo más bien pensaba que Fanny Riffel, como el renegado John Walker Lindh, se había internado en pasadizos de secreta locura, hasta alcanzar ese estadio de supremo desasimiento en que nuestra percepción de las cosas sufre un apagón, un cortocircuito que nos aleja hasta de nuestra propia identidad. Imaginaba a Fanny Riffel, envejecida y extrañada de sí misma, vagabundeando por ese laberinto donde no hay escaleras que subir, ni puertas que forzar, ni fatigosas galerías que recorrer, ni muros que veden el paso; tan sólo un extenso, infinito desierto donde poder extraviar el alma.

Y ahora Tom Chambers, un hombre de aspecto macarrísima y vagamente fumado, me proponía asomarme a ese desierto de casi cinco décadas. Quizá fuese un chalado visionario, un mitómano con las meninges oxidadas o incluso un psicópata con mono de carnicerías que me conduciría hasta un descampado para abrirme en canal y reducirme a carne picada. Nada me importaba, sin embargo; como ya dije antes, me había dejado poseer por una especie de zozobra expectacte que me obligaba a ceder al reclamo del misterio. Amanecía sobre la ciudad acongojada, amanecía sobre las azoteas que aún conservaban charcos de una nieve deshonrada por el barro. Sonó el teléfono de mi cuarto; sonó hasta siete u ocho veces, obcecado y perentorio, como habría sonado en el apartamento de Fanny Riffel, en los días o meses en que la Reina de las Curvas decidió encerrarse en una crisálida, antes de alzar el vuelo sobre los desiertos de la vida invisible.

—Disculpe, señor Losada —la voz del recepcionista era medrosa y desconfiada—. Aquí hay un tipo muy mal encarado, un tal Chambers, que asegura haber quedado citado con usted.

Me notaba entumecido, tras la noche en vela, como si me hubiesen administrado cloroformo. Así, al menos, me ahorraría una agonía innecesaria si Chambers decidía trocearme con su cuchillo de picar carne.

—Dígale que enseguida bajo.

E vanston no parecía el escenario adecuado para perpetrar un asesinato. Tenía ese aire idílico, próspero, muy atildadamente ajardinado de las ciudades residenciales que arrullan el ánimo del visitante hasta que, después de un paseo plácido por sus calles más transitadas (calles donde los viandantes aún saludan hospitalarios al forastero, donde los tenderos le invitan a probar sus mercancías más exquisitas), decide tumbarse bucólicamente sobre el césped de un parque, a la sombra de un arce que incorpora a su fronda las mil y una tonalidades cromáticas del otoño. El visitante, mientras proyecta alquilar una casita de estilo georgiano y quedarse a vivir allí hasta los restos, procreando con una lugareña que le propinará un ejército de hijos sanos y pecosos y cumplidores del precepto dominical, nota que un objeto de contornos sinuosos le manca en la espalda; el visitante se remeje al principio algo incómodo, tratando de buscar otra postura que lo alivie de ese estorbo, pero al final se incorpora, para apartarlo de un manotazo. Y entonces el visitante descubre que ese objeto molesto que había tomado por un pedazo de corteza desprendida del arce es en realidad un dedo humano, quizá un anular, un dedo arrancado de cuajo, infestado de golosas hormigas, con la uña lívida y astillada y los huesos (falange, falangina y falangeta) rígidos y la piel todavía túmida estrechada por un cerco en el lugar donde quizá hubo una sortija.

Estos pensamientos macabros me rondaban mientras Chambers buscaba sitio para aparcar al pie de una residencia de ancianos de Evanston, un edificio camuflado entre las pulcras hileras de árboles que bordeaban las aceras. Un cartelón sobre la marquesina proclamaba su nombre de aspiraciones botánicas (pero la ciudad de Evanston, toda ella, parecía proyectada por un fundamentalista de la botánica), Mather Gardens, y el lema de la institución, que plagiaba a los alquimistas que buscaron el elixir de la eterna juventud: *Promoting Lifelong Vitality*. En mitad del jardín, aprovechando una plazoleta que propiciaba la confluencia de los parterres, se erigía un busto de Alonzo Clark Mather, el filántropo que había fundado la residencia; había sido, si el bronce no mentía, un hombre de fisonomía afilada y dulcemente severa, como suele ocurrirle a casi todos los filántropos, porque urdir obras de beneficencia es un trabajo que adelgaza mucho, en especial cuando las caridades se convierten en negocio. La residencia Mather Gardens tenía vistas al lago Michigan, que había ribeteado nuestro viaje desde Chicago con su color de mineral sucio y su música de galerna, su música ronca que había amortiguado el horror de las confidencias de Chambers. Muy próximo se hallaba el campus de la universidad de Evanston, cuyo edificio principal ascendía al cielo, con vanidad de ciprés, acongojando a las nubes con su artillería de pináculos y gabletes y tejados picudos y pizarrosos.

—¿Y ahora qué? —dije, intimidado, cuando Chambers yuguló la trepidación del motor.

—Ahora, a esperar. Después del desayuno los sacan a dar un paseo por el jardín.

Confirmando su aserto, un par de empleados de la residencia recorrían los senderos del jardín menos accesibles al sol y derramaban puñados de sal gorda sobre los remiendos de nieve que aún no se habían derretido. De vez en cuando pasaban a nuestro lado lugareños disfrazados de adefesios o espantapájaros deportivos, que se internaban en Centennial Park, trotones y obsesionados por reducir tripita o cartucheras. Los lugareños de Evanston tenían un aspecto como de jubilados muy cívicamente artrósicos, con la dentadura alicatada y la coronilla tapizada de un injerto capilar que, visto de cerca, causaría repeluzno, como el pelo de las muñecas. Supuse, después de haber reparado en las casas que habitaban, que la población de Evanston la compondrían fundamentalmente viudas acaudaladas, cirujanos que habrían colgado el bisturí cuando el parkinson empezase a confundir sus tajos con la rúbrica que estampaban en sus cheques y maricas nostálgicos de Bob Hope y Lucille Ball. La residencia Mather Gardens se me antojó una redundancia, sobre aquel paisaje de pensionistas afables, inquilinos de casitas de estilo Tudor, con sus suelos de madera encerada y sus molduritas en el techo y sus belvederes en el jardín y sus ventanitas con falleba y mainel desde las que las viejecitas aquejadas de alzheimer llamaban a los fantasmas de sus hijos, que seguían correteando, junto a las vallas de madera blanca, tantas décadas después.

—¿Está seguro de que vive ahí? —pregunté, para quebrar el silencio, más intimidante aún que las confesiones que acababa de hacerme.

—Tan seguro como que es de día —dijo Chambers, sin inmutarse—. La internaron aquí hace cinco años, cuando por fin un juez la declaró inofensiva y decretó su salida del manicomio. —Recuerdo que utilizó esta palabra, *madhouse*, sin eufemismos falsamente conmiserativos—. Y como mi vida lejos de Fanny no tiene sentido, cambié el oficio de loquero por el de jardinero, y conseguí que me contrataran en Mather Gardens.

Por fin le encontraba sentido a los trebejos que se amontonaban en el asiento trasero. Al entrar en el automóvil de Chambers, un Dodge abollado y sucio, con la tapicería acuchillada de desgarrones, había reparado primeramente en la manga de riego (con la que pensé que iba a estrangularme) y en la feroz podadera (con la que pensé que jugaría a contar o más bien descontar mis dedos). También había aspersores, sacos de abono y herbicidas y algunas cajas de cartón que entonces me habían pasado inadvertidos.

—Hasta que el verano pasado el director de la residencia decidió despedirme —continuó Chambers—. Los ancianos le habían hablado de mi extraña relación con Fanny. Tras examinar mis antecedentes laborales, debió de pensar que soy un pervertido, un gerontófilo peligroso.

Formuló una sonrisa sucinta que apenas perturbó las comisuras de sus labios. Tenía un perfil rugoso y barbarizante, como de guerrero venido del frío; su mirada extrañamente líquida, extrañamente fiscalizadora, no se desviaba ni un ápice de la marquesina de Mather Gardens.

—A lo mejor hasta tiene razón en el fondo, el hijo de puta —bisbiseó sin atisbo de jocosidad—. Me advirtió que si me veía merodeando por aquí, me meterían en chirona.

—Entonces tal vez sería mejor que nos fuésemos —me removí inquieto en el asiento.

Chambers puso su mano de leñador o matarife sobre mi rodilla con un ademán apaciguador, quizá también disuasorio.

—De aquí no nos movemos hasta que salga Fanny —zanjó el asunto—. Estamos en un país libre. Y además, tengo otros muchos clientes en esta zona de Evanston. Nadie puede coartar mis movimientos.

Hablaba con esa fe un poco insensata y chulesca que los americanos profesan a sus leyes, más restrictivas y paranoides tras la escabechina de Bin Laden. Era poco amigo de andarse por las ramas, como había demostrado desde que cometí la temeridad de encerrarme con él en el coche. Doce millas separaban Evanston del centro de Chicago, trecho que aprovechó para ponerme en antecedentes, sin morigerados preámbulos ni circunloquios difusos. Decidió contarme la verdad sin afeites desde el principio, en toda su escueta sordidez. No creo que nadie me haya desarmado nunca tan desaprensiva y fieramente como lo hizo Chambers aquella mañana. Entró a saco desde el principio, sin importarle airear sus alcobas peor ventiladas a un desconocido que podría reaccionar de forma imprevisible, desde luego con nauseabundo horror y quién sabe si también con ofendida indignación. Llegué a pensar que aquella absoluta falta de inhibiciones para mostrar sus llagas obedecía a un comportamiento propio de un perturbado que halla placer en la divulgación de sus fechorías; según descubrí enseguida, constituía un comportamiento típico en él, un resabio de su infancia católica en el barrio de Belmont-Cragin, en el West Side de Chicago: su abuela polaca le había recomendado, en la víspera de su Primera Comunión que, a la hora de confesar sus pecados, empezara siempre por los más gordos, para ir descendiendo por la escalera de la gravedad hasta llegar a los más veniales o insignificantes; de este modo, liberaría antes su conciencia, y el sacerdote no lo asediaría con interrogatorios enojosos, como suele ocurrir cuando el pecador escurre el bulto y remolonea.

En el verano de 1959 —comenzó— acababa de cumplir catorce años; por las tardes se juntaba con otros muchachos del vecindario, desgarbados y larguiruchos y siniestros como él y, mientras sus padres los creían vagueando en los billares del barrio, tomaban un autobús hasta Lincoln Park para fichar a las bañistas que tomaban el sol en biquini junto a la gran laguna del parque. Cuando se cansaban de ejercer de mirones, se refugiaban detrás de un arbusto —cada uno por su cuenta o en comandita— y se cascaban una paja mientras invocaban con la imaginación, en simultáneo desorden, los culos y tetas menos esmirriados que sus correrías contemplativas les habían deparado. Luego, maleantes y costrosos, se arrellanaban en un banco y desde allí increpaban a los niños pijos, escupían a las viejas y abucheaban a las parejas de novios que se arrimaban a la espesura tratando de darse un furtivo lote. Cerca del banco donde se congregaban solía merodear una mujer que repartía folletos y revistas del Moody Bible Institute entre los paseantes, que solían desfilar ante ella sin mirarla siquiera, como si fuese un mendigo o un ectoplasma. Y algo de mendigo y ectoplasma tenía, sin duda: había sido una mujer hermosa, quizá incluso voluptuosa, pero se esforzaba por borrar de sus facciones y de su figura cualquier vestigio de atractivo, rehuyendo el maquillaje, cortándose el pelo a trasquilones, vistiendo unas ropas almidonadas y de una tela bastísima —como arpillera de penitente— que anulaban sus turgencias. Chambers y sus amigos le lanzaban improperios y blasfemaban y ridiculizaban su oficio de captadora de nuevos adeptos, que tan patosamente desempeñaba. La mujer, que quizá no excediera los treinta y cinco años, aunque aparentase casi cincuenta, lloraba compungidamente, como un perrillo sin amo, y proseguía su labor; a veces, algún caritativo policía dispersaba a la pandilla de Chambers, pero la mayoría de las tardes podían ensañarse con ella a placer y vilipendiarla hasta extremos de crueldad sólo concebibles en adolescentes descarriados y rencorosos; extrañamente, la repartidora de folletos no cambiaba nunca de lugar, como si las instrucciones del Moody Bible fueran muy precisas o acatase aquella infamante cruz como un merecido castigo a sus faltas.

Un día, un muchacho de la pandilla se trajo una revista atrasada que le había hurtado al marranazo de su padre. Tras el título de *Chicks and Chuckles* —«Pollitas y cloqueos»—, la revista de marras incorporaba un escaparate de muy lustrosa carne, y no gallinácea precisamente. Llevaba algunas semanas aquel muchacho insistiendo en la posibilidad de que la repartidora de folletos religiosos, pese a su apariencia gazmoña, fuese una antigua *pin-up* llamada Fanny Riffel, con cuyos retratos se encerraba su padre en el váter, para desatascar las cañerías. La muchacha de la portada posaba en bañador, sentada a la vera del mar, en un escorzo que mostraba la opulencia de sus muslos y el blando desvalimiento de sus senos y la morbidez del brazo que se llevaba a la cabeza, para ahuecarse la melena y de paso mostrar el sobaco depilado, como una madriguera de recóndita tibieza. Era una muchacha de sonrisa convulsiva y labios húmedos y flequillo pizpireto que en nada se parecía a simple vista a aquella mujer gastada y zaherida por la resignación o la demencia que repartía folletos religiosos. Y, sin embargo, había algo en sus facciones, bajo la máscara de abatimiento o extenuada consternación, que casaba con las facciones de aquella modelo. El adolescente Chambers hojeó con incredulidad la revista, luego con una escamada sombra de recelo; abruptamente, alzó la mirada hacia la repartidora de folletos religiosos y, agitando la mano en ademán de saludo, voceó: «¡Eh, Fanny, qué callado te lo tenías, pedazo de guarra!».

Fanny Riffel —porque, en efecto, era ella la conversa a la propaganda apostólica— se quedó paralizada, como contusa por aquellas palabras que le devolvían una turbamulta de recuerdos que creía confinados en los sótanos de la amnesia y que ahora se abalanzaban sobre ella, como una plaga de cucarachas trepando por sus piernas, infestando su piel, ahogando su aliento. Dejó caer el rimero de folletos del Moody Bible, que un golpe de viento dispersó en un abanico despavorido, y se quedó mirando fijamente al adolescente Chambers, desencajada y muda (quizá las cucarachas ya se le agolpasen en el paladar, con el sabor tumultuoso y salado del pavor), trastabilló, tropezó con un arriate y cayó cuan larga era, ante las risotadas de los muchachos de la pandilla. Fanny consiguió levantarse a trompicones y a trompicones echó a correr, en pugna con la falda de penitente que apenas le concedía movilidad. Los muchachos de la pandilla prosiguieron con su guasa, pero el adolescente Chambers, deleitándose aún más en el oprobio de la fugitiva, la persiguió por los senderos de Lincoln Park, ante la divertida aquiescencia o pasividad de los domingueros que paseaban por allí. Hubiera podido atraparla al instante, pero dejó que la carrera la fuese dejando sin resuello, claudicante y llorosa. La desorientación, o quizá ese magnetismo que la boca del lobo ejerce sobre las criaturas más ingenuas, había conducido a Fanny hacia los parajes menos frecuentados del parque; por un segundo, el adolescente Chambers pensó desahogar el apremio de la carne allí mismo (tras la revelación de su pasado, la muy recatada repartidora de folletos se le antojaba deseable), sofaldándola y magreándola y, con un poco de suerte, incluso, asesinando a su costa ese demonio de la virginidad que lo torturaba como un sarampión o una cefalea. Pero cuando ya se disponía a consumar el asalto, al adolescente Chambers se le ocurrió otra forma de vejación más esmeradamente cruel. Con un susurro que era meloso y sarcástico a partes iguales, se despidió de Fanny: «Anda, vete y no peques más».

Chambers se asustaba, cuarenta años después, de haber concebido tal aberración; y se asustaba todavía más de haberla realizado, y de haberla sostenido durante meses, con una reincidencia que exigía algo más que un temperamento depravado. Quizá sólo una tara genética, un atavismo ponzoñoso inscrito en la sangre pudo amparar tanto regodeo. Vio alejarse a Fanny Riffel por los casi borrados vericuetos que la acercaban a LaSalle Street; la vio volver la cabeza al principio, temerosa aún de que la asaltase por la espalda y después, más confiada, acelerar el paso (los tobillos y el arranque de las pantorrillas, que la falda dejaba asomar, avivaron su deseo); la vio caminar con un paso escorado hacia la derrota que, sin embargo, no lograba desmentir del todo aquel gracioso contoneo que un día ya lejano adornó sus caderas. La vio marchar tratando de adivinar su figura de presentida ánfora bajo el atuendo de beatorra, y cuando consideró que ya se hallaba a una distancia suficiente la siguió, emboscándose primero entre los arbustos y luego, cuando el espionaje se prolongó por LaSalle Street, buscando el cobijo de los portales y merodeando el reflejo de los escaparates, donde sucumbía el crepúsculo estrellándose como un vencejo ciego. La vio entrar en un edificio de fachada angosta que hacía esquina con Elm Street, con ese aire de antro decoroso que se les queda a los edificios cuando los exorna la mugre. El adolescente Chambers aguantó un par de minutos más, hasta que una ventana se iluminó en el tercer piso. Los estores estampados filtraban una luz como de bujía triste e impedían ver lo que ocurría en la habitación, pero al adolescente Chambers le bastó esa rácana luz y la agitación de sombras que se adivinaba tras los estores para imaginarse a Fanny desnuda, por fin aliviada de aquellas vestimentas que anulaban su belleza. La imaginó minuciosamente, indemne a los estragos de la edad, libidinosa como las sacerdotisas paganas de las noveluchas *pulp*. Enfrente de la casa se hallaba la iglesia de la Ascensión, de culto episcopaliano, en la que se celebraba alguna tardía liturgia vespertina; en un umbroso escaño del fondo, mientras los fieles entonaban himnos desafinados y plegarias regadas de anacolutos, el adolescente Chambers se masturbó furiosamente y a chorro libre. No lo acometieron remordimientos de conciencia ni sensación de sacrilegio alguna, pues los episcopalianos eran un hatajo de herejes.

El adolescente Chambers ya conocía el domicilio de Fanny Riffel. Una consulta somera a la guía telefónica le deparó la combinación numérica que la dejaba a su merced. Al día siguiente, los muchachos de la pandilla lo acribillaron a preguntas, ansiosos por saber si la persecución se había consumado con la captura de la pieza y su posterior doma (utilizaron este símil de ganaderos); el adolescente Chambers, infatuado y un poco jaque, mintió, profusamente mintió, inventando circunstancias escabrosas o tan sólo chuscas. Para fortalecer su patraña, la repartidora de folletos religiosos Fanny Riffel no apareció aquella tarde por Lincoln Park: «Ahora se avergüenza de lo que hizo —dijo el adolescente Chambers, para explicar su ausencia—, pero ayer bien que disfrutaba, y bien que me pedía más». Eran bravatas de adolescentes que exhibían como un orgulloso estigma sus orígenes arrabaleros; aquella tarde increparon con más ímpetu a los niños pijos, escupieron con mayor acopio de gargajos a las viejas y abuchearon con menos recato a las parejas que se refugiaban en la espesura para darse un furtivo lote. Entre trapisonda y trapisonda, aderezaron su aburrimiento hojeando otras revistas sicalípticas coleccionadas con paciencia de herbolario por el padre marranazo de uno de los muchachos de la pandilla; como en todas ellas la conversa Fanny Riffel interrumpía su desnudez con bañadores de dos piezas o conjuntos de lencería barroca, el adolescente Chambers aprovechó para martirizar a los otros inventando pormenores de veracidad indemostrable: «Tiene un lunar en la teta izquierda, justo encima del pezón», o bien: «Nunca había visto un coño tan peludo, tíos, os lo juro», o incluso: «Le gustaba que le chupase una pequeña cicatriz en la ingle». Quizá los muchachos de la pandilla no lo creyesen, pero la envidia les crecía como un tumor y les encharcaba el alma de humores que luego tendrían que liberar dándole al manubrio.

—Entonces alguien recordó el episodio del comité senatorial presidido por Kafauver —prosiguió Chambers, con voz cada vez más lóbrega. Circulábamos por North Lake Shore, la carretera litoral levantada sobre los paisajes de aquellas hazañas sórdidas—. Dijo que se había rumoreado que existían fotos muy comprometedoras de Fanny, fotos de penetraciones y de coprofilia. Y que el miedo a que saliesen a la luz la había obligado a retirarse.

Su inglés poco respetuoso de mi diccionario Webster's extraviaba letras aquí y allá, haciéndose impracticable; masticaba las frases hasta disolverlas en la saliva espesa de la contrición. En un tono atribulado, me detalló la vileza que había urdido y que aquella misma noche consumó, cuando sus cinco hermanos y sus padres siempre a la greña y su abuela polaca aletargaban el aire del cuchitril donde vivían con sus ronquidos. Bajó hasta el vestíbulo del portal, donde se hallaba el teléfono comunal de la casa, introdujo unos centavos en la ranura y marcó el número del apartamento de Elm Street. Fanny tardó en descolgar el auricular; sus primeras palabras parecían embadurnadas de sueño. El adolescente Chambers engoló la voz, o la enronqueció de una guturalidad siniestra: «Buenas noches, cerda. —Había calculado cada inflexión, cada pausa, con una premeditación y una frialdad que se sobrepusieron, incluso, a la erección que le crecía dentro del calzoncillo—. Tengo esas fotos, ¿sabes? Y se las pienso entregar a los federales». Al otro extremo de la línea, se había hecho un silencio sobre el que se fue desangrando un gemido entrecortado de lágrimas, muy similar seguramente al gemido que Elena exhaló un par de noches atrás, cuando la llamé a su hotelito y no me atreví a identificarme. «A menos, claro está...», dijo el adolescente Chambers, lanzando el anzuelo. Fanny hablaba en un dialecto ininteligible, una argamasa de dolor humillado y furia desatada y súplicas genuflexas, el mismo dialecto que había empleado Elena con su interlocutor anónimo. «A menos —prosiguió el adolescente Chambers, cuya erección ya no podía contener el calzoncillo; el aplomo impávido hacía más atroz su petición, su exigencia— que sigas mis instrucciones.» Fanny interrumpió los sollozos, golpeada por esa agria estupefacción que humilla a las víctimas de los chantajes; quizá por un segundo sopesó la posibilidad de colgar el teléfono, como quien borra de un manotazo el asedio de una pesadilla. «Te advierto —se anticipó el adolescente Chambers— que, si se te ocurre hacer lo que estás pensando, te pondré una denuncia. Y lo mismo ocurrirá si cada vez que te llame no me respondes de inmediato. Yo de ti no me separaría del teléfono.» Ahora la voz de Fanny, enlentecida por un horror que le hacía trabucar las palabras, parecía emerger de una catacumba: «¿Qué quiere de mí?», acertó por fin a farfullar. Por su memoria, seguramente, desfilaron en comitiva o tropel el rumor de la lluvia martilleando con monotonía sobre montañas de desperdicios, el dolor lastimado de sus rodillas hundidas en el fango, la asfixia y la náusea sentidas mientras una carne intrusa crecía y se derramaba contra el velo de su paladar, anegándola de un infinito asco y una infinita humillación. Quizá, si el recuerdo de aquel vejamen no hubiese invadido como un enjambre de ofuscación su soledad, Fanny hubiese podido reparar en la puerilidad de la encomienda que el adolescente Chambers formuló, con un apremio que refutaba el aplomo hasta entonces empleado en sus extorsiones: «Quiero que me digas cochinadas mientras me pajeo».

«¿Cochinadas?», repitió Fanny, con algo de alivio y algo de extrañeza. «¿Qué clase de cochinadas?» El adolescente Chambers entendió que estaba perdiendo la iniciativa, así que, a partir de ese momento adoptó el laconismo como estrategia, regándolo de vez en cuando, a guisa de estallidos inopinados (el recurso a la violencia verbal resulta tanto más efectivo cuanto más arbitrario e imprevisible), de groserías y conminaciones y denuestos que rizaban el rizo de la escabrosidad y dejaban a Fanny tiritando, llorosa y mansa como una criatura que ha extraviado la voluntad y acata con automatismo las órdenes de su tirano. Aquella primera noche, el adolescente Chambers corroboró o rectificó los pormenores anatómicos que había aventurado en sus alardes calenturientos ante los otros muchachos de la pandilla: supo así que Fanny no escondía ninguna cicatriz en la ingle, incongruencia con su fantasía que lo enojó sobremanera; supo así que Fanny estaba salpicada de lunares en los senos, al menos hasta en siete lugares distintos, muchos más de los que él había imaginado; supo así que, en efecto, el vello púbico de Fanny era frondoso y negrísimo, tal como él lo había imaginado, y que, cuando descuidaba su depilación, se adelgazaba en una incierta pelusa que trepaba hasta el ombligo, como el astil de una flecha, coincidencia con su fantasía que celebró eyaculando copiosamente, largamente, vaciándose como un río que rompe sus esclusas. Una jaculatoria de insultos (pero en realidad siempre el mismo insulto, dirigido con machaconería contra Fanny) acompañó sus espasmos. Cuando por fin se apaciguó, recuperó el aplomo impávido de los prolegómenos para recalcarle que, a la menor muestra de resistencia, al menor remilgo o escrúpulo en la ejecución de sus mandatos telefónicos, entregaría a los federales el sobre con las fotos de penetraciones y demás cochambre genital. «¿Me has entendido?», la acoquinó; Fanny sólo pudo responder con un llanto sumiso. Si el adolescente Chambers no se hubiera apresurado a colgar, habría comprobado que Fanny aún se mantuvo casi media hora aferrada al auricular, reducida a un puro gurruño de carne trémula.

—Supongo que esas fotos existían de verdad. Y que Fanny sabía que el día que apareciesen la castigarían muy severamente, para que su condena sirviera de escarmiento a los propagadores de pornografía. —Chambers, llegado a este pasaje de su confesión, ni siquiera se atrevía a dirigirme una mirada; el encogimiento de ánimo que le producía escucharse podía sobre su franqueza—. Tenía que estar muerta de miedo para entrar en aquel juego.

Aquella primera noche, el adolescente Chambers volvió al cuchitril familiar poseído aún por ese envanecimiento que proporciona al criminal la obediencia sojuzgada de su víctima. Sólo cuando el vestigio indecoroso que empapaba sus calzoncillos le transmitió su viscosidad y su frío sintió la tortura del remordimiento, que se hizo más nítida a la mañana siguiente, cuando la luz del sol lo increpaba retrospectivamente, proclamando su pecado. El adolescente Chambers se volvió más hosco y reconcentrado; rehuía la compañía de los chavales de su pandilla y se pasaba las horas encerrado en el cuarto que compartía con dos de sus hermanos (pero antes los había desalojado con maneras inhóspitas), furtivo de sí mismo y de los otros, acongojado por la magnitud de una culpa que lo abrasaba a fuego lento. Pero cuando caía otra vez la noche, la culpa se retraía y su hueco lo ocupaba, como una marea de perversidad, el deseo de repetir la experiencia, y aun de sobrepujarla con el aderezo de nuevos descarríos que, apenas unas horas antes, hubiese sido incapaz de concebir. La lujuria del adolescente Chambers, como la de cualquier otro muchacho de su edad y extracción, había sido hasta entonces directa y elemental, encauzada siempre por los atajos de prontitud que conducen al orgasmo; pero ahora se sorprendía concibiendo variantes alambicadísimas, rodeos que incluían descensos hasta las letrinas del subconsciente, proemios de ruindad innombrable que, sin embargo, osaba nombrar cuando la voz de Fanny respondía zaherida a sus llamadas. El adolescente Chambers vivió aquellos meses del verano de 1959 como un sabroso y dilatado infierno, como una inclemente enajenación a la que no podía sustraerse, por muchos propósitos de enmienda que interpuso ante la dictadura de sus pulsiones. Y así, sobrecogido por la emergencia de aquel monstruo atávico que cada noche le inspiraba nuevas perfidias, pedía —exigía— a Fanny que ensuciase su boca de jadeos fingidos, que se frotase con el auricular la entrepierna, que repitiese las barbaridades que se le iban ocurriendo sobre la marcha, que se sacudiese palmadas en los mofletes del culo, que rezase oraciones blasfemas, que orinase sobre una palangana, que se rapara el vello púbico, incluyendo la incierta pelusa que trepaba hasta su ombligo. Y cuando Fanny, siquiera por un segundo, interrumpía sus lágrimas atragantadas para farfullar un reparo, el adolescente Chambers recuperaba su aplomo impávido: «¿Es que quieres que te metan en el trullo?», la amenazaba; y también: «¿Te apetece que los carceleros te den caña hasta los restos?».

Hacia el final del verano, en una de aquellas llamadas que incorporaban siempre una salacidad inédita a su repertorio, el adolescente Chambers traspasó una línea divisoria que hasta entonces se había guardado de merodear, aunque le tentase como un sonriente puñal. El desahogo venéreo lo aureolaba de una desfachatez que lo animó, incluso, a renegar de su habitual laconismo: «Y ahora quiero que me atiendas: esta noche vas a dormir con las braguitas que llevas puestas. Métetelas por la raja, mastúrbate con ellas, cuando vayas al váter no te limpies. Quiero que huelan a tu chumino. Mañana, exactamente a las siete de la tarde, las dejarás al pie de la farola que hay en la confluencia de North Milwaukee con Bloomingdale. Bien dobladitas y guardadas en un sobre, ¿me has entendido? Las dejas al pie de la farola y te marchas como has venido. No se te ocurra volver la cabeza. No se te ocurra hacerme una jugarreta. No se te ocurra levantar sospechas. Dejas las bragas y te largas sin decir ni mu. Te estaré observando. A la mínima te juro que te rajo». Había ensartado todas estas bestialidades sin concederse un respiro, para evitar que la sordidez de sus propias palabras lo paralizara, para evitar que los gimoteos de Fanny, más claudicantes y exhaustos que nunca, lo desmoronasen. El adolescente Chambers, a quien ya se le habían disipado los vapores de la lujuria, sintió de repente que por su boca hablaba un hombre que no era él, un ser decrépito y desdentado que lo había parasitado, hasta engullirlo; se palpó la tela del pijama y sintió el pringue de aquel semen ya difunto, su tacto como de babas ateridas, que le recordó la consistencia blanda y pegajosa de aquel líquido que desbordaban las vainas de los ladrones de cuerpos en la película de Don Siegel, de tanto éxito en los cines de barrio. A solas en el vestíbulo del portal, mientras encajaba el auricular del teléfono comunal en la horquilla que estrangulaba los sollozos lejanísimos de Fanny Riffel, el adolescente Chambers decidió que aún estaba a tiempo de combatir el vigor de ese monstruo que cada noche se adueñaba de su organismo por unas horas y le susurraba al oído aberraciones cuyo eco se multiplicaba luego, infectando su vigilia de remordimientos y purulencias morales. Una basca lo apremió desde el fondo de sus intestinos y se desperezó en zigzag, como una culebra que despierta de la hibernación; el adolescente Chambers vomitó en un rincón del portal, con un chapaleo en el que agonizaba el monstruo que había sido su inquilino durante más de tres meses.

Había logrado arrancarse el chancro que lo envilecía, pero el flagelo de la conciencia, lejos de adormecerse con la extirpación, lo fustigó con un dolor más vívido. Reclamado por una especie de justicia expiatoria, caminó pesarosamente hasta la confluencia de North Milwaukee y Bloomingdale, donde una farola lanzaba el ronroneo de una luz entrecortada, anticipando la proximidad de un tren elevado. El óxido desmenuzaba las vigas y riostras que sostenían la armazón metálica del ferrocarril y descascarillaba las sucesivas manos de pintura que intentaban en vano remozar aquel esqueleto de herrumbre, demasiado parecido a un cetáceo que se pudre a la intemperie y enseña la arquitectura monda y lironda de sus costillas, corroídas por invisibles faunas necrófagas. Apenas paseaba gente por la calle; la ciudad se deshojaba hacia el noroeste en una sucesión desganada de almacenes con las ventanas quebradas y solares delimitados por alambradas con escombreras donde crecían unos matorrales anémicos y unos gatos casi transparentes de tan flacos. Las nubes, grávidas como galeras, de un color de plomo sucio, bogaban en estampida hacia su lepanto de borrascas, empujadas por el mismo viento que resucitaba los cadáveres de los periódicos atrasados y hacía rodar abrojos como livianas albóndigas de mugre. Un tren que ya había anunciado la farola zahorí atravesó aquel paisaje de desidia, haciendo retemblar las pilastras de la armazón metálica y atronando al adolescente Chambers, que se había refugiado detrás de una de ellas; tuvo que cerrar los ojos para ahuyentar la dentera que le produjo aquel estruendo de chirridos y mugidos y tableteos.

Cuando los abrió vio venir a Fanny Riffel por Milwaukee Avenue; tardó en reconocerla, porque aquella estampa de mendiga o ectoplasma que mantuvo mientras repartió folletos religiosos en Lincoln Park se había deteriorado aún más, hasta aproximarla a la de esos vagabundos que hurgan en los cubos de basura y se alimentan de corruscos y desperdicios. Parecía un mueble desportillado y a punto de descuajaringarse; caminaba como bajo los efectos de una marejada, entrampándose con el bordillo de la acera y acto seguido apoyándose —derrengándose, casi— sobre las fachadas de algún almacén abandonado, en bandazos que al adolescente Chambers le hicieron temer por su vida. El cabello cortado a trasquilones le había crecido hasta formar vedijas enmarañadas; el vestido de penitente delataba la renuncia al jabón y a la plancha. A medida que se aproximaba al lugar donde se hallaba apostado, el adolescente Chambers pudo distinguir sus facciones erosionadas de vigilias, hinchadas de barbitúricos o quizá tumefactas por la pura fermentación del dolor, que asomaba a los poros de su piel, formando vejiguitas de un humor agrio y amarilloso. Y pudo distinguir, sobre todo, con un pinchazo de compunción, sus ojos de un azul vivísimo e indemne, un azul casi mineral que discrepaba de las facciones desmoronadas. El adolescente Chambers reparó entonces en que no hubiese sido necesario agazaparse detrás de aquella pilastra herrumbrosa, porque Fanny ya no veía la vida física; habitaba un infierno puramente espiritual, invisible y atosigante como aquel acosador telefónico que cada noche sobresaltaba su duermevela para solicitarle —para exigirle— inmundicias siempre renovadas, siempre horrendas. Fanny pasó a su vera, estólida y abstraída, cruzó la calle tropezándose con las grietas del asfalto y dejó al pie de la farola la ofrenda puerca que le había reclamado —que le había exigido— su tirano; luego siguió caminando con sus andares de marejada, sin volver la cabeza, siguiendo al pie de la letra las instrucciones recibidas. Cuando el pinchazo de la compunción cedió paso al empuje de la piedad, el adolescente Chambers abandonó su escondrijo, dispuesto a auxiliar a la vagabunda, dispuesto a brindarle su báculo, para ayudarla a cruzar los páramos de la vida invisible y, de paso, purgar su pecado. Pero cuando ya estaba a punto de alcanzarla sintió que le faltaba el valor; la ventana de un almacén abandonado, expoliada por los pedruscos y el ventarrón que azota los arrabales de Chicago, le escupió, multiplicado en cada puñal de vidrio que aún aguantaba encajado en su marco, el rostro de un delincuente convicto que abomina de sus culpas cuando ya es demasiado tarde. Fanny Riffel se alejaba hacia el ocaso, se alejaba hacia el olvido.

—La dejé marchar, el miedo pudo más que aquel espantoso sentimiento de culpa —murmuró Chambers.

Ajustó el espejo retrovisor de su Dodge tratando de reconocer en su reflejo al adolescente desalmado que había flirteado peligrosamente con la psicopatía. Los años se agolpaban sobre el rostro casi sexagenario de Chambers; tenía un perfil atezado y rugoso, una nariz ganchuda, unos labios que aún parecían albergar el rescoldo húmedo de aquellas indecencias que un día formuló. Volvió hacia mí aquella mirada hiperbórea de asesino en serie o replicante que asiste a la agonía del mundo mientras sus lágrimas se pierden en la lluvia.

—Le pareceré un perturbado...

—Preferiría no tener que juzgarlo —dije, declinando la ocasión que me ofrecía para evacuar el grumo de asco y desazón que se atoraba en mi garganta—. ¿Y cómo logró vivir con ese sentimiento de culpa?

Chambers amagó un rictus sardónico. Sus manazas encallecidas se aferraban al volante del Dodge, como si lo quisieran arrancar de cuajo.

—Es curioso —seguía extraviando letras en cada palabra; diríase que el único destinatario de sus bisbiseos fuese su conciencia—. No pasó ni un solo día sin que pensara en Fanny. Pero ese recuerdo, que durante los primeros meses dolía como una estocada, se fue haciendo borroso con el paso de los años. Creo que llegué a convencerme de que nada había ocurrido, de que todo había sido fruto de mi imaginación.

Un cartero en bicicleta iba dejando el correo en esos buzones con ínfulas de nido, sostenidos sobre un poste, que los americanos planti-

fican a la vera de sus propiedades, como orgullosos hitos de su esta-
tus; buzones pintiparados para acoger bombas caseras o reliquias todavía frescas de algún descuartizamiento.

—Seguía pensando en Fanny, pero la culpa se fue diluyendo en
una especie de pena o una nostalgia. Llegué a convencerme de que lo
mío había sido una travesura sin demasiada importancia. —Chambers chasqueó la lengua, apesadumbrado. Con la perspectiva que
otorga la distancia, esta artimaña de autoengaño se le antojaba más
canallesca aún que la vileza cometida con Fanny—. Una travesura
que todavía te hace sonrojar cuando la recuerdas, pero que llegas a
considerar insignificante. Son increíbles los mecanismos de defensa
que ingeniamos para esconder nuestros trapos sucios.

Y como si esos mecanismos de defensa no bastasen, Fanny desapareció del mundo físico sin dejar ni rastro. El joven Chambers
se esforzaba por evitar la confluencia de LaSalle y Elm Street, pero
en cierta ocasión se vio obligado a acompañar a alguna novia ocasional que quería acercarse a la iglesia episcopaliana de la Ascensión, donde él había derramado su semilla furiosa, para saludar a
un primo suyo, que oficiaba allí de subdiácono. En el edificio de enfrente, colgado del alféizar de la ventana del tercer piso, había un
cartelón que intentaba engatusar a futuros arrendatarios; los estores
estampados que impidieron al adolescente Chambers contemplar la
desnudez de Fanny Riffel habían sido arrancados, y por el hueco se
vislumbraba una habitación con las paredes historiadas de desconchones. A la novia que lo llevó hasta el escenario eludido de Elm
Street la siguieron otras novias igualmente ocasionales; el joven
Chambers, mientras tanto, se empleó en oficios de poca monta que
no le permitieron abandonar el cuchitril de Belmont-Cragin, del que
primero desertó la abuela polaca, con pasaje a ultratumba, y después
el padre adúltero, para amancebarse con una pelandusca de ojos rasgados y coño dulcemente angosto. El joven Chambers tendría ocasión de probar estas estrecheces con las putas de los burdeles de
Laos, tan delicadas y arteras, antes de que el helicóptero que lo transportaba a Camrahn Bay fuese abatido por la artillería norvietnamita.
Cuando lo reclutaron, en la primera leva del 66, el joven Chambers
trató de escaquearse aduciendo motivos de conciencia, pero no era
cuáquero ni adventista del séptimo día —en realidad no practicaba
religión alguna, aunque su ascendencia polaca lo adscribiera remota-

mente al catolicismo—, así que tuvo que resignarse a su suerte después de participar en algunas algaradas contestatarias. Antes de partir para Vietnam, tuvo oportunidad de asistir al regreso de las primeras remesas de mutilados de guerra, tullidos de alma y de cuerpo que despertaban sobresaltados cada noche creyendo olfatear el perfume oleaginoso de la carne chamuscada por el napalm. Juró que se administraría un viático de plomo antes de permitir que un bisturí lo demediara para siempre.

Mientras su helicóptero en llamas se precipitaba sobre la desmochada jungla (ni siquiera había entrado en combate todavía), pensó con una suerte de alivio que moriría calcinado, pero entero. Luego ya no pudo pensar nada más, hasta que despertó en un barracón del campo de prisioneros de Hanoi, el «Hanoi Hilton», según la jerga sarcástica de quienes allí estaban confinados, sin otra esperanza de liberación que la benéfica muerte. En el Hanoi Hilton no regía la Convención de Ginebra; los presos eran sometidos a torturas que despedazaban antes su paciencia que su carne. Pero los más resistentes, tras las terapias preliminares de aislamiento e inanición, también tenían ocasión de exponer su carne a la prueba que su paciencia había superado. En el Hanoi Hilton, los oficiales eran invitados a declarar las estratagemas e instrucciones del mando mientras un carcelero les hacía la manicura, liberándolos de esos superfluos apéndices córneos que crecen en las extremidades de los dedos; los que aún perseveraban en la mudez, desmayados u obcecadamente mártires, eran empleados como dianas de una ruleta rusa que no incluía riesgos para los apostantes. Los reclutas como Chambers recibían un trato más benigno; trato de cuerda, para entendernos. Sus captores sólo les pedían —les exigían— que renegasen de los Estados Unidos y condenasen su intervención en Vietnam; una cámara filmaba sus declaraciones, que luego serían divulgadas por la propaganda comunista. Mientras aguardaba, cautivo en una jaula de bambú y rebozado en sus propios excrementos, el turno de su retractación, el recluta Chambers fue visitado por una revelación súbita; decidió, insensatamente, que los tormentos sufridos, y los que aún habría de sufrir, eran la penitencia merecida por haber mortificado a Fanny Riffel, allá en su adolescencia impía. Los diversos capítulos de aquella indignidad, que tanto se había esforzado por disfrazar de travesura para tranquilizar su conciencia, cobraron

entonces —quizá padeciese los primeros síntomas de la malaria—
una concreción lacerante.

—Fue mi caída camino de Damasco —recuerdo que me dijo
Chambers—. El nacimiento de un hombre nuevo.

Así que, cuando por fin fue trasladado a la cámara o mazmorra de
los interrogatorios, el recluta Chambers adoptó la misma estrategia de
mutismo que muchos años después emplearía el renegado John Walker Lindh cuando, tras la conquista de la ciudadela de Kala Jangi,
fue maniatado y conducido ante un agente de la CIA. El recluta Chambers acababa de tropezarse con su destino, acababa de desprenderse
de los ropajes del hombre antiguo; y no bastarían los argumentos sua-
sorios de sus captores, ni su desatada brutalidad, para arrancarle una
palabra. No lo guiaba el patriotismo, pasión que se le antojaba plebeya, ni el miedo a infringir el código de conducta militar que le habían inculcado durante la brevísima instrucción; un anhelo de escarmiento y purificación a través del dolor amordazó sus labios. Cada
baldón, cada escupitajo, cada bofetada, cada ayuno los ofrecería gustosamente en desagravio de Fanny Riffel, a quien él había sometido a
vejámenes igual de crueles. Cuando los carceleros del Hanoi Hilton,
extrañados ante su tozudez, decidieron aplicarle torturas más ensañadas, el recluta Chambers temió que la debilidad de la carne traicionase
la fortaleza del espíritu; pero pronto descubrió que la carne es el excedente fardo que habían arrojado sobre sus hombros para poner a
prueba la determinación de su designio. Ni la barra de hierro que
acardenalaba su piel, quebrando costillas y clavículas, ni la picana que
descargaba electricidad sobre sus testículos lograron inmutar esa determinación; gritaba hasta el paroxismo, sentía el golpe brusco de la
sangre en el paladar, los contornos de aquella mazmorra se desdibuja-
ban en una indistinta niebla, pero su espíritu permanecía ajeno a la
depauperación de su envoltura carnal. A la segunda semana, cuando
los carceleros del Hanoi Hilton ya no encontraron un solo recodo de
su anatomía que no hubiese sido colonizado por las llagas y las magulladuras, lo dejaron por imposible; de regreso a su jaula de bambú, sin
más alimento que un diario cuenco de arroz, postrado sobre el mullido lecho de sus defecaciones, el recluta Chambers comprobó alborozado el secreto milagro de su curación: las heridas restañaban, los
huesos se soldaban, los pulmones dejaban de excretar aquella sangre
espesa y oscura como el alquitrán que obturaba su boca.

—Tardé en darme cuenta de que había perdido un testículo, abrasado por las descargas —me explicó—. Aquellos cabrones me convirtieron para siempre en un jodido eunuco con un solo huevo.

Así lo expresó, con sintagma apocopado, *one-balled eunuch*; recuerdo que en ese momento certifiqué la superioridad compendiosa de mi idioma, que posee la palabra ciclán para designar al hombre que ha extraviado uno de los atributos de su virilidad. El ciclán Chambers aceptó la amputación con serena alegría, ya que sus testículos habían sido las fábricas de aquella sucia emulsión que manaba celebrando la ruina de Fanny. Aún tuvo que languidecer seis años en el Hanoi Hilton, incomunicado de un mundo que seguía trazando sus órbitas sin reparar en su ausencia; sus carceleros le confesaron que, si no se habían deshecho de él, era simplemente en previsión de que tuvieran que emplearlo como instrumento de negociación (a la baja) si triunfaba alguna de las campañas estadounidenses, por lo demás cada vez más caóticas y malbaratadas. En 1973, tras la retirada cabizbaja pactada por Kissinger, un irreconocible Chambers —había dejado que sus cabellos y barba crecieran intonsos, para borrar al hombre antiguo— fue transportado hasta Saigón, junto a otros prisioneros con vocación de heroísmo que habían aguantado el suplicio del Hanoi Hilton encomendándose a entelequias hilarantes; él se cuidó muy mucho de alegar las razones —la Razón— de su resistencia, que sin duda les habrían parecido igual de ridículas a los otros. En Washington fueron agasajados con discursos rimbombantes y una chamarilería de medallas que Chambers mandó fundir para hacerse una hebilla para su cinturón y unas chapas repujadas para sus botas. Durante meses, los periodistas lo persiguieron, deseosos de sonsacarlo y aderezar con sus experiencias un reportaje que auspiciase su candidatura al premio Pulitzer; pero Chambers calló, aburrido de sus monsergas, y regresó a Chicago, en donde pensaba cumplir las estaciones de su personal calvario. Se había propuesto encontrar a Fanny Riffel; era una misión mesiánica y quizá demasiado fatua, pero se entregó a ella con esa confianza en el milagro que enaltece a quienes creen que la casualidad tiene sus causas. Chicago se desplegaba ante él como un laberinto más hondo e intrincado que la mera locura, un laberinto donde no había escaleras que subir, ni puertas que forzar, ni fatigosas galerías que recorrer, ni muros que le vedasen el paso.

—Varias veces estuve a punto de rendirme —dijo, con retrospectivo cansancio—. Fanny había desaparecido sin dejar ni rastro. Nadie la recordaba, todavía no había estallado el *revival* que vendría después.

Fanny Riffel pertenecía a otra época, turbulenta de paranoias si se quiere, pero todavía jovial, que vivía con optimismo la posibilidad del sueño americano; ese sueño, reducido a añicos, había sido sepultado en Vietnam. Cuando Chambers ya se aproximaba peligrosamente a las condiciones de vida de un mendigo, recibió una oferta de trabajo con membrete de la Casa Blanca, en atención a sus méritos de guerra y a modo de vergonzante recompensa por los sufrimientos padecidos. El empleo no era un momio, ni un chollete; consistía en ejercer de celador (de loquero, prefirió Chambers, en su lenguaje refractario a los eufemismos) en el Hospital Chicago-Read, un centro de salud mental (un manicomio) en los confines de la ciudad que había sido una especie de granja o albergue para indigentes durante el siglo XIX y que, poco a poco, se había ido reconvirtiendo en cuadra donde se almacenaban los orates menos pacíficos del estado de Illinois. La carta con membrete áulico no se privaba de mencionar la idoneidad de Chambers para el empleo, pues un «valiente que ha logrado preservar su juicio en el infierno del Vietcong, sabrá ayudar mejor que nadie a que otros desdichados lo recuperen»; le divirtió el inconsciente paralelismo que la prosa burocrática entablaba entre el Hanoi Hilton y el Hospital Chicago-Read, y aceptó la oferta. En apenas una semana ya habían formalizado su incorporación.

El manicomio, apartado de las barriadas extremas que deshilachaban el paisaje urbano, conservaba, visto desde la lejanía, ese aire agrícola que tenían las instituciones de beneficencia decimonónicas. A medida que uno se aproximaba al edificio, con pabellones que emergían a modo de radios del bloque principal, monótonos de ventanas con rejas y muros de un color otoñal, quedaba desmentida esta primera impresión bucólica. El director del manicomio recibió con honores de héroe nacional al melenudo Chambers. Antes de explicarle sus cometidos (dispensador de duchas frías y camisas de fuerza, recadero de sopapos entre los internos más vesánicos, centinela de sus intentonas de fuga), el director lo acompañó en un paseo de revista por el lugar que llegaría a conocer mejor que su propio rostro en los más de veinte años que mantuvo su empleo de loquero.

Observó que todas las puertas se abrían hacia fuera, para impedir que los internos hicieran barricadas o se atrincherasen en su soledad. Observó que los dormitorios comunales no tenían capacidad para más de treinta pacientes, aunque albergasen a más de sesenta, sin espacio para pasear entre las literas. Observó que, en el pabellón reservado a los enfermos peligrosos, las paredes lucían pingajos de mierda, y creyó ver rastros de sangre en los catres de níquel, donde quizá los más cabezotas recibiesen un castigo de coscorrones. Observó que los enfermos frenéticos, a los que se aislaba en habitaciones acolchadas, no disponían de váter, y que se lavaban la cara con su propia orina. Por fin, tras el paseo dantesco, el director lo condujo hasta el pabellón reservado a los internos que habían recalado en Chicago-Read por mandato judicial. «Aparentemente, son los más fáciles de tratar, los más dóciles y disponibles, los más sosegados y corteses; saben cómo engatusar al personal —lo advirtió, malévolo, el director—. Pero detrás de esa máscara de beatitud, se esconde la bestia.» El celador Chambers notó un estremecimiento de solidaridad con aquellos internos que ocupaban cuartos individuales, puesto que también él había cobijado dentro de sí una bestia que le dictaba depravaciones impronunciables. Se dirigían hacia el fondo de un pasillo que abría sus ventanas al huerto del manicomio, donde zascandileaban los pacientes en régimen abierto, a los que ya aguardaba una pronta liberación; se notaba que pelotilleaban a las enfermeras para hacerse acreedores a ese premio, aunque en su fuero interno fantaseasen con la idea de perforarles las bragas y sodomizarlas sobre las matas de tomates. El director del manicomio golpeó con los nudillos la postrera puerta del pasillo e impostó una voz meliflua: «¿Se puede?», dijo. Procedente del interior del cuarto se oyó un apresurado rumor como de mudanza, con puertas que se abren y cajones que se cierran. «Esta pájara maniató y amordazó a su amante, después de dejarlo inconsciente —le susurró el director, con un regodeo digno de examen psiquiátrico—. Durante más de tres horas se divirtió haciéndole cortecitos con una cuchilla y agujeritos con un berbiquí. Luego, cuando ya se aburrió de torturarlo, le arrancó el pene y los testículos y lo dejó morir desangrado.» El celador Chambers reprimió una mueca de espanto. «¿Se puede?», repitió el director, ahora con un tono más imperioso que meliflo, cuando cesó el trajín. Entonces respondió una voz modosita y atribulada a un tiempo: «Adelante, doctor».

Antes incluso de que se abriera la puerta, ya lo había fulminado un fuego sin luz. Allí estaba la mujer a la que había insultado, mientras repartía folletos religiosos en Lincoln Park; allí estaba la mujer despavorida a la que había seguido hasta su apartamento en Elm Street; allí estaba la mujer a la que había enloquecido con llamadas intempestivas y amenazantes, en las que le pedía —le exigía— indecencias cuya mera enumeración le hubiese asegurado una plaza en aquel manicomio; allí estaba la mujer que una tarde de septiembre dejó marchar, hinchada de barbitúricos, en conversación con las nubes o las musarañas, porque el miedo pudo más que el sentimiento de culpa. Fanny Riffel frisaba por entonces la cincuentena; pero parecía más joven que la última vez que la vio. Había vuelto a dejarse crecer la melena y el flequillo de los años de efímera gloria, y se vestía con ropas más ceñidas de lo que permitían las ordenanzas del manicomio. Fanny sonrió al celador Chambers, en quien no descubrió al adolescente desgarbado que a punto estuvo de sofaldarla en las espesuras de Lincoln Park, mucho menos al chantajista que la inició en su itinerario de locura y abandono. Chambers, paralizado por el estupor, se quedó prendado de esa sonrisa que era convulsiva y efervescente; lástima que se quedase durante demasiados segundos, casi minutos, enganchada en las comisuras de sus labios, en un gesto de alelamiento. Bastó que alzara un poco la mirada hasta sus ojos de un azul absorto y mineral para entender que era presa de la esquizofrenia.

—Por fin la tenía ante mí. Y estaba allí por mi culpa —me dijo Chambers, con unción y algo de involuntaria soberbia.

En el último tramo de su confesión, intentó transmitirme la fuerza de aquel alivio que le produjo el rencuentro con Fanny. Se sintió, de repente, limpio y liberado, enaltecido por un vigor que refutaba sus pasadas debilidades y cobardías. Fue como si, al fin, pudiera dedicarse a la religión que le había sido adjudicada; como si aquella vía de purificación iniciada en el Hanoi Hilton se coronase con un milagro. Su plegaria había sido atendida, y el resto de su vida —porque Fanny era su excusa para seguir viviendo— lo encomendaría a resarcir el daño causado. En la asunción de esa responsabilidad había un componente masoquista, y muy probablemente una magnificación del papel desempeñado por sus vilezas como desencadenantes de una locura que quizá exigiese una etiología más compleja; pero el celador Chambers había alcanzado por fin la paz, y no aceptaba compartir su culpa con nadie ni con nada. Deseaba fervientemente inmolarse en la tarea de curar a Fanny, que no concebía como un castigo, sino como un puro acto de justicia retributiva. Descuidando sus otros cometidos en el Hospital (en el manicomio) Chicago-Read, el celador Chambers agotaba el tiempo de su jornada laboral (y lo excedía con horas extras y guardias que nunca le fueron remuneradas, hasta instalar allí su morada) en conversaciones con Fanny, que gradualmente sustituyeron la medicación que los psiquiatras le administraban.

—Si me hubiesen sorprendido tirando por la taza del váter aquellas pastillas me habrían denunciado.

La medicación había transformado la personalidad de Fanny, la había enclaustrado en un limbo de felicidad mansurrona e inconsciente. Enfrentarla sin máscaras químicas al recuerdo de esos años de alienación que la habían conducido al crimen la anegó primero con oleadas de horror que estallaban en forma de carcajadas inopinadas, gimoteos y alaridos que a veces alcanzaban la intensidad de un ataque epiléptico; a esa fase de excitación (Fanny como un pajarillo que se golpea con los barrotes de su jaula) siguió otra que le permitió enfrentarse al trauma que la medicación le había hecho olvidar. La aceptación de ese trauma derribó sus defensas, la convirtió en una criatura vulnerable y asustadiza pero representó, al mismo tiempo, la embocadura de un túnel que la conduciría hasta otros recintos menos lóbregos, siempre que se atreviese a iniciar la travesía. Y allí estaba, para llevarla de la mano, el celador Chambers; sin apremios, sin mostrar desaliento cada vez que un súbito ramalazo de miedo o derrotismo hacía recular a Fanny, la acompañó en aquel viaje al fondo de la noche. Logró, después de cientos o miles de conversaciones, que Fanny recuperase, aunque maltrecha, una serena lucidez que le permitiera controlar esos exacerbamientos de la sensibilidad que caracterizan este tipo de patologías y logró, sobre todo, que se asomara, siquiera tímidamente, a la mujer que pudo haber sido, antes de que las paranoias y las monomanías religiosas y las obsesiones sexuales la arrastrasen a una vorágine de violencia. Fueron veinte años de abnegación minuciosa y constante, en los que el celador Chambers, enfrentado en solitario ante la inmensidad del miedo, se debatía en una batalla que los psiquiatras habían desestimado; veinte años, cada uno con sus correspondientes días y noches, en que cada avance infinitesimal, doloroso como la extracción de una espina que ha echado raíces, era desbaratado luego por retrocesos repentinos, tan sencillos y ensañados como el manotazo que derruye un castillo de naipes. Pero después de esos veinte años, los responsables del Hospital (del manicomio) Chicago-Read apreciaron en Fanny síntomas de curación suficientes para incluirla en sus programas de régimen abierto; y unos meses más tarde, con el aval del departamento de servicios sociales del estado de Illinois, lograron que su internamiento en Chicago-Read concluyese.

—Me opuse con uñas y dientes —refunfuñó Chambers, a quien todavía le duraba el cabreo—. Insistí para que la mantuvieran en el manicomio; cuando el traslado a esta residencia fue un hecho, supliqué que me permitieran ejercer de enfermero para ella. Pero me dijeron que no era conveniente, que Fanny necesitaba romper con su etapa de interna, que yo representaba una continuidad que podría retardar su definitiva recuperación. De nada sirvieron mis alegaciones; esos presuntuosos pensaban que sus teorías valían más que veinte años de dedicación a Fanny. —Chambers consultó su reloj, un tanto escamado de que el jardín de Mather Gardens no acogiese aún el paseo matutino de sus residentes—. Así que me reconvertí en jardinero. Cada vez que recuerdo la sonrisa que me dedicó al volver a verme... —Chambers inspiró aire con mucha prosopopeya, hasta llenar aquella caja torácica de bisonte o halterófilo—. Me ama.

En la marquesina de Mather Gardens se agolpaba ya una remesa de ancianos que esperaba el permiso de una enfermera o guardesa con cara de muy malas pulgas para salir al jardín. Hubo algo en estas últimas palabras de Chambers que me sofocó.

—¿Quiere decir que está enamorada de usted?

La mera insinuación de ese amor me repugnaba como un incesto o un coito bestial. Chambers me miraba con ojos transparentes y acuosos, como hielos que se derriten porque lloran de frío.

—Hay muchas formas de amor, amigo —repuso, con un gesto extrañadamente cansado que contrastaba con el vigor narrativo exhibido hasta entonces—. Pero será mejor que lo descubra por sí mismo —se giró hacia el asiento trasero y señaló las cajas de cartón envueltas en una funda profiláctica, que convivían allí con aspersores y podaderas y sacos de abono—. ¿Ve esas tres cajas? Encontrará en ellas un montón de cintas magnetofónicas: son las grabaciones de mis diálogos con Fanny. Y, junto a las cintas, revistas de cuando era famosa, noticias de prensa, todo lo que he podido ir coleccionando. —Volvió a escrutarme con aquella mirada embarazosa y gélida—. Ya le dije que podría escribir un libro sobre Fanny Riffel. Un libro sobre su vida oculta.

La guardesa de Mather Gardens volvía la boca hacia el hombro, como si hablara a un micrófono en miniatura que llevase prendido en la solapa de la bata. Pese a la distancia, descubrí en sus facciones una fealdad alarmada; se tapaba con una mano la oreja más alejada de ese hipotético micrófono en miniatura y nos dirigía miradas infestadas de acritud y despecho.

—Escríbalo usted —dije, contagiado de esos mismos sentimientos—. No se me ocurre testigo más privilegiado.

—Yo no podría hacerlo —ensayó un puchero como de cordero conducido ante el matarife—. Para escribir hace falta un poco de objetividad.

Se equivocaba. Para escribir hace falta, antes que nada, una subjetividad enferma y extraviada, tan extraviada como la pulsión sexual del adolescente Chambers, tan enferma como el amor que profesaba a Fanny Riffel. En la marquesina de Mather Gardens, la guardesa se había reunido con un vigilante jurado, que asentía a sus indicaciones, mientras ella nos señalaba con un índice acusatorio.

—Será mejor que nos vayamos —dije, tratando de fingir ecuanimidad, pero dispuesto a poner pies en polvorosa—. Estamos a punto de meternos en un buen lío.

—Por favor se lo pido.

Pero la fijeza arrogante de su mirada y el frunce tenso de sus labios no predicaban una petición, sino más bien una exigencia. El vigilante jurado, un muchacho casi incoloro, espigado y con aspecto de esconder en el forro de la zamarra un carné de los *boy scouts* y otro de las juventudes hitlerianas, se aproximaba al Dodge de Chambers con actitud de desganado desafío. Golpeó con los nudillos en la ventanilla del conductor. Chambers volvió a musitar, mientras hacía girar la manivela:

—Por favor.

Inexplicablemente, asentí. Creo que lo hice con el propósito de abreviar aquella escena mortificante, más que impulsado por una convicción verdadera o en ciernes. El vigilante jurado introdujo su

cabeza en el coche con la mansedumbre de un condenado a la guillotina:

—Maldita sea, Tom. ¿No ves que me estás comprometiendo? Me
han dado órdenes...

Chambers había encogido el cuello, dejando que su mentón des-
cansara sobre el hueco que hacen las clavículas en mitad del pecho.
Resopló, y sus labios recobraron un volumen expectante, casi feroz.

—Me conoces desde hace años —se excusó Chambers—. Sabes
que soy inofensivo. Dile a tu jefe que puede meterse sus amenazas
por el culo.

—No tienes derecho a merodear por aquí... —farfulló el vigilante
jurado.

Chambers lo intimidaba, o quizá su renuencia a despacharlo con
menos miramientos naciese de la piedad.

—La calzada es pública. Nadie puede echarme de aquí. Además
—hizo un ademán breve con su manaza de leñador—, he venido a
enseñarle Evanston a este señor. Es forastero, ¿sabes?

La guardesa, más sosegada tras comprobar que el vigilante jurado
se enzarzaba con Chambers en lo que parecía una regañina, batió palmas con vocación de institutriz o capataz de obra. Los ancianos de
Mather Gardens salieron al jardín, disciplinados y gregarios como niños enfermos de esclerosis; la mayoría caminaba apoyándose en un
bastón, pero tampoco faltaban los que se dejaban empujar en silla de
ruedas por enfermeros tirando a somnolientos. Reparé en una anciana particularmente enhiesta, que se apartaba de los senderos trillados impuestos por la guardesa para refugiarse melancólicamente en
un templete de tejado pizarroso y, desde allí, apoyada en una co-
lumna en actitud lánguida (o enamorada, hay muchas formas de
amor, amigo), otear la calle. Todavía se adivinaba, entre la desmoro-
nada arquitectura de sus facciones, el rescoldo de una belleza antigua; había algo en ella que sobrevivía a la decrepitud, quizá fuese la
mirada azul, que parecía venir desde muy lejos, desde más allá de las
telarañas de la locura. Sus cabellos habían perdido el brillo agreste de
antaño y la expresión de su rostro, que fue ingenua y voluptuosa a un
tiempo, se había eclipsado para siempre, escondida bajo un hojaldre
de arrugas que la momificaban y le daban ese aspecto como de pájaro
amojamado que se les queda a los viejos, cuando los tejidos celulares
empiezan a desintegrarse. Pero sus ojos permanecían incólumes a

esos avances, monásticos y garzos, como antaño habían permanecido incólumes a la degradación que rodeó su juventud, aferrados a un sueño de pureza. ¿Qué paisajes de sufrimiento habrían contemplado aquellos ojos, qué pasadizos de vida invisible habrían transitado, desde que fueran los ojos más retratados de su época?

—No me obligues a llamar a la policía, Tom —proseguía el vigilante jurado, en un tono que no acababa de resultar convincente.

Chambers se repantigó en su asiento, dejó que sus párpados descendiesen como persianas de olvido y respiró hondo; los tatuajes de sus brazos parecían cobrar una temperatura incandescente. Temí que de un momento a otro se liara a mamporros con el vigilante que perseveraba en su cháchara de recomendaciones paternalistas y amenazas veladas. Pero en lugar de entregarse a la cólera, expelió el aire que había retenido durante casi un minuto, como si quisiera desentumecer los pulmones, levantó calmosamente los párpados y dirigió su mirada hacia el jardín de la residencia. Entonces distinguió a Fanny Riffel acodada sobre el balaústre del templete, sola como una novia en el andén de una estación que ya no espera la llegada de más trenes. Con una agilidad de resorte, Chambers se incorporó en el asiento y abrió impetuosamente la portezuela del Dodge, arramblando al vigilante jurado, que tropezó con el bordillo de la acera y cayó como un monigote de trapo. Chambers voceó con exultación:

—¡Fanny, he venido!

Y arrancó a correr hacia la verja que rodeaba Mather Gardens. Su grito actuó como un ensalmo sobre la anciana del templete; su rostro se iluminó de una sonrisa convulsiva y efervescente que debeló el imperio de las arrugas. Inverosímilmente, la anciana casi octogenaria se transmutó en gacela y se lanzó al encuentro de Chambers, esquivando los remiendos de nieve que tachonaban el césped y brincando ante el obstáculo de los arriates. La guardesa malencarada contemplaba la escena incapaz de reaccionar, y algo similar le ocurría al vigilante jurado, que se sacudía el polvo de la zamarra, abofeteado por el estupor. Fanny ya alcanzaba la verja desde la que Chambers le tendía sus manazas de ogro bueno; por un segundo, sus cabellos espantaron su lacia postración y volvieron a ondear, tumultuosos como una llama. Desde el privilegiado palco del Dodge, contemplé el rejuvenecido rostro de Fanny Riffel, emergiendo como una estatua de recóndito mármol que ha permanecido durante siglos en el fondo del mar, refugiada entre el limo, afeada de incrustaciones calcáreas, hasta que la devoción de un arqueólogo le devuelve su prestancia. Fue sólo un instante lo que duró aquella secreta metamorfosis, pero durante ese instante casi imperceptible, todas mis reservas sobre la veracidad del testimonio de Chambers se esfumaron. Habían juntado, por fin, sus manos a través de la verja; el sufrimiento compartido que fluía en ese contacto los hacía indisolubles y avivaba en sus semblantes el último brillo de la juventud. La guardesa, mientras tanto, ya había reaccionado, y corría en pos de Fanny con un bamboleo de tetas que incitaba a la hilaridad; parecían esquilones sin música, o albardas flojas que van perdiendo su carga por el camino. Siguió su ejemplo un séquito de enfermeros y empleados de la residencia, y también, desde el otro lado de la verja, el vigilante jurado, por fin repuesto de su traspié. Chambers y Fanny no prestaban demasiada atención a sus aproximaciones; se miraban embelesados, como amantes condenados a destruirse y redimirse recíprocamente en una ceremonia de depredación, como amantes enviscados por el azar, esa cinta atrapamoscas que disfruta fundiendo a sus víctimas en una misma agonía. Aún tardarían varios minutos en separarlos, porque Chambers se había aferrado a las muñecas de Fanny como si quisiera echar raíces en ellas y Fanny, levantada casi en volandas por la guardesa y su séquito, se volcaba sobre esas manos atezadas y ásperas que tantas veces habrían acariciado indulgentes su rostro, que tantas veces habrían exorcizado sus pesadillas, que tantas veces habrían aplacado sus convulsiones, y las humedecía con sus lágrimas eruditas, las ungía con su saliva gastada de plegarias nunca atendidas.

El sol de Evanston, tísico y convaleciente, alumbraba la pugna sorda de los dos amantes que resistían los tirones y forcejeos, como si estuviesen galvanizados de piedra imán. Bajé la ventanilla del Dodge para escuchar mejor la voz de aquella anciana que buscaba desesperadamente el calor del hombre que era su verdugo arrepentido y su obstinado salvador, pero hasta mis oídos sólo llegó un dialecto ininteligible, demasiado parecido a los gañidos de un perrillo apaleado. El horror y la piedad me visitaron simultáneamente, en una aleación inédita y misteriosa, tan inédita y misteriosa como el encarnizado amor que unía a Tom Chambers y Fanny Riffel y los inmolaba en la misma pira de dolor.

—Si piensan que así van a hacerme desistir, van listos —dijo Chambers—. Pienso seguir acudiendo todos los días, mientras Fanny viva.

Avanzábamos hacia el aeropuerto O'Hare en su destartalado Dodge, después de pasar por mi hotel para recoger el equipaje; el episodio de la mañana, que se había saldado con la intervención de la policía local, gravitaba sobre nuestro silencio, tiñéndolo de una tristeza raída y atrabiliaria.

—¿Y cuando Fanny muera? —me atreví a preguntarle, sin pararme a medir las palabras.

Chambers se ensimismó en la conducción, contrariado. La autovía Kennedy acogía un trasiego de automóviles más bien ralo. Chicago se quedaba atrás, recortando su arquitectura engreída sobre el horizonte; ahora que ya me había entregado su secreto, se me antojaba una ciudad inerte y hueca, como una cáscara que ha extraviado su semilla.

—Dentro de nosotros hay una parte que desea morir. —Chambers sonrió ambiguamente. No supe si se estaba refiriendo al suicidio o al mero abandono—. Entonces dejaré que esa parte crezca y se apodere de mí.

El silencio volvió a derramarse sobre nosotros; ahora era un silencio luctuoso, que arrullaba la trepidación del Dodge, especialmente agónica en los cambios de marcha. Chambers se mantuvo inmóvil y callado hasta que avistamos el aeropuerto O'Hare; entonces habló con una voz ronca y desasida que salía del fondo de su garganta, una voz que, entreverada con el rugido del motor, parecía como emergida de una emisora de radio mal sintonizada:

—Cuéntelo todo. Ahora es usted el dueño de mis recuerdos. Haga con ellos lo que le apetezca. Conviértalos en literatura, si así lo desea —me incitó—. Y no se asuste con las cosas que escuche en esas cintas. La locura nos asusta porque nos habla de esa parte de nosotros que desea morir.

Habíamos llegado a la Terminal 5, desde la que partiría mi avión de regreso a Madrid. Chambers me ayudó a cargar las cajas de cartón, que pesaban como catafalcos de apretada muerte, en un carrito con ruedas, junto a la maleta que contenía mi equipaje. Estrechó mi mano con una especie de desapego fraterno (si la contradicción es admisible) y me palmeó la espalda para abreviar los trámites de la despedida; mientras me alejaba de él, sentía su mirada hincada en mi espalda, como seguramente la sintió la vagabunda Fanny Riffel cuando Chambers la vio marchar, atenazado por el miedo y la culpa en la confluencia de Milwaukee Avenue y Bloomingdale, una lejana tarde de septiembre. Apenas crucé las puertas correderas, me sorprendió el aspecto concurridísimo del pabellón de salidas. Ante los mostradores de facturación se apiñaba una muchedumbre abigarrada y pitañosa, una diáspora de naciones y tribus y pueblos y lenguas que huía del presentido Harmagedón. Increíblemente, no reinaba en el aeropuerto esa algarabía un poco histérica que agita a los pasajeros en las horas previas al embarque, sino una expectación mustia, como si aguardasen un veredicto de condena; ese veredicto lo dictaba imperturbablemente la megafonía, que anunciaba sin cesar retrasos y cancelaciones en los vuelos. Antes de internarme entre aquella marea humana que se agolpaba ante los paneles informativos, como feligreses ante la hornacina del santo que nunca acaba de agraciarlos en la tómbola de los milagros, me di cuenta de que Chambers ni siquiera me había proporcionado una dirección o teléfono de contacto. Entonces me volví y aún pude verlo dirigiéndose hacia su Dodge, que había dejado mal aparcado, invadiendo una zona reservada a los taxis.

—¿Dónde podré localizarlo? —me oí gritar, entre la fanfarria megafónica, pero comprendí enseguida que Chambers no me oía.

O tal vez ni siquiera deseaba oírme. O tal vez prefería disfrutar de esa liviandad que proporciona sentirse limpio y perdonado, después de desprenderse de aquel lastre de palabras que oprimían su alma. Las confidencias que Chambers me había hecho no bastaban para tornarlo transparente a mis ojos; por el contrario, a medida que me esforzaba por asimilarlas, añadían a su psicología una complicación que sólo lograría desenredar cuando yo mismo fuese conminado por la vida invisible a reparar las consecuencias de mi desliz. Chambers también había alcanzado a verme, antes de montar en su Dodge, pero, como los ángeles que ya han cumplido su misión y tienen los minutos contados, sólo me dirigió un breve asentimiento. En ese gesto mínimo me pareció entender que trataba de comunicarme una sabiduría arcana, y me sublevó que me dejase allí solo, como Yavé dejó solo a Jonás después de encargarle que predicara en Nínive sin saber exactamente en qué consistía su encomienda.

—No me lo puedo creer. Esto ya es cosa de brujas.

Antes de darme la vuelta ya había reconocido la voz de Elena, ahora más medrosa que exultante, a diferencia de la voz que empleó para saludarme cuando nos conocimos. La muchedumbre seguía agolpándose ante los mostradores de facturación, mendigando una plaza en el primer vuelo que abandonase Chicago.

—Ya no sabe una ni qué hacer para matar el aburrimiento —había comenzado a explicarse—. He probado el brebaje que sirven en todas las cafeterías del aeropuerto, he probado los asientos de todas las salas de espera —aquí ensayó un mohín travieso—: me han dejado el culo de corcho.

Y se sacudió sendas y simultáneas palmadas en las nalgas —culito de pantera—, que vibraron como planetas sometidos a actividad sísmica, pese al pantalón vaquero que las ceñía. Vestía del mismo modo entre provocativo y cándido, pero algunos signos de desaseo introducían divergencias respecto a la muchacha que yo recordaba: el tinte rubio del cabello había perdido brillo; el flequillo se le apelmazaba sobre la frente, un poco grasiento; y se abrigaba con un jersey muy dado de sí en las costuras, de una tela de angora despeluzada y demasiado clara para encubrir algunos rastros de suciedad. A estos signos de desaliño se añadía la pérdida de aquella impresión de ávido entusiasmo que, pese a mis reticencias, me había desarmado, una semana atrás. Ahora Elena parecía más adulta y escarmentada.

—Perdona, no quisiera molestarte. Si prefieres estar solo... —agregó todavía, lastimada por mi ensimismamiento, que interpretó como una muestra de fastidio.

—No, no, te equivocas —dije, como sobreponiéndome al influjo de un hechizo—. Lo que pasa es que me ha podido la sorpresa.

Y el alivio, tendría que haber añadido. Porque, desde que mi llamada extemporánea me deparase su voz afligida por la congoja, no había dejado de imaginarla exánime sobre la moqueta de su habitación de hotel. De modo que mi rencuentro con ella tuvo algo de lenitivo; y ni por lo más remoto se me ocurrió pensar que fuera una celada del azar. Comencé por inquirirle las razones de aquella aglomeración de pasajeros en el aeropuerto, pregunta que Elena acogió con cierta perplejidad, puesto que los periódicos y los noticiarios no dejaban de anunciar la suspensión del transporte aéreo después de que se filtrara el rumor de nuevos e inminentes ataques terroristas. Pero yo no me había vuelto a asomar a los noticiarios desde que, recién llegado a Chicago, me diera la bienvenida desde la pantalla del televisor el rostro del renegado John Walker Lindh, invitándome a iniciar una búsqueda purificadora por las calles de una ciudad demasiado parecida al desierto, en pos de un secreto que me estaba reservado. Por supuesto, no confié a Elena estas empatías con el renegado John Walker Lindh, como tampoco le mencioné mi llamada extemporánea al hotelucho donde se hospedaba, ni el silencio pusilánime con que respondí a sus sollozos. Aunque su sonrisa había perdido efervescencia y se sostenía un poco forzadamente en las comisuras de los labios, quizá para tapar la mancha de una decepción, Elena me seguía proveyendo de información mientras hacíamos cola ante los mostradores: el día anterior le habían asegurado que el vuelo con destino a Madrid despegaría puntualmente, pero tras mil y una dilaciones lo habían por fin cancelado; y a los pasajeros que durante toda la noche engañaron con promesas de una partida inmediata, pero siempre diferida, ni siquiera les habían ofrecido un hotel para pernoctar. Así que habían tenido que repartirse, como proscritos en un campo de refugiados, por las abarrotadas salas de espera, donde algunos organizaron merendolas pantagruélicas (el miedo azuza la gula), otros improvisaron ceremonias religiosas sincréticas (el miedo difumina las facciones de Dios) y otros, en fin, como la propia Elena, entretuvieron el insomnio recorriendo los pasillos del aeropuerto.

—No te puedes imaginar la cantidad de locos que se refugian en un aeropuerto de noche —me dijo Elena, y sacudió la mano en ademán ponderativo—. Bueno, y supongo que de día también, pero pasan inadvertidos. Luego, con el toque de queda —empleó esta expresión, no del todo inadecuada, dada la atmósfera de presentido apocalipsis que allí se respiraba—, salen en busca de comida y hurgan en las papeleras antes de que se les adelante el servicio de limpieza.

Me acometió una impresión de viscoso desasosiego, muy similar a la que había sentido meses atrás, cuando contemplé desde mi apartamento las calles desiertas de Madrid, y volví a imaginar la existencia de razas subterráneas, reacias a la luz del sol, que colonizaban los hangares de los aeropuertos y los túneles del metro y las cloacas de los arrabales. Elena me contaba el caso de una mujer ya septuagenaria que, diez años atrás, había sido abandonada por su marido en una sala de espera de O'Hare; con la muy socorrida disculpa de ir a comprar tabaco, y aprovechándose del desconcierto de aquella mujer que jamás había pisado antes un aeropuerto, su marido la dejó plantada mientras él embarcaba in extremis en el avión que supuestamente tendría que haberlos transportado al exótico escenario de sus vacaciones conyugales. Al marido felón no le costó demasiado convencer a la tripulación de que su esposa finalmente no había podido acompañarlo, por motivos de salud.

—Los tíos sois así de cabrones —sentenció Elena—. Desde entonces, esa pobre mujer deambula trastornada por el aeropuerto. Cuando le da una crisis nerviosa, se cree que es la jefa y empieza a repartir órdenes entre los empleados. Tendrías que haber visto su mirada.

Sacudió la cabeza, como si tratase de alejar el contagio de esa mirada, pero sus ojos ya se humedecían y sus labios temblaban, anunciando el apremio de las lágrimas.

—¿Qué te ocurre? —pregunté cohibido. De repente, Elena había cobijado su rostro en la manga de mi abrigo, y sobre ella enjugaba su llanto—. ¿Hay algo que pueda hacer por ti?

Estreché levemente su cintura de trémulo junco, venciendo el escrúpulo que siempre me ha producido consolar a una mujer, y más aún a una mujer casi desconocida. La megafonía había empezado a anunciar los vuelos más atrasados; a cada anuncio, se distinguía un grupo de viajeros que prorrumpía en vítores y se desgajaba de la muchedumbre que, harta de esperar, languidecía sobre el suelo en posturas cuadrúpedas o derrotadas. Elena respondió a mi gesto apretándose un poco más contra mí; la proximidad gemela de sus senos y la cadencia agitada de su hálito, su tibieza de pajar donde germina el heno, bastaron para conturbarme.

—¿Qué ocurrió en Vancouver, Elena? —me atreví a inquirir. A la compasión se agregaba cierta malsana curiosidad—. ¿Qué te hizo ese novio tuyo violinista?

Me sobresaltó (me avergonzó) el deje un poco justiciero, como de paladín de doncellas afrentadas, que había empleado al formular esta pregunta. Había sido un deje involuntario, pero sus efectos terapéuticos sobre Elena no tardaron en manifestarse: se sorbió los mocos, se borró las lágrimas con la mano y ensayó un mohín de maltrecha gratitud. La tristeza seguía incrustada al fondo de sus ojos, como un liquen o una diminuta úlcera, pero parecía admitir cura.

—Anda, que la señorita se va a mosquear —me dijo, apuntando con la barbilla a la empleada que atendía tras el mostrador de facturaciones.

Era, en efecto, nuestro turno, y quienes nos sucedían en la cola comenzaban a impacientarse y a reprendernos muy groseramente. La encargada de las facturaciones era una negraza apoteósica y desbordante de arrobas; sentada sobre un taburete, causaba la misma impresión que el funámbulo que apoya todo el peso de su cuerpo sobre el palo de una escoba. Cuando reparó en las cajas que Chambers me había endosado, lanzó un gruñido que se quedó atufado bajo el peso de su doble o triple papada.

—Me temo que tendré que pagar por el sobrepeso —me apresuré a decir.

—Me temo que antes me tendrá que enseñar el contenido.

Lo había dicho calmosamente, con un ademán abacial de la mano que me invitaba a descargar el carrito. Apenas coloqué una de las cajas en la cinta transportadora que servía a la vez de báscula, la negraza se abalanzó sobre ella, cúter en mano, con una agilidad que desmentía su aspecto obeso. De un corte certero, rasgó la funda profiláctica y levantó las solapas de la caja. Sobre el arsenal de cintas magnetofónicas se hallaba, a modo de amortiguador que mitigase las sacudidas y los golpes, un rimero de revistas sicalípticas de los años cincuenta. En las portadas, de tonos chillones, Fanny Riffel ensayaba poses acrobáticas o descocadas.

—¿Qué demonios es esto?

La negraza hurgó en el rimero y tomó un par de ejemplares, con un gesto de desagrado a mitad de camino entre el del veterinario que dictamina un brote de peste porcina y el de la institutriz que sorprende a sus pupilos en plena ejecución de una paja. Traté de explicarme:

—Es la documentación para un libro —noté que había empezado a tartamudear—. Soy escritor. Estoy investigando la vida de esa chica.

—¿De ésta?

Para mortificarme, la negraza me señaló un reportaje gráfico de *wrestling* en el que Fanny Riffel se revolcaba por el suelo con una rubia platino, a la que zurraba sin demasiado ensañamiento.

—No, de la otra. La morena del flequillo —especifiqué, mohíno.

—Pues vaya biógrafo que está usted hecho. Podía haber elegido a Eleanor Roosevelt, o a madame Curie.

Entre la fila de pasajeros que aguardaban su turno se escuchaban los primeros bisbiseos de pitorreo, que degeneraron en clamor cuando la negraza desplegó ante ellos la revista. Ya se sabe que el sistema penal americano sigue confiando en la eficacia ejemplarizante del castigo.

—Menos guasa. El señor es biógrafo, ya lo han oído —proclamó la negraza—. ¿O ha dicho pornógrafo?

La propia Elena me miraba divertida. Ahora la negraza removía el cargamento de cintas magnetofónicas, ensayando aspavientos de escándalo.

—¿Y esto? No serán grabaciones de hotel, supongo.

Había trabucado aposta la fonética de «hotel», para aproximarla a la de «burdel». Las mofas de los pasajeros colonizaban las filas vecinas, en un jolgorio cuyas proporciones exageraba mi bochorno. Acerté a farfullar:

—Son... son conversaciones con la muchacha del flequillo. —La voz se me pegaba al velo del paladar—. Se lo juro.

La negraza interrumpió sus chacotas y me taladró con una mirada inculpatoria. Un ademán de su mano abacial bastó para que los pasajeros también se callasen, no fuera que empezase a repartir sopapos.

—¿Y quién me dice a mí que no es usted un espía?

La incriminación, al principio, me angustió, por descabellada y paranoica. Ya sólo faltaba que viniera a aprehenderme la pareja de policías sádicos que malograron mis vagabundeos por los arrabales de Chicago.

—¿Tengo yo pinta de espía? —dije.

Y me volví, en un gesto desarmado, hacia los pasajeros que ejercían de jurado popular. Entre el cafarnaúm de razas que allí se resumían, creí distinguir algunas facciones meridionales, quizá de compatriotas; entonces crecieron mi humillación y mi bochorno, porque me figuré que, a su regreso a España, me convertiría en el pasto de sus comidillas familiares. Mientras pasaba revista a los gestos hirsutos o displicentes de los pasajeros, intuí que los espías de verdad (a diferencia de los espías de pacotilla entronizados por el cine) deben de caracterizarse por su pinta nada gremial, como de turista desnortado o escritor de medio pelo o pacífico pornógrafo.

—Déjeme su pasaporte, señor. —La negraza, tras el mostrador de facturaciones, se sentía como un juez en el estrado. Estúpidamente, pensé que una toga con puñetitas en las mangas le habría favorecido mucho—. Creo que pondré su... *material* a disposición de los agentes.

Le tendí el documento requerido, como quien entrega su alma a cambio de nada.

—Pueden quedarse con las cajas. Destrúyanlas, si quieren. Pero no me retengan —supliqué.

Sentí, al pensar en Chambers, una punzada de culpabilidad, pero sobre ese sentimiento se alzaba el temor a los interrogatorios que se estiran hasta el alba, el tránsito por comisarías infractoras del *habeas corpus*, todo ese laberinto de trámites o circunloquios burocráticos que convierten al detenido en un involuntario personaje de Kafka. La expectativa de languidecer, como Jonás, en el vientre de una ballena por culpa de una encomienda que me había sido asignada a la fuerza no acababa de entusiasmarme. Supongo que soy un rajado y un pusilánime.

—¿Tan poco valor tienen para usted esas cajas? —La negraza parpadeó y se acarició la papada, como un pelícano perplejo, ante mi salida más bien poco gallarda—. Entonces no comprendo por qué carga con ellas.

Me avergonzaba introducir en mi descargo circunstancias patéticas, pero pensé que quizá la negraza fuese adicta a las telenovelas de amores contrariados, y así lograse enternecerla:

—Sí tienen valor. Pero en Madrid me espera mi novia. Vamos a casarnos muy pronto.

Enseguida me di cuenta de que acababa de liar más aún la madeja. Seguramente, la negraza habrá presenciado cómo había estrechado la cintura de Elena, mientras ella enjugaba sus lágrimas en la manga de mi abrigo. Quizá, mientras me volvía a taladrar con una mirada recriminatoria, estuviese imaginando a Elena enzarzada con mi inminente esposa en una escena de *wrestling*, mientras yo ejercía de árbitro *voyeur*. Para deshacer malentendidos, Elena se acercó al mostrador.

—Se equivoca, señora. —Su inglés macarrónico remarcaba las palabras de una especie de lastimada furia—. Y le advierto que, si continúa fastidiando al señor Losada, se va a organizar un lío diplomático. El señor Losada es un escritor muy importante en España, y yo soy su editora.

Había ensartado este cúmulo de patrañas y usurpaciones de identidad sin que le flojease la voz y, sobre todo, sin parpadear; tanta vehemencia acabó por intimidar a la negraza.

—Y, por si todavía tiene dudas, mire.

Abrió el bolso y extrajo el ejemplar de mi última novela que ya le había servido, una semana antes, para presentarse como mi más aficionada lectora. Le mostró a la negraza la solapa de cubierta, donde figuraba un retrato mío muy favorecedor.

—¿Lo ve? Y aquí debajo viene la ristra de premios que ha ganado el señor Losada. El señor Losada es... es... —no encontraba una hipérbole convincente— ... es nuestro Tom Clancy, para que se entere.

A la negraza no le constaba que Tom Clancy coleccionase revistas sicalípticas, pero asintió, más bien poco convencida. Luego entendí que había atisbado en la mirada de Elena ese fondo de fanatismo que exalta a quienes inician su andadura por los pasadizos de la locura. Observé que el marcapáginas que Elena empleaba en su lectura no había avanzado ni un ápice desde que coincidiéramos en el vuelo de ida. Este descubrimiento me ofendió más amargamente que los ditirambos caricaturescos que me emparentaban con Tom Clancy.

—Está bien —aceptó la negraza—. Pero tendrán que pagar por el sobrepeso.

Supe que no me rebajaría ni un miligramo.

El violinista William había desaparecido sin dejar ni rastro. Elena me fue desgranando las vicisitudes de su descorazonador viaje a Vancouver. El tono fiero que había empleado para doblegar las reticencias de la negraza encargada de facturar mi equipaje se tiñó de una como derrotada ironía cuando nos sentamos en una de las cafeterías de la terminal, aguardando el anuncio del embarque; y esa ironía fue entenebreciéndose poco a poco de una acritud sin destinatario que excavaba lentamente sus defensas, hasta que su voz quedó esquilmada, como un violín sin cuerdas. Sus primeros recelos empezaron a fraguarse cuando, recién llegada a Chicago, quiso comunicar a William el día y la hora de su aterrizaje en Vancouver; las llamadas —tanto al teléfono de su domicilio como al móvil— se estrellaron invariablemente con esas voces robóticas que las compañías de telecomunicación emplean para excusar la ausencia de sus clientes. Pensó que William habría tenido que atender algún compromiso imprevisto de su orquesta, algún ensayo maratoniano que lo obligara a mantener cerrado su móvil, algún viaje por regiones fragosas donde no hubiese cobertura. Dejó mensajes en los contestadores o buzones de voz y se encerró en la habitación de su hotel, esperando con creciente ansiedad la respuesta del desvanecido William; para espantar el acecho de los presagios funestos, bajaba de vez en cuando (aunque los intervalos se fuesen acortando, a medida que crecía su zozobra) al vestíbulo del hotel, para asegurarse de que los recepcionistas no desviaban la llamada a una extensión equivocada. En estas idas y venidas los recepcionistas llegarían a aprenderse de memoria los contornos de su culito de pantera; también, a poco que la lubricidad no cegase su conmiseración, apreciarían en sus facciones, en su modo de comportarse, en sus andares de ánima en pena, los síntomas de un progresivo desmoronamiento. Elena había imaginado mil veces su encuentro con el violinista William en el aeropuerto de Vancouver: austero y poco proclive a las alharacas, como corresponde a un hombre de temperamento taciturno, pero promisorio de pasiones contenidas que sólo aciertan a explicarse en la intimidad. Había imaginado el trayecto en automóvil hasta su casa, a través de una carretera flanqueada por regimientos de abetos; entre el tropel de confidencias y arrumacos, Elena bajaría la ventanilla y aspiraría el aire umbroso, se dejaría poseer por un sentimiento panteísta y empezaría a calibrar la posibilidad de incorporar esos paisajes canadienses a una nueva vida, empezaría a tantear la idea de abandonar España y anudar su destino al de William para siempre. En pleno rapto de optimismo fantasioso, Elena había llegado, incluso, a imaginar el momento exacto en que le confiaría esta decisión, más impulsiva que meditada: sería cuando, tras el desahogo de los cuerpos, ambos se quedasen callados contemplando el techo, en ese voluptuoso marasmo que a William le gustaba suspender o prolongar encendiendo un cigarrillo. Entonces le diría, acompañando la revelación de una sonrisa desarmante: «He venido para quedarme».

No había querido, en cambio, imaginar su reacción, temerosa de que el castillo de sus ilusiones se derrumbara pillándola debajo. Esa sensación asfixiante de vivir entre escombros se hacía más y más verídica a medida que transcurrían las horas sin que William diese señales de vida. Y, junto a la asfixia, la sospecha de haber sido abandonada, como esos paraguas que sus dueños dejan olvidados en el ropero de un teatro o restaurante y ya nunca se preocupan de reclamar porque tenían las varillas torcidas. Aunque estos pensamientos la aplastaban y reducían a migajas, Elena aún hizo acopio de esa desahuciada esperanza que anima a los mendigos a perseverar en su cuestación, pelando de frío en una esquina, cuando los viandantes que los proveen de limosnas ya se han recogido y la noche les cruje en los huesos. Dos días encerrada en una habitación más bien angosta habían bastado para que se atormentara con miedos superpuestos y contradictorios: miedo de que William hubiese sufrido algún percance; miedo de agotarse en una espera vana; miedo de sucumbir a la llamada del vértigo y arrojarse por la ventana que le susurraba pesadillas. A este cúmulo de miedos se sumaba ese arrojo destructivo que a veces nos impulsa a emprender o desencadenar cambios decisivos en nuestra vida que adquieren el rango de cataclismos; ese arrojo insensato de quien, pudiendo conformarse con sobrellevar sus penas, prefiere arriesgar el último ápice de su voluntad o sus energías en un envite que le reportará dolor y calamidades sin cuento. Quizá Elena, pura y simplemente, quería sentirse viva, en medio de tanta agonía.

Así que tomó el vuelo a Vancouver, decidida a no dejarse atrapar por esa urdimbre de miedos que apenas le dejaba respirar. Ilusamente, llegó a concebir la quimera de que, mientras ella volaba, el violinista William hubiese regresado por fin a casa y, tras escuchar sus recados, condujera alocadamente por la autopista flanqueada de abetos para alcanzar a recogerla en el aeropuerto, como si nada hubiese ocurrido. Este último residuo de credulidad se esfumó mientras esperaba en el pabellón de llegadas, junto a las puertas corredizas que a cada poco escupían nuevas remesas de pasajeros, recibidas por sus deudos canadienses con una circunspecta mesura muy distinta del guirigay que suele presidir estos rencuentros en latitudes menos septentrionales. Hacia el final de la tarde, cuando ya llevaba cinco o seis horas de espera, un empleado del aeropuerto se le acercó para brindarle orientación o consuelo; cuando reparó en su mirada de buen samaritano, Elena sufrió un ataque de ansiedad. No quería que la compadeciesen; tampoco quería levantar sospechas. Escondió el apremio de las lágrimas detrás de una sonrisa distraída y corrió a la parada de taxis, abrasada por la decepción, llevando a rastras la maleta que pesaba como un sarcófago. No cruzó palabra con el taxista que la condujo hasta el centro de Vancouver; rasgó la hojilla de su agenda donde figuraba la dirección del violinista William y se la tendió, con esa mezcla de fastidio y desasimiento con que el suicida tiende al boticario la receta del veneno que ha elegido para interrumpir el suplicio de sus días. La autopista no avanzaba entre regimientos de abetos, como ella había imaginado, sino siguiendo el curso del río Frazer, que en su desembocadura adquiría pretensiones de lago; pero Elena había cerrado los ojos, para hacer más abstracta su tristeza, para no añadir a la memoria de esa tristeza un paisaje que en el futuro la volviese más arraigada y persistente.

No los abrió hasta que el taxista le anunció el final de la carrera. La calle tenía ese aspecto pulcro, enojosamente pulcro y grisáceo, que los mediterráneos atribuimos a las ciudades suizas; la noche se ahondaba a lo lejos, refugiada en un parque que lindaba con la acera de enfrente, muy escasamente iluminada, a diferencia de la acera a la que se había arrimado el taxi, sobresaltada de farolas que proyectaban sobre el suelo charcos de una luz que parecía la vomitona de un enfermo de paludismo. El contraste entre esa luz confiscatoria y la oscuridad semoviente del parque que avanzaba hacia ella como el bosque de Macbeth infundió a Elena esa grima que despiertan en nuestro paladar los sabores incongruentes, cuando un cocinero inepto o modernillo se empeña en combinarlos. Había ordenado al taxista que la aguardase un poco, y no había sacado su equipaje del maletero, en previsión de un chasco definitivo que la devolviera escarmentada al aeropuerto. Al descender del coche y encaminarse al portal que ostentaba en su dintel el número donde presuntamente William había arrendado un apartamento, Elena oyó un silbido que se abría paso a sus espaldas entre la fronda del parque; era un silbido increíblemente habilidoso, además de gamberro, pues si bien aún restaban un par de horas para la medianoche, la calle tenía un aire durmiente. Antes de volverse, Elena descifró la tonada de aquel silbido, que interpretó como una contraseña; en un torbellino de aturdido gozo, distinguió ese pasaje de la *Sinfonía Júpiter* en que los violines dialogan con los bajos —*allegro vivace*— anticipando los motivos del tercer movimiento. Cuando por fin reunió los arrestos suficientes para rectificar su estado de ánimo (estaba dispuesta a perdonar a William las pretericiones de los últimos días), Elena escudriñó la oscuridad del parque, y distinguió la silueta de un hombre que avanzaba por un sendero que ya dejaba filtrar, entre el dosel vegetal, los mordiscos de luz que vomitaban las farolas. El primero de esos mordiscos resbaló huidizamente sobre el objeto pulido y voluminoso que ese hombre portaba en su mano derecha; Elena decidió que ese objeto era el estuche de un violín, forrado de tafilete negro. Entonces, sacando fuerzas de flaqueza, susurró (pero quizá el renovado brío que la habitaba convirtiese el susurro en algo parecido a un transporte) el nombre de su amado: «William»; y, al hacerlo, volvió a experimentar esa felicidad inaugural que sentía de niña al pronunciar el nombre de las cosas. Sintió entonces que William recobraba una existencia objetiva por el simple hecho de invocarlo, por el simple hecho de desearlo fervientemente.

Pero esa ufanía se derrumbó al instante, cuando por fin el hombre que portaba el estuche del violín y silbaba un pasaje de la *Sinfonía Júpiter* dejó atrás la enramada y pisó los círculos de luz que las farolas proyectaban sobre el pavimento. Entonces aquella felicidad pueril e impetuosa que la había poseído un segundo antes se transformó en un sentimiento de sublevada impotencia; como el niño que solicita agua a su madre para saciar la sed y al sentir la abrasión en su garganta descubre que esa presunta agua sabe a vinagre, Elena fue distinguiendo las facciones de un joven que no se correspondían con las del violinista William. Fue una impresión de progresivo desconcierto, muy similar a la que nos sacude en sueños cuando convocamos un rostro querido y asistimos a su repentina metamorfosis en otro rostro que lo refuta, otro rostro que se descompone o derrite como la cera, al estilo de esos retratos de Bacon que convierten al modelo original en una criatura descuartizada a brochazos. Como William, aquel hombre no tendría más allá de treinta años, pero el pelo rizoso y abundante desmentía los síntomas de calvicie que asediaban a William, y las mejillas rubicundas negaban la tez demacrada de William y, en general, su estampa rolliza y un poco flácida era la antítesis de aquella figura casi enclenque de William. Mientras el desconocido se acercaba, al principio cachazudo y luego —a medida que ella se iba demudando— azuzado por un deber de socorro, Elena aún volvió a pronunciar el nombre de William, ya no en un susurro, sino con gritos que lo increpaban, gritos que eran a un mismo tiempo anatemas y peticiones de una clemencia que le había sido denegada. Si aquel espejismo no hubiera llegado a engañarla, Elena habría aguantado la humillación y el dolor, habría aceptado resignadamente que William era un burlador sin escrúpulos y se habría montado otra vez en el taxi, de vuelta al aeropuerto. Pero al oír el silboteo que le devolvía a la memoria la interpretación de William en el Palau de la Música de Valencia y entrever el estuche del violín que el desconocido portaba, había bajado crédulamente la guardia. Y ahora, una vez disuelto el espejismo, el dolor la pillaba desguarnecida y la embestía sin miramientos. Entre las nieblas del desmayo, aún acertó a buscar el apoyo de una farola.

Cuando volvió en sí, el desconocido rondaba en torno a la cama en la que Elena se descubrió tendida. Azorado y también un tanto remiso a aceptar una responsabilidad que no le correspondía, la miraba con ese arrepentido espanto del hombre que, por desprevención o debilidad de carácter, acepta la encomienda de un amigo de guardar en depósito un paquete que luego resulta ser una bomba de relojería. Con anticipado fatalismo, el desconocido aguardaba el despertar de

Elena sabiendo que la bomba le iba a estallar entre las manos. «He escuchado todos sus mensajes», dijo, dirigiendo un gesto al teléfono que reposaba sobre el suelo de la habitación. Sin lograr apartar del todo esa sensación de fangoso estupor que nos queda al despertar de una anestesia, Elena distinguió las paredes ilustradas con carteles que anunciaban el programa de conciertos de la Orquesta Sinfónica de Vancouver, y los anaqueles atestados con discos de vinilo cuyas fundas delataban un uso nada esporádico. El desconocido, en mangas de camisa, tenía una pinta de muchachote gordinflón que sólo infringían sus manos, muy estilizadas y reveladoras de la osamenta, como las del prófugo William. Mientras atendía sus explicaciones, Elena descubrió (sin alivio, como quien descifra un jeroglífico que enuncia una atrocidad) que podía anticipar cada una de sus frases, porque la anterior actuaba a modo de preludio o tanteo, para que la revelación final fuese menos hiriente. «Como comprenderá, no le contesté porque no quiero meterme en asuntos que no son de mi incumbencia», dijo su accidental anfitrión. «Créame que estuve tentado de hacerlo, pero temía que la verdad pudiera hacerle más daño que el silencio de William», añadió, exculpándose. William y él habían compartido apartamento durante casi dos años; fueron contratados en las mismas fechas por la Orquesta Sinfónica de Vancouver, que andaba un poco escasa de instrumentistas de cuerda, y decidieron aviarse así, hasta que su situación laboral se consolidase y encontraran otro acomodo más desahogado. Luego la pereza iría prolongando esa convivencia que nunca había sido amistosa, ni siquiera confiada; poseían temperamentos disímiles que, precisamente por serlo, nunca llegaron a colisionar. «Supongo que él no soportaba mis gustos, ni mis amistades; los suyos yo no los tuve que soportar, porque los mantenía escondidos a buen recaudo, como si fuesen secretos de Estado», dijo, y calculó las palabras que a continuación emitió, nítidas y desoladas como un veredicto: «Eso es lo que hacen los psicópatas, esconder enfermizamente su intimidad. Por fin he entendido que William era un psicópata».

Y antes incluso de escuchar los argumentos que apoyaban ese veredicto, Elena se sintió hundida en una ciénaga y envilecida por el tacto de las sábanas de aquella cama sobre la que reposaba. Con un respingo se irguió y se frotó las ropas, como si se quisiera limpiar las invisibles manchas que la inmersión en esa ciénaga le hubiese dejado.

«No se preocupe —la tranquilizó su anfitrión—. Él nunca durmió en esa cama.» William se había casado apenas una semana atrás, para sorpresa de todos los músicos de la orquesta, que habían asediado a su compañero de piso con preguntas chismosas, creyendo que la cohabitación de casi dos años le habría permitido atisbar esos recintos de secretismo donde William confinaba su vida privada. «Pero no pude aclararles nada, porque jamás trajo a este apartamento a una mujer, ni siquiera para invitarla a un refresco o prestarle un libro», dijo, todavía asombrado de aquella estricta preservación de sus hábitos, que él había interpretado, más que como una ensañada forma de misoginia, como una prueba más de su aversión al género humano. «Homosexual no era, desde luego», añadió rápidamente, en un murmullo; y si Elena no hubiera estado tan anegada por su propio dolor, habría atisbado en esa apostilla una amargura en sordina, un fondo de resquemor o despecho. «Dicen que quienes nos dedicamos al arte somos egoístas por naturaleza, que sólo nos interesa nuestra vocación y que utilizamos a los demás en nuestro provecho, para después dejarlos tirados en la cuneta una vez logrados nuestros fines», continuó aquel hombre, como si perorase. Pero por debajo de esa cáscara de impersonalidad, se escondía el meollo de un agravio. Tal vez también él, como Elena, hubiese sido abandonado en una cuneta. «Eso es un tópico y una falsedad. El único ejemplar de egoísta químicamente puro que he conocido es William», afirmó, sin atreverse a formular la otra conclusión, mucho más terrible, que hubiese confirmado la veracidad del tópico: quizá William fuese, además de egoísta, el único ejemplar químicamente puro de artista que había conocido.

William había mantenido el secreto de la identidad de su prometida; y sólo cuando, en la víspera de su boda, anunció su cese como violinista de la Orquesta Sinfónica de Vancouver, se supo que iba a casarse con la primogénita de un director bávaro asentado en Montreal, archifamoso y cotizadísimo, cuya mera mención bastaba para deshacer de orgasmos o deliquios a los melómanos más enteradillos. Considerando que la hija de ese director se distinguía por su banalidad —que las revistas de papel cuché se encargaban de divulgar— y por esa propensión al despilfarro que caracteriza a los vástagos de ciertos millonarios apátridas; considerando, además, que la batuta de su padre actuaba a modo de varita mágica cada vez que apuntaba hacia un intérprete medianamente dotado, transformándolo como por ensalmo en una estrella o meteoro del circuito filarmónico, no hacía falta explicar los motivos de William. Pero ni la ambición carnívora ni el arribismo encumbrado a la categoría de impulso vital bastaban para dilucidar ese sibaritismo de la crueldad que había empleado con Elena. Quizá si el breve idilio valenciano no se hubiese prolongado en conversaciones telefónicas y coloquios en el ciberespacio, Elena habría entendido que William sólo había buscado en ella un desahogo venéreo; pero la prolongación de ese idilio durante meses revelaba un regodeo en la malignidad, un avieso deleite en el sufrimiento ajeno, ininteligibles para Elena. «Ya le dije que era un psicópata», repitió su veredicto el violinista que, durante casi dos años, había convivido con William sin conseguir derribar la empalizada de retraimiento que circundaba su intimidad. Aunque, por la contundencia con que pronunciaba esas palabras, se diría que, sin llegar a derribarla, había llegado a atisbar su paisaje de inmundicia interior a través de alguna grieta o hendidura. Un impulso pánico sacudió a Elena; pero cuando quiso obedecerlo, notó que no podía ni siquiera mantenerse en pie. Se sintió como seguramente se sintió Fanny Riffel ante el acoso telefónico del adolescente Chambers, como seguramente se sienten las mariposas que el alfiler del entomólogo ensarta sobre un corcho. Respirar el aire de aquel apartamento, que hasta unos pocos días antes habría respirado el responsable de esa agonía, la infectaba de una suerte de náusea. «Por lo menos podría haberme avisado a última hora, para evitarme este viaje», balbució estúpidamente, con esa fijación característica de los moribundos que, un segundo antes de expirar, recuerdan que han dejado un grifo abierto y parten hacia ultratumba con el fastidio de saber que ese dispendio se reflejará en el próximo recibo del agua. «A través de su suegro he logrado saber el teléfono del hotel donde William se hospeda durante su luna de miel —dijo todavía el hombre que la había socorrido—. Lo llamé hace un par de días y, aunque no pude localizarlo, le dejé recado con su nombre y su número de contacto en Chicago. Por si acaso.» Trató de imprimir a ese «por si acaso» un tono desiderativo que la compasión y el escepticismo malograron. Elena se encaminó, trastabillante, hacia el vestíbulo del apartamento, donde se hallaba la maleta que con tanto mimo había dispuesto una semana atrás en Valencia, como las novias antiguas disponían su ajuar. Ahora, esa maleta parecía contener el cadáver del desengaño.

—A la mañana siguiente, regresé a Chicago. —Elena había respirado hondo—. Quise enlazar con el vuelo a Madrid, pero me tropecé con este jaleo. Así que volví a alojarme en el hotelito en el que ya había estado. No te lo vas a creer, pero...

Y sobreponiéndose a la voz esquilmada de Elena, escuchamos por la megafonía un mensaje dirigido a los pasajeros con destino a Madrid, previniéndonos de la posibilidad de que nuestro vuelo se retrasase hasta el alba y anunciándonos que la compañía aérea había reservado habitaciones en un hotel próximo, para evitarnos una noche —otra noche, en el caso de Elena— de vigilia en el aeropuerto.

—¿Pero? —la incité a completar su historia de infortunios.

—Estos cabritos nos van a tener empantanados hasta que nos den las uvas —se soliviantó hasta donde la fatiga y el abatimiento se lo permitían—. Pero me llamó.

Por un segundo, sus ojos glaucos se esmaltaron de un brillo que traslucía ira, pero también una esperanza ambigua.

—¿Que te llamó? ¿William, quieres decir?

—El muy capullo me llamó. —Elena asintió orgullosamente—. Pero no tuvo cojones para pedirme perdón. Estuvo un rato callado y luego colgó.

Recordé su voz zarandeada de sollozos al otro extremo de la línea, su voz desangrándose en un dialecto ininteligible de súplicas que impetraban la limosna de una respiración amiga. Recordé la nieve que descendía sobre Chicago, impertérrita y casta, mientras yo escuchaba sus sollozos a través del auricular, y los remordimientos que me mantuvieron insomne y desazonado durante horas, después de mi llamada intempestiva.

—No fue William —dije, decidido a expiar mi pecado.

—¿Y eso cómo lo sabes? —me retó Elena, sin llegar todavía a comprender.

—Porque fui yo.

Su gesto era de quejumbrosa impotencia, y su tono de voz tenue y vacilante, como aturdido por una revelación que la emocionaba y desorientaba a un tiempo. Sonriendo como a través de un muro de dolor, musitó:

—Así que fuiste tú...

Y su mirada destellaba como si hubiese naufragado en un mar de presentida felicidad. Hizo descender los párpados con una como ruborosa lentitud, mientras yo empezaba a farfullar mis excusas:

—Pensé que te apetecería asistir a la conferencia que pronunciaba a la mañana siguiente. Pero, cuando descubrí el estado de nervios en que te hallabas, no me atreví a interferir. —Elena suspiró, sonrojándose. Examinaba sus ropas, un poco enfurruñada, como si recriminase mi indecisión, o quizá lamentando que su desaliño indumentario fuese a rectificar mi apreciación de ella—. Compréndelo, fue una impresión muy fuerte —me excusé—. Sentí como si me hubiese metido donde no me llamaban. Luego, no he hecho más que darle vueltas al asunto. No sabes cuánto...

—Así que fuiste tú... —repitió, interrumpiéndome.

Temí que a esa constatación, que al principio había sido compungida, siguiese un estallido de cólera, pero Elena me hablaba con una especie de exultación atropellada:

—Fuiste tú, Alejandro. Fuiste tú...

Me miraba de un modo no exactamente absorto, sino más bien desenfocado, como si hablase con alguien que asomaba por encima de mi hombro, quizá con mi ángel custodio. Y sonreía. Me estremeció su sonrisa, porque sin calcinar del todo la tristeza y el cansancio que postraban sus facciones, parecía la sonrisa de una mujer enamorada.

—Voy a llamar a mi novia —dije. Aspiraba a que esa mención abrupta a Laura bastase para desvanecer cualquier malentendido y para librarme de aquella embarazosa sonrisa—. Le diré que no se intranquilice, que el vuelo ha sido cancelado.

La megafonía del aeropuerto volvía a dirigir su mensaje exculpatorio a los pasajeros con destino a Madrid. Mientras caminaba, de espaldas a Elena, hacia un teléfono público, sentía en el cogote su mirada, como un yugo de invisible devoción. Luego, mientras hablaba con Laura, pude distinguir en la distancia su expresión dichosa y cariacontecida a un tiempo. Preferí pensar que era la expresión normal de una mujer que, en medio de su soledad, agradece que alguien la escuche y compadezca.

—¿No te habré despertado, verdad? —saludé a Laura.

Hablaba a gritos, cediendo a ese impulso palurdo que nos obliga a desgañitarnos cuando mantenemos conversaciones transoceánicas.

—Qué va. Me estoy preparando para ir al trabajo —me respondió—. ¿Y tú qué haces? ¿No deberías estar volando?

Laura parecía de excelente humor. O quizá sólo lo aparentase, para que sus preocupaciones no se extendiesen a mí a través de la línea telefónica.

—Estoy todavía en el aeropuerto de Chicago. Hay un desbarajuste de vuelos tremendo. Al parecer, nos llevarán a un hotel, para que podamos descansar.

Se oía el runrún de una radio, aderezando el madrugón de los españoles con un alud de noticias fresquitas que luego alimentarían el festín caníbal de los tertulianos. Entre los hábitos más abominables de Laura se contaba utilizar la radio a guisa de despertador.

—Vaya faena. Te estarás aburriendo como una ostra.

Era un hábito que me soliviantaba, pues solía amargar mis últimos remoloneos en la cama. Absurdamente, ese runrún radiofónico me contagió una especie de cabreo retrospectivo. Como el perro de Pavlov, somos criaturas sometidas a impulsos reflejos:

—No te creas. He hecho buenas migas con una pasajera.

Laura apagó casi instantáneamente la radio, como si hubiese recordado mis manías. Se abrió un silencio ofendido que me costó un porrón de centavos.

—Vaya, pues enhorabuena —dijo Laura. Aunque impostaba un tono jocoso, gravitaba sobre sus palabras una sombra de resquemor—. Sí que os habéis dado prisa en hacer buenas migas.

Lancé una mirada huidiza a Elena, que pagaba a un camarero nuestra consumición. Aunque la búsqueda de calderilla la mantenía ocupada, no dejaba de vigilarme, como si temiera que de un momento a otro fuera a escabullirme, dejándola sola otra vez. Persistía en sus labios esa sonrisa de aliviada gratitud que actuaba sobre mí como una recriminación.

—La espera en los aeropuertos une mucho —dije, tratando de reparar mi anterior destemplanza—. Además, ya coincidimos en el viaje de ida.

—Casualidades de la vida.

Laura ya no se molestaba en disimular su resquemor; sus palabras, despabiladas de pronto de los últimos vestigios de adormilamiento, sonaban hoscas y metálicas. Me sentí como esos personajes del cine cómico que, en su afán atolondrado por desdecirse de algún comentario intempestivo, acaban enredándose en disculpas bizantinas que agravan su yerro. Me esforcé por no delatar mi incomodidad, pero quizá mi timbre de voz incorporase algún matiz de culpa:

—Venga, Laura, no fastidies...

Había encendido otra vez la radio, para mortificarme o rebajar con su runrún la crispación que la rondaba.

—¿Está buena?

Cuando adoptaba ese tono lindante con la grosería había que temerse lo peor. Recordé la descripción procaz y sucinta de aquel portero del hotel donde se hospedaba Elena: rubia, ojos verdes, un culito de pantera. Recordé también la primera impresión que Elena me causó cuando me abordó en el avión, la impresión de una belleza generosa y vulgar que las ropas apenas podían contener, porque exudaba entusiasmo por cada poro de su piel. Supongo que Elena encarnaba el prototipo de la «tía buena», según esa preferencia masculina que confunde la belleza con la industria cárnica. Los sentimientos que suscitaba en mí, no obstante, tenían que ver más con la piedad —en sus formas más temerosas y aprensivas— que con la concupiscencia. Pero piedad y concupiscencia son reflejos invertidos del amor.

—¿Por qué tienes que ponerte tan desagradable?

Mi reproche debió de sonar convincente, porque Laura cejó en su estrategia belicosa:

—Perdona. Dirás que soy una celosa y una paranoica. Se me pasan cosas por la cabeza y las suelto sin pararme a meditar.

—Son los nervios de la boda —aventuré, para terminar de sosegarla, para terminar de sosegarme.

—Son los nervios de la boda —convino Laura, pesarosa o arrepentida de su anterior acceso de suspicacia—. Anda, invita a cenar a esa pasajera que has conocido. Que no se diga que eres un rata.

Como si hubiese escuchado el ofrecimiento de Laura, Elena había extraído del bolso una polvera y un espejuelo y trataba de atenuar los estragos de la fatiga en su rostro; comprendí, halagado e incómodo a un tiempo, que yo era el destinatario de ese rasgo de coquetería.

—Me temo que ya es un poco tarde para cenas. Pero quizá la invite a una copa, para ayudarla a coger el sueño —bromeé.

Sonó el pitido que anunciaba la voracidad tragaperras del teléfono, o la necesidad de ir abreviando las despedidas.

—Ya te contaré a la vuelta —anuncié precipitadamente—. Pero, aunque parezca mentira, descubrí el secreto de Chicago. Resulta que tenías razón.

—¿En serio? —Laura había abandonado por completo su actitud difidente—. Adelántame un...

Nada pude adelantarle, pues su voz se había quedado cercenada por la guillotina avara del teléfono, que no atendía más peticiones de prórroga. Quizá para remediar ese poso de insatisfacción que me había dejado la conferencia interrumpida, y también para evitar que Elena siguiese obsequiándome con esa sonrisa embelesada que se había quedado colgada de sus labios, decidí contarle a ella mis pesquisas errabundas por Chicago, mi encuentro fortuito con Chambers y, en fin, la tenebrosa y desdichada biografía de Fanny Riffel. Dicen que la locuacidad es el mejor antídoto contra el acecho de la zozobra, porque mantiene nuestro pensamiento alejado de mortificantes cavilaciones; también dicen que el convaleciente de una enfermedad —física o anímica— halla alivio en sus achaques cuando descubre a su lado a otro enfermo que padece con mayor virulencia los mismos quebrantos que él. Mi relato ejercía sobre Elena un efecto terapéutico, al entretenerla con un cúmulo de infortunios que le permitían olvidar, o siquiera aplazar, su propio infortunio; y, al mismo tiempo, facilitaba esa comprometida misión que el azar me había asignado al emparejarme con una mujer traumatizada. Pero hasta los impulsos más altruistas esconden otros motivos inconscientes o inconfesables y, quizá yo, al brindar consuelo a Elena, estaba rindiéndome al halago que me procuraba erigirme en paladín de una causa noble. Sólo así puedo explicar que la vanidad me impidiera precaverme contra la sonrisa que Elena se obstinaba en seguirme dedicando.

La megafonía del aeropuerto nos ordenó comparecer en un mostrador de reclamaciones que se vislumbraba en los confines de la terminal. Allí, una vez apacentados los escasos treinta pasajeros con destino a Madrid, nos comunicaron en un español birrioso que nuestra partida aún se demoraría unas cuantas horas, quizá hasta el alba (y apenas habíamos rebasado la medianoche), por lo que nos recomendaban trasladar nuestra espera a un hotel o varadero de espectros próximo al aeropuerto, que nos hospedaría sin cargo alguno a nuestros bolsillos. Un autobús nos trasladaría hasta allí, como a fardos sin dueño que los distintos negociados de un almacén se pasan de unos a otros. Quise rebelarme contra este papel de estorbos que nos adjudicaban, pero Elena me disuadió:

—A mí no me vendría mal pillar una cama. Estoy que no me tengo.

Así que me dejé conducir hasta el autobús de marras, alumbrado en su interior por una pálida luz fluorescente, como de laboratorio soviético dedicado a la cría de topos. Elena escuchaba con una especie de lúgubre fascinación las desventuras de Fanny Riffel, que yo le seguía desgranando, y me interrumpía a cada poco con preguntas un poco meticonas, un poco desconcertantes, como si a través de ellas deseara interceder en la suerte de una mujer que ya había sido dictaminada varias décadas atrás. Descendimos del autobús en una explanada iluminada entrecortadamente por letreros de neón que anunciaban casinos de pacotilla, tugurios para camioneros con callo en el bálano, casas de lenocinio disfrazadas de moteles. Había una luna leprosa rodando por el cielo, como horadada por los escupitajos de esos conductores borrachos que extravían el rumbo e increpan a Dios, confundiéndolo con un guardia de tráfico. Elena me tomó del brazo y se apretó contra mí; reprimió un escalofrío:

—Esto parece el escenario de una película de David Lynch —me dijo.

Quizá en otro tiempo aquella explanada hubiese acogido los automóviles de todos los puteros y ludópatas del estado de Illinois; para entonces tenía ese aspecto yermo que se les queda a los vertederos atómicos. La luz de los neones alcanzaba a alumbrar las marquesinas de aquellos edificios que aún cobijaban a los supervivientes del naufragio: algún crupier conservado en formol, como jibarizado por la melancolía, que se ahorcaba el pescuezo con una pajarita que quizá fuese un murciélago; alguna bailarina fondona que antaño se contonearía ante una clientela vociferante, hasta que el consumo de mantequilla de cacahuete la obligó a sustituir los sostenes por albardas; algún imitador de Elvis Presley que se había quedado alopécico aguardando la resurrección de su ídolo, pero aún se pavoneaba con su camisa de chorreras y su traje de lentejuelas reflectantes, como si quisiera enamorar a las polillas. El hotel que abastecía de dormitorios al aeropuerto O'Hare había sido diseñado para alojar a esos desfalcadores que organizan una cuchipanda antes de tomar el avión que los lleva a una república bananera, pero la

decoración prostibularia y faraónica se había quedado para el arrastre, y a esa impresión de lujo ajado se sumaba la cantinela de una
musiquita ambiental que destrozaba a Frank Sinatra. Como el presupuesto no daba para mantener botones en el turno de noche, cada
pasajero tuvo que coger la llave de su cuarto en el mostrador de recepción y buscarse la vida por los pasillos alfombrados de una moqueta en la que parecía haber hozado una piara de cochinos. Un olor
astringente, como de lejía mezclada con semen pocho, perforaba la
pituitaria.

—¿Y qué se supone que está grabado en esas cintas? —me preguntó Elena, para dilatar la despedida.

Nos hallábamos ante la puerta de mi habitación. La perspectiva
decreciente del pasillo, con su luz de morgue y su alfombra ilustrada
de geografías mareantes, infundía un repeluzno.

—Las conversaciones que Fanny y Chambers mantuvieron en el
manicomio —dije, mientras introducía la llave en la cerradura—. Un
documento clínico.

Chasqueó el pestillo. Elena se aferraba a mi compañía:

—Serán espeluznantes. ¿No te da miedo escucharlas?

—Tendré que vencer el miedo —dije. Pero mi voluntad era más
bien quebradiza, como demostraba al prolongar aquel diálogo—. Le
prometí a Chambers que escribiría ese libro.

—¿Has pensado ya el enfoque que le darás?

Al empujar la puerta, se activó una musiquita ambiental que repetía los destrozos sobre una balada de Frank Sinatra que ya habíamos escuchado en el vestíbulo. Con injuriado pasmo, descubrí que la
cama incorporaba un dosel muy rococó, a juego con el estampado de
la colcha. Soslayé la pregunta de Elena:

—¿Habías visto antes una horterada de este calibre?

Elena lanzó una carcajada que siquiera sirvió para ahuyentar por
un segundo su pesadumbre y se asomó a la habitación, pintiparada
para las cuchipandas de los desfalcadores. El resto del mobiliario no disentía de la cama con dosel: sillas forradas de terciopelo —o peluche—
burdeos, un tocador abrumado de molduras, un aguamanil en forma
de concha, sostenido por una estatuilla que representaba a Venus.

—Una semana encerrados aquí bastaría para volvernos locos —co-
mentó Elena, paseándose entre la morralla de cachivaches presuntamente erotizantes.

Había empleado el plural, que añadía a su comentario un clima de contubernio. Fue entonces cuando volví a pensar, como en la noche previa a mi conferencia en el John Hancock Center, que Laura no estaba allí, que Laura no podía verme. Antes de poder espantar este pensamiento, me escuché proponiendo:

—¿Te apetece tomar una copa?

A fin de cuentas, ese ofrecimiento era el que había convenido con Laura que le haría durante nuestra breve conferencia transoceánica. Puesto que ella había consentido —me convencí—, no existían motivos para el remordimiento.

—Nos ayudará a coger el sueño —dije, mientras rebuscaba entre la provisión de botellas liliputienses que albergaba el minibar—. Vamos a llegar a España hechos unos zorros.

En mi expolio al minibar me iba tropezando con un repertorio de licores a cada cual más empalagoso, hasta que por fin rescaté un *whiskey* no del todo indecente que Elena aprobó con un gesto de asentimiento.

—¿Me permites un consejo? —me preguntó.

Había abandonado el bolso sobre el tocador y se había sentado sobre una esquina de la cama con dosel. Inopinadamente se descalzó, para desentumecer los pies exhaustos de patrullar el aeropuerto; pude contemplar otra vez las venillas que descendían por su empeine, como vetas de algún esbelto mineral o cursos de sigilosa agua. El esmalte de uñas se le había saltado, pero ese signo de descuido no conseguía infringir el diminuto encanto de sus dedos, desperezándose como anémonas.

—Adelante —dije, y le tendí su copa de *whiskey.*

Envalentonado por el primer sorbo de alcohol, pensé por un segundo que el consejo que Elena se disponía a darme sería de índole erótica. Me senté a su lado, tratando de convencerme de la bondad de mis intenciones: hacía aquello —me repetía, en un ejercicio de autosugestión demasiado falaz— para salvar a Elena del recuerdo, para impedir que la soledad la despedazara con su asedio. Quizá coquetear con una mujer extraña, cuando nos une un compromiso con otra, no sea exactamente un crimen, pero hacerlo con una excusa samaritana constituye un acto despreciable. Yo no era entonces consciente de mi bajeza; ni siquiera era consciente de estar traicionando a Laura. Ahora me espanta reconocer que fui capaz de engañarme de esa manera.

—Creo que deberías contar la vida invisible de Fanny Riffel —dijo.

—¿La vida invisible? ¿A qué te refieres?

Me sedujo esa expresión, sobre la que tantas veces he reflexionado después, sobre la que tantas veces he vuelto, para designar los efectos de mi pecado. El pantalón vaquero estrangulaba los muslos de Elena, que imaginé tibios y copiosos.

—Me refiero a los años oscuros. Desde que Chambers la vio alejarse por aquella avenida desierta, tambaleándose, hasta que la volvió a encontrar, internada en el manicomio.

Hablaba con esa convicción entrometida que suelen emplear ciertos lectores acérrimos de nuestros libros, y también ciertos chalados que nunca nos han leído, cuando nos asaltan al final de una conferencia, seguros de que podrán inspirar con su peripecia vital el argumento de nuestra próxima novela. Yo bebía el *whiskey* a pequeños sorbos, pero sin descanso.

—Más bien había pensado en contar la historia de una redención. Chambers expía su culpa y...

—¿Y obtiene el perdón divino? —soltó Elena, en un tono zumbón—. ¿En serio crees que basta con expiar una culpa? Ese tipo destrozó la vida de Fanny, la destrozó para siempre.

El ruido de los aviones que despegaban y aterrizaban en las pistas de O'Hare se inmiscuía en nuestra conversación como un berbiquí, obligándonos a elevar la voz. El alcohol me infundía una lascivia insensata, o quizá más bien un deseo de cortejar al riesgo, de tentar la suerte, de asomarme a un abismo.

—Tendrías que haberlos visto esta mañana en Evanston. Ella lo adora.

—No me fastidies, Alejandro —el tono zumbón se había vuelto recriminatorio—. También los perrillos adoran al amo que los vapulea. Ese Chambers es un psicópata.

—No tendrías esa impresión si lo hubieras conocido. —Aquí Elena se rebulló, en un ademán de exasperación o incomodidad—. O quizá sí, pero mezclada con otras impresiones. En todo caso, meterme en el pellejo de un psicópata arrepentido me seduce como reto literario.

Posé una mano sobre su rodilla, como si quisiera aplacar el enojo que le producía mi connivencia con Chambers, que en realidad sólo era una muestra de ese paternalismo condescendiente que el escritor dedica a sus personajes antes de que se le desmanden. A través de la tela vaquera me llegaba el calor de su carne, un calor de tahona que invitaba a quedarse allí.

—¿Reto literario? Venga ya, no te pongas tan pretencioso. —Aquel rictus de desapego quizá fuese verídico, pero yo lo interpreté como un rasgo de coquetería—. Lo que pasa es que los tíos tratáis de justificaros entre vosotros. Siempre encontráis excusas para salvar a uno de los vuestros, por canalla que sea.

Si me hubiese detenido ahí, nada de lo que vino después habría ocurrido. O quizá sí, porque Elena lo habría dado por supuesto. Pero de nada sirven ahora estas lucubraciones. La impunidad de la situación (Laura no estaba allí, Laura no podía verme), sumada al arrojo insensato que me procuraba el alcohol, actuaban en mí como un acicate.

—¿Acaso piensas que he tratado de justificar a tu violinista? —pregunté.

Durante meses, cada vez que a mi abochornada memoria acudía aquel episodio, me esforcé por adjudicarme el papel de víctima, para tranquilizar mi conciencia y adormecer el sabor nauseabundo de la culpa. Pero de sobra sé que fui el causante de lo ocurrido; quizá a Elena la halagaba sentirse objeto de mis aproximaciones, quizá con su dejadez estuviese desafiándome a seguir adelante (suponiendo que esa dejadez no fuera una expresión más de su abatimiento), pero la iniciativa me correspondió a mí.

—¿Por qué me llamaste aquella noche? —dijo, un segundo antes de rendirse.

Me sentí dominado por una urgencia incontrolable de tocar sus piernas, de frotar mi mano por la tela del pantalón vaquero, que prefiguraba el calor incógnito de su piel y se iba desgastando a medida que se aproximaba a la cara interna de sus muslos, allá donde la carne adquiere el mismo tacto hospitalario que el papel biblia.

—Di, ¿por qué? —insistió en un susurro.

Las palabras nos comprometen más que las acciones o el mero silencio, de modo que callé. De repente, me sentía escindido, desdoblado en otro hombre que refutaba mi natural pusilánime. Con admirado estupor contemplaba desde muy lejos al hombre de fuerza avasalladora que se había apropiado de mi envoltura carnal, al hombre de ademanes oportunos y silencios quizá más oportunos aún que no cedía en su asedio. Elena, al igual que yo mismo, se dejaba anular lentamente por aquel hombre que la tocaba sin premiosidad, como si la auscultase, y sucumbía ante su mirada firme y sostenida, ante sus labios que pugnaban por oprimir los suyos. El hombre que me suplantaba había conseguido inmiscuir una mano debajo de su jersey de angora y deslizarla por su vientre estremecido, y más arriba aún.

—No hace falta que me lo digas. Ya sé por qué lo hiciste.

Entonces sentí el brazo de Elena rodeando mi espalda y arrastrándome consigo hacia la colcha de estampado rococó, sentí la inminencia de su aliento y el vaivén de su respiración agitada y su abrupta lengua amordazando mis últimas reticencias. Sentí su flequillo nublando mis pensamientos y sus senos desperezándose bajo el jersey de angora, y sentí, sobre todo, el tumulto de la sangre resucitando en sus venas, como un río dormido que vuelve a ocupar su lecho, después de varios años de sequía. Y, del mismo modo que, a su paso, el caudal del agua convoca un paisaje de renacida lozanía, el ímpetu de la sangre devolvía a Elena, si no el júbilo de vivir, al menos esa terca esperanza que a veces asiste a los desahuciados, cuando ya la medicina se muestra incapaz de devolverles la salud y se aferran a la posibilidad del milagro. Entonces sonó el teléfono de la mesilla.

—¿No lo vas a coger? —me dijo.

El estridor de los pitidos actuaba sobre mí como un escarnio o una acusación. Elena se había desabotonado el pantalón vaquero; la cinta de las bragas apenas alcanzaba a contener su vello púbico, enconadamente negro, en contraste con la melena rubia que el achuchón había alborotado. Mientras el teléfono sonaba, impávido como un detector de adúlteros, reparé en la erección que abultaba mi entrepierna; una erección obscena, tuberosa, informe como un tumor maligno. Elena también había reparado en ella y, a juzgar por su sonrisa, no la hallaba tan indecorosa como yo.

—¿Crees que puede ser tu novia?

Me pareció que había formulado esta pregunta con un retintín maligno, como si se refiriese a una predecesora en el cargo, a una reina destronada. El rugido de los aviones que despegaban en O'Hare se fundía con los pitidos del teléfono, en una amalgama acústica que hería los tímpanos y la conciencia.

—Imposible. Ella no sabe a qué hotel hemos venido.

—Pues pasa de todo.

Y se incorporó de la cama, para tomarme del cuello y obligarme a concluir lo que yo mismo (o el hombre temerario que se agazapaba dentro de mí) había iniciado. Pero el teléfono había ahuyentado aquel ramalazo de deseo que unos minutos antes me había impulsado a quebrantar mis deberes de lealtad con Laura; ahora me arrepentía de mi debilidad, experimentaba un confuso asco por haber cedido a la llamada de las gónadas. Me lancé sobre el auricular, como si la voz que aguardaba detrás de aquellos pitidos me fuese a brindar una absolución.

—¿Dígame?

Era la misma empleada del aeropuerto que, apenas un par de horas antes, nos había recomendado en un español birrioso acogernos en aquel hotel o varadero de espectros, hasta que se restableciera el tráfico aéreo. Ahora me anunciaba que el avión con destino a Madrid ya estaba preparado para despegar; el mismo autobús que nos había trasladado hasta el hotel nos devolvería de regreso. Aunque, si prefería descansar y tomar un vuelo posterior, con mucho gusto me arreglarían un nuevo billete.

—No, por favor, no se moleste. Cuenten conmigo.

La empleada no parecía dispuesta a ofrecerme la absolución; más bien prefería escarbar en la herida:

—¿Y la señora que iba de su lado? La hemos llamado a su estancia, pero no contesta.

Me volví hacia Elena, que seguía mirándome como embelesada. Se había despojado de los vaqueros, que descansaban hechos un gurruño sobre la colcha; sus bragas mínimas se hundían en la carne, revelando una prodigiosa arquitectura inguinal, resaltando sus muslos copiosos, todavía no perturbados por la celulitis. La más jubilosa de las sonrisas se extendió despaciosamente por sus facciones. La contemplación de su cuerpo me dolía como un oprobio.

—Ella también regresa —dije, por fin.

Elena ensayó un pucherito melodramático, remedando la contrariedad de una mujer que no obtiene la satisfacción prometida. Pero tras la fachada de jocosidad vislumbré la inminencia de un reproche.

—Si lo desean, pueden sentarse juntos. El avión va vacío a medias.

No supe determinar si se trataba de un comentario servicial o insidioso.

—Viajaremos en los asientos que nos han adjudicado. Gracias.

Y colgué. Elena, a mis espaldas, se aprestaba a ponerse otra vez los vaqueros; en su silencio compungido, en su recato recién recobrado, desprendía un aroma de juventud exhausta y vulnerable. Había algo conmovedor en ella, pero también algo irritante; su mera presencia delataba mi desliz, agigantaba el desprecio que sentía por mí mismo. Mientras la oía remejer detrás de mí, caminando como una autómata en busca del bolso y de los zapatos, tuve el deseo de disgregarme en la nada, de *no ser*, de convertirme en sombra.

—¿Volveremos a vernos? —me preguntó.

Su expresión era a la vez retadora y mendicante. Volvía a mirarme de aquel modo extrañamente desenfocado que ya había empleado en el aeropuerto, cuando supo que había sido yo quien la había telefoneado a su hotelito de Chicago.

—Nunca se sabe —escuchaba mis propias palabras, sintiéndome bellaco y miserable—. Pero será mejor que nos olvidemos de lo que acaba de ocurrir.

Elena soltó una carcajada ofendida:

—¿Ocurrir? Que yo sepa no ha ocurrido nada.

Asentí, cabizbajo y contrito. Deseaba sinceramente ayudarla, pero no sabía cómo.

—Tú lo has dicho, Elena. No ha ocurrido nada. Pero que conste...

Cuando alcé la cabeza, ya había desaparecido de la habitación. La escuché alejarse por el pasillo con pasos apresurados. Por la puerta abierta penetraba un olor astringente, como de lejía mezclada con semen pocho.

Libro segundo

Guía de lugares imaginarios

«No ha sucedido nada», me repetía sin descanso durante las enojosas horas en que compartí vuelo con Elena, de regreso a casa, sentados cada uno a un extremo del avión, como guardianes de un mismo secreto que fingen no conocerse. «No ha sucedido nada; nada se ha consumado», trataba de convencerme, confinando aquel rapto de debilidad que casi trabó nuestros cuerpos en el sótano de los pecados nonatos, de las fechorías frustradas, de las faltas que ni siquiera llegamos a cometer, puesto que sólo tuvieron una vida mental, puramente especulativa. No había daño alguno que reparar, ni consecuencias funestas que lamentar; de mis labios no había brotado ninguna palabra que me comprometiera con ataduras de las que luego resultaría difícil desliarse; no había tampoco testigos que pudieran recriminar mi actitud (Laura no estaba allí, Laura no podía verme), ni peligro de que tan extemporáneo desliz se repitiese, puesto que en Madrid me aguardaba el antídoto contra cualquier tentación, una mujer a la que veneraba, una mujer con la que había decidido fundir mis días. En el colmo de la bellaquería, me consolaba argumentando que mi tropiezo no había obedecido al deseo de saciar un apetito, sino a un impulso altruista, quizá demasiado solícito, de aligerar el dolor ajeno, y trataba de aquietar mis remordimientos diciéndome: «Mañana mismo no recordaré este episodio, o lo recordaré diluido en la sombra de una noche absurda, como en la resaca etílica recordamos las travesuras que protagonizamos en estado de embriaguez».

Pero enseguida mis esfuerzos exculpatorios eran uncidos a la noria de los remordimientos. Supongo que en esta tortuosa supervivencia de la culpa sobrevivía un resabio de mi formación católica. Durante la niñez, me había atormentado aquel precepto del catecismo que menciona, entre los atributos exclusivos de la divinidad, la omnipresencia. Aquel Dios ubicuo y fiscalizador que las viejas iconografías representaban con un ojo encerrado en un triángulo; aquel Dios insomne que atisbaba nuestros pecados más recónditos o furtivos, incluso aquellos que quedaban recluidos en una vida puramente mental o especulativa, seguía ejerciendo su admonición sobre mi subconsciente. No estaba seguro de seguir creyendo en Él (aunque nunca dejamos de creer del todo en aquello que tememos) y, sin embargo, lo que esa creencia tenía de herencia atávica o misterio ancestral ejercía aún su influjo sugestivo sobre mí. Pensaba, además, que nuestros actos, incluso los más nimios o rutinarios, proyectan sobre el futuro una suerte de resonancia que a la postre desencadena venturas y catástrofes, reflejos magnificados o paroxísticos de nuestro acto originario que escapan a nuestro control. Nuestros actos reverberan en la sombra, germinan sigilosamente en los túneles del olvido, para acabar asomando otra vez a la superficie de nuestra vida sensible y extendiendo sobre ella una onda expansiva de alcances ilimitados, imponiendo descomunales recompensas, castigos descomunales. Basta que el azar intervenga como catalizador.

Así había ocurrido, por ejemplo, en mi rencuentro con Laura, que ya había sido la destinataria de mis fervores infantiles. Había llegado a olvidar que la amaba, pero ese hibernado sentimiento acabó imponiéndose, auspiciado por la casualidad. La vida, ese jardín de los senderos que se bifurcan, sepulta nuestros amores de infancia y adolescencia, pero por debajo del enterramiento siempre queda, agazapada y confusa, una semilla de memoria dispuesta a hacerse árbol frondoso. Yo había abandonado mi ciudad levítica al poco de publicar mis primeros libros, para liberarme de esa pegajosa influencia que los paisajes de la niñez ejercen sobre el adulto o para escapar de la tentación costumbrista que la provincia instila en el escritor. Había en esta marcha, que era más bien una huida, ese rencor que ingratamente tributamos a nuestros orígenes (luego, cuando remiten los ardores juveniles, el rencor se ablanda de paulatinas nostalgias) y también ese propósito altivo del artista que se cree destinado a empresas más cosmopolitas. Todo muy ridículo y pretencioso, como se ve. Recién instalado en Madrid, me engolfé en esos hábitos tarambanas y un poco mentecatos que la vanidad tiende, a modo de asechanza, al neófito en la cofradía de la literatura: frecuenté cenáculos y saraos de diverso pelaje, me alisté en tal o cual capillita (llámase así a la junta de escritores sin otro vínculo que el despellejamiento de los escritores de las capillitas adversas, y aun de la propia, si están ausentes) y, en general, me dejé deslumbrar por todos esos espejismos de dispersión mundana que nos apartan de la escritura. También mis hábitos sexuales se contagiaron de esta actitud zascandil, y me enredé en varias relaciones simultáneas con un denuedo que sólo emplean los candidatos a la esquizofrenia. De repente, me vi convertido en un personaje de vodevil o comedia de enredo, urdiendo estrategias que me permitieran alternar varios ligues a la vez. Creo que aquellas novias a salto de mata ni siquiera me gustaban, o sólo me gustaban como comparsas de mi veleidad, pero satisfacían mi apetencia de cuerpos nuevos, que no era sino repulsa hacia los cuerpos antiguos o inmediatamente anteriores. Especificaré que esta promiscuidad no era impulsada por ningún prurito de seducción, del mismo modo que entre los motivos del borrachuzo no figuran los deleites del paladar que asisten al catador de vinos. Me acostaba con mujeres sucesivas e intercambiables para llenar un hueco (y no sólo un hueco en la cama), para anestesiar el hastío, para espantar el acoso de una insatisfacción que, poco a poco, me iba corroyendo por dentro. En la medida en que la gimnasia sexual y el nomadismo de alcobas me mantenían ocupado, la promiscuidad fue un lenitivo o un analgésico. Nunca una medicina eficaz.

Laura trajo en su botiquín la medicina que mi enfermedad reclamaba. Las circunstancias en las que se desenvolvió mi rencuentro con ella fueron por lo menos chocantes, quizá humorísticas. Llevaría aproximadamente un año encallado en este marasmo disfrazado de frenesí al que acabo de referirme cuando me propuse escribir un reportaje para el periódico en el que remolonamente colaboraba; su asunto —la biblioclasia— también era chocante, quizá humorístico. Sobre los destructores de libros circulan ideas demasiado rimbombantes: la utopía sombría de Ray Bradbury, los sucesivos incendios de la Biblioteca de Alejandría, la pira inquisitorial que devoró a Savonarola junto a sus escritos (pero apenas un año antes el mártir había sido verdugo, pues había mandado quemar en una plaza de Roma las obras de Ovidio y Dante, menos prescindibles que las suyas), las hogueras nazis que diezmaron la producción de tantos escritores de tendencia liberal o judaizante y la *fatwa* decretada contra los *Versos satánicos* de Salman Rushdie coadyuvan a propagar la creencia de que el biblioclasta es un fanático fundamentalista. Pero la mayoría de las biblioclasias se perpetran por razones menos grandilocuentes, a veces asociadas al puro interés pecuniario, a veces derivadas de una estrambótica perturbación: el librero sin escrúpulos que arranca las láminas o los grabados de una obra en sí misma valiosa, seguro de que su venta por separado le reportará beneficios más crasos; el pornógrafo que recorta las fotografías de una enciclopedia médica; el bibliófago compulsivo que se come las páginas de un libro, deseoso de apropiarse del karma de su autor. En la Biblioteca Nacional no había mes que no se manifestara alguno de estos biblioclastas más modestos: si sus amputaciones eran irrelevantes se les retiraba el carné y se les encerraba durante unas horas en una habitación, donde un empleado les soltaba un rapapolvo o filípica; si la biblioclasia apuntaba modales delictivos, el destrozón era encerrado con llave en esta misma habitación hasta que la policía se hacía cargo de él. Pero, independientemente de la magnitud de su estropicio, convenía que el biblioclasta no palpara la situación de peligro hasta que el libro estuviese fuera de su alcance.

Hasta la Biblioteca Nacional me dirigí una tarde, a la hora del crepúsculo, con todo el bochorno del mes de agosto cayéndome encima de la cabeza, dispuesto a recopilar anécdotas para mi reportaje. Vista desde lejos, la Biblioteca Nacional parecía el templo de una religión cataléptica, un cementerio donde dormitasen los dinosaurios de la letra impresa. Después de rellenar solicitudes y otros impresos petitorios, después de tropezarme con la acedía o el pasotismo de varios bedeles, un funcionario de cierta alcurnia acudió a atenderme. «Una

de nuestras bibliotecarias está especializada en tratar con esos sujetos. Sígame, por favor», me indicó con ademanes protocolarios, una
vez que le hube expuesto mi intención de escribir un reportaje sobre
tan ímproba chifladura. Una cohorte de vigilantes nos guiaban por
escaleras de chapa que retumbaban a nuestro paso como una torre
Eiffel a punto de derrumbarse. «Acortaremos yendo por el área de
los castigados», añadió el funcionario. Esta peregrina mención me
hizo concebir una geografía de mazmorras y cámaras de tortura en
los sótanos de la Biblioteca, donde los «castigados» —quizá cleptómanos reincidentes, quizá mutiladores de incunables, quizá meros
lectores que aún no hubiesen aprendido la enseñanza de San Ambrosio e incordiaran a los otros usuarios con sus bisbiseos— fuesen obligados a alimentarse con papel entintado y a aprenderse de memoria
las obras completas de don Marcelino Menéndez Pelayo. Habíamos
descendido hasta una planta que custodiaba volúmenes del siglo XVIII,
muy favorecidos por el caronjo —ese biblioclasta microscópico—,
que les excavaba túneles para que pudiesen desaguar su hartazgo de
ideas indigestas. Yo siempre había pensado que los libros se clasificaban por materias, de manera que —pongamos por caso— «Dios» tuviese adjudicada una signatura aparte de —no se me juzgue irreverente— el «cultivo de cebollas»; por eso me sobresaltó encontrar, al
lado de una *Vida de San Juan Baptista*, un *Arte del sombrerero*. En la Biblioteca Nacional el único criterio de catalogación —criterio muy
pragmático que mezclaba las numerosas sabidurías que el hombre
ha acumulado en una caótica merienda de negros— lo dicta la talla
de los libros.

—Por este pasillo. Al fondo está el área de los castigados —me
guiaba mi cicerone.

El espectáculo tumultuoso y repetido de los libros, acorazados en
su silencio y erectos sobre los anaqueles, evocaba el de un ejército disciplinado o fósil.

—¿Y quiénes son los castigados? —me atreví por fin a inquirir.

—¿Pues quiénes han de ser? —Al funcionario le pasmaba que
no lo hubiese colegido ya—. Los altos cargos nombrados por el
anterior gobierno. Directores, asesores, jefes de prensa, toda esa
gentecilla.

—Yo pensé que se les cesaba y santas pascuas —aventuré, en un
susurro amedrentado.

El funcionario se volvió, sinceramente escandalizado. Hablaba con una naturalidad desarmante:

—¿Pero usted cree que todavía vivimos en la España de los cesantes? —dijo, insinuando quizá cínicamente que vivimos en una España peor—. Se les invita a marchar, pero como no tienen dónde caerse muertos, se amarran como lapas al sueldo.

Ahora yo también fingía naturalidad:

—Comprendo.

—Se les ubica —utilizó este verbo, como si se refiriese a estafermos— en el área de castigados hasta que encuentran otra colocación. Y se les provee de una mesa y un teléfono, para que puedan hacer llamadas y buscarse un enchufito entre las amistades que aún rascan poder.

—O sea, que es un castigo provisional.

—No se crea, algunos se acostumbran y aguardan dos o tres legislaturas, a la espera de que los suyos los repesquen y los restituyan a su antiguo puesto.

El área de los castigados —de existencia verídica y comprobable— aprovechaba el ensanchamiento de un corredor, en el rellano de la escalera de incendios. Parecía un negociado de espectros, iluminado de tubos fluorescentes que mosconeaban como abejorros, en el que media docena de individuos pálidos, como alimentados con rayos de luna, mantenían conversaciones telefónicas que parecían confesiones de penitente o apuestas clandestinas. Cuando nos vieron llegar, colgaron con unánime prontitud los auriculares de sus teléfonos, temerosos de desvelar sus tejemanejes y postulaciones. Empecé a notar el calor venenoso de rencores que se respiraba en el área de los castigados. El funcionario que me había guiado hasta allí afligía a los altos cargos depuestos con pullitas caritativas, en retribución quizá de los desdenes que le habrían dispensado mientras ocuparon los despachos desde los que se cortaba el bacalao: «¿Ha habido suerte, chicos?»; «Qué triste resulta que a uno lo juzguen por el carné de afiliado a un partido y no por sus méritos»; y otras taimadas vejaciones de envoltorio misericordioso. Los castigados se apresuraban a recoger sus bártulos (agendas y directorios telefónicos que se habían quedado caducos tras el último revolcón electoral) y desfilaban cabizbajos hacia un ascensor o montacargas empleado para transportar a la enfermería mamotretos desencolados, colecciones de periódicos reducidas por la humedad a una hojarasca indistinta o acribilladas de ácaros a los que convenía fumigar al menos en los años bisiestos. Quizá también a los castigados los fumigasen a cada poco, para que los gérmenes de la frustración no los reconcomiesen y poder así seguir zahiriéndolos con pullitas a las que prestasen una reacción no del todo vegetativa. El ascensor o montacargas había descendido por fin hasta aquella catacumba pululante de miasmas. Antes de entrar, los castigados dejaron salir a una bibliotecaria que empujaba un carrito atestado de libracos.

—Laura, el señor Losada quiere hacerte unas preguntas para un reportaje. Encárgate luego de acompañarlo hasta la salida.

La reconocí a primera vista. Tenía el mismo cuerpo menudo de la infancia (pero luego comprobaría que esta impresión era engañosa: el guardapolvo azul mahón la empequeñecía y le borraba cualquier asomo de turgencia) y el pelo igual de corto, dejando expedito el óvalo de su rostro, que recordaba al de esas actrices de antaño, Sylvia Sidney o Gene Tierney, especializadas en películas exóticas. Pero no fueron su belleza orientalizante ni su modesta estatura (como el Arcipreste de Hita, yo también prefiero a la mujer chica) las circunstancias que me la hicieron reconocible de inmediato, sino su nariz altiva y respingona, que yo jamás había visto repetida, una nariz fuera de catalogación que era a la vez el compendio y la excepción de su rostro.

—¿Qué reportaje? —dijo ella, que aún no había reparado en mí.

Y, al conjuro de su voz, un placer ensimismado me invadió y aisló del mundo circundante, me dejó suspendido sobre la marea de recuerdos que acudían a mí en tropel y me levantaban en andas, transfigurados por una luz que los enaltecía y mejoraba. De repente, dejé de sentirme mediocre, contingente y mortal. Los recuerdos de mi niñez asaltaron mi conciencia con un rumor de ejércitos atravesando la estepa, con un alborozo de semillas que acuden al reclamo de la primavera. Yo, que tantas veces había sentido cómo me crecían almorranas en el alma al comparar a las niñas que había amado en la infancia con las mujeres que habían crecido sobre ellas, saboreaba por primera vez la armonía de la memoria con las formas externas de la realidad que se concretaban en Laura, y de esa trabazón perfecta nacía un sentimiento que me hacía sentir más vivo que nunca, más frágil y trémulo que nunca, más perdurable y vigoroso. Y también más agarrotado por la perplejidad. Laura era un fantasma de secreto deseo agazapado en mi infancia; ahora que, de súbito, se encarnaba en una mujer de carne y hueso, no podía evitar el azoramiento. Fue ella quien se encargó de infringir esa barrera de exultante silencio que se interponía entre ambos:

—No me lo puedo creer. ¡Pero si eres Alejandro!

Los castigados ya habían desaparecido tras las puertas correderas del ascensor o montacargas, que rechinaron con un estrépito de persiana metálica. No me había decidido aún a besarla en las mejillas cuando Laura ya me abrazaba efusivamente. Lo primero que percibí, al rodear su cuerpo hasta entonces borroso por culpa del guardapolvo azul mahón, fue la sensación gratificante y vívida, casi muscular, de que su tamaño de mujer menuda cabía venturosamente y con holgura entre mis brazos.

—He leído todos tus libros, no pienses que te había perdido la pista —me dijo.

Volví a contemplar su rostro, que incluía el millonario mundo y también mis propios ensueños, al fin deslindados de mí mismo y objetivados en aquellas facciones. Para tratarse de una mera reacción jubilosa, aquel abrazo comenzaba a dilatarse más de lo debido. Entonces el funcionario intervino, intempestivo y enfurruñado:

—Oiga, ¿pero usted ha venido a preparar un reportaje o a hacerse el encontradizo con la señorita?

Cuando el avión aterrizó en Barajas, los pasajeros prorrumpieron en un aplauso liberador. Atrás quedaban los desasosiegos y aprensiones del viaje; atrás quedaba Chicago, como una pesadilla trasatlántica que se disipaba al contacto con la tierra hospitalaria que me permitiría recuperar pacíficamente mis hábitos. Me esforzaba por encerrar mi viaje a Chicago en una cápsula o compartimento estanco; me esforzaba por contemplarlo como una experiencia envasada al vacío, sin interferencia con la realidad, como uno de esos asteroides deportados a los confines del universo a los que Dios ni siquiera concede la dispensa necesaria para trazar una órbita de dependencia en torno a otro cuerpo celeste. Pero sabía que la vida no admite esclusas ni cámaras acorazadas; sabía que nuestros actos clandestinos, como las brumas del sueño, acaban colonizando el mundo sensible. Recordé una cita de Coleridge que siempre me había desconcertado con su fuerza paradójica y su interpelación final: «Si un hombre atravesara el Paraíso en un sueño y le dieran una flor como prueba de que había estado ahí; y si al despertar encontrara esa flor en su mano... ¿Entonces qué?».

Entonces qué. Yo no me había traído de Chicago ninguna flor, pero portaba dos secretos que habían logrado sortear las aduanas de mi resistencia: el primero de esos secretos —la atribulada existencia de Fanny Riffel— lo escondía la ciudad; el segundo lo escondía yo mismo, supurante de remordimientos, y lo completaba Elena, con la que no crucé palabra en las diez horas de vuelo, ni siquiera cuando ella, aprovechando una visita al retrete (esas cabinas que los ingenieros aeronáuticos disponen para que los pasajeros se vayan acostumbrando a las angosturas del ataúd), merodeó la cola del avión, donde se hallaba mi asiento. Como la había visto aproximarse, fingí dormir; y aunque los piadosos párpados me protegían de su escrutinio, creí notar los dardos del reproche clavados en mí, o quizá fuesen dardos de secreta y recalcitrante veneración, mucho más punzantes que los del mero reproche. Sabía que le debía una explicación, pero sabía también que esa explicación resultaría demasiado reveladora de mi cobardía moral, demasiado andrajosa de titubeos y palinodias, demasiado ofensiva y sórdida, pues al final todo se reducía a una pura justificación de índole venérea. De nada servía camuflar mi flaqueza con coartadas altruistas; un pellizco en las gónadas había logrado que mi fidelidad a Laura se tambaleara, así de simple, así de bajuno y desdichado.

Luego, mientras aguardábamos en Barajas el equipaje, rodeados de una turbamulta que recibía sus maletas en la cinta giratoria con la misma algarabía con que un niño descubre los regalos que le han dejado los Reyes Magos, seguí sorteando esa explicación, pero no tuve estómago para despedirme a la francesa. Elena aún tendría que tomar un vuelo doméstico que la depositara en Valencia y, a juzgar por su aspecto aniquilado y exhausto, diríase que ya le importara un rábano viajar a Valencia o a la Cochinchina. No me atrevía a mirarla a los ojos, que eran brocales de un pozo a los que se asomaba la locura.

—Parece que por fin nos separamos —dijo.

Había empleado un retintín irónico (si es que al resabio de un humor desfalleciente podemos calificarlo de irónico), evocando quizá las tretas que, durante nuestra estancia en Chicago, había dispuesto el azar, esa cinta atrapamoscas, para impedir nuestra separación. Pero detrás del retintín irónico subyacía un fondo de expoliada tristeza.

—Prométeme que olvidarás a ese tipo de Vancouver.

Apenas pronunciadas estas palabras, pensé que a oídos de Elena podían sonar cínicas o propias de alguien que desea a toda costa salirse por la tangente. Aun así, insistí:

—Prométemelo.

Pero Elena había adoptado una actitud cabizbaja, como si rumiara alguna respuesta que no fuese exactamente la que yo le estaba demandando, aunque la incluyese de algún modo tácito. La melena, aborrascada después de tantas horas de incomodidad y espera en aeropuertos, tapaba las circunstancias de su rostro.

—Vamos, Elena, tienes que borrarlo del disco duro.

Y entonces llevé mi mano a su barbilla y la alcé muy tenuemente, sirviéndome del dedo índice como palanca, acariciando (pero fue una caricia apenas reseñable) con el pulgar su mejilla, que descubrí mojada por una sigilosa lágrima. Ya no podía sustraerme a su mirada.

—¿Y al tipo de Chicago? —me desarmó, con un tono que no era exactamente recriminatorio, sino más bien de un vulnerado desamparo—. ¿También quieres que te prometa que lo olvidaré?

Y, antes de remover la barbilla de mi mano que la sostenía sin apenas acariciarla, formuló un brevísimo mohín de desagrado. La vi marchar, llevando tras de sí una maleta de ruedas, y esquivar con premura y algo de soliviantada contrariedad a la marea de viajeros que se cruzaban en su camino y poco a poco la iban tragando en su hormiguero. Cuando quise recuperarme de su reproche, ya había perdido su rastro; y aunque me hubiese esforzado por recuperarlo, de nada habría servido, pues en mi descargo poco podía aportar, salvo mi arrepentimiento y contrición, formas de cobardía sobrevenida que no borran la responsabilidad del delincuente, y mucho menos el agravio de la víctima. La cinta giratoria ya transportaba las cajas que me había legado Chambers. Antes de tomarlas, dejé que diesen una vuelta más, tentado de abandonarlas para siempre en su itinerario monótono. Quizá intuyendo que esa defección no bastaría para que dejaran de perseguirme (como también intuía que la sombra de mi desliz no consumado en aquel hotel o varadero de espectros próximo al aeropuerto de O'Hare no dejaría de importunarme), acabé por recogerlas.

Coincidiendo aproximadamente con la época de mi nomadismo sentimental, había conocido a Bruno Bonavista. Ocurrió en uno de esos saraos que las editoriales más empingorotadas organizan en el Hotel Ritz, para presentar en sociedad el más reciente de sus bodriazos y matar de paso el hambre de la canalla literaria. Bruno era un treintañero de aspecto cetáceo que caminaba con cierta flojera, como si las piernas que le asomaban por debajo del barrigón le colgaran a guisa de frágiles zancos, en lugar de sostenerlo. Su temperamento linfático se conciliaba con repentinos accesos de facundia que se correspondían muy puntualmente con la naturaleza un tanto extraña de su literatura, que trataba de ser humorística manteniendo una apariencia de impávida seriedad y disfrazaba las supercherías más rocambolescas con una pátina de erudiciones apócrifas. Bruno Bonavista se había estrenado tardíamente en las imprentas con *El plagio de los Baskerville*, un novelesco *fake* que se refugiaba en las estrategias del más sesudo de los ensayos, aportando un muy prolijo y exhaustivo aparato crítico, así como documentos falsificados, entrevistas con personajes inexistentes y fragmentos de obras inventadas. En *El plagio de los Baskerville*, Bruno Bonavista, acogiéndose a aquella sentencia de Sainte-Beuve según la cual en literatura el plagio sólo resulta admisible si va precedido de asesinato, adjudicaba a Sir Arthur Conan Doyle la muerte premeditada y alevosa de su amigo Bertram Fletcher Robinson, un oscuro escritor y avezado periodista que habría ocupado la corresponsalía del *Daily Express* durante la Guerra de los Boers y que, según los falsos informes forenses aportados en un apéndice de la novela, habría fallecido de fiebres tifoideas. Bruno Bonavista, sin declinar jamás en su ocultación de la impostura, dedicaba más de trescientas páginas a sustentar la hipótesis de que, en realidad, Robinson habría muerto envenenado por las dosis de láudano que Conan Doyle le suministraba en las tacitas de té que, muy obsequiosa y taimadamente, le invitaba a tomar en su casa. Como el propio Bruno se encargaba de demostrar con un apabullante despliegue de diagnósticos de apariencia verídica, la ingestión de láudano se anuncia, al parecer, con síntomas muy similares a las fiebres tifoideas, algo que Conan Doyle sabía perfectamente, pues entre los conocimientos que atribuye a su criatura de ficción, el muy misántropo Sherlock Holmes, figura la farmacopea mortífera. ¿Y cuál habría sido el móvil de este asesinato, tan extremoso que ni siquiera reparó en los vínculos de la amistad? Pues nada más y nada menos que el plagio impune de *El perro de los Baskerville*, la obra magna del ciclo holmesiano, cuyo manuscrito Bertram Fletcher Robinson habría confiado a Conan Doyle para que le corrigiese algunas asperezas del estilo; al reparar en la eficacia sobrecogedora de la trama, Conan Doyle no habría tenido empacho en rectificar su autoría con la colaboración del láudano.

En un esguince de socarronería, Bruno Bonavista exoneraba de responsabilidad criminal a Conan Doyle, defendiendo una hipótesis tan plausible como cínica. ¿Por qué no admitir la posibilidad —se preguntaba Bruno— de que Conan Doyle, después de leer el infame manuscrito entregado por su amigo Robinson, aderezado de imperdonables anacolutos, trufado de episodios sonrojantes y torpísimos, lastrado de diálogos campanudos o cursilones, planificara un asesinato misericordioso (láudano por compasión) para no tener que desengañar a Robinson y, sobre todo, para ahorrarle el escarnio y los recochineos que la publicación de esa novela le acarrearía? *El plagio de los Baskerville* pasó inadvertido —como suele ocurrir con las obras de discreta y malévola inteligencia— entre la morralla de títulos autóctonos, pero algún ingenuo editor inglés quiso incorporarlo a su catálogo, engolosinado con el escándalo que su publicación desataría en la pérfida Albión, pues creía a pie juntillas en la veracidad de las pesquisas de Bruno. La repercusión del libro en Inglaterra fue tanta que la policía londinense llegó a plantearse la exhumación del cadáver de Bertram Fletcher Robinson, quien, por supuesto —pero, para comprobarlo, antes hubo de consultar los catastros de defunciones de la época—, jamás había existido.

En muy pocas ocasiones me había topado con un ejemplo tan nítido de escritor que transmuta la realidad en incesante material literario, aplicándole la lejía de la observación mordaz. Bruno Bonavista, ya lo dije antes, era un gordo apoteósico, un poco en la tradición bonancible y a la vez cáustica de quienes se sienten cómodos y abrigados en su gordura, al estilo de Charles Laughton. Tenía una boca carnosa, con un labio inferior en el que colgaba la pipa que no dejaba de chupetear incluso cuando se le apagaba, incluso cuando no la abastecía de tabaco. Sus mejillas gruesas y exangües estaban decoradas con levísimas manchas de palidez, como las impresiones que los dedos dejan en las pieles muy delicadas o mórbidas. También su frente era pálida, como lavada por las paradojas y risueñas imposturas que tramaba su cerebro, pero su nariz astuta, muy inquisitivamente aquilina, apercibía al interlocutor contra la impresión engañosa de ingenuidad que en principio transmitía su aspecto zangolotino. La barriga le ocultaba la región inguinal y asomaba entre la botonadura de su camisa, amenazándola con hacerla estallar. Quizá la barriga pingüe, o la presencia perenne de la pipa en sus labios, le habían ayudado a desarrollar habilidades ventrílocuas, de tal manera que, cuando hablaba, la voz despistaba sobre su procedencia.

—Qué, Losada, ¿de gorroneo por el Ritz?

Tardé en localizar al responsable de tan impertinente saludo. Cuando por fin lo identifiqué, Bruno Bonavista se apresuró a presentarse; debió de notarme algo mohíno por la imputación lanzada a voleo, porque enseguida rectificó:

—¿No te habré ofendido?

Y ensayó un pucherito que derramó aún más su labio inferior sobre la barbilla, un labio muy blanducho e irrigado de saliva, como pintiparado para mojar sellos.

—Te perdono la ofensa a cambio de que me avances un poco el libro en el que andas trabajando —le propuse, entrechocando mi copa de vino con su vaso de cerveza calentorra—. Soy un forofo de tu obra.

Bruno se llevó la mano libre a la frente, allá donde el cabello le comenzaba a ralear, amedrentado de hacer sombra a sus ocurrencias.

—¿Es que quieres que te tachen de la lista? —lanzó una mirada más regocijada que desdeñosa a la concurrencia—. Haz el favor de envainarte esos gustos tan inconvenientes.

Bruno se resistía a hablar de su trabajo, forma de engreimiento o coquetería que atribuí a alguna de esas esotéricas supersticiones que algunos escritores practican para hacerse los interesantes.

—Si tanto te fastidia esta gente —ahora mi pregunta era un poco más agresiva—, ¿por qué asistes a sus saraos?

Extrajo la pipa de la boca, sosteniéndola por la cazoleta, y prendió, o llameó más bien, las últimas briznas que sobrevivían en su fondo con un mechero que rescató de los bolsillos del pantalón. A cada chupetada, me aturdía con la combustión aromática del tabaco.

—Estoy desarrollando una teoría —murmuró, mordiendo ensañadamente la boquilla de la pipa.

—Adelante. Espero que no sea un secreto.

Bruno esbozó una sonrisa complacida.

—Ellos son el *secreto* —pronunció esta palabra con énfasis—. Forman una especie de masonería.

En sus libros ya había descubierto cierta propensión a interpretar la realidad mediante claves conspiratorias.

—¿Cómo dices? —pregunté, como quien espanta un pensamiento insensato.

—Siempre son las mismas caras, y siempre coinciden en las mismas fiestas —había impostado un tono ronco y subyugador—. Que, casualmente, son aquéllas en las que mejor se papea. Pero fingen no conocerse, no intercambian palabra entre ellos.

—¿A quiénes te refieres?

—A la cofradía de los parásitos —repuso—. Al menos uno de cada tres asistentes a este sarao forma parte de ella.

—La cofradía de los parásitos... —repetí, masticando con aplicación la frase.

Bruno asintió, muy convencido de su hipótesis:

—Auténticos profesionales del gorroneo —se explicó—. Han desarrollado un sexto sentido para la detección del momio. También cierto virtuosismo para inventarse biografías que no les pertenecen. Biografías cambiantes que escogen según la conveniencia de cada momento. Así disipan las suspicacias de los vigilantes de las fiestas y se escaquean sin dejar ni rastro cuando las circunstancias lo requieren.

Los camareros paseaban entre los invitados con bandejas de canapés que los parásitos ventilaban con una especie de devoción untuosa. Enseguida, una vez embaulada su ración, volvían a sus conversaciones desenvueltas y jacarandosas, eligiendo a sus interlocutores entre quienes no pertenecían a su grupúsculo, para no levantar suspicacias. Si se seguían sus evoluciones por el salón del hotel durante minutos, podían sorprenderse sus miradas de extasiada gula ante la nueva remesa de bandejas que portaban los camareros. Cuando una de estas bandejas itinerantes pasaba a su lado, alargaban un brazo como impelidos por un resorte, y sus manos arramblaban con los canapés, que tragaban sin dejar de hablar, porque habían aprendido a acompasar los movimientos de la deglución a las modulaciones del coloquio que mantuviesen. Y así, se carcajeaban mientras se limpiaban con la lengua los intersticios entre los dientes, y exhalaban suspiros o exclamaciones de arrobo para que sus eructos pasaran inadvertidos, y fruncían el morrito para disimular la actividad de sus molares.

—Alucinante —reconocí—. ¿Y cómo crees que se las arreglan para elegir las fiestas donde mejor se papea? ¿Cómo adivinan en qué fiesta hay jamón serrano y en cuál se despacha a los invitados con unos cacahuetes?

—En eso estoy ahora —me dijo Bruno, algo contrariado por no poder saciar mi curiosidad—. Sospecho que disponen de contactos entre los botones de los hoteles, entre los bedeles de las embajadas, entre los plumillas de los periódicos. Uno de ellos recibe el soplo y enseguida distribuye la información entre los demás miembros de la cofradía.

Con ayuda de Bruno, fui distinguiendo a distintos especímenes de gorrón, desde el gorrón claudicante (a quien no tardarían en expulsar de la sociedad), cuyos movimientos ansiosos delataban el estómago vacío, hasta el gorrón atildado y pedantuelo que abordaba sin rebozo a los anfitriones de la fiesta y los acaparaba con su conversación divagatoria. Había, entre los gorrones más pintorescos, una mejicana con ínfulas de princesa azteca, muy enjoyada de ajorcas y collares charrísimos, que recitaba alevosamente (como el sicario que aprieta el gatillo) unos poemillas de su cosecha, dedicados a la Virgen de Guadalupe. Y había una enternecedora pareja de ancianos gorrones, cuyas anatomías mostraban los estragos de una dieta rica en colesterol: el marido, aquejado de artrosis, se metamorfoseaba en una gacela de insólita agilidad tan pronto como olfateaba una bandeja de canapés; la mujer tenía un aspecto de matrona desfondada y beoda, y vestía un abrigo de pieles muy ajado, como requisado a la familia del zar Nicolás II. Éstos eran los ejemplares más pintorescos o degenerados, a quienes, a buen seguro, el gran maestre de la cofradía habría incoado expediente para tramitar su expulsión; pero junto a ellos había otros, doctores *cum laude* en el patio de Monipodio, que se desenvolvían como espías de incógnito, gráciles o sedentarios, hieráticos o zalameros, según lo exigiese el caso.

—Tienen carrete para discutir cualquier asunto —me adiestraba Bruno—. Se han hecho una culturilla de suplemento literario que no desentona en absoluto, porque a fin de cuentas es la misma culturilla de los pedorros que frecuentan estos saraos.

Un camarero cuya bandeja aún permanecía virgen a las razias de aquella jarca parasitaria se aproximaba a nosotros. Descubrí que uno de los gorrones nos dirigía una mirada de rencor que apenas duró una décima de segundo.

—¿Y cómo piensas completar tu investigación sobre la cofradía?

Aquella mirada del gorrón rencoroso, buida como un alfiler, me había dejado destemplado. El camarero se apartaba ya, viendo que teníamos el hambre colmada, cuando Bruno lanzó un brazo convertido en badila y arrambló con la mitad de su provisión de viandas. Fue un asalto que ni el propio camarero advirtió, como el del camaleón que, camuflado entre la maleza, lanza su lengua retráctil sobre la desprevenida mosca; y con igual celeridad que raptó los canapés se los zampó, sin necesidad de apartar la pipa de una esquina de los labios.

—Infiltrándome —dijo.

Bruno Bonavista me propuso que intercambiáramos nuestros teléfonos, solicitud que satisfice encantado, con la esperanza de conocer el desenlace de su introducción en la hermandad de los gorrones y el aprovechamiento literario que de aquella experiencia extrajese. No contaba yo, sin embargo, con la posibilidad de que los gorrones le contagiasen sus hábitos. Un par de semanas después se me presentó en casa, con la excusa de hacerme una visita que afianzase nuestra amistad todavía en mantillas y, tras farfullar algunas banales observaciones meteorológicas e interesarse protocolariamente por mis proyectos literarios, me preguntó si podría enviar un correo electrónico a través de mi conexión a internet, pues la suya acababa de sufrir un bombardeo de virus. Muy gustosamente accedí. Suscitó en mí cierto estupor constatar con cuánto interés seguía Bruno esos tediosos preliminares en que el ordenador, con crujidos de cíclope con reúma, carga sus programas. Me preguntó, haciéndose el distraído:

—¿No hay que meter una contraseña?

—Ya la tengo grabada —dije ingenuamente—. Total, como sólo lo uso yo...

Bruno asintió, repasando con una sonrisa arciprestal los títulos de los libros que se alineaban en los anaqueles de mi biblioteca. Le cedí el asiento ante el ordenador y me aparté un poco, para respetar su intimidad; en un periquete escribió el mensaje y lo envió. Cuando ya me disponía a exonerarlo de la tarea de cerrar ventanitas y apagar conexiones, me disuadió:

—No te molestes. Ya lo hago yo.

Sus dedos gordezuelos, de uñas muy pulidas y liberadas de padrastros, tecleaban sobre el ratón con la pericia de un maestro telegrafista. Cuando la pantalla por fin se nubló, extendió sus brazos, en un ademán propio del prestidigitador que hace simplicísimos los trucos más enrevesados. Lo invité a tomar una cerveza, pero Bruno se disculpó, alegando que tenía arreglada una cita «en la otra punta de Madrid» y prometiéndome que aceptaría mi ofrecimiento en la próxima oportunidad que surgiese. Atribuí esta vaga remisión al futuro a esa especie de cortesía hipócrita con que ciertas personas se sacuden los compromisos, difiriéndolos hasta el día del juicio, actitud que en mi ciudad levítica, donde la gente aún no se ha envilecido, se reputa propia de desagradecidos y cantamañanas. Pero Bruno no pertenecía a esta estirpe de especialistas de la finta; a la mañana siguiente, no más tarde de las diez, ya aporreaba el timbre de mi portero automático, dispuesto a cobrarse la invitación pendiente. Puesto que era domingo, y yo además me hallaba rematando el capitulejo de una novela que se me había atascado un par de meses atrás, juzgué su aparición intempestiva.

—¿Has logrado infiltrarte ya en la cofradía de los parásitos? —le pregunté, notándolo algo menos locuaz que en anteriores ocasiones.

Frunció los labios en una mueca de escepticismo:

—Digamos que mantengo mis contactos, pero entre la clase de tropa. Llegar hasta los cabecillas resulta casi imposible. —Quizá me estuviese encajando una trola, pero empleaba idéntico poder de convicción que en sus libros—. Cada gorrón admitido en la cofradía sólo puede captar a otros dos miembros, pero ignora quiénes componen las altas jerarquías. Así que dudo mucho que logre romper el secretismo.

Se remejía inquieto en la butaca, como acucioso de derivar el diálogo hacia otros terrenos.

—Tómatelo con calma —dije—. Donde menos lo espera uno, salta la liebre.

—Pero no puedo permitirme el lujo de la calma —objetó, algo cascarrabias—. Para ganarme la confianza de los gorrones, tengo que comportarme como un tragaldabas diariamente. Las croquetas ya me salen por las orejas. —Resopló a través de la pipa, esparciendo una nube de ceniza y briznas de tabaco que fue a posarse sobre la alfombra—. Y lo que es peor, tengo los triglicéridos por las nubes. Acabo de hacerme unos análisis y el médico me ha advertido que, si no cumplo una severa dieta, corro riesgo de infarto.

Iba a llevarse el botellín de cerveza a los labios, pero el recuerdo de las admoniciones del médico aguafiestas abortó su ímpetu.

—Pues vaya putada —dije.

—No te preocupes. —Bruno ya se había desembarazado del pesimismo que un minuto antes impregnaba su voz—. Ya estoy maquinando otros proyectos... Por cierto, ¿me dejarías utilizar otra vez tu ordenador? Aún no han venido a limpiarme los virus.

—Es que... —balbucí.

—Creo que voy a abrir una cuenta de correo gratuita. Así no te llegarán a ti las respuestas a mis mensajes. —Sus labios abaciales y burlones se aflojaron en una sonrisa—. Menudo engorro sería.

—Es que —volví a la carga— estaba trabajando en mi novela. Déjame que cierre el programa, al menos.

Perseveró en su sonrisa, no sé si inocua o inicua:

—¿No será que no te fías de mí?

Cedí, vivamente intrigado por el sesgo que adoptaba su táctica de gorroneo. Bruno permaneció conectado apenas diez minutos; pero al día siguiente, para afianzar su prerrogativa, se me presentó sin avisar, a las ocho, cuando aún no había concluido mis abluciones. Con un tono afable, me anunció que precisaba nuevamente de mi conexión a internet, agregando que en esta ocasión, además, permanecería enganchado una media hora. No exterioricé mi fastidio, pues aún tenía que afeitarme y calentar el desayuno, pero le rogué que despachara sus asuntos lo más rápidamente posible, para que la línea telefónica no permaneciese ocupada.

—Espero llamada. De una chica —especifiqué, para mortificarlo, pues sospechaba que se mantenía célibe.

Pero Bruno sabía resistir un sarcasmo y devolverlo cargado de pólvora:

—¡Albricias, chico! ¡Y yo, que viendo tu piso de solterón hubiese jurado que no te jalabas un rosco!

La irritación y un amago de malquerencia se fundieron en mi ánimo, pero me propuse reprimirlos:

—Media hora. Ni un minuto más.

Bruno se cuadró ante mí y parodió el saludo militar. En honor a la verdad, confesaré que no se excedió del plazo acordado; pero coincidió que en esa media hora Laura me estuvo llamando insistentemente desde la Biblioteca Nacional, justo antes de fichar, para tropezarse una y otra vez con la línea ocupada. Al día siguiente, para no variar, Bruno acudió a su cita con mi ordenador. Ya no me molestaba en inquirir su identidad a través del portero automático; él, por su parte, ni siquiera me pedía permiso para instalarse en mi escritorio.

—Bruno, ayer me llamaron mientras navegabas —el enojo me chirriaba entre los dientes—. A ver si no te enrollas tanto.

Esta petición, que se pretendía imperiosa, se me desmoronó por los despeñaderos de la súplica. Bruno concedió graciosamente:

—Por hoy, sólo echaré un vistazo. —Y, mientras se encendía el ordenador, cotilleó—: ¿Era importante esa llamada?

—Una amiga —dije, atrincherándome en un lastimado laconismo.

Y me marché. Oía, desde la cocina, los tejemanejes de Bruno sobre el teclado, sus nerviosas pulsaciones sobre el ratón. Alzó la voz, al cabo de un cuarto de hora, como si emergiera de una zambullida:

—¿Qué clase de amiga? —Y, poniendo un énfasis picarón en el epíteto, añadió—: ¿Una amiga fuerte, quieres decir?

No estaba cumpliendo su compromiso. Un «vistazo» es por esencia fugaz, no indica detenimiento ni duración. Pero ese «vistazo» formaba parte del juego malvado y gradual que Bruno desarrollaba, para consumir mi paciencia y monopolizar mi ordenador y, ya de paso, mi conexión telefónica.

—Una amiga de la infancia, que además es muy guapa —le escupí, irrumpiendo como un tornado en la habitación que Bruno había *okupado*—. Pero dijiste que sólo echarías un vistazo.

Bruno encogió la ventana que delataba sus navegaciones virtuales.

—¿Cómo de guapa? —parpadeó ensoñadoramente—. ¿Como una actriz?

Por un momento, llegué a pensar que empleara mi ordenador en pesquisas pornográficas o delictivas. La afabilidad volvió a derramarse sobre su rostro, como una marea de leche merengada.

—Como una bibliotecaria, listillo.

—¿Una bibliotecaria guapa? ¿Conoces alguna?

—A muchas, pedazo de misógino. Y ésta, además, se llama igual que la amada de Petrarca —lo zaherí—. Con ese nombre no se puede ser fea.

Bruno chasqueó la lengua e hizo humear la pipa, recién abastecida de un tabaco que traía los perfumes prohibidos de alguna kasba o zoco escamoteado a las rutas turísticas. Recitó:

—*Giovene donna sotto un verde lauro / vidi più biancha et più freda che neve.* —E introdujo una apostilla feroz—: Mucho cuidadito con las Lauras. La de Petrarca murió de peste. Ándate con ojo, no sea que la tuya te contagie alguna enfermedad.

La grosería me pareció intolerable. Bruno juntó las palmas de las manos en actitud orante:

—Era una broma, hombre. No seas tan quisquilloso.

El barrigón le temblequeaba por debajo de la camisa, como si el ventrílocuo que tenía encerrado en las tripas se hubiese puesto a sollozar.

—Te perdono si me dices qué coño te traes entre manos —exigí. Por vez primera ocupaba ante él una situación de dominio.

Bruno mordió ensañadamente la boquilla de la pipa; se notaba que el requisito impuesto le dolía más que la amputación de una pierna:

—¿Conoces la *Guía de lugares imaginarios* de Alberto Manguel y Gianni Guadalupi?

Cabeceé, en señal de asentimiento, cada vez más intrigado. El libro de Manguel y Guadalupi, concebido como un gran prontuario donde se recopilaban las cartografías soñadas por la literatura, me había deslumbrado en su día con su despliegue inacabable y utópico: la cueva de Montesinos que exploró el hidalgo manchego, la ciudad prohibida de Opar que urdió Edgar Rice Burroughs, la isla donde según Stevenson el capitán Flint enterró su tesoro, el continente sumergido de la Atlántida y el País de Nunca Jamás se concitaban allí, entre otros cientos o miles de islas y ciudades y países y continentes concebidos a extramuros de la realidad.

—Yo lo que pretendo es escribir una guía de los lugares imaginarios creados por internet. Principados de opereta, paraísos fiscales de pega y cosas así.

La capacidad de Bruno para asombrarme casi era pareja a su destreza para sacarme de mis casillas:

—Flipante. ¿Y has encontrado algo?

Emitió un silbido abrumado y sacudió una mano, como si tratara de abrirse un hueco entre la avalancha de hallazgos.

—¿Bromeas? Pero si internet es la Babilonia del timo.

En los meses que se siguieron, Bruno prosiguió su táctica progresiva de gorroneo a destajo: amplió poco a poco el tiempo de sus conexiones, desplegó sobre mi escritorio una selva de libretas y cartapacios, usurpó mis horarios, desbarató mis disciplinas y, en definitiva, me convirtió en el lacayo de su santo capricho. Sobre sus tejemanejes cibernáuticos, cada vez más prolongados, nada me decía; había logrado, como el Bartleby de Melville lograra con su jefe (pero Bruno, en su despliegue de actividad frenética, era a su modo un antípoda de Bartleby), amansar mis arranques de ira, enmudecer mis quejas, desarmar mis resistencias. A veces, cuando se marchaba, después de haberme reventado una jornada de trabajo y de haberme mantenido incomunicado durante seis y hasta ocho horas de conexión telefónica, concebía propósitos de expulsarlo para siempre de mi amistad, pero a la postre este ímpetu justiciero se desvanecía y mi irritación sucumbía a una rara suerte de melancólica condescendencia. En este sentimiento sojuzgado confluían mi admiración por Bruno, la curiosidad que el resultado de sus pesquisas despertaba en mí y también —no lo negaré— una nebulosa pereza que me impedía avanzar en la redacción de mi novela. Así que, cuando Bruno me anunció a toro pasado que había contratado con mi empresa telefónica una conexión de alta velocidad que agilizase sus indagaciones, me abstuve de reprochar su desfachatez. Y tampoco opuse resistencia cuando, monarca absoluto de mi intimidad, me solicitó que le facilitase un juego de llaves para poder franquear él mismo las puertas que conducían hasta mi apartamento. Quizá en esta pasividad influyese que mi relación recién iniciada con Laura había encallado en las arenas del agarrotamiento. En este arrechucho sentimental ninguna culpa atañía a Laura, que en todo caso presenciaba sus síntomas con una mezcla de incomprensión e impotencia. Y tampoco a Bruno, pues la enfermedad del alma que me corrompía nada tenía que ver con el súbito allanamiento de mis hábitos, ni con su omnipresencia entrometida, sino con algo mucho más hondo y atávico. Estaba a disgusto conmigo mismo, con el gandul en que me había convertido, tras mi deserción de la ciudad levítica; Laura era la tabla de salvación que se me ofrecía, pero no acababa de decidirme a aferrarme a ella.

Si Bruno notaba mis agonías interiores, se cuidó mucho de manifestarlo. Vivíamos en mi apartamento como inquilinos por turnos y apenas cruzábamos palabra, encapsulados en un silencio que, en mi caso, nacía de una indolencia devoradora, y en el suyo, quizá, de un caritativo pudor ante la desgracia ajena. Había días, incluso, en que ni siquiera nos veíamos, pues con frecuencia yo remoloneaba entre las sábanas, atenazado por la vagancia. Otros, despachábamos el inevitable encuentro con majaderías insulsas, como esos empleados de oficina que glosan la jornada futbolística para exorcizar su hastío. En descargo de Bruno, especificaré que siempre me daba noticia de los recados y llamadas recibidas durante mi prolongado letargo con la puntillosidad de un secretario bien remunerado:

—Hoy te trajeron este sobre —me dijo un día.

Era un sobre de papel de estraza, sin señas del remitente ni franqueo postal ni ninguna otra pista que indicase su procedencia.

—¿Quién lo trajo? —le pregunté, antes de abrirlo. La pereza que se había apropiado de mí me invitaba a dejarlo cerrado para siempre.

—Una empleada de mensajería, con el encargo de que te lo entregase en mano —se desentendió Bruno.

Cuando me quedé solo, cedí por fin a la tentación de abrirlo. Su contenido me dejó suspenso: se trataba de un ejemplar de la primera edición de *Las Hortensias*, una *nouvelle* del uruguayo Felisberto Hernández publicada en 1949 como separata de la revista montevideana *Escritura*. Una pieza de rareza indiscernible, escasa y recóndita como el ornitorrinco, de un escritor tan aislado en su originalidad, tan sepultado de misterios que yo ni siquiera me atrevía a declarar que se trataba de mi favorito. Tan secreta era esta predilección que jamás se la había confiado a mis amigos más cercanos, mucho menos a esos entrevistadores que reclaman preferencias más democráticas y botarates. Felisberto Hernández era uno de los pocos escritores que me llenaban —que me siguen llenando— de pasmo; en sus narraciones, traspasadas de turbios milagros y una como inefable *naïveté*, anidan historias llenas de un desasosiego que al final se queda trunco, como una cigüeña que duerme en el equilibrio de una sola pata. Hay en ellas una magia nocturna, un surrealismo de buena ley en el que de repente relumbra como un cuchillo una sinestesia que te deja tiritando con su belleza dormida. Felisberto Hernández escribe siempre trascendiendo de poesía los acontecimientos más vulgares; leerlo es como irse tropezando con los muebles de una casa llena de misterios funerales. En *Las Hortensias*, cuenta la peripecia de un matrimonio, María y Horacio, que vive con una muñeca de tamaño natural llamada Hortensia, irrigada por dentro con un sistema de agua caliente que le presta una apariencia de vida y «calor humano». Todos los días, Horacio ordena a su mayordomo que disponga a la muñeca detrás de una vitrina en posturas alegóricas cuyo significado oculto él debe descifrar. Por la noche, María y Horacio duermen con Hortensia interpuesta entre ambos, hasta que los celos enloquecen a la esposa preterida, que apuñala a la muñeca con un cuchillo de picar carne, provocando una hemorragia de agua tibia que empapa el lecho conyugal.

No paraba de darle vueltas a lo extraño del caso. Desde luego, quien me mandaba el regalo conocía muy a fondo mis elecciones estéticas, hasta el extremo de concretarlas en un escritor al que, por desidias e inercias varias, nunca había tributado públicamente mi admiración. Además, se trataba de un regalo costoso que, a la dificultad de la búsqueda, añadía la exigencia de un desembolso no precisamente baladí. Mi fantasía, sobreexcitada por la inquietud, se perdió durante horas en suposiciones e hipótesis; llegué, incluso, a rastrear significados ocultos, velados simbolismos, en la elección de una obra tan perturbadora. Sin ese acopio de enigmas que rodeaba el envío, quizá no se habría producido ninguna impresión en mi sensibilidad enferma; vivía como replegado en la concha de un marasmo, aislado de los intereses y afectos del mundo exterior, hundiéndome en las ciénagas de la misantropía, que eran devoradoras y torturantes, pues mientras chapoteaba en ellas, presentía que a muy corta distancia, casi al alcance de la mano, se hallaba una promesa de dicha, encarnada en Laura, que era incapaz de alcanzar.

Entonces, mientras hojeaba aquel ejemplar de *Las Hortensias*, de un papel muy basto y quebradizo, con sus tipos mal emplomados y sus ilustraciones despeinadas, creció en mí, como un rumor de marejada que poco a poco levanta su espuma y se encrespa, una corazonada con fuerza de revelación. Había sido Laura. Sí, había sido ella necesariamente; sólo ella podía suplir las lagunas de desconocimiento mutuo que tantos años de separación habían hecho aflorar entre nosotros; sólo ella, remitiéndose al adolescente que fui, habría podido figurarse la posterior evolución del hombre un poco hiperestésico, reconcomido de aprensiones y presagios, que cristalizaba en mis escritos. Había sido Laura, zahorí de mi mundo interior; y al conjuro de esta certeza más bien infundada (o sólo fundada sobre los cimientos de una interesada credulidad), pensé que mi vida sería más completa y enaltecida si a mi lado se hallase Laura. Las elaboraciones más absurdas adquirían la concreción de verdades irrefutables, transfiguradas por mi enervamiento. Y así, interpreté el argumento de *Las Hortensias* y las pasiones enfermas que en él se incuban como un aldabonazo a mi conciencia dirigido por Laura: Horacio, el personaje de Felisberto Hernández, ordena hacer una muñeca idéntica a su esposa, por miedo a que ella muera y lo deje viudo (aunque ninguna enfermedad la aquejaba), para caer en la adoración del sucedáneo y descuidar a la mujer originaria que le sirvió de modelo. Como Horacio, yo también era prisionero de una imagen coagulada en el tiempo (no una muñeca, en mi caso, sino el recuerdo de aquella Laura niña a la que veneré); por eso, rehén de un arquetipo platónico, no acababa de entregarme a la mujer de carne y hueso que había crecido sobre el molde de la niña amada, o me entregaba con una especie de agarrotada desconfianza. Comprendo que, trasladadas al papel, estas lucubraciones puedan parecer mentecatas o paranoides, pero mientras las concebía poseyeron la irreprochable arquitectura de un silogismo. Empezaba a clarear cuando telefoneé a Bruno:

—¿Qué mosca te ha picado? —bramó—. ¿Es que no sabes que las personas decentes están todavía en la cama?

Yo había sido una persona decente hasta que él vino a desbaratar mis rutinas diurnas. Te jodes y te aguantas, mamonazo, pensé; pero aligeré mi inquisición de invectivas y fui al grano:

—La mensajera que trajo el sobre, ¿cómo era?

—¿A qué viene esa pregunta? ¿Y cómo pretendes que me fije en esas cosas?

Esta vindicación del descuido y la negligencia debería haber despertado mis suspicacias, pues Bruno se fijaba *en todas las cosas* con ensañada curiosidad. Pero estaba ofuscado por el deseo de corroborar mis hipótesis:

—¿Era una chica menuda, aproximadamente de mi edad, de rasgos orientales?

—¿China, quieres decir?

—Vete a la mierda, Bruno. Una chica con un cierto parecido a Gene Tierney.

Soltó una carcajada como de gallina clueca que parecía proceder del estómago:

—Para el carro, macho, no te emociones. Compararla con Gene Tierney es mucho comparar.

—¿Pero tenía rasgos orientales? —corté sus jocosidades.

—Ahora que lo dices... —Sus esfuerzos nemotécnicos sonaban un poco teatrales e impostados—. Quizá tengas razón. Pero más bien se parecía a Sylvia Sidney.

—¡Era Laura, imbécil!

—¿Laura? —carraspeó, para liberarse de ese gargajo de nicotina que los sueños interrumpidos dejan en los fumadores, recordándoles su vicio—. ¿Qué Laura?

—La amiga de la que te hablé. —Deseaba concluir aquella conversación, pero no me privé de lanzarle un último reproche—: Has estado a punto de cargarte la historia de mi vida. Te odio.

Y colgué, antes de que pudiera formular cualquier excusa (pero, en el fondo, sabía que no se iba a excusar ni aunque lo amenazasen con la horca). Rescaté, entre la marabunta de libros que asfixiaban mi apartamento, trepando en doble o triple fila por las estanterías o apilados en el suelo como obeliscos ruinosos, un tomito de Felisberto Hernández, menos requerido por los coleccionistas pero igualmente alumbrado de fantasmas que salen del sarcófago, titulado *Nadie encendía las lámparas*. Lo introduje en un sobre de papel de estraza, con un rótulo que nombraba a su destinataria pero no al remitente, y corrí a llevarlo a la Biblioteca Nacional, antes de que Laura iniciara su turno. Los bedeles que remoloneaban en el vestíbulo aceptaron a regañadientes mi encomienda y sólo después de que el sobre fuese escudriñado por escáneres que certificaron su contenido pacífico. Luego me senté a esperar; aunque, en honor a la verdad, el sedentarismo de la expresión no acierta a compendiar el tumulto de zozobras y desvelos que me zarandeó mientras aguardaba el acuse de recibo de Laura. Cuando éste se produjo, constaté orgulloso que también ella había descubierto en mi envío, además de una retribución, una anuencia; y descubrí, con burlona satisfacción, que, al igual que yo, Laura había buscado entre líneas el mensaje cifrado que el libro podía encubrir. Aunque desde ese día nuestro noviazgo se declaró sin ambages, desestimando por fin los tanteos y escaramuzas balbucientes que antes lo habían atenazado, nunca aludimos explícitamente al intercambio de regalos que nos había hecho más audaces o seguros de nuestro recíproco triunfo. De tal modo que Felisberto Hernández se convirtió en el alcahuete eludido de nuestro amor, planeando sobre nuestros encuentros a modo de un ángel benéfico que no nos atrevíamos a mencionar por temor a quebrar el encantamiento que por su intercesión se había entablado entre nosotros. Laura deslizaba en nuestros coloquios citas de *Nadie encendía las lámparas* con una suerte de subrepticia complicidad, y yo le correspondía con citas de *Las Hortensias*, y en ese juego de toma y daca, en ese tira y afloja de presentidas ambigüedades encontramos el filón de bromas privadas y reservados códigos que toda pareja de amantes necesita para fortificar su isla dentro del mundo, su dialecto de uso restringido o *locus amoenus* en el que poder retozar.

Cuando ya estábamos comprometidos y el cura de nuestra ciudad levítica nos asignó fecha para la boda, ambos convinimos que Bruno tenía que ser nuestro padrino. Había sido testigo preferente de nuestro noviazgo, pues seguía gorroneando de mi conexión a internet, aunque sus horarios ya no fuesen tan despóticos ni avasalladores y se esmerase por no hacerlos coincidir con los naturales esparcimientos de nuestra intimidad. Yo fui el encargado de comunicarle la nueva, que encajó con resignado fastidio, quizá previendo que tendría que encargarse un traje a medida, pues su lustrosa panza no la abarcarían las tallas que despachan los grandes almacenes, esos suministradores de tirillas y alfeñiques.

—No me jodas, Alejandro —rezongó—. Y encima tendré que gastarme las pelas en un regalo. —Chupeteó la boquilla de la pipa, como si le extrajese agua de regaliz—. ¿Y cómo es que te casas?

Le correspondía cierto protagonismo en la prehistoria de ese designio, y así se lo recordé, para hacerlo partícipe de mi felicidad:

—¿Recuerdas aquel sobre que trajo una mañana Laura? Ése fue el detonante.

Se repantigó en el sofá de mi apartamento, divertido de encauzar las vidas ajenas:

—¿El sobre con *Las Hortensias?* —preguntó.

Jamás le había declarado el contenido de aquel envío. Tardé en comprender; y a la comprensión siguió un estupor que no era exactamente chasqueado, sino sorprendido de que me hubiese dejado entrampar por los manejos de Bruno, gran perito en supercherías.

—Fuiste tú...

A la estupefacción se sumaba un acceso de sonrojo que Bruno se apresuró a disipar. Desde que coincidiéramos en el Ritz —me confesó—, había descubierto en mí esa desconcertada abulia que postra determinadas sensibilidades, cuando a una vida forastera o exiliada de sus orígenes se suma el miedo paralizante con que a veces reaccionamos ante la posibilidad de aferrarnos al único asidero que puede librarnos del naufragio. Bruno enseguida entendió que ese asidero lo personificaba Laura; también entendió que, si en mi abulia no se introducía un revulsivo que la trastornase, acabaría aislándome en ese albergue de inactividad en que los escritores desahuciados refugian sus frustraciones.

—Había que alterarte como fuera —dijo—. Había que ponerte en el disparadero.

Por eso infringió y pisoteó mis hábitos, hasta casi sacarme de quicio. Providencialmente, surgió en alguno de nuestros encontronazos el nombre de Laura, yo mismo mencioné su existencia y su oficio. Fue bastante sencillo localizarla en la Biblioteca Nacional; tampoco resultó una tarea demasiado onerosa, para un ojo avezado como el de Bruno, descubrir mi querencia por Felisberto Hernández entre el abigarrado caos que afligía mis libros.

—Deberías desprenderte de mucha bazofia. A ver si un día me dejas hacer un donoso escrutinio.

—Entonces —balbucí—, tus búsquedas en internet, todo ese rollo de los países imaginarios era un truco...

—De eso nada, monada —se resistía, por coquetería, a renunciar a sus impertinencias—. Te he estado sableando en serio, porque en mi casa no tengo instalado ese artilugio, ni pienso instalarlo nunca, mientras disponga de un primo como tú. Pero lo cortés no quita lo valiente. Carecías de voluntad, nada despertaba tu interés. Así que decidí actuar.

Se pasó la mano por las mejillas escrupulosamente rasuradas, dejando en la piel mórbida las impresiones de sus dedos. Sonrió con desapego, como escocido de su propia blandura:

—Estás en deuda conmigo, majete.

Ahora me asalta la duda semántica y vacilo en la elección del epíteto. ¿Debe escribirse celos retrospectivos o retroactivos? Retrospectivo es aquello que se refiere al pasado; retroactivo, lo que actúa y tiene fuerza sobre él. Quizá los celos, que son una ley severa, merezcan el segundo epíteto. Y el celoso retrospectivo o retroactivo, llevado por una pasión totalitaria que no entiende de barreras temporales, pretende extender su control sobre la persona amada hacia aquellos años anteriores a la fundación de su amor. Se trata, claro está, de un atropello, pues el celoso retrospectivo o retroactivo no se conforma con vigilar el territorio bien delimitado que abarca la duración de sus sentimientos, sino que pretende invadir otros territorios anteriores, inmiscuir su curiosidad en esos archipiélagos de sombra que, debido a su lejanía temporal, se hallan fuera de su jurisdicción. ¿A quién no le ha acometido, mientras hojea un álbum de fotografías de la persona amada, un instinto de insensata rivalidad al descubrir el rostro repetido (y casi siempre risueño, para más inri) de algún amante o intruso que probó los frutos sazonados de su juventud? Laura y yo, avariciosos de nuestros respectivos pasados, participábamos de la curiosidad del celoso retrospectivo o retroactivo, pero soslayábamos ese ingrediente de aciaga desconfianza que suele caracterizar sus pesquisas. Nuestros respectivos catálogos de borrosos amantes componían los jalones que nuestro amor desgajado había recorrido antes de consumar su designio. Así, cada amante pretérito, cada novio ocasional, cada ligue adventicio, representaban estaciones de un particular camino de perfección que, con sus meandros y revueltas, conducía a la resurrección de nuestro sentimiento hibernado. Esta transformación de nuestro amor en novela bizantina, con sus episodios de alejamiento y su desenlace dichoso, quizá constituyese una mistificación o un embuste, pero otorgaba un argumento a nuestros días y convertía ese lapso de casi quince años en que nada o casi nada supimos el uno del otro en un dilatado barbecho que prefiguraba mediante augurios (elaborados artificiosamente a posteriori) nuestro rencuentro.

Conquistar a Laura, allá en la ciudad levítica, había sido una tarea casi impracticable: atravesaba esa edad en que las niñas, en su acceso abrupto a las complicaciones fisiológicas de la pubertad, se creen investidas de un carisma que no deben dilapidar con los chiquilicuatros con los que comparten pupitre; esa edad en que las niñas con pujos de mujer se sienten más envanecidas recibiendo las atenciones de los gañanes del instituto próximo, que ya se afeitan la pelusilla del bozo. A esta presunción natural de la edad se añadía en Laura esa aureola de distinción que hace más inaccesibles a las hijas de los militares. Su padre, un coronel que acababa de ser destinado a nuestra ciudad levítica, con mando sobre el regimiento que aguardaba la invasión de los tártaros en el cuartel de las afueras, era un hombre demasiado erguido, demasiado infatuado en su graduación. Esto, al menos, nos parecía a los muchachos de mi pandilla cada vez que lo veíamos aparecer a la puerta de la escuela, repantigado en un cochazo de chapa reluciente, siempre en el asiento trasero, puesto que disponía de chófer. El padre de Laura vestía el uniforme preceptivo (o al menos yo no lo recuerdo de paisano, pero la memoria es selectiva) con una galanura que hubiese eclipsado al mismísimo Errol Flynn durante su estancia en la academia de West Point, antes de morir con las botas puestas. Había excedido ya la cuarentena (y así lo testimoniaban sus aladares entrecanos), pero conservaba el temple del oficial que no se resigna a cebar la próstata, apoltronado en un despacho, sino que aún tiene redaños y aguante para extenuar a la tropa en maniobras que habían atezado su piel con los colores guerreros del sol y de la pólvora. Cuando veía salir de clase a Laura, siempre reproducía idéntico movimiento: aguardaba a que el chófer le abriese la portezuela (y entonces asomaban las perneras de su pantalón, de un verde oliváceo, muy esmeradamente planchadas con la raya en medio, como una quilla de elegancia y rectitud, y los zapatos abotinados, de un lustre que competía en brillo con la chapa de su automóvil); avanzaba hasta la acera componiéndose la guerrera que se amoldaba a su torso como un guante y recibía a Laura con los brazos abiertos, para tomarla en volandas y mantenerla por unos segundos suspendida en el aire, como si la ofrendase a la naturaleza que tan benigna había sido con él y con su potencia generativa, antes de comérsela a besos. Laura ya tenía por entonces trece o catorce años, pero no recibía con displicente rubor estas efusiones; por el contrario, mostrábase halagada de poseer un padre tan vigoroso y bello y respondía a sus arrumacos colgándose de su cuello, sin que a él le importase demasiado que le arrugase la guerrera. Los muchachos de mi pandilla contemplábamos la escena, boquiabiertos y humillados como pretendientes preteridos, y formulábamos el firme propósito de declararnos insumisos cuando nos llamasen a filas. Todavía hoy, al invocar la estampa del coronel recibiendo alborozado a su unigénita, me acometen unos celos retrospectivos (o retroactivos) mucho más desazonantes que los que pueda suscitarme cualquiera de los amantes borrosos recolectados por Laura durante mi ausencia.

Laura vivía con el padre viudo en el cuartel del regimiento. La imaginaba venerada por todos los reclutas, inspirándoles tonadillas que canturrearían cada mañana, mientras realizaban la instrucción; e imaginaba a su padre castigando severamente a quienes osaran dirigirle un piropo. Como por aquellos años andaba yo envenenado por las fabulaciones de la literatura artúrica, me figuraba que Laura viviría en algún torreón inexpugnable del cuartel, y que su padre espolvorearía harina por el suelo de la estancia donde ella durmiese, para que cualquier asaltante delatara con sus pisadas el intento de acceder hasta su lecho. Esta treta ya la había urdido el cornudo rey Marc de Cornualles, esposo de Isolda, para dificultar los merodeos de Tristán; pero, a la postre, ésta y otras asechanzas fueron vencidas por el temerario caballero, que no conseguía reprimir la pasión que lo abrasaba, nacida del filtro o bebedizo que un día compartiese con Isolda, desapercibidos ambos de la deleitosa maldición que arrojaría sobre sus existencias. Yo rondaba algunas noches los terrenos del cuartel, circundados por una tapia erizada de alambres, buscando una grieta en la mampostería que me permitiera, ya que no entablar los amorosos coloquios que mantuvieron Píramo y Tisbe antes de su desgraciado final, al menos atisbar los edificios del recinto, que el toque de queda manchaba de una instantánea y unánime sombra. Eran edificios de un ladrillo bermejo, lóbregos como hangares, lentos como galeones embarrancados entre los bajíos, en los que se hacinaba la tropa, maquinando seguramente estrategias para raptar a la hija del coronel. También yo estaba diseñando la mía propia y, entretanto, me esforzaba por escudriñar, a través de las rendijas que resquebrajaban los inútiles muros de mampostería, la configuración del cuartel y el emplazamiento de la comandancia, donde Laura sufriría los rigores del encierro dictaminado por su padre. Estas labores de espionaje no eran del todo despreocupadas, pues tenía que burlar la vigilancia de los centinelas, que desde sus garitas (encaramadas sobre el muro circundante) se entretenían descifrando constelaciones y aprendiendo el difícil oficio de dormir de pie, apoyados sobre la culata del fusil.

—¿Quién anda por ahí? —preguntaban a veces, en los sobresaltos de la modorra.

Y yo me acurrucaba contra el muro, sudoroso de escalofríos, golpeado por los embates de la sangre, hasta que la respiración del centinela se iba oxidando de ronquidos y las constelaciones, que durante unos minutos se habían arremolinado en una astronomía mareante, recuperaban su puesto habitual en el cielo. De aquellas correrías nocturnas volvía a casa meditabundo y contristado —esta palabra la había leído en Chrétien de Troyes—, pues nunca acababa de determinar cuál era la habitación o estancia donde moraba la dueña de mis pensamientos. Para ahuyentar las zozobras que me impedían conciliar el sueño, tenía que recurrir al vicio solitario, claudicación que me ofendía más que al armiño la salpicadura del barro sobre su cándido pelaje, pues acompañaba estos desahogos con un cortejo de visiones lascivas en las que siempre comparecía una Laura mucho más pindonga de lo que en realidad era. Estas traiciones clandestinas, que ya me acongojaban en el instante mismo de su consumación (o apenas las sábanas me rozaban con su humedad viscosa, testimoniando mi pecado), se aguzaban de secretos tormentos cuando a la mañana siguiente volvía a tropezarme en clase con Laura, a quien no me atrevía, abochornado, a dirigir ni siquiera un saludo. Pero creo que esta timidez mía, tan patológica como devota, me hacía más interesante a los ojos de Laura, pues la mujer sensible, antes que al mastuerzo sobradísimo y bravucón, prefiere al *chevalier servant*.

Fue por entonces cuando embarqué a los chicos de la pandilla en aquella búsqueda quimérica de las Hostias volátiles que sobrevivieron, allá por el siglo XII, a la escabechina pirómana de los menestrales amotinados contra la aristocracia local. Al caer la tarde, nos adentrábamos en los confines de nuestra ciudad levítica, allá donde las piedras eruditas de siglos se inmolaban anualmente en las crecidas del río, y, armados de linternas, penetrábamos en las iglesias despojadas de retablos y en las ermitas de ábside reducido a escombros, entre cuyas paredes quizá resonaron alguna vez las plegarias del Cid. A las expediciones en pos de las Hostias volátiles, que yo había concebido como un camino de santidad, no tardaron en sumarse, con ardor de centinelas, algunas chicas de la clase; y así aquel ejército con ínfulas eucarísticas terminó entregado a la disipación y la jarana. Laura alguna vez nos acompañó en estas veniales profanaciones, como ya conté, aprovechando las ausencias de su padre, que no cejaba en su propósito de fundir a la tropa en maniobras por los parajes más inhóspitos de la provincia. Pero su intervención era siempre displicente e incluso hastiada, como si aquellas travesuras pueriles pertenecieran a una etapa de la vida que ella ya hubiese consumido; y jamás se dignó participar en las ceremonias de magreo y calimocho que mantenían ocupadas a sus compañeras. Una noche, harta de descifrar capiteles historiados y torcerse los tobillos entre los cascotes que quizá fuesen vestigios de la ocupación napoleónica o de la saña desamortizadora, me propuso:

—¿Por qué no vamos a casa de Pérez Vellido? A esta hora, suele dar una charla en el jardín.

En nuestro itinerario por las iglesias sin culto de nuestra ciudad levítica, solíamos pasar ante la casona de Augusto Pérez Vellido, Maestro local por antonomasia (así lo designaba la cofradía locoide de sus discípulos), polígrafo inveterado, alborotador de conciencias, látigo de todas las ideologías, traductor de los clásicos y poeta del pueblo. En la casona de Pérez Vellido había siempre una ventana iluminada, como si tras ella se albergara el trabajo urgente de una modistilla que tuviese que entregar varios encargos a la mañana siguiente y necesitara apurar, a costa de la salud, las horas infinitamente difíciles que preceden al amanecer. Augusto Pérez Vellido trabajaba sobre su escritorio, ajeno al movimiento de gentes que paseaban la calle, con esa clandestinidad aplicada y artesanal del tipógrafo que compone un semanario satírico o del anarquista que confecciona bombas caseras. De vez en cuando se removía en el asiento, inclinándose sobre las cuartillas, y entonces asomaba a la ventana su cabezón de sacamantecas o inventor de la guillotina, con los cabellos greñudos y canos nimbados de un fuego revolucionario y las patillas gigantescas que enlazaban con un bigotazo de káiser prusiano. Augusto Pérez Vellido alternaba el tratado de filosofía moral con el sermón político, el ensayo lingüístico con el panfleto incendiario, y así alimentaba el árbol frondoso de su obra, que amenazaba con dejar chiquita a la del Tostado, de tan profusa y miscelánea. Luego, cuando se le agarrotaba la muñeca de tanto emborronar papeles, Pérez Vellido celebraba en el patio de su casona solariega unas disertaciones con vocación de diatriba que le aplaudía una multitud de hijos, cuñadas, sobrinas y nietos, suegros, concubinas, nueras y simpatizantes de diversa índole, una prole promiscua y sentimental que, a falta de una ocupación que aliviase su indolencia, compartía el rancho común que Pérez Vellido les procuraba con el beneficio raquítico de sus libros, su sueldo de profesor itinerante y el pluriempleo agotador de las conferencias, esas cátedras a salto de mata.

—¿Pero no te aburrirás, Laura? Te advierto que Pérez Vellido se las trae...

—Los que me aburren son estos niñatos.

Lo dijo sin dignarse mirar a los otros chicos, que proseguían sus patosos magreos, con un fruncimiento de disgusto en los labios que era más caritativo que reprobatorio. Quizá sólo estuviese utilizándome para que me aviniese a acompañarla; pero, al exceptuarme de aquella categoría brumosa de «niñatos», me sentí aureolado por el mismo brioso orgullo que debía de asistir a los caballeros contendientes en un torneo cuando la dueña de sus pensamientos les permitía colgar de su enseña la cinta que abrazaba sus cabellos.

—Venga, vámonos.

Mi conocimiento de la obra de Augusto Pérez Vellido se limitaba por entonces a la lectura de una breve arenga titulada *Manifiesto antinacionalista*, dirigida a los habitantes de nuestra ciudad levítica, en la que invitaba a combatir de hecho y de palabra la opresión del Estado y a sacudirse el yugo del sometimiento administrativo. Esta negación del orden establecido, pese a su plasmación localista, poseía una proyección universal que abogaba por la supresión de la propiedad y la disolución de los vínculos familiares, así como por el regreso a un mundo arcádico y retozón, desprovisto de televisores, teléfonos y automóviles, que son los instrumentos de los que se sirve el Dominio para mantener mansurrones y entretenidos a sus vasallos. Augusto Pérez Vellido, censor del Estado y de sus prolongaciones burocráticas, recibía su sueldo (y aun las subvenciones con las que había restaurado su casona solariega) de aquellos mismos a quienes combatía, y en esta contradicción entre una existencia asalariada y otra disidente se mantenía, en ese difícil equilibrio del funambulista que ejecuta sus numeritos sabiendo que debajo no hay red que amortigüe su caída. Las disertaciones nocturnas de Pérez Vellido ante el círculo de sus allegados no escapaban tampoco a esta contradicción, ya que, si bien parecían concebidas para un consumo preferentemente endogámico, su envoltura retórica postulaba un público más amplio; y en efecto, asomados a las ventanas y balcones del vecindario, casi un centenar de curiosos escuchaban absortos o turulatos las filípicas del Maestro, como si hubiesen pagado una suma considerable por asistir al espectáculo y no quisieran perderse ni el preámbulo. Pérez Vellido encorsetaba su facundia en un esquema muy rígido y sin concesiones a la improvisación, y hablaba siempre de los mismos asuntos, en un tono catequético y cascarrabias. Con el tiempo, no tardaría en descubrir sus reiteraciones y el desparpajo que derrochaba al citarse a sí mismo sin rebozo y vulgarizar su doctrina mediante frases lapidarias, aseveraciones tajantes y otros dogmas de fe. Augusto Pérez Vellido disertaba de pie, paseando por el jardín de su casa solariega (un jardín con pretensiones de floresta, para que sus discípulos fornicaran a destajo entre la espesura de la fronda), en un ejercicio peripatético que añadía misterio a sus exposiciones. Peroraba con una prosodia que embaucaba al oyente más lerdo, modulando los períodos de las frases como un actor experimentado que recita el monólogo de Hamlet; pero en la misma brillantez de su discurso se hallaba la traición a su pensamiento, que se comprimía en frases ampulosas, similares a las que nos decimos en esos momentos en que, amedrentados por la soledad, sentimos el deseo, a falta de otro interlocutor, de hablar con nosotros mismos, por la necesidad imperiosa de exorcizar nuestros miedos. Augusto Pérez Vellido, en cualquier caso, convencía a sus prosélitos (que quizá ya acudiesen convencidos, como la beata que comulga diariamente sin necesidad de que le larguen pestiños teológicos sobre la transubstanciación), y era interrumpido con aplausos impertinentes o extemporáneos que desgraciaban su edificio retórico. Aquella noche le tocaba despotricar contra la pareja:

—Porque yo os digo que esa institución la inventó el Régimen para sustituir el disfrute del amor, que es un sentimiento arraigado en el pueblo, por un instinto de propiedad. Y así se engaña a los crédulos que, por el ansia y señuelo del disfrute, acaban adquiriendo la propiedad sobre la mujer amada. De tal modo que, al hacer «suya» a su cónyuge, la convierten en Dinero y en Tiempo, como el salido que contrata a una prostituta por tal o cual cantidad. Por eso yo os invito a que derribéis esa empalizada que el Régimen ha levantado en torno a la Pareja, para que el amor se convierta en una marea común entre las gentes y vayan surgiendo otras manifestaciones eróticas sin adherencias ni fidelidades, donde lo «mío» y lo «tuyo» deje de significar nada. Así el coito y el orgasmo perderán su carácter teleológico, y todo su cortejo de frigideces e impotencias. Y, al borrarse la teleología del orgasmo, todos los besos y caricias serán orgasmo, como serán fiesta todos los días del año cuando por fin muera el Trabajo.

Su peculiar fisonomía y su vestimenta estrambótica, como de titiritero del ágora, añadían amenidad a sus lucubraciones, por lo demás bastante áridas.

—¿Y cómo haremos, Maestro, para acabar con la tiranía de la Pareja? —le preguntó un prosélito, que ya se las prometía muy felices, liberado del débito conyugal y de la murga de la suegra.

A Pérez Vellido le fastidió la interrupción; inmóvil en un recodo del jardín, cobró un aspecto musgoso, como de pez sacado del agua que respira entre estertores y ahueca las agallas. Cuando reanudó su discurso, su voz sonaba melifluamente malévola:

—Tú mismo podrás responder a esa pregunta, amado discípulo —aseguró Pérez Vellido, que tomaba por lumbreras a los orates que componían su séquito—. ¿Cuál es la ley que fundamenta el dominio del Estado? ¿Cuál es la ley que convierte a la Familia en una célula de individuos sojuzgados, en un rebaño de ovejas camino del matadero?

El prosélito, que quizá se hubiese presentado en su juventud a alguna oposición al cuerpo de inspectores de Hacienda, antes de que la alopecia le barriese las neuronas y el pelo de la coronilla, no se lo pensó dos veces:

—La ley del impuesto sobre la renta.

Pérez Vellido no descompuso el semblante, pero hasta la córnea de sus ojos trepó la ira, como una trombosis que hubiera obstruido sus vasos sanguíneos:

—¡Calla, botarate! —lo increpó—. ¡Me refiero a la ley de prohibición del incesto!

Tardó todavía un poco en reponerse de la rabieta, ante el silencio compungido y lastimado de sus adeptos, que parecían acostumbrados a encajar las más encarnizadas reprimendas. Pérez Vellido se abrigó la garganta enrollándose aún más los fulares al cuello; diríase que estuviera convaleciente de un trasplante de cabeza. El hálito le brotaba híspido como un bramido de toro:

—Debéis romper los lazos paternales y filiales que aún rijan en vuestra comunidad. —Aquí dirigió una mirada al harén incestuoso de hijas, nueras, sobrinas, nietas, suegras y concubinas que sostenía bajo su égida patriarcal, como si quisiera predicar con el ejemplo; pero la mirada resultó más abrumada que satisfecha—. Y dejad que los hermanos se quieran entre sí como amantes.

Este mandato o incitación al quebrantamiento del más arraigado de los tabúes no parecía complacer del todo a los prosélitos de Pérez Vellido, cuya natural tendencia a la promiscuidad aún se detenía ante ciertos escrúpulos. La noche tenía la temperatura exacta del pecado, y yo comenzaba a querer a Laura como a una hermana incestuosa.

—¿Y no bastaría, amado Maestro —se atrevió a objetar otro de los discípulos—, con que atacásemos tan abominable institución encamándonos con la mujer del vecino, o dejándonos joder por el fontanero que viene a desatascarnos las cañerías?

A juzgar por las modalidades chuscas de adulterio que proponían, se intuía que habían dedicado más tiempo al birrioso cine sicalíptico que a la lectura de Flaubert. Pérez Vellido se desesperaba:

—¿Es que no os dais cuenta de que el disfrute adulterino es un subterfugio para burgueses? Al atentar contra la ley que exige fidelidad a la pareja, estáis reconociendo su existencia, y ratificándola. Por eso os pido que vayáis más lejos: infringid la ley de prohibición del incesto, y así estaréis atentando directamente contra el fundamento de la Civilización, que es el fundamento del Dominio.

Laura escuchaba aquellas prédicas con una mezcla de subyugación y espanto, como si las aberraciones que postulaban removieran, allá en el fondo de su conciencia, algún atavismo amordazado desde la noche de los tiempos. Recordé, con un vahído que me hizo desfallecer, la apostura de su padre, aquel coronel viudo que parecía una emanación de alguna novela de Arthur Schnitzler, y me acometió un insensato y repudiable sentimiento de competencia.

—¿Y qué pasará con los hijos que procreemos? —Los discípulos de Pérez Vellido seguían resistiéndose a la cópula consanguínea—. Los expertos aseguran que la endogamia produce taras.

Pérez Vellido se masajeó la quijada, como si quisiera detectarse algún síntoma de prognatismo, que es distintivo de reyes y otras estirpes poco ventiladas. Soltó una risita engreída y algo biliosa:

—¡Me sorprende la manía de tener hijos que impera entre los humanos! —Con este comentario, se colocaba altivamente en una categoría aparte, inhumana, sobrehumana o infrahumana, como un robinsón de sus propias entelequias—. Ese mito de la reproducción es otra patraña establecida por el Dominio. Antaño necesitaban levas de mozos para aprovisionar de carne fresca el campo de batalla. Y hogaño demandan individuos que justifiquen la producción de inutilidades; imbéciles que se enchufen al televisor y se empotren contra un alcornoque mientras conducen su automóvil de reciente adquisición. ¿No veis que el Dominio os ha convertido en Individuos, esto es, os ha extirpado del pueblo, para que sintáis dentro de vosotros un vacío, una manquedad, un aislamiento y os pongáis a procrear o a adoptar hijos procedentes de los suburbios del Desarrollo? Así el Dominio, al garantizarse vuestra descendencia, se asegura el Futuro, que es la zanahoria que os tiende para perpetuarse.

Entre la concurrencia ya se producían las primeras deserciones, contra las que Pérez Vellido se rebelaba engolando la voz, ensartando anatemas más virulentos o tonantes, desgañitándose casi. De repente, parecía uno de esos buhoneros que confunden la fecha de la feria en un pueblo y se quedan solos en la plaza, pregonando su mercancía caduca. Sus prosélitos más empecinados aún se resistían a la desbandada, sentados en cuclillas sobre el césped del jardín, y discutían si las enseñanzas del Maestro debían interpretarse literalmente, o si más bien constituían andanadas que dirigía contra las conciencias adormiladas, para que sirviesen de revulsivo. Acabarían sus disputas en un itinerario caótico por las tabernas de los alrededores, encenagados de un vinazo de uva agraz que les inspiraría la solución intermedia de liarse con la cuñada; de esta manera, excederían los límites establecidos por el adulterio burgués, sin incurrir en el incesto más vitando con hijas, madres y hermanas. Laura y yo salimos a la calle, bendecida por un relente que desvanecía las monsergas de Pérez Vellido. A nuestras espaldas, levantado en volandas por los tejados, quedaba el cimborrio de la catedral, escamoso como un reptil que se hubiese olvidado de mudar la camisa.

—Después del verano nos marchamos —me dijo Laura abruptamente—. El próximo curso ya no lo comenzaré aquí.

No supe interpretar si Laura me estaba previniendo contra la inoportunidad de mi enamoramiento, que tendría que luchar contra las amnesias de la distancia, o si, por el contrario, me animaba a exprimirle el jugo al poco tiempo que nos restaba, antes de la separación. Pero yo era —también en la adolescencia— un irresoluto.

—¿Destinan a tu padre a otro cuartel? —le pregunté.

Laura caminaba cuidando de no pisar las junturas de las baldosas, como si nuestra ciudad levítica fuese una infinita rayuela que la condujese hasta la taina del cuartel.

—Qué va. Ahora quieren meterlo en las oficinas de Madrid. Ya oíste a Pérez Vellido: antes se necesitaba carne fresca para el campo de batalla; ahora, como no hay guerras, se cierran los cuarteles.

—Pero sí hay guerras —protesté—. Si miras los periódicos...

—Guerras en los suburbios del Desarrollo —se había contagiado de la jerga utilizada por Pérez Vellido—. Pero esas guerras se despachan lanzando unas cuantas bombitas teledirigidas.

Habíamos dejado muy a trasmano la casa de mis padres, que me soltarían una bronca de órdago por exceder el rácano permiso que me concedían los fines de semana. El temor a esa represión, en otras ocasiones tan vívido, se hacía vagamente irrisorio, quizá por efecto de las diatribas de Pérez Vellido contra la familia, quizá porque el deseo de apurar la compañía de Laura me infundía una intrepidez inédita en mí.

—Pero tú podrías quedarte aquí —insistí, un poco plañideramente—. Tienes familia, tíos y primos que te acogerían con gusto. Podrías continuar los estudios aquí, y ver a tu padre los fines de semana, y en vacaciones. Total, Madrid está a tres horas de viaje.

Absurdamente, trataba de planificar su vida. A la perplejidad desarmada con que había recibido el anuncio de su marcha iba sumando un acopio de resistencias angustiadas, tardías, estériles, un poco al estilo del niño que trata de postergar la visita al practicante con pataletas y berrinches. Laura permanecía inalterable como una sibila.

—Qué chorradas dices —me zahirió—. Mi padre sólo me tiene a mí. Si nos separásemos se moriría de pena.

Las farolas arrojaban un redondel de claridad yerta sobre la acera y congregaban en su derredor un sínodo de polillas, amotinadas y sin embargo aturdidas como mis propios pensamientos, que se rebelaban contra la marcha de Laura pero se mostraban incapaces de evitarla.

—Además —siguió zahiriéndome—, a ti qué más te da que me vaya o me quede. Entre nosotros no hay nada.

—No hay nada porque tú nunca has querido que lo hubiera —solté—. Siempre has sido una chulita que me miraba por encima del hombro.

Por un segundo, mientras Laura me contemplaba de hito en hito, irritada por la impertinencia pero también conmovida por la queja que acababa de formular, tan a deshora y a la desesperada, pensé que estábamos solos en nuestra ciudad levítica, solos como dos náufragos en una isla desterrada de los mapas. Quizá fue esta impresión utópica (quiero decir, esta impresión de no estar en ningún lugar) lo que inspiró su gesto magnánimo; o quizá fue que, como las enfermeras que asisten a un soldado moribundo en el frente, quiso confortar mi agonía con un simulacro de amor que me sirviese de viático en aquella noche que acogía nuestra despedida. Laura había crecido entre militares; y aunque ya no hubiese guerras, la convivencia con hombres que cultivaban —siquiera nostálgicamente— una mística guerrera le había inculcado la creencia en las virtudes sanadoras que la mujer posee sobre el ánimo convaleciente del soldado. Por expresarlo sucintamente, Laura me amó aquella noche por piedad.

—¿En serio crees que he sido una chulita?

Traté de besarla con ese desmaño del novato que confunde el cortejo con el pugilato. Y, como ella aún se resistía, probé a ablandarla recordándole los cientos de veces que me había desdeñado en clase, cuando le ofrecía mis apuntes (pero mi caligrafía era calamitosa), o en la discoteca, cuando le proponía bailar (pero era un patoso, además de sobón), o en el parque, cuando le ofrecía un cigarrillo (pero fumaba una marca para carromateros, la única que podía permitirme con la propina de los domingos), o en las expediciones en pos de las Hostias volátiles. La lista de agravios no acababa nunca.

—Lo que pasa es que te gustan los chicos mayores. —No dije «hombres», para evitar la insinuación incestuosa—. A mí siempre me has visto como a un niñato.

Este último reproche la dejó un poco consternada. Aproveché entonces para besarla en los labios mudos y dóciles y probar su saliva, que tenía el sabor de un bebedizo. Y sentí que ambos habíamos sido uno en algún estadio anterior y originario, y que nuestra existencia actual era un peregrinaje escindido que sólo concluiría cuando nuestras almas por fin se volvieran a juntar. Por supuesto, me abstuve de exponer estas chorradas platónicas para no cagarla. Y seguí besando a Laura, en el cuello de blancura ilesa, mientras caía sobre nuestra ciudad levítica una epidemia de silencio.

—Vamos al cuartel —me dijo—. Mi padre está de maniobras con el regimiento.

La propuesta era temeraria; pero estaba dispuesto a dimitir de mi talante pusilánime y a sustituirlo por un impulso sacrílego. Porque, como al profanador de un santuario prohibido, me exaltaba, más que la tentación del allanamiento o el latrocinio, el cosquilleo de la trasgresión. Durante años, el cuartel de mi ciudad levítica había sido el feudo de mi contrincante, el templo o fortaleza inexpugnable que preservaba su dominio sobre Laura.

—Pero habrá dejado un retén... —objeté, como última prevención.

—No te preocupes. Los centinelas duermen como lirones. Nadie se enterará.

En realidad, yo prefería que alguien se enterase; prefería que algún recluta chivato sorprendiese nuestra escaramuza y le fuese con el cuento al coronel, que reaccionaría destempladamente, herido por un ataque de cuernos, y ahogaría la humillación dándose a la bebida, hasta descuidar aquella atildada apostura que lo caracterizaba. Pero los centinelas del cuartel, como había previsto Laura, dormían desentendidos de mis propósitos profanadores, empleando la culata del fusil a modo de almohada; sus ronquidos retumbaban en las paredes abovedadas de las garitas con un estrépito de motor diesel. Mientras caminábamos por la amplia avenida que deslindaba las naves de ladrillo bermejo, recordé con un sentimiento mortificante mis merodeos en derredor del cuartel, siempre inspirados por el sigilo y la ridícula clandestinidad. Laura me guió hasta el edificio de comandancia, que guardaban otros soldados igualmente roques; en el aire se respiraba el perfume expoliado de las órdenes de desahucio, esa melancolía exhausta y presagiosa que precede a los éxodos.

—Mi padre pidió otro destino cuando le anunciaron que iban a cerrar el cuartel. No estaba dispuesto a ver morir lo que había visto crecer.

—Ya entiendo.

—Y en castigo lo encierran en una oficina.

Desde el portal de comandancia, las naves del cuartel parecían silos desvalijados, cementerios a la deriva que han ido desalojando sus cadáveres por la borda para evitar un hundimiento inevitable. Subimos por una escalera muy angosta y pulida, que pregonaba el temperamento de su principal inquilino, tan austero como obsesionado por la limpieza. La escueta decoración de su vivienda contagiaba esa misma impresión; sólo turbaban la blancura de las paredes retratos de una mujer que anticipaba los rasgos de Laura, aunque los suyos fuesen más redondeados y patricios, y su nariz menos respingona y su peinado más ahuecado y peripuesto, como exigían las modas de la época. Aquella mujer repetida me miraba de un modo conminatorio y escrutador, como miran las madres al ceporro que la hija lleva a casa, presentándolo como compañero de clase.

—Murió en un accidente, cuando yo era aún muy niña —me explicó Laura—. Casi no la recuerdo.

—Te pareces mucho a ella.

El rostro de Laura se reflejaba en el cristal de uno de los retratos, como una emanación ectoplásmica de la muerta.

—Eso mismo dice mi padre. —Hizo una pausa fúnebre. Su voz sonó con un timbre distinto, más herrumbroso o desvaído, como si la muerta también hablase a través de ella—. Conducía él, ¿sabes? Aún no se ha repuesto del mazazo.

En algún retrato se les veía juntos, posando detrás de uno de esos decorados de barraca que abren un hueco para que los fotografiados encajen sus rostros risueños e incongruentes con los cuerpos de pega, que representaban a una pareja de tiroleses, con el disfraz preceptivo, sobre un fondo alpino. En otro retrato posaban con el atuendo nupcial: el velo de tul de la madre blanqueaba premonitoriamente su rostro, y el ramo de jazmines florecía con la lividez de los crisantemos; el coronel —que por entonces sólo era capitán— vestía uniforme de gala, con charreteras y botonaduras doradas, muy virilmente ceñido al cuerpo que hubiese querido esculpir Praxíteles, y llevaba la mano que no entrelazaba con su esposa a la empuñadura de un sable que pendía graciosamente de su cintura, embutido en la vaina recamada que casi rozaba el suelo con su contera.

—El sable se lo regalaron sus compañeros de academia —dijo Laura—. Le dijeron que había pertenecido a Churruca, o al menos eso aseguraba el anticuario que se lo vendió. Pero vete tú a saber.

—¿Todavía lo conserva?

El coronel —que por entonces sólo era capitán— miraba el futuro con petulancia impertérrita, con ese aplomo ávido de quienes se sienten colmados para siempre; pero los años habían teñido el retrato con la tristeza sepia de los daguerrotipos. Laura me tomó del brazo y me condujo hasta la habitación donde se agolpaba la biblioteca del coronel; si —como suele afirmarse— los libros que leemos explican los avatares de nuestra biografía, el padre de Laura pertenecía a esa estirpe de hombres que se han propuesto, por lealtad o contrición, una observancia severísima de los mismos hábitos: encuadernados en una piel moteada que no aceptaba intromisiones en rústica se alineaban los volúmenes de Plutarco y Cicerón, Tácito y Tito Livio, Virgilio y Homero, prietos en los anaqueles, como un ejército de dioses penates o vigías del tiempo que habían visto nacer y verían morir sin inmutarse a su propietario, y también a sus herederos, por los siglos de los siglos. Para alguien como yo, que ya empezaba a barruntar mi destino literario, la biblioteca del coronel poseía una fuerza intimidatoria y sagrada; una fuerza que, añadida a la impresión de juventud cercenada que me habían transmitido los retratos de su difunta esposa, empezaba a debilitar aquella animadversión que profesaba a mi rival, o a sustituirla por un sentimiento confuso de fraternidad y envidia. En un ángulo de la biblioteca, dormido de polvo en un paragüero, se hallaba el sable nupcial; el recamado de la vaina se había apagado hasta adquirir ese color tiñoso de la derrota, que se extendía a la empuñadura, como una lepra invasora. La hoja del sable, en cambio, conservaba su temple y su limpieza trémula, como pude comprobar al desenvainarla y blandirla. El acero hacía cosquillas al aire con su sonrisa corva.

—Si te viera mi padre te mataba.

Laura me obligó a envainar otra vez el sable y dejarlo en su jaula de tristeza irredenta, junto a los paraguas que reprimían bostezos, suspirando por la lluvia que los desentumeciera. Me había tomado de la mano (sus dedos entrelazados con los míos, como los de su madre difunta habían entrelazado los del coronel, que era entonces capitán) y me conducía hasta su cuarto, abigarrado de discos que esparcían sus fundas sobre el suelo y presidido por un póster de la película *Lady Halcón*, que acababa de estrenarse. Michelle Pfeiffer y Rutger Hauer eran una pareja de amantes perseguidos por una maldición que impedía la consumación de su idilio: durante el día, ella se metamorfoseaba en un halcón; durante la noche, un lobo suplantaba el cuerpo de él; y sólo en los instantes brevísimos en que rayaba el primer claror del alba o se apagaba el último rescoldo de sol podían vislumbrarse mutuamente en su vera efigie, como criaturas que renovaban la condena de Tántalo, incapaces de probar las manzanas del árbol que hubiese saciado su hambre. Aquellas horas que Laura me regalaba, antes de desaparecer para siempre, también poseían un regusto tantálico: a la parálisis o aturdimiento que golpea al doncel se añadía el dolor anticipado de la pérdida, reprimiendo la pujanza del deseo.

—Vamos, qué haces como un pasmarote.

Se había despojado de la camiseta sin mayores preámbulos y me mostraba sus senos apenas grávidos, apenas púberes, que me miraban, perplejos y un poco bizcos, como cachorros que buscan el cobijo de una mano. En contraste con aquellos senos incipientes, me sorprendió la visión fugaz de sus axilas, como dos nidos oscuros que me golpearon con su deliciosa obscenidad. Nunca había visto hasta entonces a una mujer de sobacos intonsos, y el efecto que me produjo descubrir aquellas manchas en Laura, todavía tan niña en otras circunstancias anatómicas, fue parecido al de una obnubilación. Muchos años después aprendería que este gusto por las axilas sin afeitar lo compartía con los surrealistas; pero entonces aquel descubrimiento me intimidó como un mal presagio.

—Creo que no voy a poder... —me excusé en un susurro.

Al atraerla hacia mí, tomándola de los costados, noté la proximidad tibia de sus sobacos, como erizos de mar que escondiesen, bajo su aspecto hosco, una carne salobre y recóndita como un pecado.

—¿Lo dices en serio? —la voz le brotó magullada—. Ya te he dicho que mi padre no volverá hasta mañana.

—No es sólo eso. —Me resultaba muy penoso expresar con palabras mi tribulación—. Son las fotos de tu madre, y tu partida tan próxima, y tantas cosas... Me sentiría luego como un capullo.

Aunque no me atreviera a manifestarlo, sentía miedo de padecer ese «mal de ausencia» que aquejaba a los caballeros del ciclo artúrico y los hacía perecer de inanición y ensimismamiento, recordando a su «amada enemiga».

—¿Y entonces qué quieres que hagamos?

Se había dejado caer sobre la cama, un poco chafada ante mis vacilaciones. Los senos perdían su relieve, ahogados entre las costillas que se combaban al ritmo de su respiración. Cruzó los brazos detrás de la coronilla, empleándolos a guisa de almohada; entonces volvieron a reclamar mi atención sus sobacos intonsos, feroces e hipnóticos como pozos de hormigas. Volvieron a mi memoria las prédicas de Pérez Vellido:

—Podríamos querernos como hermanos —dije.

Creo que le divirtió mi ocurrencia, porque se quedó en bragas en un santiamén, desprendiéndose a patadas de los pantalones vaqueros, y me incitó a hacer lo propio. Sus nalgas, a diferencia de los senos, ya eran copiosas, ubérrimas como un poema de Rubén Darío; las bragas se le hundían en la raja, dejando al descubierto una franja de piel blanca, superviviente del bronceado veraniego. Aunque la tela apenas calada de las bragas me vedaba su contemplación, deduje, por la falta de sombreado, que el vello púbico aún no le había crecido, o no en la misma medida que el vello de los sobacos, del mismo modo que los senos se habían quedado rezagados en comparación con el culo. Estas asimetrías me complacieron intuitivamente; luego, con los años, he aprendido a detestar esos cuerpos de conjuntada esbeltez que los medios de adoctrinamiento de masas nos venden como modelos canónicos de belleza.

—Quieres decir que nos besemos y acariciemos, sin llegar a corrernos —tradujo Laura al román paladino.

—Más o menos sí —dije, dichoso de que no se burlara de mi pusilanimidad.

—Anda, ven acá, hermanito incestuoso.

Y me atrajo hacia la cama de la que ni siquiera habíamos apartado la colcha, rodeó mi cuello con los brazos y arrimó mi cara a la suya, su cara de párpados rasgados y nariz respingona y labios que pronunciaban porquerías en un susurro de confesionario, embriagándome con su aliento en el que viajaban unas pocas décimas de fiebre, las justas para contagiarme su voluptuosidad. Yo también me desnudé, un poco a trancas y barrancas, hasta quedar en calzoncillos, muy dócilmente trémulo y empalmado. Laura me envolvía con sus muslos, su vientre mórbido se amoldaba al mío, que era escurrido y enteco, y su conversación se iba haciendo asociativa e imprevisible, como emergida de las catacumbas de un sueño, y también la mía, enredada en las dulzuras de aquel preludio tan demoradamente placentero que no requería consumación, o que en sí mismo era una consumación. Y así, trabados con lenguas, brazos, pies y encadenados cual vid que entre el jazmín se va enredando, agotamos la avara suerte de aquellas horas y nos quedamos dormidos, castos y culpables como hermanos que han infringido sin malicia el último tabú.

Desperté sobresaltado por la corneta que entonaba, un poco ratoneramente, el toque de diana. En la habitación de Laura entraba a raudales, a través del ventanal sin persianas, una luz bruñida y fiera que hería como los remordimientos. Procedente del patio del cuartel, se oía un rumor creciente de carreras y órdenes aún carrasposas; por un segundo, pensé que me hallaba en el camarote de un barco que hubiese extraviado su brújula, y confundí el ajetreo del patio con un zafarrancho, y los toques desafinados de la corneta con el vagido de una sirena. Laura, habituada a los estrépitos matutinos del cuartel, ni siquiera se había inmutado; permanecía de espaldas a mí, acurrucada en postura fetal, al otro lado de la cama. Extendí un brazo para acariciar otra vez su piel desnuda, cuyo tacto me quemaba aún en las yemas de los dedos; entonces me tropecé con un objeto que deslindaba nuestros cuerpos. Antes de atreverme a mirarlo, tanteé su afilada delgadez, su temple helado, su sonrisa corva que era a la vez una amenaza y una súplica. El sable del coronel se extendía como una premonición de sangre sobre el lecho; y su hoja me hería antes de rozarme, como una llaga de luz.

Luego, tratando de desandar los peldaños del sueño que aquella noche me condujeron hasta la inconsciencia, en un mullido descenso desde las cúspides de la delicia, rescaté una imagen borrosa, quizá emanada del miedo y la aprensión, antes que de la realidad. Había visto o creído ver al padre de Laura ante el vano de la puerta, recién llegado de sus maniobras, sigiloso como un ladrón que conoce los itinerarios de su crimen. Lo había visto o creído ver ataviado con el mismo uniforme de gala que empleó el día de su boda, con charreteras y botonaduras doradas, muy virilmente ceñido al cuerpo que hubiese querido esculpir Praxíteles; pero en su rostro ya no comparecía aquel joven que miraba el futuro con ese aplomo ávido de quienes se sienten colmados para siempre, sino el hombre castigado de desalientos que contemplaba la traición de su hija como quien se resigna a ceder los privilegios que había ostentado en exclusiva. Había visto o creído ver, entre las brumas del sueño, sus ojos esmaltados de un humillante dolor, unos ojos donde convivían la mansedumbre y la crueldad, quizá apremiados por un caudal de lágrimas que no había vertido desde que se quedara viudo. No lo había visto, en cambio, desenvainar su sable nupcial, para dejarlo, en actitud de acechante reposo, entre su hija y yo, como un remordimiento o un esquivo homenaje; pero la presencia de aquel sable sobre el lecho que había acogido nuestro preludio de amor era el único rastro indubitable de su presencia allí, la única prenda de su cuita. Nunca supe, sin embargo, si aquel sable desnudo era la rúbrica de su derrota o el símbolo de su hostilidad.

Laura y yo jamás nos habíamos referido al suceso del sable. Quizá el coronel, tras constatar mi huida despavorida del cuartel, volvió a la habitación de su hija, para retirarlo de la cama. O quizá Laura, al despertar después de que yo hubiera marchado, lo descubrió sobre la colcha, mirándose en la mañana como un río que se adelgaza entre los juncos, y así supo que su padre había espiado y desaprobado nuestro descanso de hermanos incestuosos. Sea como fuere, nunca aludimos a la aparición del sable como un centinela de nuestro casto pecado, en las escasas ocasiones en que aún coincidimos en nuestra ciudad levítica, antes de que Laura siguiera a su padre en su nuevo e infamante destino de militar oficinista. Y tampoco aludimos a él cuando volvimos a encontrarnos, tantos años después, y decidimos anudar nuestros destinos; de tal modo que el sable del coronel, o su espejismo, siguió interpuesto entre nosotros, envenenando nuestros sueños, afilando nuestros silencios de sobrentendidos, quién sabe si deseoso de abrevar su filo en mi garganta. E incluso cuando hablábamos de su dueño, mi inminente suegro, lo hacíamos mediante circunloquios o perífrasis, como a veces hablamos de los familiares difuntos cuya remembranza aún nos araña con el dolor de la pérdida; y si en el caso de Laura este dolor tímido nacía del temor a disgustarlo con la noticia de su noviazgo (o al menos a pillarlo de sopetón, que es la excusa con que los padres acogen estas noticias, para disimular su disgusto), en el mío nacía de esa rivalidad reluctante que nos provocan otros hombres cuando nos disputan el enterizo amor de la mujer que quisiéramos exclusivamente para nosotros. Pero me estoy refugiando en la perífrasis: quiero decir que tenía celos del coronel. Retroactivos y de los otros.

—¿Celos de mi padre? —Laura se desternillaba—. ¿Y por eso estás tan nervioso?

Nos hallábamos ante el portal de su casa, en el barrio de Salamanca. El coronel se había instalado allí, a su llegada a Madrid, en uno de esos pisos de renta antigua, extensos como palacios de incógnito, que la nueva voracidad especulativa trataba de reconquistar, desalojándolos de sus achacosos inquilinos que ya sólo salían a la calle para comprar el periódico en el quiosco y dejar que el perro caniche exonerase las tripas sobre los alcorques. Laura había vivido bajo su égida hasta un par de años atrás, cuando ganó las oposiciones a bibliotecaria y pudo empezar a pagar el alquiler de un cuchitril en uno de esos bloques repetidos que edificaban en las afueras. Siguió riéndose mientras aguardábamos el ascensor, que tenía algo de catafalco vertical encajado en el hueco de la escalera.

—Sólo te pido una cosa —había sustituido la hilaridad por una repentina adustez—. No le digas que eres el mismo que aquella noche se acostó conmigo en el cuartel.

De nuevo la sombra del sable pendiendo sobre nuestras cabezas, como una tormenta rezagada que no deja de tramarse entre las nubes. El ascensor inició su marcha, después de que Laura se encargara de trabar sus portezuelas de madera estofada; me sentía incómodo como un cura al que sus feligreses se le cuelan dentro del confesionario, por desfachatez o abuso de confianza, mientras le descargan su remesa de pecados.

—No pensaba decírselo, puedes estar segura —dije, algo mosqueado.

—Ya sabes que mi padre está un poco chapado a la antigua. —Laura rió sin alegría, un poco confusamente. Ahora el nerviosismo se había trasladado a ella—. No te pido que le mientas, tan sólo que calles ese asunto. Podría pensarse que somos un par de enfermos obsesivos, que llevamos planeando nuestro noviazgo desde entonces.

El ascensor se detuvo sin amortiguación, como un rinoceronte con hipo.

—¿No será que el enfermo obsesivo es él? —aventuré.

Laura respondió a este acceso de sibilino rencor con una mirada reprobatoria. El propio coronel, que nos aguardaba en el rellano, abrió las portezuelas del ascensor, dejándome con la palabra en la boca. Los años habían hecho mella en él; sus rasgos, que aún conservaban una reminiscencia de apostura patricia, se asemejaban a los de esas efigies de las monedas antiguas troqueladas con primor que, sin embargo, han ido perdiendo relieve en sus contornos, desgastadas por una circulación de décadas y por la avaricia de sus propietarios. Su cabello repudiaba la calvicie, pero a cambio cedía a la invasión de las canas, que tres lustros atrás se concretaban en los aladares y para entonces ya habían extendido su mancha nívea por doquier, quizá un tanto prematuramente, pues el coronel apenas era sexagenario. Atribuí estos avances de la decrepitud al estancamiento que había sufrido su carrera militar, desde que se negara a liquidar el cuartel de nuestra ciudad levítica y fuese relegado a tediosas tareas burocráticas; para entonces ya había sido destinado a la reserva, oprobio mucho más lacerante que la mera jubilación. Y a este retiro anticipado que infamaba su ejecutoria de soldado que sigue defendiendo una concepción de la milicia aprendida en la lectura de los clásicos grecolatinos, se añadía la pérdida reciente de su unigénita, dolorosa como una amputación.

—¿Quién quiere más a su niñita? —dijo, a modo de saludo, con una impúdica familiaridad que me excluía.

Había extendido los brazos, como solía hacer ante la puerta de la escuela, cuando acudía a recoger a una Laura adolescente que no se avergonzaba de sus arrumacos. Tampoco ella se recató de colgarse de su cuello, dejando que el coronel la tomase en volandas y la apretase contra sí, comiéndola a besos. Reparé entonces en que el coronel aún era un hombre membrudo, de esqueleto incólume a los quebrantos de la edad; y reparé asimismo en la jovialidad de sus labios (que seguían besando a Laura y musitándole bromas que sonaban a mis oídos como contraseñas cifradas), y en la expresión vivaz de su mirada, por la que avizoraba un yacimiento de pasiones juveniles que no habían logrado extinguir los infortunios de su biografía. Comenzaba a sentirme incómodo y desplazado, mientras padre e hija celebraban su rencuentro.

—Papá, éste es Alejandro —dijo por fin Laura, cuando ya comenzaba a tornarme invisible.

El coronel se volvió hacia mí con una sonrisa tan cortés como tibia, muy similar a la que habría dispensado a sus superiores cuando le comunicasen su preterición. Iba vestido con un traje de una lana tan bien tramada y cernida que, a su lado, me sentí como un chisgarabís, con mi chaqueta de modernillo botarate, que se me abolsaba en la pechera y me tiraba en las sisas y se desplomaba sobre mis hombros como un saco de arrugada arpillera. El traje del coronel, confeccionado a medida, enguantaba su cuerpo sin adiposidades, entallaba su vientre enjuto y, en general, revelaba la constitución privilegiada de su dueño, a quien la inactividad forzosa no había conseguido derrotar. Antes de tenderme una mano más displicente que hospitalaria, el coronel no se privó de examinar ceñudamente mi indumentaria.

—Laura me ha hablado tanto de usted, y tan efusivamente, que al final me he decidido a leer sus libros.

Su voz incorporaba una dicción nada castrense, quizá entrenada en la recitación de los hexámetros de Virgilio. Era una voz exacta y pulcra, sin concesiones a la altanería o la melifluidad; una voz de barítono que creaba en su derredor un hábil misterio de subyugación. Observé que, cuando dejaba de hablar —era más bien lacónico—, mantenía el escrutinio sobre su interlocutor, para enmudecerlo.

—¡Pues ya tiene mérito! —Laura festejó la graciosa concesión del coronel—. Papá se enorgullece de no leer a sus contemporáneos.

—Schopenhauer se preciaba de no malgastar su tiempo en un libro con menos de cincuenta años de antigüedad —dijo el coronel. Con un ademán litúrgico, nos invitó a precederlo a través del vano de la puerta—. Yo me precio de ser aún más exigente: mis preferencias se detienen en Gibbon.

—Pues tú te lo pierdes —lo amonestó Laura, pellizcándole una mejilla algo apergaminada.

El coronel formuló una breve sonrisa insidiosa:

—No creo que me pierda casi nada. —Aunque lanzó al desgaire este veredicto indiscriminado, supe que era el único comentario que le merecían mis libros. Lo que dijo después sonó a condescendiente palinodia—: Ya me hago una idea leyendo la bazofia que publican los periódicos: escritores de baratillo que no saben hacer la o con un canuto. Claro que, al menos, nuestro amigo Alejandro muestra cierto decoro sintáctico.

Laura le pinzó los costados, buscándole las cosquillas por debajo del traje. Increíblemente, el coronel aceptó con gozo el juego y se volvió, para soltarle una palmada en el culo.

—Pues cuando hablamos por teléfono, bien que lo elogiabas, gruñoncete.

El coronel se encogió de hombros (la chaqueta se encogió con él, como una segunda piel) y me dedicó un gesto de resignada camaradería viril:

—Ya ve cómo las mujeres son incapaces de guardar un secreto. —Luego, volviéndose a Laura, la reprendió—: Acabarás maleando al chico si no reprimes tu entusiasmo. Lo peor que puede ocurrirle a un escritor es que se duerma en los laureles de las lisonjas.

La casa del coronel estaba amueblada sin suntuosidad alguna. Frugal como su inquilino, desembarazada de adornos superfluos, parecía dispuesta con la prevención de quien teme que la ceguera y la artrosis acaben ensañándose con su vigor, convirtiendo cada mesilla o aparador, cada jarrón y fruslería de bazar, en un aflictivo estorbo. Las paredes, mucho más altas que las de la vivienda que yo le había conocido, allá en el cuartel de nuestra ciudad levítica, interrumpían su blancura desangelada con los retratos de la esposa difunta, en un memento que sobrevivía a las mudanzas y a las tentaciones de la desmemoria. El coronel nos había conducido hasta la biblioteca, que perseveraba en su lealtad a los clásicos. Las encuadernaciones en piel moteada esparcían un perfume de aquietada beatitud, mixto de almizcle y curtiduría; arrinconados en uno de los anaqueles más elevados del fondo, mis novelas de lomos descamisados y plebeyos (pero muy abrumados de arrugas, lo que denotaba una lectura nada epidérmica) infringían la solemnidad del lugar. Antes de invitarnos a tomar asiento, el coronel ya había ocupado la butaca que aprovechaba la luz próvida del ventanal, para hacer más placenteras y aseadas sus lecturas; así, vuelto de espaldas a esa luz que le permitía detectar las más fugaces alteraciones de nuestra fisonomía, mientras la suya nos era escamoteada por la penumbra, dejó que nos acomodáramos en el sofá que encaraba las estanterías. Busqué en las esquinas de la habitación el paragüero con el ominoso sable; tras cerciorarme de su ausencia, pude afrontar las inquisiciones del coronel con una actitud menos sojuzgada.

—¿Y para cuándo el feliz acontecimiento? —nos preguntó a quemarropa.

Había cruzado las piernas, en un gesto elástico y circunspecto a un tiempo. La raya de los pantalones se le marcaba como una quilla de elegancia y rectitud; los zapatos, ojivales y lustrosos, parecían esconder en sus suelas los secretos de alguna danza ingrávida, casi levitante.

—Aún no tenemos fecha. —Laura me había cedido la iniciativa—. Pero procuraremos no retrasarlo demasiado.

El coronel asintió apreciativamente; refugiaba en el contraluz su contrariedad.

—Entiendo. ¿Y será una boda por lo civil o por lo criminal?

No entendía a qué se refería. Pero Laura suplió mi estolidez con una carcajada brusca:

—Tú siempre tan malpensado, papá. ¿Es que quieres que Alejandro se vaya de aquí pensando que eres un ogro? —Dejó una mano protectora sobre una de mis rodillas, aquejada de un tembleque que yo creía imperceptible—. No, no nos casamos de penalti; puedes estar tranquilo.

—¿Acaso me he mostrado intranquilo? —dijo—. Por el contrario, me encantaría que pronto tuvieseis descendencia. Nada alegraría más mi vejez que un nieto.

En su alusión a una edad que no había conseguido atraparlo entre sus garras detecté una veta de afectada coquetería. La claridad del ventanal delataba el cabrilleo coruscante de algunas motas de polvo que quizá ya estuviesen hartas de posarse sobre los mismos libros altivos; también encendía los cabellos níveos del coronel, aureolándolos de un prestigio nibelungo.

—Pero los jóvenes de ahora —prosiguió— le tenéis más miedo a la descendencia que a un nublado. A este paso, se os van a atrofiar los órganos reproductores. —Y, como si la observación hubiese sonado indecorosa, o demasiado adulta para las castas orejas de su hija, a quien seguía confundiendo con la niña de antaño, propuso—: Oye, Laura ¿por qué no nos preparas uno de esos tés morunos que tanto le gustan a tu padre? He comprado unos pastelitos que encontrarás en la encimera de la cocina.

Laura opuso una resistencia más ornamental que malhumorada:

—Ya lo ves, Alejandro. Tu futuro suegro quiere hablar contigo de algún asunto de hombres y me manda a la cocina. Lo mismo hacía cuando estábamos viendo una película en la tele y se aproximaba una escena de cama; de repente le entraba una sed espantosa y me pedía que le trajese el agua de la nevera.

Sonreí desgalichadamente, porque la expectativa de quedarme a solas con el coronel me amedrentaba.

—Serás malandrina. —El coronel empleó sin sonrojo este afectuoso insultillo, para rebozarme por los morros mi condición de advenedizo, como el valido exhibe su privanza con el príncipe ante el séquito de sus ganapanes áulicos—. Encima que quiero agasajar a tu novio... A mi futuro yerno, quiero decir.

Laura ya se dirigía a la cocina y no pudo distinguir el aspaviento irónico con que el coronel acompañó esta última apostilla.

—Anda, anda, que tienes más cuento que Calleja... —dijo, internándose en el pasillo.

El coronel se incorporó de la butaca con prontitud de lince. Antes de entornar la puerta de la biblioteca, afligió a Laura con una pullita:

—¿Recuerdas todavía el camino a la cocina? —Y, volviéndose hacia mí, se justificó—. Esta chica es tan olvidadiza...

Midió la biblioteca con zancadas muy aplomadas, hasta situarse debajo del anaquel donde se alineaban mis libros. La luz del ventanal afilaba su perfil y clareaba sus ojos de lento otoño; noté, al fondo de su voz, una sutilísima vibración maligna que demacraba su cordialidad:

—En serio, sus libros me han parecido muy prometedores. —Había algo más que un escrúpulo de cortesía en su perseverante renuncia al tuteo—. Mejorables, por supuesto, pero excelentes a su modo.

Me azoraban sus elogios, tanto o más que sus reticencias:

—¿A su modo? —me atreví a balbucir—. No entiendo...

—A su modo juvenil —se apresuró a aclarar—. Son libros fervorosos, pletóricos de ardor y entusiasmo. Pero los habría redondeado un poso de madurez.

Procuré restar importancia a sus reparos, pero mi respuesta sonó torpemente tensa y beligerante:

—Ese poso de madurez pronto llegará. Laura me ayudará a superarme.

El coronel asintió descreídamente, mientras se masajeaba la mandíbula orgullosa.

—Claro, claro —dijo sin convicción, y enseguida adoptó un tono de lucidez abstraída e impersonal—. Pero no crea que es tan frecuente tropezarse con un escritor de éxito capaz de superarse...

—En realidad mi éxito es muy modesto —traté de interrumpirlo.

—Normalmente, el éxito los empeora. —Se atusó el pelo levantisco de la coronilla. Sus ojos me parecieron, de súbito, más trigueños que otoñales, como si ardiese dentro de ellos una pavesa de secreta cólera—. Los hace acomodaticios y ramplones. Los instala en la pura repetición de una fórmula que se ha revelado provechosa. Ya sabe, la *sacra auri fames* de la que nos hablaba Virgilio. —Hizo una pausa aviesa, regodeándose en su soberbia—. ¿Entiende el latín?

Formuló esta pregunta como al desgaire, sin énfasis; y, sin embargo, esa pretendida naturalidad transmitía desdén, un desdén rayano en el disgusto. Me encomendé a mis dioses penates, para que me evitaran el mal trago de la humillación, pero no se mostraron propicios:

—Sagrada hambre del oro.

Sabía que estaba aventurando una traducción insensata o al menos inexacta, pero no me convenía mostrarme dubitativo.

—Execrable —me corrigió el coronel—. Ahí *sacra* significa execrable y maldita, porque se refiere a una inspiración de los dioses infernales. La execrable avidez del oro. Y a ese peligro se suma otro mucho más temible.

Me miraba de hito en hito, retador e impío, como la esfinge que lanza a la víctima que se dispone a devorar una adivinanza insoluble. No quise prolongar aquella agonía:

—¿Cuál?

—El matrimonio —resumió brutalmente—. El matrimonio lo aburguesará. Un escritor soltero puede sobrevivir con cuatro céntimos, pues no tiene bocas a su cargo; puede encomendarse a una obra exigente y penosa que reclame su entera dedicación, aun sabiendo que la recompensa pecuniaria será magra. A él le bastará con la gratificación moral de la obra bien hecha. —Supe que era aquélla una argumentación premeditada, muy alevosamente premeditada, porque la elección de las palabras respondía a criterios litúrgicos de armonía interna que las hacía muy difíciles de refutar—. Este anhelo de perfección lo sustituye el escritor casado por un afán de allegar las monedas que le permitan llegar con holgura a fin de mes. Incluso con algo más que holgura, porque también hay que contar con los caprichos de la mujer, que espera que la agasajemos con tal anillo o vestido en el aniversario de la boda, y demanda unas vacaciones en un hotel de cuatro estrellas. Si, además, el escritor no tiene atrofiados del todo los órganos reproductores, acaba engendrando una prole, que incorporará nuevas necesidades. Así que el escritor casado acaba eligiendo el atajo de la facilidad: humilla su musa y se entrega al numen mercenario; posterga sus proyectos más ambiciosos y redacta bodrios a troche y moche, para consumo de la plebe.

En su exposición había evitado el enardecimiento. El coronel se amparaba en una gelidez extrañada de sí misma que creaba un simulacro de objetividad. Consciente de que, en su estrategia de acoso e intimidación, había infringido los límites que impone la hospitalidad, desanduvo el trecho que lo separaba de la puerta entornada y se asomó al pasillo:

—¿Te falta mucho, Laura? —preguntó jovialmente, pero la voz se le ahondaba de presentidas soledades.

No se preocupó de escuchar las atareadas excusas de su hija, que se esmeraba por ofrecernos un té moruno en el exacto punto de cocción. El coronel se sentó a mi vera en el sofá, ufano y como engolosinado ante la perspectiva de que se disipasen mis ímpetus nupciales:

—Pero yo no he dicho que vayamos a tener hijos —protesté débilmente—. Y también hay mujeres que son un acicate para el escritor.

—Acicates de su condenación, quizá.

Sus réplicas, taimadas como ataques por sorpresa, embestían contra mis certidumbres y las hacían tambalear. En su cuello dórico, que Laura había heredado, se congregaban ya los primeros avisos de derrumbe, en forma de arrugas y flacideces. Estos signos de insinuada decrepitud alentaron mi defensa, un tanto acoquinada hasta entonces:

—Si Laura supiese lo que piensa de ella...

Aquí el coronel se revolvió, lastimado en sus convicciones más sagradas (o execrables y malditas). Su hostilidad era rasposa como la lija, despojada de falsas zalamerías:

—Oiga, no ponga en mi boca palabras que no he pronunciado. Laura está por encima de esta discusión.

Asentí, contrito y avergonzado. Me esforcé por conducirlo hasta ese oasis de inviolable paz que representaba su hija:

—Antes de conocerla, me sentía agotado y sin alicientes. —En el fondo, me fastidiaba edulcorar mi aversión al coronel con confidencias que sólo servirían para otorgarle ventaja—. Gracias a ella he recuperado la ilusión de escribir.

—¿Quiere decir que se encarga de hacerle el café por las mañanas? ¿Que lo alivia de las servidumbres domésticas?

Sólo una coraza de civilización me impedía enzarzarme con él en una disputa de puños cerrados:

—Quiero decir que me apoya. Y le ruego que no sea tan sarcástico.

Me había esforzado por refrenar la ira que para entonces me anegaba; así y todo, mi ruego había sonado conminatorio y tajante. Se

había rasgado ese último velo de prevenciones que convierte a los rivales en contendientes.

—No se sulfure, Alejandro —dijo el coronel, dedicándome una
sonrisa radiante—. Estamos hablando en términos especulativos. Yo
le expongo lo que considero una regla: el matrimonio es un yugo que
esclaviza al escritor, una rémora que malogra sus anhelos de perfección. Usted sostiene que esa regla admite excepciones, y yo se lo con-
cedo. Sólo que...

Y entonces me miró con ojos donde convivían mansedumbre y
crueldad, ojos esmaltados de un humillante dolor que no se atrevía a
concretar su causa, demasiado turbia o alambicada. Era la misma mirada que yo había creído atisbar, entre las brumas del sueño, aquella
noche en que interpuso su sable nupcial entre Laura y yo. Con una
heladora intuición, supe que me había reconocido.

—¿Qué?

—Sólo que esa excepción que usted defiende es a veces un espejismo que la convivencia conyugal se encarga de desmentir. —De repente, hablaba con una voz rugosa, milenaria como un oráculo que
aún no hubiese sido descifrado—. Ustedes, los escritores, necesitan
aprovisionar su imaginación con... experiencias al límite que el matrimonio no proporciona. —Iba a interrumpirlo, dispuesto a improvisar
un solemne juramento de lealtad a Laura, pero el coronel me lo impidió—. No, no digo que busquen por malignidad o por vicio esa doble
vida. Digo que acaban sucumbiendo porque su oficio incluye una vocación de peligro. Una... querencia por los márgenes.

Había desviado la mirada hacia la biblioteca, como si buscase en
ella la elocuencia que aquilatase sus palabras. De nuevo intenté di-
suadirlo, pero de nuevo volvió a anticiparse:

—Usted me replicará que ese instinto es connatural a cualquier
hombre, y que sin embargo algunos logran reprimirlo —le costaba
enhebrar su discurso; una disnea de remordimientos lo dificultaba—.
Pero ese instinto, en los artistas, se ha hipertrofiado, porque la transgresión es el motor de su arte. Mire, Alejandro, lo que quiero decirle
es que antes de casarse se asegure de que de verdad desea extirpar ese
instinto, aunque su arte se resienta. —Tomó aire dificultosamente,
hasta henchir sus pulmones; luego lo expulsó, como quien evacua un
pecado. Por primera vez, me pareció que la gangrena de una presentida senectud empezaba a incubarse en su organismo—. No soporta-

ría que le hiciese daño a Laura. Le aseguro que no me limitaría a dejar mi sable sobre la cama. Lo abriría en canal desde el ombligo hasta la gorja.

Se miró macbethianamente las palmas de las manos, en cuyas líneas quizá leyese una premonición de sangre. Luego las frotó entre sí, como si se sacudiese el polvo de las supersticiones quirománticas. A Laura se la oía remejer en la cocina; las cucharillas repicaban sobre la loza de los platillos, anunciando que por fin el té moruno estaba listo.

—¿Entendido? —me dijo el coronel, con renovada jovialidad.

Estragado por la truculencia de su amenaza, me limité a mover la cabeza en señal de asentimiento, para que la voz no delatase mi turbación. El té moruno, que Laura traía humeante en una bandeja, llenó la biblioteca de un aroma de zoco, cartaginés y voluptuoso.

—Entonces no se hable más. —El coronel se levantó del sofá sin apoyar las manos para ceder a su hija el sitio que le había usurpado. Se columpiaba de alegría dentro del traje, mientras comunicaba a Laura su beneplácito—: Creo que has acertado en la elección. Alejandro y yo hemos hecho muy buenas migas —aquí buscó mi anuencia con un puchero de venial cinismo—. Pero debes prometerme que vendrás a verme al menos una vez por semana, si no quieres que me ponga celoso.

Laura nos miró a ambos, ligados ya por una camaradería oscura, y soltó una risa descacharrada:

—Vaya, otro que tal. Acabaré emparedada entre tantos celos.

Y volvió a colgarse de su cuello, dejando que el coronel la tomase en volandas y la apretase contra sí, comiéndola a besos. Abismé por pudor la mirada en la tetera, que escondía una infusión de plantas que quizá no hubiese catalogado Linneo; observé que se mecían, acariciadas por la tibieza de la pócima, como esas algas ondulantes que hipnotizan a los suicidas desde el fondo del mar, invitándolos a una danza blanda y placentera como la caricia del amor.

Hasta entonces, en mis relaciones con las mujeres, siempre me había tropezado con el mismo escollo: al poco de estar con ellas, comenzaba a aburrirme y buscaba pretextos para alejarlas de mí. Necesitaba esa separación para que se produjera el reavivamiento de mi deseo de verlas y seguir así representando mi papel de postulante apasionado. La mera expectativa de una vida en común me horrorizaba, pues bastaban esas pocas horas que pasaba en su compañía (a veces, ni siquiera el tránsito de un día para otro) para notar el mordisco del tedio, que nacía, antes que del propio comportamiento de la mujer que me acompañaba, de mis esquemas mentales, demasiado aferrados al tesoro de mi soledad, que tanto me había costado adquirir y del que no estaba dispuesto a desprenderme así como así. Al lado de Laura descubrí enseguida que esos esquemas mentales tan arraigados se tambaleaban; y también que podía convivir días enteros con ella sin que se produjera esa invasión del tedio que en mis tratos con otras mujeres era la señal de alarma que aconsejaba la separación. Así que decidimos encomendar nuestro amor a un experimento de vida en común, que es la prueba de fuego que robustece o calcina para siempre las pasiones, al extirparles su carácter excepcional.

Yo fui el primer sorprendido de que aquello funcionase. En lo esencial, el creador es un egoísta inveterado que concibe los afectos procedentes del mundo exterior como planetas que giran en derredor de su ombligo, o de su obra, que tanto ensimismamiento le reclama. Con Laura aprendí a salir de esta burbuja de narcisismo; y aprendí que el verdadero amor no admite compartimentos ni esclusas. A otras mujeres anteriores les había vedado el paso a los recintos de mi intimidad; en cierto modo, me comportaba con ellas como el anfitrión que abandona a sus invitados en el vestíbulo de la casa, impidiéndoles, por reticencia o descortesía, participar de la vida más reservada que transcurre en las piezas interiores. A la postre, mi relación con ellas languidecía de pura incomodidad, pues por mucho que intentaran brindarme su apoyo y su bálsamo, no acababan de sentirse cómodas en el vestíbulo, que es lugar de paso y hasta antesala de la intemperie, sobre todo cuando descubrimos con desaliento que nuestro anfitrión no piensa dejar que nos instalemos en otra dependencia. Laura quebrantó enseguida mis reservas y penetró hasta la cocina; como, por lo demás, no representaba el tipo de mujer que se amolda benignamente a la tiranía del creador, sino que llegaba con ideas propias, no siempre dúctiles ni sumisas, nuestra convivencia exigió un esfuerzo de adaptación que la hizo más provechosa y fecunda. Algunos de sus esquemas mentales entraron en colisión con los míos, pero como en ambos existía una voluntad, ya que no de deponerlos, sí de hacerlos compatibles y modificarlos a la medida del otro, el choque nunca fue frontal, sino que más bien buscaba esa fricción que lima asperezas hasta lograr un punto de erosión mutua en que cada parte renuncia a sus aristas más esquinadas. Pronto llegué a depender de Laura, de su compañía, de sus palabras, de su mera presencia, hasta extremos que me abochornaban; y así, actos que realizaba por elección propia en soledad (ese tesoro del que ya no me importaba desprenderme) se convirtieron en suplicios si Laura no los complementaba, pues necesitaba comentar con ella hasta las vicisitudes más nimias del día, necesitaba someter a su escrutinio hasta las parcelas más insignificantes de mi existencia para que, contempladas por ella, adquiriesen una dimensión nueva que las redimiese de su mediocridad.

Así que, cuando Laura no estaba a mi lado, me sentía desazonado y contaba los minutos que faltaban hasta que volviéramos a reunirnos. Esta dependencia amainaría luego, pero mientras duró me mantuvo en un estado de entontecimiento; y así, por ejemplo, necesitaba llamarla a cada poco, en las horas que diariamente le ocupaba su trabajo en la Biblioteca Nacional, casi siempre para comunicarle futilidades, por el mero gusto de escuchar su voz. Luego, cuando al fin regresaba, descubría que esas llamadas no habían agotado en absoluto el manantial de confidencias que la demandaban como única destinataria; porque el amor, en sus etapas iniciales, es una cornucopia de palabras que brotan sin tino ni descanso, deseosas de entrelazarse con las palabras también incontinentes de la persona amada. Era placentero glosar con Laura los acontecimientos del día, antes de sucumbir al sueño (y, en aquel estado de curiosidad inquisitiva y excitable que proporciona el amor, cualquier rutina adquiría el relieve de un acontecimiento); pues, para el enamorado, no existe deleite comparable al de derramar su cornucopia de palabras al final de la jornada, mientras el mundo se apaga y viaja hacia la noche, mientras la persona amada escucha su perorata y la interrumpe para deslizar sus comentarios, referidos a impresiones pequeñas, casi desvanecidas en el instante mismo de producirse, sus comentarios seguramente superfluos que, en el encantamiento producido por las palabras y la oscuridad, adquieren el rango de un sortilegio o una oración. Cuando estos deleitosos coloquios no se celebraban (por culpa de algún compromiso que nos separaba, de algún viaje intempestivo que me apartaba de Madrid), me sentía como oprimido por los remordimientos; y las confidencias que había almacenado, al no hallar a su destinataria natural, se agriaban y arrojaban una sombra retrospectiva sobre el día que ya se clausuraba, convirtiéndolo en un día excedente y afrentoso, uno de esos días que no merecen la pena ser vividos.

Laura me devolvió la provincia de la infancia, ese lugar imaginario. Me había instalado en Madrid, abominando de mi ciudad levítica, pero el reencuentro con Laura me congraciaba con aquellos años que yo siempre había rememorado a beneficio de inventario. En cierta ocasión, impremeditadamente, le propuse que viajáramos a nuestra ciudad levítica, como quien propone salir de cena o al cine, sin avisar a nuestros familiares, para pasearnos por sus calles que aún guardarían el eco de nuestros pasos; era esa época del noviazgo en que los actos más insensatos parecen gobernados por una lógica irreprochable. Allá que nos fuimos, en el primer autobús que pillamos, que era ya el último de la jornada; llegamos a la ciudad levítica de noche, en el corazón del invierno, y paseamos por sus calles, que se iban desnudando de gente, como monarcas que vuelven al reino que les había sido usurpado y a cada paso se detienen para apresar el fugitivo deleite de la memoria. Nuestra ciudad levítica parecía desaguarse en dirección al río, allá donde los trasiegos de las gentes quedaban apabullados por el rumor longevo del agua, que nunca es la misma y sin embargo dicta siempre su misma música duradera. Mientras caminaba al lado de Laura, sentí de repente la necesidad de juntarme a ella para siempre, prestándole una costilla de mi espalda incólume. Bajamos hacia el río por calles que tenían un recogimiento de eremitorios, como si se hubieran quedado rezagadas en la intemperie del pasado. La noche tenía una limpieza de puñal húmedo e incruento. Dejamos atrás las iglesias románicas, de piedras que parecían rezumar pecados y secretos (quizá escondiesen las Hostias volátiles que fueron el Santo Grial de nuestra infancia), los conventos de monjas que ya sólo cobijaban cadáveres de monjas, la estatua de Viriato, aquel caudillo lusitano que desafió el poder de Roma, la casona solariega de Augusto Pérez Vellido (siempre una ventana iluminada, en la que seguía asomando su cabezón de sacamantecas o inventor de la guillotina, enfrascado en su grafomanía), los lienzos de la antigua muralla que sirvió de baluarte en un cerco famoso con regicidio incluido. El río bajaba caudaloso como mi sangre, con ese ímpetu que tienen el amor y la muerte. «Quiero amor o la muerte», había escrito con paradójica desesperación el poeta, y creo que yo también quería lo mismo.

Contemplada desde el puente sobre el río, nuestra ciudad levítica parecía sostenida sobre el filo de la nieve. Apoyados en el pretil, abismamos la mirada en aquellas aguas que arrastraban el dolor del mundo, también su tumulto y su furia; los árboles de ambas orillas parecían una guarnición de guerreros que hubiesen salido en cueros a cumplir su tarea de centinelas de la noche. El aire, empenachado con nuestros hálitos, tenía una pureza que casi hacía daño. Los ruidos de la ciudad levítica habían sido definitivamente engullidos por el agua milenaria del río, que casi alcanzaba los aliviaderos del puente y anegaba las riberas a su paso, como si las estuviese bautizando por inmersión. Allá donde se posaban nuestros ojos, escrutando los recovecos de la oscuridad, parecía que el paisaje acabara de ser estrenado. Recordé otros inviernos, amontonados en esa baraja de olvidos que es la memoria, cuando Laura ni siquiera tenía noción de mi amor. Yo había atravesado cientos de veces aquel mismo puente de la mano de mi abuelo, con esa inquietud exaltada del explorador que se atreve a transitar por caminos nunca antes hollados. Dejábamos atrás la ciudad levítica, asomada al río como un acantilado de piedras decrépitas que oteasen los siglos, mientras nuestros pasos nos guiaban hacia esos barrios extremos donde la ciudad se hace campo, donde los edificios pierden altura hasta adquirir esa modestia decente y menesterosa que tienen las casas de los artesanos, esas casas sin otro tesoro que el escurridizo calor humano. Recordé que, durante aquellos paseos infantiles con mi abuelo, la noche se nos echaba encima como un ladrón furtivo, y con ella una niebla de consistencia casi arácnida que parecía crecer sobre el río, enredándose entre los juncos y los carrizos de ambas orillas, dejando sus guedejas entre las ramas de los árboles, ascendiendo lentamente como un espectro hasta asaltar las murallas de la ciudad e inmiscuirse en la piedra de las iglesias románicas, que poco a poco se irían desmigajando, hasta quedar reducidas a escombros.

Mientras invocaba aquellas impresiones de la infancia, la niebla había empezado a emerger del río, como un homenaje a la memoria, borrando los contornos de las riberas. En apenas unos minutos el paisaje quedó tapizado de aquella difuminación que le transmitía una especie de belleza clandestina y andrajosa. La niebla no tardó en volver a trepar hasta los lienzos de muralla que aún sobrevivían al acoso de los siglos y en anegar las casas de nuestra ciudad levítica. De repente, ya no había sobre el mundo otra luz que la de aquellas estrellas, una luz lustral que nos lavaba por dentro y nos infundía el deseo de proclamar nuestros esponsales. Miré largamente a Laura, miré su perfil de camafeo y su nariz respingona y sus ojos absortos (o quizá solamente miopes) y su boca ocupada por una respiración que empezaba a ser premiosa, como la mía, y ambas buscaban fundirse en una sola.

Paseamos durante toda la noche, cruzándonos muy pocas palabras, y volvimos a Madrid en el primer autobús, desvelados y ateridos, cuando apenas rayaba el alba. A veces, el peligroso orden lógico, tan encizañador, trataba de persuadirme de que nunca habían ocurrido aquellos episodios que Laura y yo invocábamos en nuestros coloquios amorosos, cuando nuestras bocas se convertían en cornucopias de palabras para despertar un mundo de sensaciones que creíamos dormidas y que, de repente, anegaban nuestro pasado de una vibración íntima y preciosa. Y entonces, en esos momentos en que el orden lógico me instilaba su veneno, llegaba a pensar que jamás habían ocurrido nuestras expediciones nocturnas en pos de las Hostias volátiles, que jamás habíamos escuchado las prédicas de Augusto Pérez Vellido, que jamás nos habíamos acostado en el cuartel abandonado por la tropa, cuando Laura y yo nos quisimos como hermanos y el coronel interpuso entre nuestros cuerpos desnudos y desprevenidos su sable nupcial, como una premonición de sangre. Y entonces, atrapado en esa maraña de desconciertos en que lo vivido y lo inventado forman una mixtura inextricable, llegaba a pensar que nuestra ciudad levítica nunca había existido, o no al menos como yo la recordaba, que se trataba de una geografía utópica, ni más ni menos ficticia que esos países imaginarios que Bruno recolectaba en sus navegaciones por internet.

Pero enseguida espantaba estos pensamientos nocivos y volvía a creer en la verdad de ese ámbito mítico que entre Laura y yo mismo habíamos creado, para atizar y renovar nuestros deseos con el combustible fecundo de la fantasía. Ese ámbito mítico hacía más resistente nuestro amor, más acendrado e invulnerable. Pero la vida invisible excava pasadizos que desmoronan cualquier apariencia de invulnerabilidad. Tuve que viajar a Chicago para descubrirlo.

LIBRO TERCERO

LA VIDA INVISIBLE

Tom Chambers había ordenado el material de las cajas con esa suerte de meticulosidad que los filatélicos destinan a su colección de sellos, con ese regodeo que los pecadores reincidentes emplean para enumerar sus pecados, un segundo antes de volver a tropezar —compungidos y arrogantes a un tiempo, pues se sienten esclavos y príncipes de su fatalidad— en la misma piedra. Durante más de veinte años había atesorado cualquier vestigio o reliquia que se refiriese a Fanny Riffel y, para que su tesoro no adoptase la apariencia de un caótico batiburrillo, se había preocupado de adherir a cada pieza una etiqueta que especificaba su procedencia, la fecha de su hallazgo o adquisición, y hasta apostillas en las que Chambers se preocupaba de vincular dicha pieza con otras coetáneas o de similar naturaleza, hasta tejer una urdimbre obsesiva de remisiones y referencias. Había incluido en cada caja, además, una lista a modo de inventario en la que se detallaba su contenido heterogéneo, de tal manera que cualquier curioso que se asomara a ellas, por muy lerdo o distraído que fuese, pudiera casi instantáneamente hacerse una idea de lo que allí dentro iba a encontrar. Tanto afán catalogador delataba que Chambers había previsto desde un principio que su tesoro (que era también el testimonio de una laboriosa expiación) fuese examinado por unos ojos distintos a los suyos, hurgado por unas manos distintas a las suyas, descifrado por una zozobra y un creciente pavor que no fuesen los suyos. Quizá así, cargando sobre la conciencia de otro la culpa que lo había devorado secretamente durante décadas, estuviese acatando el requisito de publicidad que exigen las penitencias más rigurosas. Quizá, como el suicida que antes de agujerearse la sien redacta una carta reclamando comprensión, buscase un alivio tardío, casi póstumo, a sus tormentos. Está por demostrar que el penitente o el suicida hallen redención al exponer sus tribulaciones; en cambio, está demostrado que los destinatarios de esas tribulaciones ya nunca logran desasirse de su perdurable contagio.

En las cajas que Chambers me había legado se amontonaban los calendarios de época y las revistas sicalípticas, las fotografías pudibundas o escabrosas y los cortometrajes de ocho milímetros que Klaus Thalberg filmaba en el sótano de su tienda, trasladados a soporte videográfico. En sus poses, tan calculadamente espontáneas, Fanny Riffel siempre mostraba la misma sonrisa convulsiva e ingenua, no importaba que la sesión tuviese lugar a la orilla de un lago, alumbrada de un sol que incitaba a solazarse, o a la luz avara de un tabuco en el que apenas tenía espacio para improvisar un baile. Parecía como si las circunstancias externas no hiciesen mella en su actitud; como si la sordidez o la cursilería con que sus retratistas deseaban adornarla ni siquiera la rozasen. Supuse que, del mismo modo que aquellas fotografías mostraban escenarios cambiantes y atuendos variopintos (pero invariablemente exiguos), la propia Fanny también habría ejercido de modelo bajo estados de ánimo muy diversos, de la exultación al desaliento, discurriendo por los plurales territorios del tedio. Pero ninguno de estos paisajes interiores asomaba a su rostro, ni siquiera el disculpable cansancio, de tal modo que la mujer que comparecía era siempre la misma, adornada de esa especie de distinción plebeya que le permitía mostrarse ante la cámara altanera u obediente, pizpireta o atolondrada, según conviniese a la situación.

También abundaban, entre el material recolectado por Chambers, recortes y fotocopias de circulación multitudinaria o marginal en los que se aventuraban hipótesis, cada cual más chiflada, sobre las razones de su desaparición en 1957, tras la cruzada puritana emprendida por el senador Kafauver. Las conjeturas, al principio constreñidas a la teoría del suicidio o la conversión religiosa, se hacían más conspirato-

rias y alambicadas a medida que pasaban los años y la figura de
Fanny Riffel se disolvía entre las brumas de la irrealidad: secuestros
con participación de agentes federales y complicidad gubernativa, fa-
llecimientos seguidos de criogenización y hasta abducciones extrate-
rrestres se barajaban, en extravagante promiscuidad, con otras pro-
puestas más irónicas o menos infractoras del sentido común, según
las cuales Fanny Riffel se habría enterrado en vida, siguiendo el ejemplo de Greta Garbo, para evitar que sus admiradores presenciaran los
avances de la decrepitud en el cuerpo idolatrado. Tampoco faltaba
quien, cínicamente, aventuraba que su desaparición se trataba de una
argucia publicitaria urdida por la propia Fanny, que acabaría vendiendo la exclusiva de su regreso al canal televisivo que más generosamente tasase sus emolumentos. Esta morralla de chismorreos y es-
peculaciones y charlatanerías ociosas había aumentado en progresión
geométrica e inverosimilitud durante la última década, coincidiendo
con el *revival* que quiso convertir a Fanny Riffel en musa de la transgresión; a juzgar por los comentarios que les dedicaba (su letra arrebatada o colérica se apretaba en los márgenes de los recortes), se
notaba en Chambers cierto orgullo engreído, por ser el único depositario de la verdad, el único guardián del secreto.

Leer desganadamente aquellos artículos erráticos, como hojear las
revistas o calendarios que mostraban el esplendor pretérito de Fanny
Riffel, fueron tareas más o menos llevaderas; más oneroso me resultó
escuchar las cintas magnetofónicas que registraban sus conversaciones con el celador Chambers, durante los veinte años en que coinci-
dieron entre las paredes del Hospital (o manicomio) Chicago-Read.
Eran apenas un centenar de cintas, de una hora de duración cada
una; deduje que Chambers habría hecho una purga de las grabaciones más divagatorias o redundantes o ininteligibles, para cederme
aquéllas en que Fanny Riffel se mostraba más lúcida o locuaz (si es
que lucidez y locuacidad no se anulan entre sí), más ceñidas a los pasajes escamoteados de su biografía, a esas parcelas de vida invisible
que habían desembocado en el crimen. Si diferí durante algunos días
la ingrata tarea de escuchar aquellas cintas (cada una con su etiqueta
correspondiente, en la que Chambers señalaba la fecha de la grabación y los asuntos dispersos o recurrentes sobre los que Fanny había
monologado), no fue tanto porque me abrumara su número como
por la aprensión que me producía expoliar aquellos ámbitos de confi-

dencialidad. Me sentía como un profanador de tumbas que, al levantar la tapadera de un féretro, se tropieza con un hervidero de gusanos glotones pululando sobre la carne del cadáver; como un obsceno mirón que se inmiscuye en la intimidad ajena para presenciar escenas de lubricidad aberrante, abyecciones cuya existencia hubiese preferido no conocer. Me humilla reconocerlo: a la postre, la enfermiza curiosidad pudo más que el escrúpulo y me asomé a ese hervidero de gusanos que tanto me repelía y subyugaba.

¿Cómo describir la voz de Fanny Riffel? Los cortometrajes que había protagonizado para Klaus Thalberg eran invariablemente mudos, y no se conservaba ningún registro acústico de sus declaraciones ante el comité de senadores que dictaminó su reprobación social. Tampoco cuando alcancé a verla fugazmente en Evanston, alargando sus brazos a través de los barrotes de una verja, para aferrarse a las manos que Chambers le tendía, mientras una nube de enfermeras y empleados de la residencia Mather Gardens pugnaban por separarlos, había podido escuchar más allá de un murmullo desangrado de sollozos, muy similar al gañido de un perrillo apaleado y afónico. Había, desde luego, jugado a imaginarme su voz: en los cortometrajes de fetichismo y *bondage* que protagonizó para Klaus Thalberg, mientras se contoneaba al compás de una música inaudible o torturaba de mentirijillas a otra modelo que desempeñaba el papel de sumisa o se dejaba azotar en el culo con una palmeta o almohaza, Fanny Riffel solía volver el rostro hacia la cámara, para pronunciar palabras o meras interjecciones que sin duda los pajoleros que se excitaban con aquellas pantomimas entenderían al fijarse en el movimiento de sus labios, pues Fanny exageraba hasta la caricatura la articulación de cada sílaba. Yo mismo había llegado a descifrar alguna de aquellas palabras sin sonido, tan impúdicas como mojigatas, entre las que se repetía mucho «pompis» *(buns* en el original, arrastrando las letras hasta convertirlas en un gemidito) y «tarrito de miel» *(little honey-pot,* expresión que deslizaba con afectado escándalo, como si ella misma se asustase de su procacidad ñoña), junto a onomatopeyas que exageraban la contundencia de una bofetada o el chasquido de un latigazo (pero latigazos y bofetadas eran siempre fingidos, como los revolcones y tropiezos del cine cómico). Y al descifrar aquellas palabras y onomatopeyas, siempre enmarcadas por unos labios de ingenua lascivia, siempre humedecidas por una lengua que deleitosamente se combaba y retorcía con estrategias ofidias, me había figurado el timbre de su voz entre zalamero y pueblerino, con ese punto de ronroneo quejicoso que los niños ensayan en sus pucheros y esa dicción un poco campesina que, en su esfuerzo por no resultar chabacana, incurre en pulcritudes de la pronunciación que dan risa (al estilo del español que dice *bacalado* y *Bilbado*). No negaré que en esta voz imaginada que había adjudicado a Fanny interferían mis apetencias menos confesables pues, como tantos otros hombres, siempre he considerado erotizante la vulgaridad avergonzada de sí misma.

Pero la voz que brotaba de aquellas cintas refutaba mis figuraciones. Era una voz envuelta en una mortaja de postración, fúnebre y áspera a un tiempo (pero de una aspereza calcinada que se abismaba en el bisbiseo, como si no encontrara aire para subsistir), que a ratos se derrumbaba en la somnolencia y a ratos se hacía fluvial, un curso de agua exangüe que envolvía con mil y un meandros las geografías del horror. En sus merodeos sin rumbo, la voz de Fanny Riffel a veces se enredaba en el ensimismamiento (y entonces el silencio registrado por la grabadora, perturbado por la cadencia laboriosa de su respiración, me amedrentaba) y a veces se emborrachaba de sí misma, de su letanía malherida, hasta embarullarse en una logomaquia de palabras sin sentido, palabras desatadas de todo vínculo racional que caían rodando por una cuesta muy pronunciada, desgarrándose entre los abrojos del recuerdo, magullándose a cada vuelco hasta extraviarse en una lejanía alucinatoria (y, entonces, este caudal sonoro que había extraviado la brújula me amedrentaba todavía más). No era la voz de una anciana, aunque la perjudicase esa rugosa lasitud que asalta a los viejos en mitad de su discurso, haciéndoles perder el hilo de lo que pretenden explicar; tampoco era la voz de una demente, aunque muy a menudo se infiltrara de salmodias o estribillos de súbita incongruencia, aunque muy a menudo se estrangulara de risas intempestivas o se encendiera de accesos de furia. Era más bien la voz de una cataléptica que aún conserva el acento de ultratumba, esa morosidad sonámbula de quien ya no se siente impedida por el paso del tiempo porque se cree muerta. Era la voz mutilada de alguien que vive dentro de un rompecabezas, con la personalidad escindida y desbaratada en mil añicos: a veces, las piezas de esa personalidad fragmentaria casaban entre sí, y sus palabras se entrelazaban, como asombradas de su propia clarividencia; a veces, no encontraban los puntos de sutura que hubiesen ensamblado su monólogo, y se desgajaban del mundo sensible, se deslizaban en un caos que prescindía de la sintaxis y chapoteaban en las ciénagas del lenguaje automático. Aunque apenas hablaba, Chambers intervenía entonces, tratando de sosegar a Fanny, y la acariciaba con una mano indulgente, o la rodeaba en un abrazo que sofocaba sus espasmos, y le susurraba: «Perdóname, mi amor, mi niña. Perdona todo el mal que te he hecho». Y quizá la besaba, quizá la tomaba en brazos y la depositaba en sus rodillas, meciéndola y aquietándola; esto último no puedo asegurarlo, porque la grabación se cortaba, o saltaba abruptamente a otro monólogo de Fanny sin ilación con el anterior. Y aunque las grabaciones cercenadas sólo me permiten aventurar conjeturas sobre lo que realmente sucedía en esos lapsos que Chambers y Fanny se reservaban para la más recóndita intimidad, no creo que hiciesen otra cosa sino mirarse embelesados —como se habían mirado ante mi presencia en Evanston, separados por los barrotes de una verja—, igual que amantes condenados a destruirse y redimirse recíprocamente en una ceremonia de depredación, como amantes enviscados por el azar, esa cinta atrapamoscas que disfruta fundiendo a sus víctimas en una misma agonía.

La primera audición de las cintas sólo me sirvió para franquear esa línea de sombra tras la que se avecinan los monstruos —a veces rampantes y a veces agazapados, a veces hambrientos y a veces ahítos— que pueblan una mente enferma. Fue una expedición de reconocimiento que me produjo más confusión que fatiga, más perplejidad que espanto. Tuve que enfrascarme en una segunda, y hasta en una tercera audición para que ese desconcierto se transformase en una creciente angustia: tras el inicial tanteo, tocaba ahora zambullirse en una gruta inundada de un agua turbia, abisal, quién sabe si ponzoñosa. Mientras duraba esa inmersión, y aun en las horas contiguas en que su recuerdo permanecía adherido a mi piel como una caricia pútrida, sentía algo parecido a la asfixia, una impresión de agotamiento interior, como si cada uno de los episodios que Fanny Riffel hilvanaba entre digresiones y exorcismos y delirios lanzase una dentellada a mi cordura. Deslindar esos episodios huidizos del fango de alucinaciones que los sepultaba requería un esfuerzo de temeridad: era como hundir la mano en un nido de áspides para rescatar la presa que se disputan; y puesto que el miedo, o la náusea, me obligaban a realizar este ejercicio de salvamento un poco premiosamente y a ciegas, solía llevarme alguna mordedura de refilón, o bien alguna de esas serpientes de desvarío se deslizaba dentro de mí. Creo que acabé inmunizándome contra su veneno.

Hacia el final del verano de 1959, Fanny Riffel ya apenas paraba por su apartamento, en la confluencia de LaSalle y Elm Street, temerosa de que su perseguidor telefónico la sobresaltara con nuevas peticiones o exigencias. Consumía los días deambulando por los arrabales de Chicago hasta que el agotamiento se imponía como una anestesia; el andén de una estación ferroviaria, el zaguán de un almacén abandonado, el cobertizo de una cochera, cualquier lugar con un remedo de techo que le evitase despertar calada le servía para pernoctar. Una costra de mugre y taciturnidad borró los últimos vestigios de la *pin-up* que aún sobrevivían en sus facciones. Como no se preocupaba de escabullirse al paso de los coches policiales (ni siquiera los veía venir, porque su existencia ya discurría por los páramos de la vida invisible), tuvo que resignarse, durante las primeras semanas, a que la condujesen hasta la comisaría más próxima; de allí, tras interrogatorios a los que siempre respondía con idéntico mutismo, la trasladaban a un albergue de caridad. Pronto entendieron que era el suyo un caso sin remedio, y cuando se cruzaban con ella en cualquier callejón atestado de cubos de basura (había aprendido los itinerarios de los gatos, para compartir sus pitanzas), pasaban de largo, al principio aminorando la velocidad y con un gesto de lástima, luego sin inmutar el semblante, sin llevar el pie al pedal del freno, como si se hubiese vuelto transparente. También logró, a fuerza de atrincherarse en el silencio, que los otros mendigos o vagabundos o inquilinos de la intemperie que le abrían un hueco en torno a sus fogatas se abstuvieran de hacerle preguntas; cuantas veces intentaron abusar de ella no opuso ninguna resistencia, pues había dejado de considerarse propietaria de su cuerpo, tan desvalijado ya por la lujuria contemplativa de miles de hombres anónimos. Pero cuando el violador de turno se abalanzaba sobre ella y le vomitaba su aliento entrecortado y la miraba a los ojos zarcos, de un azul mineral y ausente, codicioso de descubrir en ellos el temblor helado del miedo, el desorbitado asombro y la emergente rabia, el asco y el llanto fundidos en una misma aleación (porque sin estos acicates el violador siente que su ímpetu desfallece, siente que su víctima no sufre, y ante la ausencia de sufrimiento ajeno su presentido goce se disipa); cuando el violador de turno se topaba con aquellos ojos que no se resistían ni acataban, que no se ablandaban de lágrimas ni pestañeaban, que no dimitían de su fijeza funeral ni perturbaban su lejanísima impiedad de piedras fósiles, entonces el deseo que ya se había retraído en su guarida era suplantado por una certeza que le obligaba a huir despavorido. Por aquellos ojos de un azul indemne miraba la muerte, en aquellos ojos inmóviles como un estanque vivía el frío de la tumba.

Impulsada quizá por el anhelo de que esa inquilina de su mirada acortase sus días, Fanny Riffel solía alargar sus paseos hasta la confluencia de North Milwaukee y Bloomingdale, donde meses atrás había acudido, para satisfacer la última petición (la última exigencia) inmunda de su perseguidor telefónico. Albergaba la esperanza de que el pervertido que la había obligado a envilecerse, amenazándola con entregar a los agentes federales fotografías para las que ni siquiera recordaba haber posado, viviese por los alrededores. Albergaba la esperanza de que, tras haberla llamado infructuosamente durante los últimos meses, hubiese acumulado contra ella la ira y el despecho suficientes para infringir su cobardía emboscada y asaltarla en plena calle. Albergaba la esperanza de que por fin se decidiese a violarla sobre un lecho de escombros (Fanny aflojaría de buen grado los párpados, para evitar que su mirada azul entorpeciera su propósito) y, tras el desahogo, la degollara de un tajo limpio (tampoco le importaba, incluso prefería, que la degollara antes de desahogarse), dejando que la sangre abandonara pacíficamente sus conductos, como una marea mansa que la inundara de beatitud. Pero ya sabemos que el adolescente Chambers había renegado del psicópata que durante una temporada había acampado dentro de él y se esforzaba vanamente por recluir su vileza en ese desván de contrición donde guardamos los pecados juveniles. Ni por lo más remoto se le hubiese ocurrido regresar al escenario de su última fechoría.

Así que Fanny merodeaba aquellos parajes donde la ciudad se manchaba de hollín y herrumbre sin tropezarse con el ejecutor que habría podido abreviar su condena. Estaba tan débil y famélica que la simple trepidación de los trenes deslizándose sobre las armazones metálicas bastaba para hacerla trastabillar. Buscaba entonces el arrimo de las tapias que los gatos habían colonizado y, despatarrada sobre el suelo, se alzaba la falda (o sus andrajos) e increpaba a su invisible perseguidor, lo retaba a consumar su faena, intentaba atraerlo utilizando como reclamo las contorsiones lúbricas que tantas veces había ejecutado ante una cámara. Los cascotes y abrojos lastimaban sus muslos, arañaban su vientre que en otro tiempo había copiado la luna, la menguante o creciente luna que miraba con pálida piedad, tras la veladura de las nubes, el espectáculo de su degradación. Un viento helado que parecía viajar a rebufo de los trenes soplaba sobre Fanny, arrastrando sus palabras indecentes o desesperadas hasta los confines de la noche; y en su tremolina le acercaba hojas de periódico y cartones descabalados que servían a Fanny para improvisar un lecho sobre los escombros. Dormir al sereno se fue haciendo más y más penoso a medida que avanzaba el invierno, incluso para su carne entumecida por las ansias de la muerte; más de una noche dejó Fanny que la nieve la cubriera con su mortaja, entretenida en la contemplación de aquellos copos que descendían sobre su cuerpo como escupitajos ingrávidos, pero el frío, que al principio anestesiaba su cansancio, la abrasaba con un dolor vivísimo cuando se inmiscuía hasta la médula de los huesos. Entonces Fanny tenía que apartar de un empellón las hojas de periódico que empleaba como sábanas y sacudirse la piel inflamada de sabañones.

La nieve la perseguía mientras trataba de espantar aquel dolor que le coagulaba la sangre, la misma sangre que de buen grado habría ofrecido en sacrificio al puñal que la hubiese liberado de sus conductos. Intentaba correr, pero descubría que las articulaciones no respondían al mandato de supervivencia que les dirigía; y así, sostenida a duras penas por aquellos dos apéndices de corcho que no reconocía como propios, caminaba, se arrastraba casi, cegada por la tupida nieve que a veces, cuando el viento arreciaba, se hacía cellisca. Había extraviado por completo el sentido de la orientación (quizá hubiese extraviado todos los sentidos, salvo el del dolor), de tal modo que encontrar refugio se convertía cada noche en una renovada odisea que la empujaba por calles nunca antes exploradas, o exploradas mil veces, pero ya fundidas en una misma maraña inhóspita. Cualquier chiscón o portal lóbrego le bastaba, cualquier fábrica clausurada que abriese siquiera una compuerta o escotillón por el que poder deslizarse. Siempre había tenido la impresión de moverse por un vecindario deshabitado, sin detenerse a pensar que sus pobladores podían haberse vuelto invisibles, como ella se había vuelto invisible para los transeúntes que ya no le prestaban auxilio cuando pasaban a su lado. Por eso le sorprendió tanto vislumbrar una noche, victoriosa entre la cortina de nieve que borraba los contornos de los edificios, una cruz de neón. Emitía un zumbido o chisporroteo poco tranquilizador, pero Fanny espantó los malos augurios y avanzó hacia su luz, que era de una blancura como de leche agriada. Se había agitado en ella aquel dormido fervor religioso que ya la acompañase en su vida anterior, desde que la rodilla tronzada mientras rodaba una película para Klaus Thalberg sanara milagrosamente; el mismo fervor religioso que la había impulsado a purgar sus pecados, repartiendo folletos y revistas del Moody Bible Institute en Lincoln Park hasta que una pandilla de gamberros entre los que se hallaba el adolescente Chambers la identificara con aquella «Reina de las Curvas» que extendió una epidemia de pecados contra el sexto mandamiento por todo el país. Quizá, al descubrir que la cruz de neón se erguía sobre la fachada de una iglesia baptista, recordó su infancia desnutrida en Chillicothe, allá por los años de la Depresión, cuando su madre asaltaba al anciano pastor de la localidad para mendigarle una moneda de diez centavos. El pastor siempre se rascaba el bolsillo, aunque su traje raído y demasiado holgado denunciase que él también necesitaba el dinero para renovar el vestuario o llenar el buche. A través de la puerta mal encajada en el quicio se colaba un calor de estufa eléctrica y feligresía apiñada; también la voz un poco descoyuntada y arisca del predicador, que en ese momento leía o recitaba de memoria un fragmento del Apocalipsis:

—Entonces se trabó batalla grande en el cielo: Miguel y sus ángeles lidiaban contra el dragón, y el dragón y sus ángeles lidiaban contra él; pero éstos fueron los más débiles y no quedó ya para ellos lugar en el cielo. Así fue abatido aquel dragón grande, la antigua serpiente que se llama Diablo y Satanás, que anda engañando a toda la redondez de la Tierra; y sus ángeles fueron con él precipitados.

Fanny empujó la puerta muy cautelosamente, para que su entrada pasase desapercibida, y buscó asiento en las últimas filas de bancos; notó que los fieles, apenas olfatearon el olor rancio que desprendían sus ropas (la nieve ya derretida, al mojarlas, lo agravaba y hacía más pestífero), se apartaron sin recato de su proximidad, frunciendo el morro en un mohín de ofendido asco. El predicador, que había reparado en la maniobra de los fieles desde el púlpito, miró inquisitivamente a Fanny, como si entre las circunstancias de su rostro —tan erosionadas de vigilias, tan heridas de excoriaciones, tan adelgazadas y costrosas— hubiese descubierto algún rasgo familiar. Pero ese amago de reminiscencia, que alteró su semblante de un modo sólo perceptible para Fanny, no interrumpió su sermón, que ya habría repetido cientos de veces:

—¡Que anda engañando a toda la redondez de la Tierra! —bramó, iluminado él también, como la batalla que acababa de describir, de un resplandor luciferino. Aunque era de complexión más bien enjuta, el ardor oratorio le trepaba al rostro, como la sombra de una apoplejía—. ¡Ay de quienes creen en Dios y no en el Diablo! ¿Es que no os dais cuenta de que es el propio Satanás quien os inspira esa contradicción? ¡Cada vez que lo negáis os estáis incorporando a su maligna causa! ¡Sí, queridos hermanos, negar al Diablo es la forma más perfecta de devoción satánica! ¡Y no penséis, incautos, que Satanás y sus ángeles caídos permanecen confinados en el Infierno! ¡Su jurisdicción se extiende a toda la redondez de la Tierra! Recordad lo que uno de ellos respondió a Jesucristo Nuestro Señor cuando le preguntó cómo se llamaba: «Mi nombre es legión». Y como legión infinita que son están repartidos por doquier, viviendo entre nosotros, instigándonos con sus maldades y abominaciones, para que así nos condenemos hasta la eternidad. ¡Hasta la eternidad, hermanos!

Su mirada parecía haberse asomado a ese pozo sin fondo donde los castigos pierden su cómputo. El predicador era un hombre de facciones demacradas por la abstinencia, frente ancha y pálida a la que se asomaba un sudorcillo que era como la supuración de un remordimiento, y voz cavernosa. Se llamaba Paul Burkett y rondaría la cuarentena. Su vocación había nacido algo tardíamente, diez años atrás, mientras escuchaba a un joven pastor llamado Billy Graham, que se había propuesto renovar la fe de los americanos en giras por las principales ciudades del país ante auditorios que llenaban, enfervorizados y dóciles, los graderíos de los estadios de béisbol. Estas cruzadas evangélicas de Billy Graham, que tanto revuelo y tanto frenesí de conversiones habían desatado, fueron seguidas muy atentamente por Burkett, que así descubrió el poder subyugador de la palabra; conjeturó que, con la debida preparación, él también podría apacentar multitudes, redimiéndose así del anonimato en el que languidecía. Aprovechando las muchas horas de inactividad que le dejaba su trabajo de gasolinero en una carretera comarcal al sur de Illinois, empezó a leer las Escrituras con intención nemotécnica. Había observado que las prédicas de Billy Graham se sustentaban sobre la glosa de citas bíblicas, que servía de preámbulo a diatribas en las que, con un tono mitad agrio y mitad reparador, llamaba al arrepentimiento de los pecados. Siempre había en estas asambleas de conversión espontáneos (o quizá fuesen actores avisados, como suele ocurrir en las sesiones de hipnosis) que, poseídos por la histeria, confesaban públicamente sus faltas, jaleados por la concurrencia. Billy Graham manejaba con una sabiduría sin igual las pulsiones exhibicionistas de la plebe, su latente y malsano masoquismo, sus necesidades catárticas y flageladoras. No se le escapaba a Burkett que el éxito de aquellas cruzadas evangélicas reposaba, en una medida nada exigua, sobre el carisma y la apostura personales de Billy Graham, prendas que a él no le asistían; decidió, pues, que habría de disimular estas carencias entenebreciendo su discurso. Porque había un extremo que el gasolinero Burkett tenía muy claro: el converso desea ser zaherido y vilipendiado, desea que se le atemorice con visiones escatológicas, desea sentir las llamas socarradoras del infierno, como lenguas que hurgan entre sus remordimientos. Esta impresión la corroboraría luego, en sus prédicas trashumantes. Cada vez que elegía como asunto los pasajes del Evangelio que nos hablan de la misericordia divina, de la misión de caridad y perdón que todo cristiano debe emprender, notaba que el interés de los fieles decaía, notaba que reprimían los bostezos y que apenas lo secundaban en sus plegarias; en cambio, cuando los fustigaba con denuestos y amenazas de condenación, cuando les pintaba con chafarrinones de sangre y azufre la condena perpetua que aguardaba a los réprobos y escarbaba en la llaga de sus vicios, complaciéndose en el ensañamiento, se enardecían y galvanizaban y, a la hora de la colecta, desembuchaban más generosamente las monedillas que le garantizaban el sustento. Y es que los hombres no necesitan tanto la esperanza como el miedo para sentirse vivos.

—Jamás había conocido el Diablo una apoteosis semejante a la de nuestro tiempo —proseguía el predicador Burkett; su voz se hacía más jadeante y febril—. Ha conseguido que los hombres fabriquen máquinas y aparatos que imitan el milagro. Ha logrado, incluso, abolir aquella maldición que Dios arrojó sobre nuestros primeros padres, al expulsarlos del Edén. ¡Ahora hay hombres que se ganan el pan sin el sudor de su frente y mujeres que paren hijos sin dolor! Ha elevado una nueva Torre de Babel y ha liberado al hombre de toda servidumbre de la naturaleza: las plagas de Egipto ya no nos amedrentan. ¡Ha hecho de nosotros monstruos de soberbia que se creen todopoderosos! ¡Pero nunca los hombres han sido más débiles! ¡Nunca han estado tan expuestos como hoy a las asechanzas de Lucifer!

Entre la concurrencia se empezaban a oír murmullos de asentimiento y contrición. Un fiel dijo con voz feble:

—Que Dios nos proteja.

Y enseguida, como una marea penitente y confortadora a la que también se sumó Fanny, la feligresía se incorporó a la súplica:

—¡Sí! ¡Que Dios nos proteja!

Burkett volvió a dirigir una mirada huidiza y maligna sobre Fanny, una mirada como de comadreja que husmea la proximidad de su presa, pero fue tan solapada que ni siquiera su destinataria reparó en ella. Las facciones demacradas de Burkett se ablandaron en una sonrisa beatífica; elevó suavemente los ojos al cielo (o más bien al techo de la iglesia) y extendió los brazos, como si quisiera envolver en una bendición a su grey compungida:

—¡Protégelos, Señor! ¡Alabado sea tu nombre por siempre! —exclamó, transfigurado por el deleite que le proporcionaba erigirse en intermediario entre la chusma y un remoto Dios que, según experiencia propia, padecía de sordera.

—¡Aleluya por siempre! —se sumaban los fieles.

Burkett sabía cuándo había traspuesto esa frontera en que las voluntades ajenas delegaban en la propia, sometiéndose a su guía y mandato. Era un placer —pensaba— muy similar al del orgasmo, tal como deben experimentarlo las mujeres, pero más prolongado: Burkett sentía que aquellas pobres gentes, atosigadas por culpas seguramente imaginarias, se derramaban sobre él; y aquella transferencia de personalidades, aquella sensación de acumulado dominio que le transmitían al vaciar sus almas lo embriagaba y redimía de las muchas desolaciones secretas con que lo había martirizado la conciencia de su insignificancia. Se había hecho predicador para despojarse del chisgarabís sucio de lamparones de grasa y desvelado por conductores mentecatos que elegían repostar gasolina a las horas más intempestivas, y aquellos trances orgásmicos, en los que se sentía investido de un poder omnímodo, eran su venganza por las muchas humillaciones sufridas. El propio Billy Graham le había infligido la última, quizá la más dolorosa: cuando se creyó suficientemente versado en las Escrituras, Burkett viajó a Minneapolis, donde Graham había establecido la sede de su Asociación Evangelista, para ofrecerse como ayudante o miembro de su séquito en las cruzadas de conversión que sin descanso organizaba, de una a otra costa; pero, tras desgastarse en mil escaramuzas ante los acólitos de Graham que le racaneaban una audiencia con quien ya se titulaba «consejero espiritual de América», sólo obtuvo de éste un desdén vago y esquivo que ni siquiera merecía la designación de rechazo. Muchos eran los charlatanes que peregrinaban hasta Minneapolis, para incorporarse a las mesnadas de Billy Graham, y todos eran despachados con idéntico desapego, para que la hiriente carcajada o la expulsión sin miramientos no sirviesen de acicate a sus conductas psicopáticas. A Burkett le registraron sus datos personales y lo despidieron con la promesa burlona o condescendiente de incorporarlo a filas tan pronto como se requiriese su concurso; pero, consumidos otro par de años en la gasolinera, Burkett entendió que ese llamamiento no iba a producirse jamás. Entonces concibió su empeño megalómano: ya que Billy Graham, temeroso de que acabara arrebatándole el protagonismo, rechazaba su ayuda, se dedicaría a competir con él, resucitando los métodos de aquellos predicadores de antaño, mitad vagabundos y mitad energúmenos, que difundieron por la América rural una versión epiléptica del Evangelio.

—El Señor, que me ha dado el poder de espantar demonios —proseguía Burkett, ante una feligresía cada vez más arrebatada y propensa al desmayo—, me pide que os alerte. ¡Mucho cuidado con el Maligno, que nunca duerme! Y no se os ocurra pensar que se aparece con cuerpo velludo y pezuñas de cabra, como lo pintan en las mascaradas, ni siquiera bajo la especie de serpiente. Los diablos son espíritus puros y pueden adoptar cualquier figura. ¿Habéis oído hablar de los súcubos? Son demonios que incitan al pecado carnal tomando posesión de una mujer, a la que manchan y prostituyen para siempre, a la vez que manchan a quienes satisfacen sus apetitos con ella, incluso a quienes, al contemplarla, conciben pensamientos impuros. ¡Y esos súcubos están entre nosotros, destruyendo matrimonios, ultrajando virginidades, conspirando contra vuestros anhelos de castidad!

El celibato forzoso había sido la más nociva maldición que se había arrojado sobre Burkett. Mientras trabajó en la gasolinera de una carretera perdida, se conformó con desaguar sus apetitos un par de veces al mes en un burdel que las putas más baqueteadas del estado de Illinois habían fundado, en régimen de cooperativa, aprovechando las dependencias de una granja abandonada; pero de aquellas expediciones volvía casi siempre con unas purgaciones que abrasaban como el plomo candente. Cuando comenzó a ejercer como predicador nómada, estos periódicos desahogos empezaron a hacerse más costosos y comprometidos: la frecuentación de burdeles resultaba desaconsejable, pues siempre había alguna pupila lenguaraz que propagaba entre los lugareños su visita al lugar, arruinando la aureola de santidad que se estaba fabricando; también el trato con feligresas era difícil y exigía combinaciones a menudo vodevilescas que le evitaran el encontronazo con el marido cornudo o el padre dispuesto a regar de plomo al estuprador. Ciertamente, a su disposición se hallaba el gremio de las viudas, pero Burkett era supersticioso y temía infectarse por vía venérea del mismo mal que había exterminado a sus maridos. Además, exhalaban todas un tufillo de ranciedad tan nauseabundo como sus pastitas revenidas (solían invitarlo a merendar a sus casas huérfanas de macho), sus coqueteos viscosillos y el contacto de sus manos, en el que todavía se cobijaba el frío póstumo del cadáver que despidieron con una caricia.

Así que, entre impedimentos y escrúpulos, Burkett tenía que recurrir con cierta frecuencia al onanismo, claudicación que abastecía con un arsenal de revistas pornográficas que escondía en su caravana (como los feriantes y los vendedores de crecepelos, viajaba de pueblo en pueblo con la casa a rastras, para ahorrarse la pernoctación en hoteluchos crujientes de chinches), disimuladas entre su manoseada Biblia y sus tratados de demonología. En esas revistas, adquiridas casi siempre en mercadillos de segunda mano, había descubierto a Fanny Riffel, la Reina de las Curvas, destacando sobre el escaparate de carnes más o menos rollizas que las otras modelos ofrecían a la voracidad del cliente. Enseguida lo turbó el brillo agreste de su melena, su flequillo de colegiala, su sonrisa voluptuosa de carcajadas, sus brazos mórbidos, sus senos como cachorros perplejos, su vientre que copiaba la luna, su culo opulento, sus muslos de presentida blancura que unas medias negras solían estrangular, haciéndolos aún más apetecibles. Aquella mujer o súcubo llegó a obsesionarlo: escarbaba en los puestecillos de los buhoneros, como un buscador de oro que hunde las manos en el limo de un riachuelo, buscando fotografías que conmemorasen a Fanny Riffel; y, cuando la fortuna lo agraciaba con algún hallazgo, corría a encerrarse en su caravana, estremecido como el niño que por fin obtiene el cromo que completa su álbum, para rendirle homenaje. A diferencia de tantos salidorros vergonzantes que empleaban la efigie de Fanny Riffel para sacudirse el calentón sin mayores complicaciones, los homenajes de Burkett incluían la veneración contemplativa, las espinas del remordimiento y hasta el tributo de sus poluciones nocturnas, tan copiosas como las de la pubertad, y mucho más inopinadas, puesto que Burkett había alcanzado con creces esa edad en que ciertas efusiones fisiológicas permanecen hibernadas. Si dichas efusiones se habían despertado de súbito se debía, sin duda, a las facultades nemotécnicas de Burkett, que en su día le sirvieron para aprenderse la Biblia de cabo a rabo y ahora le permitían invocar el fantasma de Fanny Riffel con concreción y vivacidad: se sabía de memoria cada avatar de su rostro, cada lunar de su piel, cada molledo de su cuerpo; y del mismo modo que podía recitar al instante, casi en una respuesta refleja, cualquier versículo cuya referencia le lanzasen a voleo (a veces introducía este juego al comienzo de sus asambleas evangélicas de conversión, para deslumbrar a los asistentes), no le costaba visualizar —más bien le costaba dejar de visualizarlos, pues se habían convertido en su idea fija— el intrincado dibujo que los cartílagos trazaban en las orejas de Fanny, el apunte de musculatura que endurecía sus pantorrillas y afinaba sus tobillos cuando caminaba sobre zapatos de tacón de aguja, los hoyuelos equidistantes que se le formaban en la juntura de la espalda con las nalgas cuando ensayaba las contorsiones de sus danzas exóticas, los hoyuelos más desparramados y como dormidos que se refugiaban en sus nalgas, anunciando los primeros indicios de celulitis (pero era una celulitis apetecible y núbil). Estas memoriosas reconstrucciones de la mujer que sólo conocía por retratos dilataban sus insomnios y abarrotaban sus sueños y, a fuerza de pensarla y repensarla —quizá con la esperanza de erosionar su obsesiva y placentera condena—, Burkett concluyó que sufría una posesión diabólica, como aquella hija de la cananea a la que Jesucristo sanó, según nos cuenta Mateo, capítulo XV, versículos 21 y siguientes. Y, aunque no padecía las convulsiones feroces que atormentaban a los endemoniados curados por el Mesías (o sólo las padecía en su natura, como testimoniaba aquella semilla blanca, tan parecida a los espumarajos y babas de Satanás), Burkett rezaba para que su posesión se transmitiera a una piara de cerdos que, azogados y en tropel, se arrojasen por un precipicio al mar, tal como ocurre en el capítulo VIII, versículos 28 y siguientes, del mismo Evangelio de Mateo. Pero, por mucho que imploró, sus peticiones nunca fueron atendidas; quizá porque, allá en el fondo de su conciencia, amasada con la sustancia pestilente del pecado, se anudaba la enredadera de un placer al que no deseaba renunciar. Y es que no existe placer más deleitoso ni más torturante (pero tortura y deleite son el anverso y el reverso de una misma moneda) que el que nace y se alimenta del pecado.

Burkett había reparado en Fanny desde que la viese entrar en la iglesia, empujando cautelosamente la puerta y deslizándose entre las últimas filas de bancos, para desazón de los feligreses circundantes. Ni el cabello cortado a trasquilones, ni la tez mugrienta y escareada, ni los harapos rezumantes, ni las facciones abotargadas y a la vez famélicas, ni los ojos en los que se avecindaba la muerte lograron distraerlo de la mujer que escondían; tras la fachada de mendicidad, Burkett reconoció al súcubo que desde hacía años (y hasta esa misma tarde) había inspirado sus más lascivos desfallecimientos. Al ver allí a Fanny, desahuciada y al borde de la inanición, experimentó una sensación ambigua, en la que pugnaban la embriaguez del triunfo y la decepción que nos produce comprobar que nuestros deseos mantienen incólume una belleza que los infortunios ya han marchitado. Pues entendía Burkett que, aunque sus plegarias no habían servido para liberarlo de la posesión diabólica que lo martirizaba y deleitaba, al menos habían exorcizado al súcubo que habitaba dentro de Fanny. Ahora Burkett no se recataba de mirarla insistentemente; pero no había misericordia en su mirada, tan sólo la satisfacción que se ensaña con el enemigo que nos ha agraviado y por fin se hinca de hinojos en la hora de la derrota. Su sermón incorporó un tonillo de sarcasmo que los fieles no distinguieron:

—Pero la fuerza de la oración vence a cualquier súcubo. —Hizo una pausa para señalar con un índice acusatorio a Fanny, que no acababa de entender la interpelación tácita, mientras los fieles de los primeros bancos volvían la mirada hacia ella—. ¿Veis a esa mujer? Se llama Fanny Riffel. No hace muchos años, llegó a ser la mujer más deseada del orbe. No había hombre que no bebiese los vientos por ella. Y Satanás no dejó escapar la oportunidad.

A Burkett le constaba que muchos predicadores realzaban sus tramoyas con el testimonio amañado de pobres diablos que, a cambio de una propinilla estipulada, confesaban con voz chillona los pecados más nefandos y proclamaban, entre gimoteos y raptos de epilepsia, su afán de arrepentimiento. Su intervención propiciaba un clima orgiástico entre los asistentes a la asamblea, que así se entregaban con mayor contrición y frenesí a la evacuación de sus propios pecados y también a la evacuación de sus bolsillos. Estos espontáneos fingidos eran a veces reclutados por los predicadores entre los vagos y maleantes del lugar; otras veces eran acólitos que los acompañaban en sus giras. Impedido por su natural desconfiado, Burkett aún no se había atrevido a incorporar a sus prédicas este elemento catalizador que tanto enardecía al personal; viendo el gesto anonadado con que Fanny Riffel encajaba su diatriba, pensó que quizá hubiese encontrado la persona idónea para estos menesteres. Este pensamiento desperezó su lujuria.

—Se convirtió en un súcubo de irresistible belleza —proseguía Burkett. Su voz cavernosa se encendía de exultación; el sudor bañaba su pálida frente en regueros que se tropezaban con el dique de las cejas, muy hirsutas y apenas deslindadas entre sí—. Muchos hombres condenaron su alma atraídos por sus encantos. Pero yo recé sin descanso al Señor para que expulsara a la antigua serpiente del cuerpo de Fanny Riffel...

—¡Alabado sea el Señor! —lo interrumpió la asamblea, que ya empezaba a alcanzar ese clima enajenado que precede a la conversión.

— ... Y la serpiente por fin fue vencida. Pero ved en qué estado dejó a quien fuera la mujer más deseada del orbe. —Aquí, los feligreses vencieron la repugnancia que les despertaba la fetidez que desprendían los andrajos de Fanny, y se arracimaron en torno a ella—. Ved cómo destruyó sus encantos.

Fanny se había encogido en su banco, temerosa de que alguien arrojase la primera piedra que iniciase su lapidación. Y miraba a Burkett, rogándole que la rescatara de la jauría. El predicador extendió su brazo en ademán hospitalario.

—¿Por qué no subes, hermana Fanny, al estrado y nos cuentas tus tribulaciones? —la invitó, zalamero—. ¿Por qué no nos relatas la ba-

talla que se trabó dentro de ti, entre el dragón y sus ángeles y las fuerzas celestiales que acudieron a la llamada de mis oraciones?

Los feligreses guardaron un silencio expectante. Fanny vacilaba,
tironeada por impulsos contrarios; hubiese deseado escapar co-
rriendo, pero la perspectiva de enfrentarse otra vez al temporal la
amedrentaba aún más que la curiosidad malsana de aquella jauría. Al
menos dentro de la iglesia disfrutaba del calor benéfico de la estufa.

—¡Que suba! ¡Queremos oírla! —berreaban los feligreses.

Burkett bajó del estrado y se acercó al banco del Fanny. Al posar
una mano sobre su hombro, sintió removerse, allá al fondo de su
conciencia, la enredadera de un placer al que no estaba dispuesto a
renunciar. Trató de que su sonrisa fuese confortante y misericordiosa:

—Adelante, Fanny. Tus hermanos quieren escucharte.

Y Fanny entregó una mano áspera (pero era la misma mano que
en las revistas que Burkett había convertido en sus devocionarios empuñaba una férula) a Burkett, que a duras penas pudo reprimir el calambre de inminencia sexual que lo recorrió, desde la coronilla hasta
los dedos de los pies. Ambos desfilaron por el pasillo central de la
iglesia (con solemnidad algo fatua Burkett; tambaleándose Fanny,
como si estuviese bajo los efectos de una marejada), ante los feligreses que prorrumpieron en aplausos. El predicador ayudó a Fanny a
salvar los escalones que conducían al estrado y acarició sus mejillas
con más encono que delicadeza, como si quisiera borrar la mugre que
le impedía distinguir aquella piel blanquísima que en las fotografías
de Klaus Thalberg sólo perturbaban los atavíos fetichistas.

—Cuéntalo todo, hermana —susurró Burkett a su oído—. Y así
hallarás la paz definitiva.

Y Fanny empezó a hablar, al principio en un murmullo tímido;
pero la cantinela chillona de los fieles que la acicateaban en su confesión («¡Sí! ¡Sí!», exclamaban, jadeantes, a cada nueva enormidad que
acrecentaba su retahíla de desgracias, hasta llegar al clímax de los
amenes y aleluyas) actuaba sobre ella como una especie de encantamiento, haciéndole perder contacto con el suelo que pisaba, con el
aire que respiraba, con la chusma de botarates que la escuchaban.
Creyéndose en presencia de Dios, y jaleada por un coro de ángeles
con espadas flamígeras, Fanny hizo de su boca una cornucopia de palabras pronunciadas cada vez con mayor desgarro y desesperación.
Contó los abusos furtivos a los que la sometió de niña su padre, que

quizá fuese un avatar del Diablo; contó el asalto que sufrió cuando hacía sus primeros pinitos profesionales en un vertedero a las afueras de Chicago, con la lluvia martilleando sobre su cuerpo arrodillado en el barro y los desperdicios; contó el asedio telefónico de aquel pervertido (otro avatar del Diablo al que no había podido poner rostro) que la amenazaba con denunciar su dedicación a la más cruda pornografía si no se avenía a satisfacer sus fantasías aberrantes. En medio de estos episodios en que el Diablo había irrumpido en su existencia, para infectarla con su aliento y convertirla en un súcubo, Fanny fue enhebrando las vicisitudes de su carrera como modelo. La asamblea de conversos escuchó su relato con creciente exaltación que se fundía en la misma argamasa con el horror y la repulsa y la hipocresía y la libidinosidad, hasta formar un potaje de histeria que los empujó a erguirse en actitud implorante, o a caer de rodillas en el suelo, en un pandemónium que recordaba las liturgias del vudú. Cuando Fanny concluyó su confesión en un hilo de voz, Burkett entonó las primeras notas de una canción de intención promisoria, *Cuando se disipen las tinieblas*, que en sus labios sonó sin embargo retumbante y ominosa. Los feligreses lo secundaron al instante, despreocupados de sus desafinaciones. La confesión de Fanny les había proporcionado la coartada que necesitaban para declarar sin rebozo sus podredumbres morales: siempre tranquiliza mucho saber que nuestras escabrosidades resultan veniales en comparación con las del prójimo.

Aquella noche, la asamblea de conversión se prolongó durante horas; los conversos se disputaban el estrado, deseosos de vaciar su cargamento de pecados. La recaudación de la colecta triplicó la cantidad que Burkett solía juntar en sus predicaciones por las iglesias que componían su circuito; descontando la parte que habría de abonar al pastor que le había prestado el local, descontados los gastos de manutención y desplazamiento, aún le restaría dinero para vivir desahogadamente durante un par de semanas. Los fieles abandonaban en tropel la iglesia (como una piara de cerdos endemoniados que corren a precipitarse en el mar), jubilosos de saberse mucho más limpios a los ojos de Dios que esa mendiga o súcubo que en otro estadio de su vida, cuando era la mujer más deseada del orbe —según acuñación hiperbólica del predicador que no acababan de creerse—, se había refocilado en los lodazales de la abyección. Viéndolos marchar, despreocupados de la cellisca que los fustigaría en su regreso a casa, Burkett calculó que, si lograba repetir el éxito obtenido, y a poco que los asistentes a sus prédicas se dedicaran a difundirlo, en unos pocos meses empezaría a ser requerido en iglesias menos suburbiales. La vanidad, que era la levadura de su avaricia, le inspiró una visión megalómana: en unos pocos años, las iglesias más prósperas y espaciosas de las grandes urbes se habrían quedado pequeñas para acoger las multitudes fervorosas que acudirían al reclamo de su verbo; habría entonces que buscarles acomodo en los teatros de platea más vasta (veía, incluso, a los rezagados aglomerándose en el gallinero, trepando a los palcos), en los estadios de béisbol de graderíos que abarcan el horizonte (Yankees, Giants y Dodgers alterarían gustosamente su calendario de partidos, otorgando preferencia a quien poseía más poder de convocatoria que ellos mismos); las cruzadas de Billy Graham quedarían pronto relegadas a la desmemoria, como sucedáneos sin brillo que no resistirían la comparación —en asistencia de público, en elocuencia, en eficacia catártica— con las prédicas de Paul Burkett. Pero, para que ese sueño de grandeza no se quedase en agua de borrajas, Burkett necesitaba el concurso de la desahuciada Fanny, que se había quedado sentada, derrengada casi, sobre su banco, como si el relato de sus penurias le hubiese roído las últimas migajas de su fortaleza. El enjambre de pecados vomitados durante la asamblea de conversión revoloteaba por la iglesia, como murciélagos ciegos que se pegan topetazos contra las paredes y abanican con su aleteo el polvo dormido del techo. Burkett miró de hito en hito a Fanny; sus rasgos se hicieron de repente más enjutos, adelgazados por el misticismo o la rapacidad o la reprimida lujuria:

—Hermana Fanny —dijo muy calmosamente—, juraría que tú y yo vamos a ser muy buenos amigos.

Fanny parpadeó, anubarrada de perplejidades. Luego cabeceó en señal de asentimiento, con esa reverencial mansedumbre que emplean los bueyes al inclinar la testuz ante el yugo que los esclaviza.

La audición de aquellas cintas me mantuvo ocupado durante varias semanas. Cuando escribo «ocupado» no quiero decir tan sólo atareado o entretenido; también mi conciencia había sido invadida por el eco o la sombra de tanto horror. Cualquier otro pensamiento era de inmediato expulsado a los márgenes, por nimio o adventicio. Cualquier otra preocupación se me antojaba un escrúpulo necio que no merecía que le dedicase un instante de mi tiempo. Existía, ciertamente, una región recóndita de mi conciencia donde hibernaba la memoria de mi encuentro con Elena en Chicago; pero, puesto que —según había tratado de convencerme— ese encuentro no pertenecía a la vida real, puesto que no había daño alguno que reparar, ni consecuencias funestas que lamentar, puesto que de mis labios no había brotado ninguna palabra comprometedora, puesto que no había testigos que pudieran recriminar mi desliz (Laura no estaba allí, Laura no podía verme), logré recluirlo detrás de un muro separatorio, seguro de que así, a medida que su hibernación se prolongase, acabaría por extinguirse de mi memoria. Ahora pienso que lo mejor habría sido confesar la verdad a Laura, deslizarla entre la multitud de confidencias y comentarios fugitivos que intercambiábamos antes de que el sueño nos venciese, cuando nuestras bocas eran cornucopias de palabras. Quizá, al enunciar esa verdad, sus circunstancias hubiesen perdido todo carácter escabroso; quizá, al revelar mi desliz más puramente mental que efectivo, lo hubiese despojado de su veneno; quizá Laura lo habría escuchado entre burlona y caritativa, para después encerrarlo en el saco donde las mujeres inteligentes —y Laura, desde luego, lo era— arrojan esas expansiones de la vanidad masculina que se quedan en un puro pavoneo. Hubiese bastado, por ejemplo, con que Laura me preguntara: «Oye, ¿y qué ocurrió con aquella pasajera con la que coincidiste en el aeropuerto? ¿La invitaste por fin a una copa, o quedaste como un rata?». Y yo le habría respondido: «La invité, sí, y además tuve que ejercer de pañuelo de lágrimas y consolarla de un desengaño amoroso reciente». Y Laura, con curiosidad algo impúdica, me habría picado: «¡Con lo que te mola a ti el papel de consolador!». Y yo le habría contado la historia bastante canallesca del violinista William, que dejó plantada a Elena, si bien habría advertido a Laura que aquella mujer burlada mostraba algunos síntomas de soterrado desequilibrio, hasta concluir con venial inexactitud: «Con decirte que en un momento dado confundió mi piedad con un interés erótico y se me echó encima...». Laura habría reído entonces con cuquería, quizá me habría tironeado las orejas: «¡Es que eres tan irresistible! ¿Y qué hiciste?». Y yo habría adoptado un gesto contrito ante sus chanzas: «¡Pues qué iba a hacer! Quitármela de encima». No habría mencionado, por supuesto, que durante unos segundos la inminencia de su aliento y el vaivén de su respiración agitada y su abrupta lengua amordazaron mis reticencias; tampoco que, en los segundos previos, me había sentido dominado por la urgencia de inmiscuir una mano por debajo de su jersey de angora y deslizarla por su vientre estremecido, o más arriba aún. Y Laura habría concluido: «Está visto que los escritores sois como un imán para las locas». Y la conversación habría abandonado ese afluente para regresar al río locuaz o desbordado en el que se desenvolvían nuestros coloquios nocturnos, antes de desembocar en los océanos del sueño. Y así, el regreso de Elena, peregrina por los tenebrosos pasadizos de la locura, no habría sobresaltado tanto a Laura. Ni le habría inspirado la certeza de haber sido traicionada por la persona en la que más creía confiar.

Pero Laura nunca se interesó por la mujer que me acompañaba, cuando la telefoneé desde el aeropuerto O'Hare, para anunciarle que mi vuelo aún se retrasaría unas horas. Probablemente olvidó su existencia al poco de colgar el auricular, como reacción avergonzada ante los resquemores que se habían apoderado de ella mientras duró la conferencia. Probablemente, aunque no hubiese olvidado su existencia, habría olvidado referirse a ella, entre el tumulto de distracciones y servidumbres que acarrean los preparativos de una boda. O, más probable aún, prefiriese no referirse a ella, por cautela o superstición, pues existen asuntos sobre los que es mejor no inquirir, no indagar, no preocuparse, porque su dilucidación puede depararnos alguna sorpresa indeseada. Sus inquisiciones, por lo demás, se encauzaban gustosamente hacia el otro secreto que me había traído de Chicago, la vida invisible de Fanny Riffel, de cuyo descubrimiento se consideraba, con legítimo orgullo, partícipe, pues sin su insistencia y acicate yo jamás habría cruzado el Atlántico ni me habría lanzado a las calles de aquella ciudad inhóspita y petrificada por el miedo en pos de un Grial inconcreto, mucho más inconcreto que aquellas Hostias volátiles que perseguimos en la adolescencia por las iglesias sin culto de nuestra ciudad levítica. Mientras yo permanecía encerrado en mi despacho, lidiando con las grabaciones de Chambers, lidiando con su abrazo de hidra, Laura se iniciaba en el culto a Fanny hojeando las revistas sicalípticas de los años cincuenta, asomándose a los vídeos que compilaban sus cortometrajes para Klaus Thalberg; como a mí, lo primero que le atrajo de aquellos documentos fue el aura de incontaminada pureza y espontaneidad que rodeaba a Fanny, aun en las situaciones más artificiosas y pretendidamente sórdidas.

—Nunca te perdonaré que no me llamaras para tenerme al tanto de tus pesquisas —me decía luego en la cama, antes de sucumbir al sueño—. Me tuviste muy preocupada. Llegué a pensar que te habían secuestrado.

—Y casi me secuestran, no te creas. —Aún recordaba mi encontronazo con aquella pareja de policías o matones empeñados en buscarme algún parentesco con Bin Laden; pero me había prometido omitir aquel episodio infamante cuando resumiese las vicisitudes de mi expedición a Chicago—. Es que, en realidad, no hubo avance en mis pesquisas. Fue Chambers quien acudió a mí. Y eso no ocurrió hasta el mismo día de mi regreso.

Ya le había contado nuestro viaje a Evanston, también el asalto de Chambers, a la conclusión de mi conferencia en el John Hancock

Center. No le había contado, en cambio, o sólo muy de refilón, mis vagabundeos previos por la ciudad, tratando de encontrarme conmigo mismo, o con el hombre que se escondía dentro de mí. *Tolle, lege. Tolle, lege.*

—¿Y qué hiciste, entonces, en los días anteriores a tu conferencia? ¿Turismo? —preguntó Laura con socarronería.

Resultaba muy arduo declarar aquella desazón de índole sobrenatural, o no estrictamente física, que me asaltó a mi llegada a Chicago, aquel estado de ánimo permeable al milagro o a la fatalidad que me había impulsado a caminar sin rumbo, en pos de una quimera. No obstante, traté de hacerlo: siempre me ha gustado meterme en camisas de once varas, que es como en mi ciudad levítica designamos los embrollos demasiado intrincados:

—Creo que durante esos días yo no fui yo.

Laura se puso en guardia contra la metafísica:

—Explícate, majo, que me mareo.

En la oscuridad de nuestro cuarto penetraba, a través de las rendijas de la persiana, la luz movediza de los coches que auscultaban la noche. Eran ráfagas que cruzaban el rostro de Laura, como cicatrices súbitas.

—Seguro que alguna vez has oído hablar de esos tipos que un día bajan al estanco a comprar una cajetilla de tabaco y nunca vuelven. Su familia los busca en vano durante meses. Es como si se los hubiese tragado la tierra.

Noté que las facciones de Laura se endurecían, precavidas o injuriadas por una premonición:

—Di más bien como si se los hubiese tragado su amante. Suelen ser tipos con doble vida que llevan planeando su fuga desde hace meses o años —su voz se ensombreció—. Pero no sé adónde quieres llegar con...

—Para el carro, mujer. —Me volví hacia ella; ahora las ráfagas de luz se estrellaban en mi cogote—. No siempre es una decisión meditada. Piensa en esos millonarios que un día abandonan sus negocios y desaparecen del mapa, en los exploradores que un día se internan en la selva y se quedan allí para siempre. Piensa en Rimbaud, renunciando a la poesía y viajando a Somalia para dedicarse al tráfico de armas.

—Me estás hablando de autodestrucción —dictaminó.

Ya no había resto de socarronería alguno en sus palabras; en cambio, crecía en ellas una acritud ronca, una ahogada severidad muy semejante al despecho.

—No necesariamente —traté de sosegarla—. Ahí tienes el caso de Chambers. Algo le ocurrió en Vietnam, algún fusible o interruptor saltó en su cerebro. De pronto, decidió que debía sacrificar su vida para así dar la vida a otra persona, de cuya desgracia se consideraba responsable. Sintió la necesidad de empeñar todos sus esfuerzos en una penitencia quizá desproporcionada al tamaño de su pecado. —El silencio de Laura no se ablandaba, más bien se endurecía de excrecencias rencorosas—. Ahí tienes a la propia Fanny. Un día reniega de su pasado como chica de calendario y se pone a repartir folletos de propaganda religiosa.

—Un fusible, un interruptor que salta —resumió Laura. La socarronería volvía a afilar su voz, pero esta vez estaba lastimada de secretas pesadumbres.

—Eso es.

—Y entonces, inexplicablemente, la vida pega un brusco giro y se transforma en otra distinta —concluyó.

Me había dado la espalda, en un gesto que podía entenderse como desafección, pero también como un sutil reclamo. Así preferí interpretarlo; y me así a su vientre como una guitarra muda, apreté mi pecho contra su espalda hasta notar sus vértebras como un tatuaje sobre mi piel, abrigué sus muslos con los míos, ahora mi cuerpo era un molde del suyo. Laura no me rechazó; había acertado en mi interpretación.

—Suele haber alguna razón que lo explica —puntualicé. Aunque procuraba referirme a esta metamorfosis con la neutralidad de quien la contempla desde fuera, el fenómeno mismo me seducía y amedrentaba demasiado—. A veces una razón invisible en la que no repara ni siquiera el propio afectado.

Hay una vida invisible, subterránea como un venero, por debajo de esta vida que creemos única e invulnerable, o quizá sobrevolándola. Laura permanecía muda, esperando que por fin evacuase mi confidencia.

—Cuando llegué a Chicago, después de hablar contigo, encendí el televisor —en realidad lo había encendido mientras hablaba con ella, pero esta precisión se me antojaba impertinente o desconsiderada— y me tropecé con ese chico, John Walker Lindh, el talibán americano. Supongo que habrás visto mil veces esas imágenes, las repiten casi tanto como el derrumbamiento de las Torres Gemelas. Un par de agentes de la CIA lo interrogan, pero él, maniatado y de rodillas, se niega a responderles. Se niega, incluso, a mostrarles el rostro. Hasta que uno de los agentes, harto de su pasividad, le aparta las greñas de muy malos modos. Entonces descubrimos sus rasgos occidentales. —Mi respiración se acompasaba con la de Laura, juntas parecían una sola, juntas creaban un sortilegio—. Congelaron ese fotograma, mientras el locutor resumía la biografía de John Walker Lindh, un niño pijo y malcriado al que sus padres habían concedido todos los caprichos. El locutor se preguntaba cuáles habrían sido los motivos que impulsaron a un chico mimado a ingresar en la milicia talibán. Pero si hubiese reparado en su mirada, habría encontrado la respuesta.

—Un fusible, un interruptor que salta —dijo Laura, a modo de cantinela.

Y también una necesidad de despojarse del hombre antiguo, un deseo de negar al adolescente que había crecido rodeado de comodidades, un ardoroso afán por aniquilar un pasado que le avergonzaba y asomarse a un laberinto sin presente ni futuro, en cuyo centro palpitaba su corazón entre tinieblas.

—Debió de ser la soledad, el cansancio del viaje, la zozobra que me inspiraba aquella ciudad extranjera. También el remordimiento de haberte dejado sola —añadí, para no excluirla de aquel malestar entre cuyas causas no mencioné, sin embargo, el desasosiego de índole casi erótica que me inspiró la proximidad de Elena en el avión, la llamada absorta de sus dientes y la cadencia de su hálito dormido, su tibieza de pajar donde germina el heno—. El caso es que me sentí como si yo mismo fuera John Walker Lindh, como si ese pobre perturbado se hubiese adueñado de mi conciencia. Fue apenas un segundo.

Cuando esa vida invisible nos roza sentimos por un instante que la tierra nos falta debajo de los pies. Es una impresión fugaz, un sobresalto que apenas dura lo que dura una extrasístole, lo que dura la impresión de caída en las fases de duermevela que preceden al sueño, lo que dura el contacto furtivo y viscoso de la culpa cuando mentimos atolondradamente, sin saber siquiera que estamos mintiendo y, desde luego, sin vislumbrar las consecuencias de esa mentira. El tráfico de coches había amainado; ya apenas se filtraban rayas de luz movediza por las rendijas de la persiana.

—Apenas un segundo, pero la huella de esa... no sé cómo llamarlo, transferencia, o enajenación me duró varios días —proseguí. Quizá las designaciones elegidas incorporaban demasiadas resonancias clínicas—. Esto que te voy a decir te parecerá una chorrada. Me lancé a descubrir el secreto de Chicago como John Walker Lindh se había lanzado a recorrer el desierto, hasta tropezarse con su destino.

Aguardé el veredicto de Laura, que anticipadamente imaginé teñido por el fastidio o la hilaridad. Me alegró haberme equivocado:

—¿Por qué habría de parecerme una chorrada? Así es como los escritores os metéis en el pellejo de vuestros personajes.

Así es como vivimos una vida vicaria, a través de criaturas sobre las que proyectamos el horror y el deleite que no pudimos o no nos atrevimos a saborear. Laura impostó un soniquete enfurruñado:

—Y como el talibán Walker desapareció sin dejar ni rastro, mi talibancito Losada quiso imitarlo y ni siquiera se dignó llamar a su novia. ¿No es así?

—En realidad, el talibancito Losada no pudo aguantar la tentación y llamó a su novia la víspera de su conferencia —continué la broma—, pero le saltó el contestador automático. Como había perdido la noción del tiempo, llamó a una hora en la que su novia estaba trabajando.

—Y no se dignó dejar recado.

—Ya sabes que estos chismes me ponen enfermo.

Debí entonces añadir que, acto seguido, incitado quizá por la nieve que veía caer sobre Chicago a través de la ventana, llamé a Elena, mi azarosa compañera de viaje, a su hotelucho para invitarla a que asistiese a mi conferencia, una muestra de cortesía algo forzada que Laura habría disculpado, entre burlona y caritativa, porque el desamparo hace disculpables conductas que merodean el territorio de la infidelidad. El reconocimiento de esa llamada me habría permitido, además, contarle la historia bastante canallesca del violinista William. Pero también tendría que haber contado que, en lugar de deshacer el equívoco, me mantuve aferrado al auricular, escuchando sus frases más suplicantes que recriminatorias, su dialecto ininteligible de sollozos y gemidos entrecortados, hasta que por fin me decidí a colgar. Laura permanecía ajena al curso de mis remordimientos:

—En resumidas cuentas, que no me llamaste porque deseabas saber qué sienten esos tipos que bajan al estanco a comprar una cajetilla y nunca vuelven. Un fusible, un interruptor que salta. Menudo pájaro estás tú hecho.

—Te confesaré que la experiencia fue calamitosa. No volveré a probarla.

—Así me gusta. La ovejita en su redil.

Se volvió bruscamente y empuñó mi miembro, que aún remoloneaba con una erección más bien débil y azorada. Pero las manipulaciones de Laura y las palabras que me susurró al oído, a modo de contraseña («Anda, ven acá, hermanito incestuoso») actuaron como un revulsivo inmediato. Besé sus sobacos intonsos, que eran feroces y salobres como pozos de hormigas, y sus senos menguados, y penetré en ella como en un redil familiar, hospitalario, hecho a la medida de mi deseo. No podía ver su rostro, debido a la oscuridad, pero lo imaginé como un carrusel en el que se concitaba toda la hermosura del mundo. En el trance del orgasmo ese carrusel dejó de girar y se concretó en un rostro que no era el de Laura, un rostro de facciones redondeadas y nariz chata (nariz de boxeadora) y sonrisa convulsiva que repetía: «Así que fuiste tú. Así que fuiste tú...». En la convocatoria de aquel rostro intruso no había intervenido la voluntad; pero tampoco la mera voluntad bastó para que la fantasmagoría se disipase. De modo que me derramé dentro de Laura, mientras el rostro evocado de Elena se estremecía con sucesivas oleadas de placer. Me derrumbé sobre la cama, para evitar aquella visión ominosa; me sentía como aquel endemoniado Pacheco de la novela de Potocki, que se acostó con dos bellas huríes y despertó flanqueado por los cadáveres putrefactos de dos ladrones que pendían de sendas horcas. Pero, en mi caso, a la pujanza del horror se sumaba el estigma de la culpa.

—¿Te ocurre algo? —me preguntó alarmada Laura, que volvía a ser ella misma, encendiendo la luz de la mesilla—. Estás desencajado.

—No te preocupes. Ha sido como morir desvanecido —la halagué.

Tendido en la callada oscuridad esperé, como todas las noches desde que regresase de Chicago, a que Laura se durmiera. Se apoderaba de mí un miedo gélido, paralizador, a ceder a la somnolencia antes que ella, pues, a veces, en la fase de duermevela, entablo coloquios en voz alta (erráticos, balbucientes, pero delatores en cualquier caso) con las personas que han protagonizado mis vigilias, o más bien con sus emanaciones. Y sabía que la emanación de Elena, su fantasma intruso, pugnaba por infiltrarse en mis sueños, para obligarme a proferir palabras que luego podría lamentar, palabras alusivas a un desliz que nunca existió, porque Laura no estaba allí, Laura no podía verme. Luego, cuando por fin Laura se quedaba dormida y su respiración se hacía cadenciosa como un oleaje, descubría que el acecho del miedo me había desvelado; y para aplacar mi inquietud, me paseaba desnudo por el apartamento, saqueaba la nevera, encendía la televisión o la radio. Aquella noche sintonicé uno de esos programas cuyos oyentes llaman para desahogar la opresión de sus almas enfermas (la mía también estaba enferma, porque en ella hibernaba un secreto, pero me faltaba valor o descaro para desahogarme) y una locutora de voz modosita y persuasiva los azuza muy disimuladamente, para que acentúen la escabrosidad de sus confidencias. Fracasos amorosos, homosexualidades reprimidas, incestos políticos (la suegra con el yerno, también los cuñados entre sí), crímenes sin castigo (pero la conciencia remuerde) y enfermedades vergonzantes se concitaban allí, en un cafarnaúm de truculencias que la locutora, siempre insatisfecha, siempre sibilina, sonsacaba impostando una especie de curiosidad consternada. Como la retahíla de barbaridades ciertas no siempre colmaba esa curiosidad, los oyentes aderezaban a veces su narración con barbaridades apócrifas, hasta completar un mapa de degradación difícilmente igualable. Yo escuchaba estas confesiones atribuladas o aberrantes con una mezcla de fascinación y espanto, en la misma atenta disposición en que el sultán Sahriyar debió de escuchar las fábulas encadenadas que Scherezade improvisaba sobre la marcha para postergar su condena. A veces los oyentes llamaban para proponer soluciones o añadir glosas a los relatos tremebundos o hilarantes que antes habían evacuado otros oyentes, y así esos relatos se iban ramificando infinitamente, programa tras programa.

—Y ahora vamos con otra llamada. Fanny, desde Valencia —introdujo la locutora a la siguiente cuitada—. Buenas noches, Fanny.

Ni el infrecuente seudónimo ni la procedencia geográfica me pusieron en guardia. No concebía que mi secreto pudiera salvar los muros en los que lo había enclaustrado, allá en los sótanos de la vida invisible. No concebía que mi secreto perteneciera al mundo real.

—Buenas noches.

Tampoco identifiqué aquella voz cohibida y como arrepentida de su atrevimiento con la voz de Elena. Más bien me recordó la voz de Fanny Riffel que yo había escuchado en las grabaciones de Chambers, envuelta en una mortaja de postración. Necesité que, tras el saludo protocolario, el silencio se poblara de sollozos. Entonces sí; entonces reconocí aquella maraña de dolor humillado y furia desatada y súplicas genuflexas que ya había escuchado antes.

—Tranquilízate, Fanny —dijo la locutora con su voz melosa, relamiéndose ante lo que presumía un testimonio suculento—. Recuerda que estás entre amigos.

Los sollozos se fueron pacificando hasta fundirse en una respiración que parecía escaparse por las costuras de los pulmones.

—¿Fanny? ¿Estás todavía ahí? —inquirió la locutora, temerosa de que se le hubiese escapado la pieza antes de hincarle el diente.

—Aquí estoy.

Ahora su voz sonaba mucho más entera, aunque aún su timbre se tambalease, como si se asentara sobre cimientos de fragilidad.

—Te escuchamos, Fanny.

La noche alargaba sus tentáculos, como una actinia que se despereza. Imaginé a todos los inquilinos de mi edificio, a todos los vecinos del barrio, a todos los habitantes de la ciudad, prendidos de la voz de Elena, insomnes y conturbados como yo.

—Antes de nada —empezó—, quiero aclarar que mi verdadero nombre no es Fanny.

—No debes pedir disculpas por ello. Ya sabes que admitimos que nuestros oyentes se presenten con seudónimo, salvo que quieran denunciar...

Elena interrumpió la murga:

—No es un seudónimo —dijo—. Es una clave, para que él me pueda identificar.

—¿Él? ¿Quién es él? —preguntó la locutora.

El abrazo de la actinia me arrancaba el resuello. Cerré los ojos, para atenuar la sensación de caída. Llevé una mano al interruptor del transistor, para apagarlo en cuanto se pronunciase mi nombre. Pero Elena guardó mi anonimato: lo hizo con un orgullo casi místico, como el preso en una cárcel de amor al que tratan de arrancar la identidad de su amado y se resiste, porque sabe que, al vedarla, está protegiendo la pasión que los une.

—Él sabe quién es, y con eso me basta. Y quiero que sepa que entiendo lo mal que lo está pasando. A mí me ocurre lo mismo. Pero ningún impedimento podrá vencer nuestro amor.

Hablaba con una especie de aplomo atropellado, con esa alucinada y disertativa elocuencia que tanto complace a quienes necesitan oírse, para no sentirse solos.

—Un momento, Fanny —se entrometió la locutora—. Me parece estupendo que le lances un mensaje a tu amado, pero comprenderás que antes debes explicarnos de qué va la historia. De lo contrario, nuestros oyentes no podrán ayudarte.

—En realidad no necesito ayuda —dijo Elena, con humilde petulancia—. Me basta con saber que él me ama.

—¿Y cómo sabes que te ama?

—Me lo dice en sus mensajes —respondió calmosa, solemnemente—. Con mucho disimulo, para que su novia no se entere.

La locutora estaba habituada a lidiar con psicóticos furibundos o lloriqueantes, acobardados o fanfarrones; la circunspección de Elena la aturdía:

—O sea, que tu amante...

—Mi amado —rectificó Elena.

—Que tu... amado —a la locutora esta designación se le antojaba añeja, o quizá demasiado pulcra— tiene a su vez una novia. Pero —disimuló su malicia de atolondramiento—, ¿quién tiene preferencia de las dos?

—Yo, por supuesto —dijo Elena, con voz casi hastiada, pues declaraba algo que le parecía incontrovertible—. A su novia la conoció antes que a mí, pero no siente nada por ella. —Y, sin introducir una pausa, se lanzó por el tobogán de las ideaciones paranoicas—: Su familia quiere obligarlo a casarse, pero yo lo impediré.

El sudor que afloraba por cada poro de mi piel se había enfriado. Una tristeza impersonal se empezaba a apoderar de mí, tras el sofocón de la angustia. Elena proseguía:

—En sus mensajes me lo cuenta: todos conspiran contra nuestro amor, todos quieren que se case con esa mujer por conveniencia, porque podría beneficiar su carrera, pero...

—¿En qué trabaja tu amado, Fanny? —ahora la locutora recuperaba la iniciativa, porque avistaba la posibilidad de extender sus redes.

—Es escritor —dijo Elena, casi sin pensarlo—. Escribe novelas, y también en los periódicos. —Se dejó vencer por cierta propensión hiperbólica—: Pero tiene madera de poeta.

La locutora ensartó su garfio donde creía que podría sacar tajada:

—¿Es famoso tu amado, Fanny? Quiero decir, ¿es un escritor de éxito?

La intuición le dictaba que Elena no lograría sustraerse al halago de la vanidad, pero no había calculado el acrisolamiento de su amor:

—A eso no te pienso responder. No creo que ese dato tenga importancia para lo que aquí tratamos.

La locutora se mordió la rabia. Disfrutaba maleando a sus oyentes, exprimiendo sus secretos más sórdidos o infamantes, dejándolos reducidos a un puré de sangrante humanidad; pero no soportaba que se revolvieran contra ella. Recuperó las estrategias de la mosquita muerta que no se priva de deslizar insidias:

—¿Y quién te asegura que tu amado no cede a las presiones familiares y se casa con tu competidora?

—Eso es imposible. —Elena había soltado una risita que participaba del engreimiento y la astucia, también de la complacencia—. En sus mensajes me muestra muy claramente cuáles son sus verdaderas inclinaciones...

—Perdona, Fanny —la refrenó, algo soliviantada, la locutora—. Cuando hablas de mensajes, ¿te refieres a cartas convencionales, a correos electrónicos o a qué?

—No, no. —Por un segundo, la voz de Elena se había abismado en el bisbiseo, como si no encontrara aire para subsistir—. Su familia lo tiene completamente vigilado. Tiene que recurrir a subterfugios. En los artículos que escribe, en las entrevistas que le hacen, siempre aprovecha para colar alguna frase, alguna palabra cuyo verdadero significado sólo yo puedo entender.

La locutora dejó que el silencio creciera entre ambas, como los fiscales que, por teatralidad o ensañamiento, nada añaden a las declaraciones incriminatorias del acusado.

—¿Y tú cómo consigues hacerle llegar tus respuestas?

—Hasta hoy no lo había hecho —contestó, casi con jovialidad—, para hacerme de rogar. Es que en cierta ocasión me dejó plantada,

¿sabes? No se atrevió a dar el paso definitivo por temor a las represalias de su novia y de su familia. Pero ahora estoy segura de sus sentimientos. Si ha perseverado en su amor mientras yo permanecía a la expectativa... ¡Imagínate cómo me querrá a partir de ahora, que voy a pasar al ataque!

Lo había anunciado con una mezcla de firmeza y exaltación que me abrumó. Había proyectado sobre mí —sobre nuestro desliz no consumado en aquel hotel o varadero de espectros próximo al aeropuerto O'Hare— la sombra de su relación cercenada con William, el violinista prófugo. De algún modo alambicado, insondable para la razón, William y yo formábamos el anverso y el reverso de una misma moneda.

—¡Al ataque! —se regocijó la locutora—. ¿Y qué piensas hacer, Fanny?

—Voy a mostrarle el esplendor de nuestro amor. ¡Nuestro amor que me inunda! —Había abierto las esclusas del pudor, ahora su voz se emborrachaba de sí misma, de su letanía malherida, hasta embarullarse en una logomaquia exaltada de palabras sin sentido, palabras que caían rodando por una cuesta muy pronunciada—. He probado a escribir cartas al director del periódico en el que colabora, pero no me las publican, tienen envidia de nuestro amor, tienen envidia de este gozo que siento y que necesito pregonar a los cuatro vientos. Pero nadie podrá callarme. ¿Me escuchas, amado? Ninguna muralla podrá detener este caudal. Voy a sembrar por toda la tierra la semilla de nuestro amor, voy a escribir las cartas más apasionadas, voy a recorrer el mundo predicando tus bondades. Y si alguien no me cree, les mostraré el fruto más hermoso de nuestro encuentro, el hijito que crece en mis entrañas...

Me sobresaltó, entre tanto fervor apostólico, la alusión a ese niño gestante, que complicaba aún más el embrollo, que apretaba aún más los tentáculos de la actinia.

—Un momento, Fanny —dijo la locutora, haciéndose emisaria de mi perplejidad y agobio—. ¿Has dicho que estás embarazada?

—De más de dos meses —precisó Elena con una tranquila altanería—. Aunque acabo de descubrirlo hace un par de días. Siempre he sido un poco desastre con la regla, tan pronto me viene como se va, conmigo no sirven los cálculos. Pero esta vez tardaba demasiado y me hice las pruebas.

Un calor culpable acudió a mis manos, que habían llegado a acariciar el vientre grávido de Elena, cuya tibieza había atribuido al influjo benéfico de mi cercanía, su vientre que había respondido a mi caricia con una palpitación de sangre renovada que yo había confundido con un júbilo de vivir. Pero ese júbilo incipiente —me avergonzaba mi presuntuosidad, casi tanto como mi desliz no consumado— no se lo había transmitido yo, era la lentísima germinación de una vida creciendo, todavía clandestina pero ya invulnerable. Los tentáculos de la actinia me tragaban, ya ni siquiera oponía resistencia a su voracidad.

—¿Entiendes ahora —le decía Elena a la locutora— por qué es imposible que se case con otra? Mi amado tiene que cuidar de nosotros, tiene que cuidar de mí y de su hijito.

Entre las psicosis paranoides que estudia la psiquiatría se encuentra la erotomanía, también denominada síndrome de Clérambault en honor de quien fue su más atento diagnosticador. En la génesis de esta enfermedad interviene un estado previo de fracaso amoroso, por lo común agravado por la soledad, contra el que el paciente reacciona desarrollando la convicción ilusoria y persistente de ser amado por una persona de relevancia pública. Este objeto amoroso no tiene por qué ser el causante de anteriores frustraciones o desengaños; por el contrario, el paciente suele elegirlo entre individuos a los que apenas conoce, o con los que ha tenido un contacto muy somero (el conferenciante que lo subyugó con su oratoria, el cantante o actor que le firmó un autógrafo, el político al que logró saludar entre el barullo de un acto de propaganda electoral), o de los que sólo tiene noticia a través de la prensa. Por supuesto, el paciente considera que su objeto amoroso fue el primero en insinuarse y en manifestar su pasión a través de señales y mensajes que sólo el paciente está en disposición de interpretar; estos mensajes pueden agazaparse en los actos más triviales y cotidianos (el saludo rutinario que se cruzan dos vecinos en el rellano de la escalera, el viajero que cede con protocolaria galantería su asiento a la mujer que aguanta a pie firme los bamboleos del autobús), o bien incorporar sistemas de transmisión telepática y otros recursos prodigiosos: así, el locutor televisivo se comunica con el paciente a través de su peculiar gestualidad, de sus miradas más o menos romas o incisivas al objetivo de la cámara; el escritor, a través de sus libros de estilo propenso a la divagación o el sobrentendido, etcétera. Cualquier muestra de rechazo por parte del objeto amoroso —desde las más retraídas y amedrentadas a las más hostiles, desde el escaqueo afable a la amenaza de denuncia— la interpretará el erotómano como una evidencia más de su amor, una evidencia paradójica si se quiere; pero la convicción de sentirse amado permanece inalterada, o incluso se robustece, de tal manera que una expresión de indiferencia u odio del objeto amoroso puede provocar en el paciente un más cerril hostigamiento. Cualquier adversidad que impida la realización de sus deseos es automáticamente asimilada por la fantasía delirante del paciente, que enseguida la achacará a la intervención de la fatalidad, o a misteriosas fuerzas conspiratorias que pretenden obstaculizar su amor; mas no por ello decaerá su optimismo ni la firmeza de su sentimiento. La erotomanía, en sus expresiones más puras, se desarrolla abruptamente, a veces en el plazo de una semana. Aunque se combate con fármacos neurolépticos, suele ser afección crónica, irreductible. El paciente se siente satisfecho de la atracción que suscita, no se queja de los padecimientos que su enfermedad le origina (o lo hace sin patetismo, sin afectación plañidera, como si sufrir fuese un «gaje de su oficio»), se muestra expansivo, comunicativo, incluso parlanchín, ninguna duda o perplejidad erosiona el orgullo de sentirse amado, muy raramente el rapto de agresividad mancha la pacífica condescendencia con que encaja las contrariedades. Fuera de su monomanía, el paciente discurre con cordura y hasta discreción; ninguna deficiencia cognitiva extiende su jurisdicción sobre otros asuntos. Según la literatura psiquiátrica, las mujeres son más proclives a padecer este síndrome; en esta propensión quizá subyazcan razones sociológicas, pues tradicionalmente la mujer ha ocupado posiciones menos distinguidas que el hombre, y entre los rasgos que definen el paradigma erotómano se cuenta la mayor distinción (por riqueza, notoriedad o predicamento) del objeto amoroso respecto al sujeto o paciente.

Hasta aquí las observaciones clínicas que los manuales de psiquiatría dedicaban a la enfermedad que, a juzgar por los síntomas que afloraron en sus confidencias radiofónicas, aquejaba a Elena. Como ocurre casi siempre, la realidad del caso refutaba, o siquiera corregía, algunos de los criterios del diagnóstico. Sobre el objeto amoroso —yo mismo— se proyectaban o repercutían las consecuencias de un desengaño causado por otro, el canallesco violinista prófugo que había dejado a Elena en la estacada tras embarazarla. Pero ni siquiera me asistía el consuelo de las víctimas sobre las que se arroja una culpa que no les compete. Aunque nada se hubiera consumado entre Elena y yo, aunque me obstinase en atribuir aquel desliz a un impulso altruista (y no al torpe deseo de saciar un apetito), aunque Laura no estuviese allí ni pudiera verme, aunque de mis labios no hubieran brotado palabras que me comprometiesen, sabía que sin mi intervención culpable la enfermedad no se habría declarado, o habría adoptado manifestaciones muy distintas. Sabía que había mirado a Elena con negligente lascivia mientras dormía, durante nuestro vuelo a Chicago, profanando su indefenso sueño (la respiración que inflamaba sus senos, el hoyo liviano pero intrincadísimo del ombligo, los pies desnudos, con sus venillas descendiendo por el empeine); sabía que la había llamado al hotelucho donde se hospedaba con la intención de arrancarle una cita, o siquiera con la de flirtear vagamente; sabía que, si el teléfono no hubiese sonado como un detector de adúlteros en la habitación de aquel varadero de espectros próximo al aeropuerto O'Hare, no habría dominado la urgencia de poseerla: su abrupta lengua ya había amordazado mis últimas reticencias, su vientre (que yo no sabía grávido) se abombaba con una palpitación de sangre, sus muslos tenían el mismo tacto hospitalario del papel biblia; todavía recuerdo —y es un recuerdo lacerante— la erección que abultaba mi entrepierna, una erección obscena, tuberosa, informe como un tumor maligno. Podía maquillar cuanto quisiera los diversos capítulos de mi culpa con mistificaciones caritativas; podía seguir confinándolos en los sótanos de la vida invisible. De nada me serviría. Nuestros actos —siempre había cultivado esa certeza— reverberan sobre el futuro. Y el futuro ya alentaba sobre mi cogote.

Absurdamente, traté de oponer alguna tímida resistencia al castigo que me había sido asignado. Los manuales de psiquiatría enfatizaban mucho el papel que en estos delirios erotomaníacos desempeñan esas señales y mensajes fantasiosos que mantienen en comunicación al enfermo con su objeto amoroso. Pensé que si cegaba todos los canales a través de los cuales Elena podía recibir signos de mi existencia, quizá acabara rindiéndose; supuse que la extinción del objeto amoroso, su literal desvanecimiento, podría matar por inanición su enfermedad, por irreductible que fuera, o dirigirla contra otro destinatario. Desaparecida la fuente del mal, éste habría de transformarse o fenecer. Comprendo que estas composiciones de lugar, expuestas sucintamente y sin ambages, pueden resultar de un egoísmo desalmado e indigesto, pero ya he reconocido antes que las excusas altruistas no bastaban para explicar mi desliz no consumado, mucho menos para justificar las maniobras de ocultamiento que entonces probé. Se trataba de evitar que Elena pudiera contactar conmigo, localizarme. Y se trataba de anticipar las argucias que ella emplearía para infringir esa muralla de mutismo. «Ninguna muralla podrá detener este caudal», había afirmado, en el curso de su intervención radiofónica. Me proponía torcer ese desiderátum; como la locutora que trató de arrancarle mi nombre, yo tampoco había calculado el acrisolamiento de su amor.

Quizá el método más sencillo para averiguar el domicilio de una persona cuyos apellidos conocemos consiste en consultar una guía telefónica, sobre todo si sabemos —como Elena sabía— en qué ciudad reside. Pero, desde hacía algunos años, mis datos no figuraban en la guía. Con cierta frecuencia, había empezado a recibir llamadas intempestivas de chalados o meros pelmazos que, sin conocerme de nada (o sólo a través de mis libros, de la lectura precipitada de mis libros, que ellos reputaban atentísima), allanaban mi intimidad para endilgarme sus prédicas, para embadurnarme con sus ditirambos, para ponerme a escurrir pero, sobre todo, para colgarme marrones ímprobos. Prólogos para recopilaciones de versos ineptos, cuestionarios para revistas de ufología, suscripción a manifiestos en favor de la siesta o el pueblo maorí, el teléfono me abrumaba con engorros petitorios que ponían a prueba las leyes de la verosimilitud. Como yo, indefectiblemente, me zafaba con coartadas igual de inverosímiles, el postulante desconocido se enojaba (en su desvarío, creía hacerme un honor al contar conmigo para tan señalado asunto) y me despachaba con una ristra de insultos. Harto de bregar con esta tribu de espontáneos y gorrones, había solicitado a la compañía telefónica un cambio de número, petición que tramitaron con la reglamentaria lentitud y a la que finalmente accedieron, supongo que después de endosar mi antiguo número a un pobre incauto que todavía estará recibiendo llamadas de energúmenos que le ofrecerán su peripecia biográfica como inspiración para una novela, o lo increparán por no haber acusado recibo de su penúltimo cargamento de papel impreso. También había exigido que retiraran mi nombre de cualquier lista de abonados de carácter público, y me cuidé de advertir a las pocas personas a las que había confiado mi nuevo número que se abstuvieran de difundirlo. Aun a riesgo de aparecer ante esas pocas personas como un misántropo corroído de manías persecutorias, renové entonces este encargo de discreción; creo que tanta insistencia quisquillosa animó a algunos amigos a tacharme de su agenda.

Puesto que no estaba censado en Madrid, ni poseía propiedades inmobiliarias (vivíamos de alquiler), consideré que Elena no podría seguir mi pista en registros o catastros municipales. A continuación, llamé a mis editores, rogándoles que me exoneraran por una temporada de entrevistas y otros incordios limítrofes. Con el periódico que piadosamente divulga mi firma acordé una suspensión de mis colaboraciones. Empleé como pretexto en ambos casos el deseo de volcarme en las obligaciones conyugales que estaba a punto de asumir y, con repetida amabilidad o repetido alivio, tanto el periódico como los editores admitieron este pretexto nupcial, deseándome halagüeñamente que el barbecho creativo y promocional favoreciese otras actividades más fecundas (esto lo decían con retintín, como si tuviese que demostrar mis inéditas dotes de semental). No me atreví, sin embargo, a pedirles que devolvieran a sus remitentes las cartas que recibieran a mi nombre, temeroso de que este prurito de aislamiento me delatara ante sus ojos como un peligroso espécimen de tiquismiquis o licenciado vidriera; además —pensé, ateniéndome a las pautas que dictaban los manuales de psiquiatría—, la devolución de sus cartas sería inmediatamente interpretada por Elena como una muestra de «comportamiento paradójico» y asimilada por su fantasía delirante como una prueba de la existencia de fuerzas conspiratorias que trataban de obstaculizar nuestro amor. Pronto, muy pronto —apenas tres o cuatro días después de su desahogo radiofónico— empecé a recibir en mi buzón las prometidas «cartas más apasionadas» que desde el periódico y la editorial me remitían a un ritmo de al menos una por día. Con artimañas que habría calificado de enternecedoras si no me hubiese atenazado un pavor creciente, Elena se esforzaba por disfrazar sus envíos con envoltorios cambiantes (el sobre blanco y apaisado sustituía al sobre cuadrado de papel de estraza, alternándose ambos con el sobre acolchado y el sobre ribeteado de franjas azules y rojas del correo aéreo), remitentes apócrifos y caligrafías fingidas. Había en todos ellos, sin embargo, peculiaridades que los distinguían y hacían reconocibles a primera vista: no sólo su voluminosidad (a Elena la exaltaba un ímpetu grafómano), también su predilección por las tintas más llamativas y algunos rasgos grafológicos que no conseguía reprimir: las letras altas enredándose en volutas y arabescos, las mayúsculas como tupidos emblemas, el pulso de la línea siempre ascendente, levitando de optimismo y jovialidad.

No vencí la curiosidad de asomarme a algunas de aquellas cartas que luego despedazaba con desolado y metódico ensañamiento y arrojaba en cualquier papelera de la calle, aprovechando una salida al quiosco o la panadería. Eran cartas que sólo admitían una explicación patológica, por supuesto, pero eran mucho más que eso: participaban de la escritura automática, también de esa obstinación introspectiva y casi siempre farragosa que un especialista en literatura denominaría *stream of consciousness,* y saltaban sin solución de continuidad del plano real al plano delirante, como liebres que desafían con sus brincos los itinerarios rectilíneos. Eran, además, cartas de apabullante prolijidad: Elena no se contentaba con registrar los acontecimientos más señalados del día, esos instantes elegidos que redimen el tedio de las horas iguales. El amor contaminaba de beatitud los actos más triviales, los fundía en una luz homogénea y enaltecedora. Sobrevolando o envolviendo esa luz, como una epifanía, me hallaba yo o, mejor dicho, el personaje idealizado que Elena había creado por hibridación con William, el violinista prófugo. Resultaba muy chocante comprobar cómo en la elaboración de esta quimera la memoria de Elena actuaba selectivamente, borrando aquellos pasajes del pasado que no convenían a su ensoñación, fundiendo otros en una amalgama delirante, rectificando y sublimando a conveniencia, hasta completar una criatura que apenas guardaba parentesco alguno conmigo. Leía aquellas cartas sintiéndome a la vez primera y tercera persona, con esa mezcla de angustia y extrañamiento con que asistimos en un sueño a nuestro propio asesinato, del que somos simultáneamente víctimas e impotentes testigos. Como en los sueños, mi respuesta emocional ante ese retrato distorsionado de mí mismo que

Elena había urdido era a un tiempo de furia y consternación, congoja y abatimiento, indescifrable miedo e indescifrable lástima. Había decidido no contestar a esas cartas, pero aunque mi decisión hubiese sido la contraria, me habría descubierto incapaz de hacerlo, atenazado por un desasosiego que cifraba sus esperanzas (cada vez más consumidas y agónicas) en la disolución de ese mal sueño.

En un par de semanas, lastimada por el silencio pertinaz, Elena empezó a escribir cartas menos exultantes, más despegadas de la realidad, más enclaustradas en su mundo interior imaginario. Un marasmo de inacción y ensimismamiento se fue apoderando de ella: primero descuidó sus rutinas domésticas (los platos sucios apilándose en el fregadero, la comida enmoheciendo en la nevera), enseguida extendió su languidez a sus obligaciones como profesora interina de música en un instituto de Valencia. «Hoy no he ido a clase —me escribió en una de aquellas cartas—. A mitad de camino le he pedido al conductor del autobús que me dejara bajar. ¡Es tan hermoso pasear por los parques en invierno! Todavía quedan algunas hojas secas en el suelo. Como en los últimos días ha llovido mucho, las hojas están húmedas, da gusto caminar sobre ellas, es como caminar sobre las nubes. Nuestro hijito siente esa blandura; lo noto porque me patalea en el vientre, igual que patalea cuando le hacen una ecografía, es muy pudoroso y no quiere enseñar el pitilín. Me pregunto si nuestro hijito tendrá tus ojos marrones y pensativos, tus dos ojos que espero sueñen los míos, hasta que vuelvan a verlos, los míos que combinan cinco colores: verde del mar Mediterráneo, verde esmeralda, verde veronés y también jaspeados de pardo y amarillo como las hojas que piso tan blanditas, las hojas pardas y amarillas. Yo prefiero que nuestro hijito tenga tus mismos ojos pero sin tus gafas, voy a elegirte un modelo nuevo de gafas, es lo único que no soporto de ti, el modelo de tus gafas, si acaso sólo eso de momento. El director del instituto es medio lesbiano, ni siquiera maricón, y me ha dejado un recado en el contestador automático diciéndome que las ausencias injustificadas son motivo de despido, qué sabrá él si son injustificadas o si son ojos y hojas».

La ilación de las palabras era cada vez más tenue, los vínculos de la sintaxis cedían ante asociaciones impremeditadas o regidas por una extravagancia verborreica. Elena empezaba a bogar por los limbos de la irrealidad. En apenas un par de semanas, sus cartas dejaron de referirse a los asuntos de la vida cotidiana (quizá para entonces ya la hubiesen despedido del instituto, quizá para entonces se alimentase de comida mohosa), para internarse en laberintos mentales no menos prolijos. Su escritura se hizo más y más depauperada, como si se desangrase sobre el papel; los arabescos y filigranas caligráficas fueron sustituidos por un desaliño a veces frenético, a veces exangüe, siempre ilegible. En su afán por mostrarse digna de mi amor, no rehusaba los primores del estilo, las formas poemáticas; el efecto era estremecedor, porque estas pretensiones literarias extemporáneas, lejos de disimular su trastorno, lo resaltaban hasta extremos caricaturescos, como en esta especie de trabalenguas aliterativo: «Siento en mí que mi sentimiento hacia ti es sentido sinceramente en la simiente de mi amor y siento también que tal sentimiento no siente ya remordimiento de no sentir más amor posible pues si más sintiese tal vez no pudiese sentir más sentimiento pues tal vez muriese de sentir lo que siento y no por su intensidad sino porque lo que siento es de tal modo sensitivo y sensible que lo siento tan sólo yo». Pero junto a las ensoñaciones platónicas se colaban también, entre la vorágine de palabras desquiciadas, los raptos de crudeza genital: «Sé que te gustaría mordisquear mis pezones los rizos de mi pubis meter la lengua y más en mi coño que no ha vuelto a sangrar pues salvo que fueras un hombre monja que tal vez fuiste antes de conocerme debes de estar echando de menos estas delicias que guardo para ti si te dignaras responderme yo te enviaría mis braguitas con sus jugos jugosos para que apreciaras la diferencia con las bragas de la estreñida de tu novia que huelen a lejía y tienen telarañas mientras yo me masturbo cuando nuestro hijito duerme para que te enteres me masturbo a escondidas de nuestro hijito porque no conviene que sepa que su madre es muy guarra y su padre un hombre monja».

Se apreciaba en estas salidas de tono una agresividad creciente que mi silencio no hacía sino agriar. Adopté entonces la solución impiadosa de romper sus cartas sin leerlas siquiera, pensando que así me evitaría la diaria tortura de saberme víctima (¿o autor?) y a la vez testigo de una pesadilla en la que no podía intervenir, en la que no debía intervenir si no deseaba arruinar mi pacífica existencia, las liturgias de una vida que yo deseaba incólume al lado de Laura, que en menos de un mes, apenas transcurridas las Navidades, se convertiría en mi esposa. Ahora comprendo que, además de impiadosa, aquella solución era inútil, pues mucho más lacerante que la lectura de aquellas cartas que documentaban el progresivo deterioro de Elena era la conciencia de saberme, siquiera en una mínima parte, responsable. Sin esa conciencia culpable, supongo que me habría limitado a denunciar a la policía el acoso de una perturbada, o habría tratado de contactar con su familia para que la sometieran a cuidados psiquiátricos. Pero la sombra de la culpa me impedía actuar; y en esta omisión confluían la cobardía moral, el egoísmo y también una forma demorada de fatalidad, una asunción de la tragedia que empezaba a tramarse y que, de algún modo incontrolable, acabaría salpicándome. Naturalmente, me sentía mezquino, me odiaba por no reunir el coraje suficiente para abreviar aquella tensa espera, y estos sentimientos de soterrado desagrado acabaron infectando mi conducta. Ya no se trataba tan sólo de que mi natural misantropía se hubiese agravado, o de que la concentración requerida para mi trabajo creativo hubiese quedado reducida a añicos; aquel desánimo mezclado de desasosiego no tardó en manchar mi amor hacia Laura: donde antes había pasión y entrega ahora sólo sobrevivía una protocolaria cortesía; donde antes el sortilegio de la noche convertía mi boca en una cornucopia de palabras, ahora me escuchaba hablando con una voz apagada y monótona, desentendida de sí misma, en la que cada frase albergaba una mentira, un artificio, una semilla de cansancio y decrepitud; donde antes afloraba la codicia de los cuerpos que anhelan entrelazarse y convertir cada efusión en una placentera novedad, ahora sólo intervenía una sombría y desganada repetición de lo mismo, una vergüenza neutra que nos aislaba en crisálidas de excusas y justificaciones. Habíamos perdido la naturalidad de amarnos.

—Quizá casarnos sea un error —soltó Laura una noche, inopinadamente.

Hacía más de una hora que nos habíamos dado las buenas noches (también la farsa tiene sus ritos), hacía más de una hora que ambos fingíamos dormir, cuidando de no tocarnos, como si un sable interpusiera su filo desnudo entre nuestros cuerpos.

—¿Te has vuelto loca? ¿Qué estás diciendo? —dije, por proseguir con el simulacro. Pero mi voz no sonaba adormilada ni perpleja, como se supone que debería haber sonado si en verdad el comentario de Laura me hubiese pillado desprevenido.

—Lo que oyes —dijo, sin inmutarse—. ¿Piensas que no me doy cuenta? Desde que volviste de Chicago eres otra persona.

—Eso son sólo figuraciones tuyas.

Laura se incorporó, como si la hubiese asaltado una náusea o un presagio:

—¿A quién quieres engañar, Alejandro? —hablaba con una fatigada cólera—. Estás tan cambiado que ni siquiera escribes. No se trata sólo de que ya no me toques o lo hagas como si fuese una obligación. Es que ni siquiera escribes, tío, ni siquiera eres capaz de juntar letras.

—Ya te he explicado que eso va por rachas, Laura —me solivianté hasta donde el cinismo me lo permitía—. Hay rachas mejores y rachas peores.

—No me vengas con ese rollo de la inspiración. Esas majaderías se las cuentas, si quieres, a tu tía la de Soria.

La acritud se le enroscaba en la garganta como una víbora destemplada. Probé a pacificarla:

—No es sólo falta de inspiración, las cintas de Fanny me tienen bloqueado. —Hice una pausa, antes de formular esta afirmación doblemente verdadera—: Si supieras lo duro que es asomarse a una mente trastornada...

—Quizá no lo sería tanto si en vez de encerrarte en tu concha compartieras algo con los demás. —Alargué un brazo para rozarla, pero me rechazó—. No sólo conmigo. Tampoco te portas bien con tus amigos. ¿Cuántas veces le has dado plantón a Bruno, por ejemplo?

Decididamente, se disponía a enhebrar una larguísima retahíla de reproches, quizá fraguados en esas horas de resentido insomnio en que ambos fingíamos dormir.

—Estás desazonado, Alejandro. Te pones a leer un libro y al rato lo dejas. Coges otro y lo dejas también. Tú, que siempre has presumido, o te has lamentado, de acabar los libros que empiezas. —La inminencia del llanto le infundía un temblor que quizá la muy frágil tela de su camisón exageraba—. Y de la boda no quieres ni oír hablar. No es que no me ayudes en los preparativos, que eso todavía tendría un pase: es que cuando te voy a contar que fulano quiere hacernos un regalo, o que en la agencia nos han reservado tales hoteles para la luna de miel, cambias de tema o te haces el sordo. No quieres casarte, Alejandro, así de duro y así de simple.

Se volvió a derrumbar sobre la cama, esta vez boca abajo, para que la almohada amortiguara sus sollozos, al igual que amortiguaba mis remordimientos que lentamente, pesarosamente, se hundían en su blandura, como alimañas atrapadas en una ciénaga.

—Un fusible, un interruptor que salta. —La voz de Laura, sofocada y lóbrega, parecía llegar de ultratumba—. Tú también te has convertido en otra persona, como John Walker.

Dejé que Laura desahogara su frustración; luego posé muy tenuemente mi mano sobre su espalda, sobre sus costillas en las que aún resonaba la carcoma del llanto.

—¿Por qué no habría de querer casarme, Laura? —me exculpé—. Llevamos meses viviendo juntos. ¿Acaso crees que las bendiciones del cura van a suponer tanto cambio?

—No son las bendiciones del cura, sino los compromisos que uno asume, los que cambian la vida. —Su voz era admonitoria, casi funeral—. La gente se casa, Alejandro, porque necesita comprometerse, necesita obligarse con las personas que de verdad ama, necesita que ese amor se prolongue en unos hijos.

El fruto más hermoso de nuestro encuentro, el hijito que crece en mis entrañas. La almohada amortiguó mi escalofrío.

—Nunca te lo he preguntado, Alejandro, pero lo hago ahora: ¿tú quieres tener hijos?

—No me parece el momento oportuno para mantener estas discusiones —dije, adoptando la estrategia del caracol—. Estamos demasiado alterados.

Laura no añadió nada, a veces el silencio es la más punzante expresión del sarcasmo. Nos quedamos callados uno a cada extremo de la cama, mirando el enlucido del techo como una pantalla sobre la que se proyectase la película muda de una depredación en la que los propios espectadores fuesen los protagonistas. Me esforzaba por creer que algún día no demasiado lejano lograríamos escalar aquella difícil escarpadura que nos separaba para disfrutar de los beneficios de la felicidad; pero no veía el modo de hacerlo. Agotado de testarme una y otra vez contra la misma pared de roca, me quedé dormido. Soñé que Elena, harta de escribir cartas que no obtenían respuesta, salía en mi busca, como Fanny Riffel había salido en busca del pervertido que la había acosado telefónicamente, con la esperanza de que se decidiera a infringir su cobardía emboscada y la asaltase en plena calle.

A la mañana siguiente no encontré ninguna carta de Elena en el buzón.

Mi nombre es legión, había respondido la antigua serpiente a Jesucristo. Fanny Riffel aprendió a recitar los nombres de ese populoso ejército leyendo a hurtadillas los grimorios y tratados de demonología que Burkett transportaba en su caravana: Satanás y Lucifer y Belial, Belcebú y Asmodeo y Samael, Leviatán y Astaroth y Abaddón, Nebroel y Mammón y Mefistófeles, Belfegor y Baal y Marbuel, Dagón y Moloch y Nergal, Thamuz y Adrameleck y Behemoth, y así hasta completar 6.666 legiones de 6.666 ángeles caídos cada una. Algunas noches, tumbada sobre el suelo de la caravana (Burkett no le dejaba compartir el camastro con él, ni siquiera ocuparlo en días alternos, para que no contaminase las sábanas con su impureza), Fanny distraía el insomnio enumerando la cofradía diabólica; al conjuro de su voz, los príncipes de las tinieblas abandonaban los nueve círculos concéntricos del infierno y se congregaban en derredor de la caravana en un aquelarre que alborotaba los vientos y hacía aullar a las fieras y removía los cimientos de la tierra. A Fanny, peregrina en los pasadizos de la locura, le maravillaba que Burkett no inmutara su sueño (pero estaba durmiendo la moña), ni siquiera cuando los demonios zarandeaban la caravana y lanzaban sus zarpas a través de la ventanilla que dejaba abierta para facilitar la ventilación y agitaban el picaporte de la puerta sin conseguir que saltara el pestillo y golpeaban las paredes metálicas en una barahúnda ensordecedora que hacía entrechocar los peroles de cobre y removerse los tarros de mermelada de arándanos en los anaqueles. Pensaba Fanny que si aquel estrépito no perturbaba a Burkett era por la misma razón por la que los demonios no conseguían allanar la caravana, pese a emplearse con tanto denuedo en su asedio: sin duda, el predicador era un hombre santo sobre el que la antigua serpiente jamás podría ejercer su imperio. Y, al llegar a esta conclusión, Fanny daba gracias a Dios por haber puesto en su camino al predicador, que la protegía de las acechanzas del Enemigo.

Desde que la recogiera, cuatro años atrás, en aquella iglesia baptista a las afueras de Chicago, muchas cosas habían cambiado en su vida. Por de pronto, habían dejado de torturarla aquellos avatares del Diablo que en otro tiempo quisieron ganarla para su causa. Ahora, incluso, se veía con fuerzas para enfrentarse a ellos, para vencerlos y destruirlos. Burkett le había prometido que la dejaría marchar a cumplir su misión de venganza en cuanto acabase su purificación y aprendizaje, iniciados la misma noche en que su protector la tomó a su cargo. Acabada la asamblea de conversión y arregladas las cuentas con el pastor que regentaba la iglesia, Fanny montó con Burkett en su Chevrolet de tercera o cuarta mano que apenas tenía fuelle para tirar de la caravana; como todos los automóviles que fueron llamativos en otra época (y esto quizá también les ocurra a las mujeres despampanantes como Fanny, cuando la juventud las desampara), su decrepitud resultaba más lastimosa y vergonzante. En aquel primer viaje que los alejaba de Chicago recorrieron un itinerario muy similar al elegido por los violadores que la dejaron tirada en un vertedero; cuando las montañas de basura quedaron atrás, como cementerios de una pesadilla pretérita, Fanny sonrió al meditabundo Burkett, que no dejaba de escrutarla a través del espejo retrovisor. Se había aflojado la chalina y el cuello de celuloide que utilizaba en sus prédicas; devolvió a Fanny la sonrisa, mientras se masajeaba la nuca, pero fue una sonrisa taimada y como formulada a regañadientes. Movida por la gratitud, y a falta de un pomo de alabastro con ungüentos con el que poder ungir sus pies, Fanny le alivió el cansancio acariciándole la cerviz. Burkett, al contacto de aquellas manos ásperas y de uñas astilladas (pero habían sido suaves y de uñas incendiadas de carmín, según recordaba haber visto en las revistas sicalípticas), sintió un estremecimiento que le hizo perder por unos segundos el control del volante. Discurrían ante un prado comunal, muy alejados ya del babélico Chicago, que el resplandor de la luna peinaba de una calma bucólica; al fondo se presentía un riachuelo como una espada de azogue.

—Acamparemos aquí —dijo Burkett, girando bruscamente para internarse por un camino de roderas muy marcadas que los acercaba al riachuelo.

El prado, en el que había cuajado la nieve, se agachaba a beber en el riachuelo con un levísimo declive que se erizaba de juncos y carrizos; el agua se remansaba tras una revuelta y copiaba el alfabeto cifrado de las estrellas. Burkett abandonó el Chevrolet, entró en la caravana y al poco volvió con una pastilla de jabón y un cepillo de cerdas muy gruesas que tendió a Fanny.

—Será mejor que te quites esa costra de mierda —le dijo, con un ademán conminatorio.

Fanny salió también del Chevrolet; tras la nevada, el aire se había aquietado, pero en su quietud albergaba un frío purísimo de estilete o escarcha. Reprimió un escalofrío.

—Pero el agua estará helada... —balbució.

—¿Tú crees que Nuestro Señor, cuando fue bautizado en el Jordán, se anduvo con esos melindres? Si quieres ser bautizada en el Espíritu Santo y en el fuego, antes habrás de purificarte en el agua.

Fanny asintió bovinamente.

—¡Vamos! —gritó Burkett, exasperado—. ¡Quítate esos andrajos! Un resto de pudor la paralizaba.

—¡Haz lo que te digo! —insistió, con mayor violencia aún—. ¿Crees que tu desnudez me va a escandalizar?

Empezó por descalzarse de los zapatos de suelas deslenguadas (la hierba le picoteaba con su caricia crujiente en las plantas de los pies), y luego se fue despojando de aquel burujo de ropas o jirones de tela que la suciedad hacía indiscernibles. Burkett distinguió, simplificados por el resplandor de la luna, los senos demolidos, tan distintos de los que exhibía en las fotografías, pero todavía guardianes de un temblor que hacía vibrar el aire; distinguió el vientre hundido entre las caderas (como si su antigua turgencia se hubiese escapado por el desagüe del ombligo) y el arpa nítida de las costillas, los muslos entecos que insinuaban el fémur, el vello púbico que en las fotografías nunca mostraba, frondoso y negrísimo, adelgazándose como el astil de una flecha. Burkett cerró los ojos, para sobreponer a la Fanny que acababa de desnudarse ante él la Fanny tantas veces invocada en sueños.

—¡Y pensar que ese cuerpo pudo ser el templo de la maternidad! —dijo, para espantar el cerco del deseo—. ¡Pero preferiste convertirlo en recipiente de la corrupción! Por haber hecho esto, maldita serás entre todos los ganados y entre todas las bestias del campo. Te arrastrarás sobre tu pecho y comerás el polvo todo el tiempo de tu vida. Pongo perpetua enemistad entre tú y la mujer, entre tu linaje y el suyo.

Burkett notó que las rodillas le flojeaban; cayó de hinojos sobre la hierba, estremecido de furor y lujuria, incapaz de contener el alud de citas bíblicas que acudían a sus labios, incapaz también de que esas citas detuvieran el magma del deseo que encharcaba sus vísceras. La inminencia de las lágrimas golpeaba su paladar y lo hacía más conmovedoramente absurdo:

—¡Dios mío, cómo hubiese querido engendrar hijos en ese cuerpo! ¡Pero ya es tarde! ¡El Diablo ha satisfecho en él sus bestiales apetitos! —gimoteó—. ¡El Diablo lo ha prostituido para siempre!

Burkett se derrumbó sobre la hierba, dejando caer todo el peso de su culpa sobre su miembro viril, que crecía ajeno a quien le daba sustento, bombeando una sangre espesa como el alquitrán. Fanny se había quedado mirándolo anonadada; ni siquiera el frío la distraía de la contemplación de su salvador, que se retorcía como un gurruño sobre la hierba.

—No llore —se inclinó sobre él y tomó su cabeza ardiente entre las manos—. Algo podremos hacer para limpiar lo que el Diablo profanó.

Burkett se quedó mirándola un rato, con la cara todavía desencajada; a sus ojos esmaltados de torva salacidad acudió un destello de clarividencia, como si de repente hubiese escuchado un consejo procedente del cielo, o quizá se lo inspirase la lengua del áspid.

—La senda de la purificación es estrecha y dolorosa... —dijo. Fanny no entendió que le estaba insinuando una brutalidad—. ¿Serás capaz de soportarlo?

Asintió, dimitida de la voluntad. Si había estado dispuesta a inmolarse para que cesara su sufrimiento, ¿cómo no iba a estarlo si se le prometía la posibilidad de una redención? Burkett volvía a hablar con palabras ininteligibles; había adoptado una expresión de enajenado distanciamiento:

—No podemos arriesgarnos a engendrar hijos; podrían nacer con los estigmas del Maligno. Pero necesitas que un hombre santo libere su semilla en tus entrañas. —A medida que hablaba, las estrellas se iban apagando, golpeadas por el rubor—. Dios condenó el amor infecundo arrojando su ira contra Sodoma, pero hay circunstancias excepcionales en que puede sortearse esa condenación. —Su voz se hizo íntima y susurrante para repetir, a modo de estribillo—: ¿Serás capaz de soportarlo?

A Burkett le repugnaba hollar las mismas vías que otros hombres ya habían desbrozado; quería que Fanny fuese enteramente suya, entregada en primicia, quería disponer de su último reducto de virginidad. Aguardó en la orilla a que concluyera su baño y la arropó con una manta que olía a mermelada de arándanos, mientras la conducía hasta la caravana; el mundo había interrumpido su respiración para no participar de aquel himeneo sórdido. Al entrar en la caravana donde Burkett había refugiado durante años su celibato, la golpeó una vaharada acre, como de reses desolladas o sahumerios prohibidos. Junto a este olor a chotuno, le sorprendió a Fanny el batiburrillo de objetos y enseres que ocupaban las paredes del habitáculo: peroles de cobre colgados del techo, tarros de cristal en los que se pudrían las más arqueológicas mermeladas, libros piadosos y grimorios en blasfema coyunda. Había también una cocinilla de hojalata y un fregadero en el que se apilaban, en un tumulto nauseabundo, platos mal rebañados que merodeaban las cucarachas y ceniceros abarrotados de colillas; había un camastro muy angosto, de sábanas atormentadas por dobleces que parecían cicatrices; y había un aparador que apenas dejaba espacio para que se rebulleran dos personas. Fanny tuvo que vislumbrar aquel interior atosigante a la luz de la luna, que se colaba de rondón por el portillo abierto de la caravana. A su espalda, la voz de Burkett se había hecho acezante:

—Anda, inclínate y apoya los codos sobre el aparador.

Le apartó la manta de un empellón y le palpó las nalgas que ya no eran copiosas ni núbiles, sino escurridas y arañadas por los abrojos de los solares que habían sido su lecho durante meses. Burkett deslizó la barbilla sobre el espinazo de Fanny y lamió su piel salobre hasta alcanzar su cuello; su barba crecida tenía el escozor de la lija. Volvió a su estribillo, ahora formulado en un tono más trémulo:

—¿Serás capaz de soportarlo?

Fanny sentía el merodeo viscoso de su miembro viril, allá en algún recodo de su anatomía todavía no infestado por la antigua serpiente.

—Lo hace por mi bien —consintió, con una voz de víctima propiciatoria—. Un hombre santo debe matarlos con su semilla.

Cuando por fin acabaron los embates, Fanny se sintió enaltecida por el dolor; la sangre le descendía por los muslos entecos que insinuaban el fémur como una joya líquida, gozosa de ser derramada. Burkett, que había murmurado oraciones o exorcismos mientras duró el ejercicio de purificación, se derrumbó sobre el camastro dilacerado por los remordimientos (no hay placer más deleitoso ni más torturante que el que nace y se alimenta del pecado). Al enderezar la espalda, Fanny tuvo una sensación desconcertante, como si la semilla de Burkett, al trabar batalla con los gérmenes diabólicos que anidaban en su organismo, se hubiese quedado yerta. Se acercó al camastro y trató de consolar a Burkett, que volvía a abismarse en un gimoteo sordo y a farfullar citas bíblicas, mientras descorchaba una botella de un licor ambarino, seguramente *whiskey*, que Fanny tomó por un antídoto contra la picadura de la antigua serpiente. Burkett bebía del gollete, en larguísimos tragos que abrasaban su garganta y anestesiaban su conciencia; en su deglución silenciosa se atragantaba, y el licor se le derramaba entonces por las comisuras de los labios hasta mancharle la pechera de la camisa. Cuando Fanny quiso apaciguar su tos con palmadas en la espalda, Burkett la apartó hoscamente. Fanny se acurrucó entonces en el suelo de linóleo que Burkett jamás se había preocupado de barrer, como un perrillo que duerme a la vera de su amo (el amo que acaba de apalearlo), sedado por su respiración. La de Burkett, que al principio era desacompasada y se prolongaba en una especie de gañido, se hizo resollante cuando el *whiskey* lo amuermó. Como sus ronquidos, y la palpitación del dolor, la mantenían en vela, Fanny decidió emplear el tiempo en alguna labor que le fuese grata al hombre que había puesto en peligro su vida para salvarla del Maligno y así resarcirlo, aunque fuese modestamente, de su sacrificio. La inanición de meses apenas le permitía mantenerse en pie, pero sacó fuerzas de flaqueza (la semilla de un hombre santo

abonaba su abnegación) para emprender la limpieza de aquella po-
cilga. De vez en cuando hacía una pausa para espantar el acecho de
una lipotimia y rebuscar en los cajones del aparador algo comestible
que poder llevarse a la boca (latas de conserva caducadas, cacahuetes
revenidos) pero, aparte de estos poco recomendables refrigerios (que,
además, añadieron a su debilidad retortijones de tripas), trabajó sin
interrupción hasta bien entrada la mañana. Burkett, mientras tanto,
dormía como una marmota, ajeno a sus trasiegos. El objetivo de
Fanny era dejar la caravana impoluta, para que el predicador la ad-
mitiese en su hogar. Restregó la cochambre de los platos (las cucarachas se dispersaron, como una diáspora de pecados mortales), vació
los ceniceros, barrió de inmundicias el suelo y quitó el polvo a los peroles de cobre y a los frascos de mermelada. Llenó un barreño con
agua del riachuelo y fregó con asperón la desportillada vajilla de Burkett; ya por último, cambió el agua del barreño e hizo una colada con
las mudas y camisas arrebujadas que fue descubriendo por los rincones más impracticables de la caravana. Tendió una cuerda desde el
picaporte de la portezuela del Chevrolet al tronco de un sauce que
allí crecía y colgó las prendas empapadas (ya no logró reunir fuerzas
para exprimirles el agua) y atónitas de recuperar una blancura de la
que ni siquiera guardaban memoria. El sol alcanzaba su cenit cuando
Fanny, extenuada, concluyó esta primera limpieza doméstica; justamente en ese momento salió Burkett de la caravana, desentumecién-
dose como un orangután. Al reparar en la cuerda de la ropa y en el
barreño comprendió que no era un espejismo de la resaca la impresión de orden que le había transmitido la caravana, hasta la noche anterior rendida al caos. Fanny aguardaba expectante la reacción del
predicador, que había previsto enternecida o alborozada; su laconismo, sin embargo, no logró desalentarla:

—La senda de la purificación es estrecha y dolorosa —dijo tan
sólo, a modo de sarcástico veredicto.

Y se encaminó al riachuelo, para despejarse con un chapuzón.
Fanny dedujo que aprobaba su esfuerzo, pero que se resistía a lanzar
las campanas al vuelo, pues la adulación puede resultar el peor acicate para el penitente. También dedujo que la senda de su purificación sería larga; pero decidió caminarla con alegría imperturbable,
sin proferir una sola queja, sin pedir nada a Burkett, sin esperar nada
de él, aparte de aquellos periódicos sacrificios nocturnos en los que el

predicador comprometía su santidad para expulsar de su cuerpo a la antigua serpiente. En los cuatro años siguientes, Fanny siguió caminando por esa difícil vía de la abnegación sin aparente recompensa: por las mañanas trabajaba como criada de Burkett (lavaba y planchaba su ropa, guisaba la comida que ella misma compraba en los colmados de la población más próxima, mantenía impoluta la caravana y reparaba sus averías); por las tardes actuaba como anzuelo de incautos y acicate de conversos en los sermones que Burkett pronunciaba en iglesias rurales o arrabaleras; por las noches, si el predicador aún se tenía en pie (el salvamento de almas condenadas y la ingesta de licores que actuaban como antídoto contra la picadura de la antigua serpiente lo dejaban para el arrastre), se dejaba purificar contra el aparador, mientras él murmuraba exorcismos y plegarias, o bien se tendía en el suelo de linóleo, junto a su camastro, velando su respiración resollante. Como Burkett apenas intercambiaba palabra con ella, tuvo que aprender a interpretar sus silencios basándose en los indicios más quebradizos, en los gestos apenas expresados, en las evasivas más inescrutables. Se había propuesto que su conducta fuese siempre ejemplar, para no retroceder en la vía de su perfeccionamiento; se había propuesto no contrariar a su salvador, empeño que habría facilitado Burkett si no se hubiera atrincherado en la hosquedad y la fingida indiferencia. Pero Fanny sabía instintivamente que cualquier intento por franquear esa barrera de mutismo redundaría en perjuicio de su aprendizaje y, aun a riesgo de equivocarse, buscaba el modo de hacerse grata a sus ojos basándose en las pistas y barruntos que extraía de su comportamiento. Así, un día, mientras Burkett negociaba con el pastor de un villorrio cualquiera el reparto de beneficios tras la asamblea de conversión que se celebraría esa misma tarde, Fanny descubrió, tapiadas por Biblias manoseadas y tratados de demonología, un rimero de revistas y estampitas pornográficas que coincidían en mostrar al súcubo que ella misma había sido en poses de rebuscada impudicia, enjaezada con medias de costura y zapatos de tacón de aguja y lencería churrigueresca. Pensó entonces que Burkett le estaba sugiriendo que volviese a vestir de esa guisa, para poner a prueba sus avances por la senda de la purificación y comprobar si la antigua serpiente acudía al reclamo. Fanny, sin embargo, no disponía de una asignación que le permitiera renovar su vestuario; tampoco se atrevía a solicitar un préstamo a Burkett. Con esa paciencia que sólo poseen quienes han iniciado una travesía sin rumbo por las tinieblas del alma, Fanny fue sustrayendo, como por cuentagotas, calderillas deleznables de las vueltas que le daban en los colmados; y así, centavo a centavo, juntó la cantidad suficiente para comprarse en una ropavejería unos zapatos de charol despellejado que le rozaban en el empeine, unas medias con carreras, unos pantaloncitos de cancán con volantes de organdí conservados entre bolas de naftalina desde la Guerra de Secesión. Eligió para vestirse de esta guisa la noche de Acción de Gracias; y completó el disfraz cepillándose el pelo (aspiraba inútilmente a rescatar su brillo agreste) y frotándose las mejillas con un rastro de mermelada de arándanos, para darles color. Su aspecto era ridículo, de un patetismo bufo que daba grima; pero después de la cena preparada con mimo, que discurrió en el mismo silencio terco de siempre, Burkett acometió con más brío que nunca las ceremonias de la purificación.

Las aspiraciones megalómanas del predicador no llegaron a cumplirse. La incorporación de Fanny Riffel a sus farsas penitenciales multiplicó la asistencia de fieles y también los donativos, pero Burkett no tardó en constatar que, entre los palurdos que componían sus auditorios, prevalecía sobre el fervor del converso el jolgorio del juerguista. Escuchaban sus sermones como quien se regocija con los aspavientos y volatines de un histrión sobre el escenario, y para Fanny reservaban ese pasmo entreverado de chuflas y chocarrerías que se dispensa a los adefesios que se exhiben en las barracas de feria. La popularidad de ambos se propagó por los contornos, pero siempre asociada al sambenito de la extravagancia festiva. No daban abasto para atender todas las solicitudes que recibían, pero su circuito nunca se extendió más allá de los poblachos campesinos y los arrabales fabriles de las grandes ciudades, ante públicos de gaznápiros o destripaterrones o inmigrantes que apenas farfullaban los rudimentos del idioma. Sin más perspectivas que la repetición machacona de los mismos desatinos y anatemas, Burkett (que no dejaba de leer en los periódicos, envilecido por el rencor, los simultáneos episodios de apoteosis que jalonaban las giras de Billy Graham, a quien ya se designaba en los titulares «el Papa de América», a quien el mismísimo Eisenhower había convocado en la Casa Blanca para beneficiarse de sus consejos) fatigó los caminos y andurriales de Illinois, con incursiones en los estados limítrofes de Indiana y Kentucky. Se había resignado a perma-

necer encasillado en el peldaño más bajo del escalafón de los predicadores, en un territorio lindante con el que ocupaban los mercachifles
de baja estofa y los cómicos de repertorio más chabacano, pero la
compañía de aquella perturbada, tan hacendosa y servil, empezaba a
hastiarlo. El furor lúbrico y los remordimientos que lo consumían durante los primeros meses, cuando cada vez que penetraba en su
senda estrecha y dolorosa saboreaba el regusto de la venganza y el
gozo de ofender a Dios, se habían ido convirtiendo primero en desvío, luego en franco aborrecimiento. Si aún le permitía compartir el
exiguo espacio de la caravana (seguía durmiendo acurrucada sobre
el linóleo) y no la dejaba tirada en cualquier encrucijada no registrada en
los mapas, era porque sus desvelos de esclava complaciente lo exone-
raban de preocupaciones domésticas.

Fanny, entretanto, había mejorado su aspecto, aunque la belleza
de la juventud ya hubiese desertado de sus facciones. Se alimentaba
con las sobras que Burkett le dejaba, mordisqueando los huesos y rebañando las salsas que aquel flaco profesional con apetito de tragaldabas desdeñaba tras quedarse ahíto; pero esos desechos bastaban
para devolverle una cierta lozanía desgastada, a la que también contribuía el irresponsable júbilo de creerse paulatinamente liberada del
Maligno. Sus carnes ya no serían nunca más prietas, como lo habían
sido antaño, sino más bien un poco desfondadas, pero seguía apunta-
lándolas un esqueleto privilegiado; así que no era del todo infrecuente que algún patán de los que asistían a las asambleas de conversión convocadas por Burkett le lanzara una palmada al culo o
intentara magrearla cuando se la tropezaba por las calles del pueblo,
haciendo desprevenidamente las compras. La chiquillería la seguía a
cierta distancia en estas expediciones, acompañando con rítmicas
onomatopeyas sus contoneos, pues Fanny no había conseguido erra-
dicarlos del todo aunque los odiase, por ser heraldos de su pasado; y
no faltaban entre los miembros de estos séquitos infantiles algunos
osados que la increpaban poco imaginativamente (puta, puta), o utilizaban sus nalgas como diana de un tirachinas, o le rubricaban el rostro con un escupitajo. En una aldehuela al sur de Kentucky donde
aún imperaba la ley de Lynch, quisieron darle brea y emplumarla,
después de que expusiera ante un auditorio de granjeros tan psicóticos como rijosos los tratos con el Diablo que habían precedido a su
arrepentimiento. Y fue aquí, precisamente, donde Burkett le dedicó el

único gesto gallardo en cuatro años de convivencia hosca, pues se interpuso ante los enardecidos granjeros, amenazándolos con desencadenar las siete plagas de Egipto y aun alguna más que excediera el cómputo si osaban rozarle un pelo a aquella oveja descarriada, más valiosa a los ojos de Dios que las noventa y nueve que se mantienen en el redil. Pero los taimados granjeros, que cedieron en sus propósitos de linchamiento, acudieron de noche a la campa donde Burkett había instalado su caravana, y escucharon muy diáfanamente los jadeos y exorcismos con que el hipocritón acompañaba sus accesos por la vía estrecha y dolorosa. Los granjeros, entonces, empezaron a sacudir con gran chacota la caravana, y a arrojar piedras contra las ventanas, y hasta encendieron una traca de petardos. Fanny, que escuchaba el pandemónium acodada sobre el aparador y mantenía los párpados cerrados para mitigar la pureza del dolor, imaginó que su vía de perfeccionamiento ya alcanzaba sus últimas estaciones, pues Satanás y Lucifer y Belial, Belcebú y Asmodeo y Samael, Leviatán y Astaroth y Abaddón, Nebroel y Mammón y Mefistófeles, Belfegor y Baal y Marbiel, Dagón y Moloch y Nergal, Thamuz y Adrameleck y Behemoth, y, en fin, el Maligno con su legión de nombres, ya habían abandonado su cuerpo y se congregaban, vesánicos y despechados, en derredor de la caravana, en su afán por volver a conquistarla. Pero todos sus esfuerzos serían estériles, porque la semilla de un hombre santo la protegía e inmunizaba.

Algunos de aquellos granjeros debieron de viajar a la mañana siguiente a una feria comarcal, o quizá se preocuparon de enviar telegramas a los pueblos vecinos; el caso es que no tardó en propagarse que el predicador Burkett vivía amancebado con la puta que invariablemente intervenía en sus sermones. La noticia, golosamente aderezada de hipérboles y escabrosidades, corría más rápido que el Chevrolet de Burkett; en apenas un par de semanas, no hubo pueblo donde no se les recibiera con improperios y un pedrisco de legumbres pochas. Tenían que acampar a trasmano de las rutas principales, emboscados contra la ira puritana que amenazaba con hacerlos picadillo. Burkett decidió que había llegado la hora de desprenderse de aquella rémora que a pique estaba de malograr su renqueante carrera. Encerrados ambos en la caravana mientras la noche volcaba su vómito a lo lejos, Burkett veía a Fanny trajinar en la cocinilla y se asfaltaba los pulmones con cigarrillos que no tardaban en rebosar los ceniceros. Su cuerpo archisabido y no del todo congruente con el que las revistas sicalípticas habían fijado en sus retinas le producía náuseas y hastío. Carraspeó y soltó un gargajo moreno de nicotina sobre el linóleo antes de hablar:

—Anda, límpialo y todo habrá terminado.

Fanny estaba habituada a ir detrás de Burkett, recogiendo los desperdicios que arrojaba al suelo, también a limpiar sus excrementos, que no siempre acertaba a depositar en la bacinilla dispuesta para tal efecto, sobre todo cuando el licor ambarino que empleaba como antídoto contra la picadura de la antigua serpiente alteraba su equilibrio. Lo hacía con imperturbable dicha, pues sabía que estas enojosas limpiezas eran pruebas que su salvador le proponía, para medir sus avances en el camino de la purificación. Le había intrigado aquel anuncio de un desenlace («y todo habrá terminado»), pero no se atrevió a inquirir ni a rechistar nada. Tomó una bayeta húmeda y limpió el gargajo a gatas, prosternándose casi ante Burkett, que contempló con frialdad el campaneo mudo de sus senos.

—Muy bien, hermana Fanny. Estás curada.

Fanny se había puesto en cuclillas, para que sus talones soportaran el turbión de alborozo y perplejidad que la acometía.

—¿Quiere decir...? —empezó, con una voz que venía de muy lejos, quizá del país de la locura.

—Quiero decir que tu aprendizaje ha concluido satisfactoriamente —abrevió Burkett—. Tus demonios han sido expulsados. Ahora, como el polluelo que abandona su nido, debes echar a volar.

Sus labios se habían atirantado con una sonrisa sardónica. Unas gotitas de transpiración brillaban en su frente pálida, sobre los ojos en los que refulgía el Apocalipsis.

—Pero... A su lado me siento protegida —dijo Fanny lastimeramente.

Burkett le selló los labios con el dedo índice. El tono melifluo de su voz delataba un fondo de irritación:

—Tienes que aprender a volar sola, hermana Fanny.

Quiso erguirse, pero Burkett, con un bufido y un ademán de la mano, le exigió que se mantuviese en cuclillas.

—Pero el Maligno me perseguirá. Volverá a adueñarse de mí...

—¡Qué equivocada estás! —impostó un soniquete condescendiente—. El Maligno teme tu regreso al mundo. Está acojonadito.

—Restó importancia al taco y masculló una risa nerviosa—. Sabe que estás en disposición de pelear con él y vencerlo.

Fanny mostraba síntomas de desmoronamiento e incredulidad:

—¿Vencerlo? ¿Cómo?

—¡Con tus propias manos! —Burkett la había tomado de los hombros y la zarandeaba, para infundirle bríos—. Eres invulnerable, estás santificada. Podrás destruirlos, trocearlos como si estuviesen hechos de alfeñique.

—¿Y cómo los conoceré?

La vastedad de la misión que Burkett le asignaba la sobrecogía con un sentimiento de insignificancia y desolación.

—Empieza por los que conoces. El Diablo que abusó de ti en la infancia, los Diablos que te obligaron a chuparles la polla en el vertedero. —Ya le importaba un bledo sobresaltarla con palabras soeces—. Unos te llevarán a otros. Recuerda que Nuestro Señor te guía. Tú eres el arcángel Gabriel que los precipitará en el abismo.

Vociferaba para ahogar la hilaridad. La mirada de Fanny divagaba por el angosto reducto de la caravana, que durante cuatro años había sido el invernáculo de sus alucinaciones; ahora ese torbellino de destrucción, mantenido a buen recaudo dentro de una redoma, como la mermelada de arándanos que fermentaba y criaba moho en los frascos de cristal, se iba a liberar, para extender su evangelio por el aire.

—¿Y cuándo debo empezar? —preguntó, empezando a cobrar conciencia de la magnitud de su misión.

—Mañana mismo. No debemos dilatar más la batalla con la antigua serpiente.

Fanny se abrazó a las perneras del pantalón de Burkett y besó sus zapatos, a los que durante cuatro años había sacado lustre, empleando betún y grasa de reno y hasta su propia saliva, su propia y devota saliva. La separación la angustiaba. Un llanto agónico como el de Getsemaní la estremecía.

—Triste está tu alma hasta la muerte, hermana Fanny —la consoló Burkett. Era excitante tenerla de hinojos ante él; y hubiese sido más excitante aún sacudirle una patada en los morros, pero le convenía contenerse y rematar la engañifa—. Pero no debe hacerse tu voluntad, sino la de Nuestro Señor que está en los cielos. Acepta el cáliz que Dios te tiende.

La tomó de la barbilla y levantó su rostro, que la desesperación y las lágrimas embellecían.

—Pero... ¿Por qué justamente ahora, cuando mi cuerpo puede volver a ser templo de la maternidad? —Las palabras naufragaban en un desvarío de sollozos—. Engendremos un hijo, y dejemos que sea el redentor del orbe.

A punto estuvo Burkett de exponer las razones de su rechazo a esa propuesta: jamás hollaría el camino que otros desbrozaron antes; y, además, Fanny estaba demasiado ajada y maltrecha, seguramente estuviese ya incapacitada para procrear. Una vez más se contuvo y disfrazó la irrisión con retóricas bíblicas:

—Levántate y ve a Nínive. Si tratas de escapar a tu misión, el Señor te enviará un pez grande, y tendrás que vivir en su estómago durante tres días.

Fanny no cesó de llorar sordamente aquella noche, hecha un gurruño sobre el suelo de linóleo, mientras Burkett seguía asfaltándose los pulmones, fumando un cigarrillo tras otro, escribiendo con su brasa en el aire un alfabeto de signos jeroglíficos. Cuando rayó el alba le juntó en un fardel unas pocas viandas y un fajo no demasiado rumboso de billetes y le ordenó montar en el Chevrolet que ya exhalaba sus últimas boqueadas. En una encrucijada de carreteras que quizá ni siquiera registrarían los mapas se detuvo; había allí un teléfono del año de maricastaña, apenas protegido por un cobertizo de maderas podridas y resquebrajadas. Burkett descendió del Chevrolet y se abalanzó sobre el auricular con forma de trompetilla que, inexplicablemente, aún escondía el zumbido tonal, preparado para entablar comunicación. Volvió a dejarlo sobre la horquilla y posó dos monedas de diez centavos sobre la repisita que coronaba la carcasa de baquelita negra. Regresó al Chevrolet parsimoniosamente, pavoneándose casi, como si se columpiara dentro del traje de luto que Fanny le había planchado un par de días atrás:

—Aquí nos separamos. Te he dejado un par de monedas, para que puedas llamar a cualquier punto del país. En el fardel tienes dinero suficiente para llegar hasta la costa del Pacífico.

Fanny aún se resistió a abandonar el Chevrolet; entonces Burkett, abdicando de un último resabio de paciencia, tiró de ella como si estuviera arrancando un divieso y la hizo rodar por la cuneta. Antes de que Fanny pudiera reponerse de la costalada, ya había tomado Burkett el volante y pisado el pedal del acelerador, antes incluso de cerrar las portezuelas del coche, y se alejaba con petardeos y sacudidas. Detrás de sí arrastraba la caravana que había acogido durante cuatro años los ejercicios purificatorios de Fanny; al verla alejarse, abollada y ferruginosa como una lata de conserva expuesta a la intemperie, Fanny sintió un pinchazo de nostalgia. Nada tenía que ver esa impresión de pérdida con el masoquismo, ya que nunca había sufrido como vejaciones los asaltos y abusos que allí dentro habían sido perpetrados, sino como cirugías que le habían extirpado los tumores que infectaban su espíritu. Y ahora su espíritu sangrante de gratitud notaba un desconcierto parecido a la orfandad. Cuando el Chevrolet y la caravana de Burkett desaparecieron tras un cambio de rasante, Fanny arrastró los pies hasta el teléfono público; no tenía muy claro si pedir auxilio a una operadora o si hacer guardia al cobijo de su cobertizo, a la espera de que algún automovilista se apiadase de ella y la llevara consigo. Entonces acudió a su memoria el número de teléfono de la iglesia baptista de Chillicothe, Illinois, que su madre le obligaba a llevar escrito en una tarjeta que le cosía en el dobladillo de la falda para que, en caso de extravío o desgracia, quien la recogiera pudiera ponerse en contacto con aquel anciano pastor que tanto se había esforzado por aliviar el hambre de la familia. Introdujo en la ranura las monedas que Burkett le había dejado sobre la repisa de baquelita y marcó ese número, que era el cordón umbilical entre la realidad y los páramos de vida invisible por los que deambulaba desde hacía un lustro. Otros tres lustros más habían transcurrido desde que Fanny partiera del asfixiante Chillicothe para iniciar sus estudios de magisterio en Chicago; no le extrañó, pues, que al teléfono cuyo número acababa de combinar en el dial (ya era sobradamente extraño, y aun milagroso, que ese número le sirviera para contactar con el remoto mundo) no se asomara la voz afable de aquel anciano pastor que ya amueblaba la tierra, sino la voz un poco irresoluta de un diácono que acababa de tomar posesión de su nuevo destino. Fanny le explicó quién era, con un aluvión de datos atolondrados entre los que abundaban las referencias a sus progenitores; pero el diácono, todavía no demasiado familiarizado con sus feligreses, antes la reconoció por su propio nombre y apellido que por las precisiones genealógicas. El diácono le pidió que aguantara un poco la comunicación, mientras recababa datos entre un grupo de beatas que ensayaban cánticos navideños. Cuando regresó, su voz se había hecho más pudibunda, como si le desagradara actuar como heraldo de noticias aciagas; Fanny le pidió que abreviara, pues el teléfono ya se había tragado la segunda moneda de diez centavos y prefería la indelicadeza antes que quedarse in albis. El diácono le refirió entonces que sus progenitores se habían divorciado mucho tiempo atrás («¿En serio que no lo sabía?», insistía a cada poco, incrédulo): su madre, harta de que su marido se gastara el dinero que ella recaudaba fregando suelos en fulanas y cuchipandas, harta de soportar sus palizas y sus borracheras, se había fugado con un viajante de comercio y nadie sabía dónde paraba; en cuanto a su padre, después de varias temporadas a la sombra por delitos menores y varias intentonas de prosperar que se habían resuelto en otros tantos fiascos, había logrado cobrar una pensión como veterano en la Primera Guerra Mundial, donde cosechase una ráfaga de metralla. El diácono hizo una pausa luctuosa antes de proseguir. Fanny empezó a temer que la parca se hubiese anticipado a la misión que Dios le había asignado. «No, señorita Riffel, aún no —se apresuró el diácono a quitarle ese peso de encima—. Pero mucho me temo que ya le quede poco tiempo de vida. El muy tozudo enfermó de diabetes y se negó a tratarse con insulina. Al final hubo que amputarle ambas piernas y trasladarlo al hospital de Peoria. Necesita una asistencia médica que en Chillicothe no le podían prestar. Ya sabe que las autoridades nunca se han preocupado por nosotros, nos consideran el culo del mundo...»

Fanny colgó el auricular en forma de trompetilla. Se había levantado un viento que alborotaba el polvo de la carretera y hacía restallar su falda, traslúcida después de tantas lavaduras con lejía. Era un viento antiguo, como escapado de una tragedia griega, que despertaba los atavismos y reclamaba un diezmo de sangre. El cielo arrastraba unas nubes tumefactas, de un color como de pleura, que se devoraban a sí mismas retorciéndose en una agonía sin fin. Fanny las miró con mentalidad de arúspice (la locura es también una forma de clarividencia), como si fuesen las tripas humeantes de un buey, aún envueltas en su membrana y movedizas, y presagió que una desgracia se cernía sobre el mundo, quizá un crimen de proporciones shakespearianas. Avistó un camión a lo lejos; el rugido de su motor lo ensordecía el clamor del viento. En lugar de quedarse en la cuneta, alzando su brazo en actitud suplicante, Fanny se interpuso en su camino, con hieratismo de estatua; como la polvareda borraba los contornos de las cosas y obstruía el parabrisas del camión, el conductor no reparó en ella hasta que casi la tuvo encima. Chirriaron los frenos como las articulaciones de un mastodonte atrapado en el hielo y sonó un claxon que atronó los tímpanos de Fanny.

—¿Es que quiere suicidarse? —la reconvino el camionero, asomando un rostro erizado como un puerco espín por la ventanilla.

—Lléveme a Peoria, Illinois —dijo Fanny, con voz ausente o impávida.

—¡Y una mierda! Eso queda en dirección contraria y casi a cien millas. —El camionero volvió a apretar el claxon, cuyo estruendo ni siquiera inmutó a Fanny—. Vamos, búsquese a otro primo y apártese de ahí, o la apiso.

Fanny extrajo del fardel que Burkett le había preparado el fajo de billetes con los que podría haber llegado hasta la costa del Pacífico. Se acercó aún más a la cabina y se los tendió al camionero.

—Lléveme a Peoria, Illinois —repitió.

El camionero reparó entonces en los ojos zarcos de Fanny, de los que habían desertado el dolor y el aturdimiento para mostrar ya sólo un límpido lago de locura. Cobrarle aquel dineral por un trayecto de apenas tres horas (que aún le permitiría volver y llegar a tiempo a su destino, si robaba unas pocas horas al sueño) le remordía la conciencia; pero los remordimientos no fueron tan pujantes como la avaricia.

—Ande, suba, antes de que me arrepienta.

Fanny obedeció sin prodigar una sonrisa, sin desgastar los labios en vanas palabras de gratitud; la misión que afrontaba le exigía una concentración que no convenía perturbar con efusiones intrascendentes. El camionero llevaba encendido el transistor, que se oía con interferencias, como si las nubes, en su agonía exacerbada por el viento, se tragasen las ondas hercianas. Radiaban un programa de chismografía y humorismo mazorral: el locutor se burlaba del atuendo relamido que una tal Jackie había elegido para viajar a Dallas; también hacía chistes a propósito de sus ínfulas de diva, y hasta de su modo de ascender las escalerillas de un avión y despedirse del público congregado en el aeropuerto de Washington. Se notaba que al pobre pelele radiofónico le hubiese gustado llevársela a la cama, pero tenía que conformarse con ponerla pingando.

—¿De quién habla? —preguntó Fanny, infringiendo su mutismo.

El camionero esbozó un gesto a medio camino entre el asco y la cólera. Seguramente él, como el pobre pelele radiofónico, también hubiese querido llevársela a la cama.

—De Jacqueline, la fulana de Kennedy. Ese cabrón acabará vendiéndonos a los comunistas. —Aferró el volante con ambas manos, como si se dispusiera a arrancarlo de cuajo—. Si lo tuviera a mano, le largaba un guantazo que le partía su cara de niño bonito.

Estuvo enlazando dicterios durante casi un cuarto de hora: le fastidiaba la apostura de Kennedy, el catolicismo de Kennedy, la fama de mujeriego de Kennedy, la sangre irlandesa de Kennedy, el amenazante pacifismo de Kennedy. Las nubes, cada vez más plomizas y grávidas, se enviscaban mutuamente, fundidas en la misma turbulencia; era como si algún matarife de Dios les hubiese rasgado el peritoneo, para que pudieran vomitar su pestilencia.

—Por mucho menos se cepillaron a Lincoln —remató su diatriba el camionero.

Fanny se volvió hacia él blandamente, con una aburrida curiosidad. Sus ojos zarcos tenían una fijeza de vidrio, como los de una muñeca crecida:

—¿Y quién es Kennedy?

Ya no volvieron a cruzar palabra en el resto del trayecto. Al camionero se le notaba desazonado, como si le remejiera la inquietud de haber recogido a un alienígena en misión de reconocimiento por la Tierra, o quizá a una espía soviética con problemas de amnesia. Una vez que enlazaron con la carretera interestatal las distancias se acortaron; llegaron al Hospital Saint Francis, en Peoria, a eso del mediodía (pero el sol era apenas una pálida reminiscencia, entre las nubes tumefactas). Fanny, que había permanecido durante casi dos horas bisbiseando oraciones en un estado próximo a la duermevela, ni siquiera se despidió del camionero; mientras caminaba hacia el vestíbulo del hospital, sintió que le crecían en la espalda dos alas de águila, y que a sus pies resplandecía la luna, y que coronaba su cabeza una diadema de doce estrellas. A la monja apostada detrás de un mostrador de recepción le inquirió el número de habitación en que se hallaba su padre; tuvo que repetir su pregunta, porque la monja atendía una llamada telefónica que absorbía toda su atención. Cuando por fin le hubo sonsacado el número, Fanny se internó en los pasillos del hospital, que la aturdieron como un laberinto; había perdido el sentido de la orientación, y la sucesión de habitaciones gemelas, ocupadas por enfermos que exhalaban los mismos suspiros desfallecidos y supuraban los mismos humores sanguinolentos, se le antojó una sucursal del infierno. Un médico que deambulaba por allí se ofreció a guiarla cuando ya había desesperado de encontrar el camino; resultó ser el cirujano que había amputado las piernas a su padre, un par de meses atrás, en una operación a vida o muerte. Pese a su juventud, el cirujano peinaba ya muchas canas, quizá una por cada ánima en pena de los enfermos que se le habían quedado en el quirófano sin recibir la extremaunción. Fanny estuvo tentada de arrebatarle el bisturí o escalpelo que asomaba, afilado y carnívoro, en el bolsillo de su bata, pero consideró que ese impulso podría malograr sus designios; y agradeció a Dios que, aun en la inminencia de la batalla, atemperase su ofuscación y le inspirase pensamientos ecuánimes.

—Llegó aquí hecho una piltrafa, créame que no pudimos hacer otra cosa por él —se excusaba el cirujano, con voz atribulada o contrita—. Si hubiéramos dejado que la corrupción llegase a la región ilíaca, habría interesado la aorta, y su padre habría muerto fulminantemente de trombosis arterial.

La jerga médica acariciaba la calentura de Fanny, refrescaba su fiebre como si fuese un ensalmo. Se había detenido ante la puerta que custodiaba al hombre demediado que treinta años atrás le chupeteaba los pezoncitos y le metía el dedito en la huchita. El cirujano hablaba ahora en un susurro, para que el interno no se alterara con la descripción de tanta circunstancia truculenta:

—Tenía los dedos de los pies momificados. Se le caían a pedazos, con un crujidito de madera podrida. —Hizo un gesto que le produjo dentera a Fanny, como si pellizcase y retorciese y quebrase una piltrafa reseca—. Y las pantorrillas completamente gangrenadas y llenas de pústulas. El exceso de glucosa le había estrechado las arterias, dejándolas sin riego. Si lo hubiesen obligado antes a inyectarse insulina...

A veces, de tanto hurgar con el dedito, le dejaba escocida la huchita y se la curaba frotándola con una pomada que él mismo fabricaba dentro de su cuerpo. A Fanny le disgustaba el olor de aquella pomada, acre y nutricio a la vez, pero su padre insistía en hacerle las friegas.

—No hubiese servido de nada. Mi padre siempre ha sido muy tozudo —dijo Fanny, con una sonrisa medrosa que le temblaba en las comisuras de los labios.

—Y que lo diga. Hasta que la anestesia le hizo efecto, no paró de maldecirnos. No quería que lo mutilásemos —chasqueó la lengua, contrariado—. Pero nuestra misión es salvar vidas.

Ahora la sonrisa de Fanny fue más sincera:

—Y Dios, que está en el cielo, lo recompensará por ello.

—¿Usted cree? —Al cirujano lo hostigaban los conflictos de conciencia—. Ojalá tenga razón. Pero a veces uno se pregunta si tiene sentido su trabajo. Porque... No quisiera ser rudo, pero creo que no debo ocultárselo: su padre tiene los días contados.

Al cirujano le admiró la entereza —quizá pesarosa y hasta sombría, pero sin atisbo de histerismo— con que Fanny encajaba su diagnóstico.

—¿Cómo no va a tener sentido? —se sublevó—. Gracias a su intervención, mi padre podrá verme antes de morir.

—Ni siquiera eso, por desgracia. La diabetes lo ha dejado completamente ciego. —Rectificó su tono funeral—: Pero la reconocerá enseguida por la voz. Le resultará muy reconfortante hablar con su hija.

En el hospital había empezado a crecer un runrún de zozobra que no tardó en degenerar en bullicio. Se oían, todavía lejanos, llantos repentinos y estrangulados, carreras desnortadas, un guirigay de gemidos e imprecaciones. Por un instante, la mirada de Fanny se nubló, asaltada por una visión de nubes que se devanaban en un tirabuzón agónico, engulléndose entre sí. Una enfermera apareció por la escalera, trabándose con los peldaños; tenía la cofia ladeada, el cabello desgreñado, el rímel corrido delatando el itinerario de sus lágrimas:

—¡Han disparado a Kennedy en Dallas! ¡Han asesinado al presidente!

El cirujano que departía con Fanny se quedó al principio como petrificado; tras unos instantes de vacilación, corrió a auxiliar a la enfermera, que había empezado a desvanecerse. Otras enfermeras y monjas habían salido al pasillo, también los familiares de los enfermos que hacían guardia en las habitaciones, convenciéndolos para que los incluyeran entre los beneficiarios de su testamento, también algunos enfermos que aún se sostenían en pie, conectados al gotero o encaramados en unas muletas. La estampida duró apenas un par de minutos; todos, ágiles o tullidos, se dirigían al bar del hospital, donde había una televisión que pronto empezaría a emitir boletines sobre el magnicidio. Fanny aguardó a que el pasillo se quedase desierto; un silencio huérfano se había posado sobre el mundo, deteniendo los relojes, la órbita de los planetas, el curso de la sangre en las venas. Hasta ella misma, que no conocía al presidente asesinado y que sólo había oído referirse a él en términos denigrantes esa misma mañana, sintió un rencor inconcreto hacia sus ejecutores, cuyo nombre es legión. Empujó la puerta tras la cual se agazapaba la antigua serpiente.

—¿Quién anda ahí? ¿A qué se debe tanto alboroto?

Era la misma voz que le cantaba nanas mientras le hurgaba con el dedito en la huchita, la misma voz avarienta o rapaz o despótica, quizá algo más carrasposa, algo más subterránea, como si se hubiese roto su caja de resonancia. Fanny distinguió en la penumbra el bulto ciego que respiraba sobre la cama con catre de níquel, el bulto hediondo que llenaba el aire con los miasmas de su corrupción. Al pasar ante el espejo del lavabo, Fanny pudo contemplar, siquiera fugitivamente, su rostro, que desde hacía años sólo había visto reflejado en el agua turbia de los charcos y en los espejos retrovisores del Chevrolet de Burkett; coronada por aquella diadema de doce estrellas que palpitaban como carbunclos o corazones incandescentes, se supo más hermosa e invulnerable que nunca.

—Han disparado a Kennedy en Dallas —dijo.

Se acercó a la cama, conteniendo la respiración para que las tufaradas que desprendía aquel bulto sin piernas no debilitaran su voluntad. La diabetes, en efecto, lo había dejado ciego: sus ojos, que habían sido grandes y verdosos, de pupilas como diamantes de concentrada negrura, tenían ahora una calidad membranosa y amarillenta, como de clara de huevo; parecía lagrimear, pero quizá fuese que la esclerótica había empezado a segregar un zumillo de corrupción. La frente bruñida, la nariz adelgazada hasta el cartílago, las mejillas hundidas y leprosas, todos sus rasgos preludiaban la calavera.

—¿Es usted una enfermera nueva? —dijo, con brusco desasosiego—. No he reconocido su voz.

Fanny apartó la sábana que cubría la obscenidad de su cuerpo demediado. Entre la botonadura del blusón del pijama asomaba un vello de nieve sucia. Tenía el miembro viril ridículamente ensartado en una sonda, a través de la cual desaguaba un orín herrumbroso, culebreante de hematurias. Los muñones de los muslos, enturbantados de vendas a las que aún asomaba la supuración de la herida, parecían hundirse en el colchón.

—Acaban de contratarme —improvisó Fanny, impostando una voz solícita—. Vaya una faena, justo el día que matan al presidente.

Había dejado el fardel con las viandas sobre la mesilla y comenzado a desliar las vendas, húmedas de ese líquido mucilaginoso con que la antigua serpiente impregna cuanto toca.

—¿Faena? Debería celebrarlo. Ese lechuguino iba a hundir el país.

Los muñones aún no habían cicatrizado del todo. Fanny se entretuvo arrancando los putrílagos que crecían como hongos en torno a la tumefacción. Antes de arrojarlos al suelo, los contemplaba con detenimiento, acercándolos a la luz que se colaba entre las rendijas de la persiana; tenían un aspecto de sanguijuelas mustias. Había leído que la carne del Diablo abrasaba como un hierro candente, pero su piel era inmune a las quemaduras porque la protegía la armadura invisible de la santidad.

—¿Puede saberse qué está haciendo? —preguntó el bulto, al escuchar el ruido rasposo de las desgarraduras que le iban mondando el hueso. Había perdido la sensibilidad ante el dolor, pero sus dotes auditivas se habían exacerbado.

—Limpio su herida con mucho mimo —dijo Fanny—. ¿Es que le hago cosquillas?

—Me gusta que las mujeres guapas me traten con mimo —sonrió patéticamente, desde las ciénagas de su ceguera—. Apuesto a que tú lo eres.

Fanny recogió las vendas e hizo con ellas un gurruño. Se acercó a la cabecera de la cama y musitó a su oído:

—No sabe usted cuánto.

Su padre había alargado una mano en la que ya se adivinaban los primeros síntomas de la necrosis, una mano de dedos cárdenos y uñas de cutícula despellejada que palpó su vientre y sus caderas y se amoldó a la curvatura de sus nalgas. Era una mano sin vigor, acorchada y gélida, que seguramente ya había perdido el sentido del tacto. Una sonrisa de calavera asomó a sus labios, reventados de calenturas y vesículas. Fanny volvió a musitar:

—¿Te gustaría meterme el dedito en la huchita?

La antigua serpiente tardó en reaccionar. La sonrisa se le había quedado como disecada por el estupor; un tembleque que nacía en los muñones se extendió por su cuerpo, por lo que quedaba de su cuerpo. Quizá en la membrana que velaba sus ojos se proyectase, como una película retrospectiva, la memoria —que creía sepultada bajo paletadas de olvido, pero que ahora emergía, agigantada por una lente de aumento— de sus devaneos incestuosos. Habló con una voz que ya no era humana, una voz que era un coro o legión de voces discordes y retumbantes, Satanás y Lucifer y Belial, Belcebú y Asmodeo y Samael, Leviatán y Astaroth y Abaddón, Nebroel y Mammón y Mefistófeles, Belfegor y Baal y Marbiel, Dagón y Moloch y Nergal, Thamuz y Adramelek y Behemoth congregados en esa voz que venía desde las cavernas del tártaro:

—¿Quién eres? ¿A qué has venido?

A Fanny le sorprendió que, en la hora de su exterminio, la antigua serpiente formulase preguntas retóricas en lugar de la catarata de exabruptos y blasfemias que había previsto. Antes de que le diese tiempo a resistirse, Fanny le introdujo en la boca pasmada el gurruño de vendas mucilaginosas y se acostó a su vera en la cama infectada de miasmas, pillando debajo de su espalda el brazo que la antigua serpiente había alargado para tantear sus nalgas. Con las dos manos libres, Fanny taponó los orificios nasales (dos ventanas en el cartílago) y remetió el gurruño de vendas en la boca del Enemigo, para asegurarse de que le atoraba la garganta. La antigua serpiente intentó defenderse con el brazo que Fanny no había podido inmovilizar, pero su manoteo estaba impedido por los tubos que, ensartados en la carne mediante agujas hipodérmicas, lo prendían al gotero del suero, y también por su propia debilidad, pues la sangre espesada de glucosa apenas desfilaba por sus venas, o lo hacía con una lentitud de magma a punto de coagularse. La lucha apenas duró un par de minutos: el bulto que había sido su padre, quizá como resabio de una vida anterior y añorada en la que aún podía valerse de las piernas y los pies, malgastó sus fuerzas en un pataleo invisible. Cuando se iniciaron las convulsiones de la asfixia, aquellos ojos membranosos recuperaron su prístina tonalidad verdosa, y sus pupilas volvieron a ahondarse en aquella concentrada negrura que tanto la había intimidado en la niñez, mientras la sostenía sobre su regazo y la sofaldaba y la sometía a manipulaciones deshonestas. En el trance de la muerte, su padre recuperaba la vista, y en sus pupilas agrandadas por el horror asomaba el mismo brillo perentorio y absorto que rezumaba en el trance más gozoso del orgasmo, quizá porque el orgasmo es una prefiguración o un reflejo invertido de la muerte, como el incesto es una prefiguración o reflejo invertido del parricidio.

El hospital seguía embalsamado de silencio. Afuera, en la calle, las primeras sirenas de los coches policiales consternaban con su estrépito la orfandad de los americanos, como campanas sacrílegas que repicasen celebrando el magnicidio de Dallas. Deshabitado ya de la antigua serpiente, el cadáver del padre se iba limpiando de tumefacciones y pestilencias, de remordimientos y pecados, bogando en su deriva hacia el seno de Abraham. Un aroma de ámbar se había esparcido por la habitación, negando los hedores que un segundo antes la anegaban. Si, como afirma la superstición, los difuntos aún pueden atisbar entre brumas el mundo que acaban de abandonar, el padre de Fanny podría haber encontrado confortación en la sonrisa de su hija, piadosa y enternecida como la de un arcángel que reposa su victoria. La misma mano que había estrangulado su hálito le cerró con sutilísima delicadeza los párpados.

Bruno me citó en el Café Gijón, que hormigueaba de una multitud de turistas con los pies escocidos por el empacho de museos, domingueros de la literatura y señoras que cotorreaban y se tomaban un tentempié para reponerse de los sablazos que acababan de pegarles en las tiendas de la calle de Serrano. Triunfaba allí ese ambiente voluntarioso y un poco zascandil que precede a las fechas navideñas, cuando la gente siente la necesidad compulsiva de mostrarse dicharachera con el prójimo al que, en cualquier otra época del año, no habría dedicado ni un furtivo saludo. Hacía casi una semana que no recibía envíos de Elena y, aunque todavía me resistía al optimismo, empezaba a concebir la esperanza de que mi táctica omisiva hubiese funcionado. A veces, incluso, pensaba en Elena con una suerte de abatida piedad, esa limosna del recuerdo con la que tratamos de espantar la inquietud. Entre Laura y yo, por lo demás, no había peleas, ni siquiera rencillas, pues presentíamos que otra confrontación más haría estallar en pedazos nuestro amor convaleciente, frágil como un búcaro. La inhibición anestesiaba la alegría erótica de antaño; nos tratábamos con una suerte de afable distanciamiento; aunque ninguno se atrevía a exponer abiertamente su incomodidad, ambos sabíamos que el plazo perentorio impuesto por la inminencia de la boda sólo contribuía a confundir y forzar nuestros sentimientos. Bruno se interesó muy someramente por mi estancia en Chicago, se tomó a chirigota mis aprensiones telefónicas (a él también le había encargado que se abstuviera de difundir mi número), y enseguida pasó a enumerarme sus andanzas por las tiendas de alquiler de ropa, en pos de un chaqué de su talla, que no era precisamente la de una sílfide.

—Si no me tiraban del culo, me tiraban de la barriga —dijo, mientras despachaba el platillo de aceitunas que nos habían servido como aperitivo—. Así que fui a un sastre para que me hiciese uno a medida.

Repantigado sobre uno de los divanes del café, no parecía que hubiese tela suficiente en el mundo para tapizarle la barriga. Entre los veladores se cimbreaban los camareros, como funámbulos de la prisa; se entendían con los turistas en un inglés comanche que satisfacía sus exigencias de pintoresquismo, y siempre acababan ligando con alguna americana folladora.

—No deberías haberte molestado. —Me fastidiaba más hablar de la boda que de una enfermedad deshonrosa—. No es una reunión de etiqueta.

—Las cosas se hacen bien o no se hacen —me hostigó, mientras encendía su sempiterna pipa. El humo desperezó sus habilidades ventrílocuas—. Y tú no las estás haciendo como deberías.

Murmuró aquella reconvención sin mover los labios, como si jugase a ser la voz de mi conciencia. Me defendí:

—No sé qué te habrá dicho Laura, pero...

—Mi ahijada no me ha dicho nada, mamonazo. —Había puesto mucho énfasis en el artículo posesivo, y también en la asunción anticipada de su padrinazgo—. Esa chica tiene demasiada clase para andar pregonando sus cuitas. Pero a mí no me la dais. Algo ocurre entre vosotros. Y tú me lo vas a contar.

Bruno se extrajo la pipa de la boca y me golpeó la frente con la boquilla, comprobando la dureza de mi mollera. No tardé en notar un residuo de saliva en el entrecejo, molesto como la ceniza cuaresmal.

—Bueno, ya sabes, riñas de enamorados —dije, algo azorado.

Del rostro de Bruno había desaparecido todo vestigio de cordialidad. Para esquivar su mirada inquisitiva, giré la cabeza a izquierda y derecha, fingiendo buscar los retretes.

—Alejandro... —comenzó, condescendiente.

—¿Dónde coño están los servicios en este café? Me vas a tener que perdonar, pero...

Pegó un puñetazo sobre el velador de mármol que hizo tambalear los vasos de las bebidas. Las aceitunas pegaron un respingo en el plato y rodaron despavoridas.

—¡Te estoy hablando! —su vozarrón cercenó las conversaciones del café. Por un segundo, los parroquianos mantuvieron la atención fija en Bruno, deseosos de que me lanzara un mamporro que me hiciese recular. Quizá les apeteciera presenciar una de esas reyertas tabernarias que acaban en zafarrancho—. Te estoy hablando, Alejandro —repitió, en un tono más comedido—, así que no te hagas el sueco. No son riñas de enamorados, hay algo más.

—Eres un puto metomentodo —bisbisé, mientras formulaba una sonrisita pretendidamente inocua para consumo de la parroquia, que ya volvía a sus coloquios defraudada por el giro pacífico que adoptaba nuestra discusión—. Lo supe desde el primer momento. Te metiste en mi casa, te enchufaste a mi conexión de internet, me saqueaste la nevera. Ya no te basta con hurgar en esas cofradías de gorrones con los que te codeas. Necesitas también hozar en la vida de tus amigos. —Yo mismo me asusté de mi ensañada desconsideración, también había sido el catalizador de mi noviazgo con Laura—. Esto ya pasa de castaño oscuro.

Noté, entre las volutas de humo de su pipa, que le temblaban los carrillos; no sabía precisar si a causa de la ira reprimida o por la vibración del desencanto. Dejé un billete junto al platillo de las aceitunas y recogí mi abrigo del respaldo de la silla. Me sentía miserable y a disgusto conmigo mismo; cuando ya me retiraba, Bruno me preguntó:

—¿Me permites que le dé tu dirección a Elena? ¿O ésa también es una metomentodo?

No había ironía en su voz, o si acaso una ironía tristísima, desengañada de sí misma. Noté una flojera en las rodillas, muy similar a la que de niño me acometía cuando el profesor se acercaba a mi pupitre, en mitad de un examen, sin darme apenas tiempo para esconder la chuleta. Estaba harto de seguir escondiendo las chuletas donde se consignaban mis pecados, harto de convivir con aquel secreto que me infectaba como una lenta gangrena. Me derrumbé otra vez sobre la silla mientras Bruno me escrutaba sin rencor; su expresión se había teñido de una misericordiosa gravedad.

—Está bien. Cuéntame de qué la conoces —dije, apabullado y contrito.

Se colgó la pipa del labio inferior y alargó la mano hasta mi hombro, para infundirme arrestos:

—¿No crees que deberíamos empezar por el principio? ¿Por qué no me cuentas cómo la conociste tú?

No era una tarea sencilla. Reducida a su pura médula, desembarazada de falsas hojarascas caritativas, la historia de aquel conocimiento era la crónica de un impulso sexual azuzado por el azar, esa cinta atrapamoscas; que ese impulso me hubiese sobrevenido cuando se suponía que mi sincero amor hacia Laura debería haber anulado la ancestral llamada de la carne añadía a esa crónica unos ribetes sórdidos, casi delictivos. Y a la dificultad de explicar mediante palabras una tendencia envilecedora (aunque quizá indomeñable, porque la carne puede más que las bridas con que tratamos de refrenarla) se sumaba el reparo de contárselo a alguien como Bruno, que nunca había mostrado interés por asuntos tan groseramente humanos. Quizá en su gusto por la mistificación literaria, en su preferencia por los mundos imaginarios, hubiese un fondo de rechazo a esas fuerzas que oprimen y moldean al común de los mortales, o quizá esas preferencias las había desarrollado precisamente para defenderse contra la pujanza de estas fuerzas. Alguna vez me había preguntado si Bruno sería, como decían que fue Henry James y algún otro escritor superdotado para la entomología humana, una criatura que había encadenado su impulso sexual para después llenar esa carencia mediante la observación insidiosa de los impulsos del prójimo.

—Será mejor que salgamos de aquí —resolví—. Conviene que nos dé un poco el aire.

Caminamos hacia el parque del Retiro, buscando las calles menos concurridas y estragadas por la iluminación navideña. Al principio, mi confesión era pesarosa, atormentada de circunloquios e incisos retrospectivos, de excusas y exordios (de paréntesis y sinuosidades, como esta narración que ahora escribo, rememorando aquellos hechos), pero de repente recordé el ejemplo de Chambers, que me contó la escueta verdad de su relación con Fanny sin afeites, entrando a saco —con fiereza, casi con desaprensiva fiereza— en los sótanos donde se pudrían sus secretos. Ciertamente, a Chambers lo favorecía la circunstancia de que yo fuese para él casi un completo desconocido; nos sentimos más limpios y perdonados cuando descargamos nuestra munición de remordimientos sobre un confidente al que nunca volveremos a ver, porque así, al alivio del desahogo, se añade la certeza de que nunca nuestro confidente podrá recriminarnos nuestras faltas. Pero Bruno nunca se había comportado como un fiscalizador de las debilidades ajenas; quizá suscitasen su curiosidad omnívora, pero en esos ejercicios de venial fisgoneo no intervenía la malicia del censor. Nos adentramos en el parque del Retiro, que a la luz inverniza del crepúsculo cobraba un aspecto de bosque aterido, sombrío de pecados que aún aguardan una absolución. Mientras caminábamos por veredas que ya sólo pisaban los yonquis y los sonámbulos, fui desgranando los episodios de aquella mínima infidelidad; adoptaba en mi exposición un estilo cada vez más lacónico, cada vez más circunscrito a la bajeza de mis intenciones.

—Entonces sonó el teléfono. Era una empleada de la compañía aérea, diciéndome que finalmente el avión despegaría en breve. Así fue como aquello quedó interrumpido. —Recordé otra vez mi erección obscena, tuberosa, informe como un tumor maligno—. Supongo que si esa llamada no se hubiese producido habría seguido hasta el final.

Había tratado de ser objetivo, incluso me había esforzado por no omitir las circunstancias más desfavorecedoras, pero aun así no lograba ahuyentar la embarazosa impresión de inexactitud. Siempre se recuerda en beneficio propio, la memoria altera nuestras percepciones, las envuelve en una bruma de datos sensoriales deformados, moldeados a nuestro antojo y provecho. A nuestro paso surgían entre la floresta figuras o gurruños humanos que se rebullían inquietos o fastidiados por nuestra proximidad, quizá fuesen paseantes rezagados que se habían desviado de la vereda para evacuar el vientre, o parejas entregadas al fornicio clandestino (la hojarasca, tan blandita, les serviría de colchón, es como caminar sobre las nubes), o drogadictos inyectándose su dosis vespertina. Pero cada vez que alguien se movía subrepticiamente entre los matorrales, o se cruzaba con nosotros por la vereda, buscando siempre la sombra encubridora de los árboles (supuse que volverían de perpetrar algún crimen, o siquiera alguna felonía o acción vergonzante), yo le adjudicaba los rasgos de

Elena; y hasta que no comprobaba cómo esos rasgos postizos dibujados por mi imaginación enferma se disolvían, para concretarse en los rasgos ceñudos o atrabiliarios de una puta harta de regatear por sus servicios (algunas hojas pardas o amarillas enganchadas en la ropa) o de su cliente rácano que se subía la cremallera, la sangre aceleraba su curso y la promesa de un infarto se enquistaba en mi pecho. Bruno permanecía callado, digiriendo mis confidencias.

—Todavía me pregunto por qué lo hice —reflexioné en voz alta, sin aguardar respuesta—. En todo momento era consciente de estar realizando algo reprobable, pero inventaba coartadas y excusas para tranquilizarme. Me decía: «Esta pobre chica está necesitada de cariño». Y también: «Laura no está aquí, Laura no puede verme».

—Hay un algo paradójico que explica ciertas conductas humanas —me sobresaltó Bruno; hablaba sin inflexiones, como un oráculo—. Es un móvil sin causa, o una causa sin móvil. Bajo su poder obramos sin una finalidad inteligible, o movidos por la razón de que no deberíamos hacerlo. Teóricamente, no puede existir una razón más irrazonable pero, en realidad, no hay otra más poderosa. En condiciones determinadas, esa razón irrazonable llega a ser irresistible. La seguridad del pecado, o del error que acarrea nuestro acto, se convierte así en la única fuerza invencible que nos impulsa a ejecutarlo.

Lo miré con reverencioso desconcierto. Había logrado formular, con palabras irreprochables y diáfanas, lo que durante semanas había formado en mi conciencia un caos abigarrado de culpa y perplejidad.

—El mérito no es mío —dijo, haciendo pantalla con las manos, para suministrar un poco de lumbre a la cazoleta de su pipa—. Estaba citando un cuento de Poe. Se titula *El demonio de la perversidad*.

Los ruidos del tráfico, el estrépito horrísono y descabalado de la ciudad apenas lograba penetrar en aquel bosque rodeado de verjas; sólo el residuo de una zarabanda lejanísima o un estertor sordo alcanzaba a colarse entre la maraña vegetal. Pero bastaba esa levísima reminiscencia acústica para que mis oídos la transformasen en un zumbido desazonante.

—Así que lo hice por perversidad —musité.

Me había detenido en mitad de una especie de soto que bifurcaba la vereda. La designación de ese impulso elegida por Poe me conturbaba con su cruel explicitud.

—En otro tiempo hubiésemos dicho que por instigación del Maligno —completó Bruno—. Ese impulso ya lo probaron Adán y Eva. Es el deseo de aniquilarnos; el deseo de probar lo que nos perjudica, violentando el raciocinio, la pura conveniencia. Consuélate pensando que lo padecen todos los hombres. Unos logran dominarlo y otros no, simplemente.

Reemprendimos el camino que nos conducía hasta el estanque del Retiro, que los domingos congrega a una multitud de niños que alimentan a las carpas voraces como los remordimientos, y de enamorados que secretean su amor mientras reman en barca, quizá también de adúlteros que, arrastrados por el demonio de la perversidad, se reúnen allí para divulgar su contubernio.

—Luego, cuando empecé a recibir sus cartas, me di cuenta de que me confundía con ese violinista canadiense, por no sé qué extraña obnubilación —proseguí—. Pero te juro que jamás se me pasó por la cabeza hacerle ningún mal. No voy a justificar mi perversidad diciendo que trataba de brindarle consuelo; pero, desde luego, no quería hacerle daño. —Hice una pausa agónica; el zumbido me arañaba los tímpanos—. No quería, pero se lo hice.

—Probablemente estuviese bajo los efectos de un *shock* —dijo Bruno. Y entonces comprendí el significado de la mirada no exactamente absorta sino más bien desenfocada de Elena, su sonrisa embelesada colgada de los labios, así que fuiste tú, así que fuiste tú—. Es normal que recuerde esos días velados por la amnesia, es normal que mezcle lugares y tiempos y personas distintas. ¿Cómo eran esas cartas?

Sinuosas como las circunvoluciones de un cerebro averiado, prolijas como un laberinto sin centro, pensé. El crepúsculo comenzaba a claudicar ante la noche.

—El mundo se amoldaba a cada uno de los cambios que experimentaban sus emociones —dije—. Vivía en una cárcel de amor. Hasta en la decepción encontraba motivos de esperanza. Hasta en mi silencio hallaba satisfacción; siempre encontraba signos de mi amor dispersos por el mundo. Cualquier ruido, cualquier combinación de colores le aseguraban que yo seguía amándola. No sé cómo explicártelo.

Bruno asintió, exonerándome de arduas labores exegéticas.

—¿Las guardas?

—Me deshacía de ellas nada más leerlas —avancé un gesto consternado—. Llegó un momento en que empecé a romperlas sin abrir. Se habían hecho cada vez más inconexas y delirantes: me daban miedo. —Aquí me detuve. Me había propuesto que la mendacidad no manchase mi confidencia—. Bueno, en realidad me daba miedo que Laura las descubriese.

Habíamos alcanzado la explanada del estanque. El espectáculo que se mostraba ante nuestros ojos me golpeó con una bofetada de incredulidad. Los servicios de limpieza del Ayuntamiento habían vaciado las aguas del estanque para depurarlas o renovarlas y, ya de paso, remover el cieno del fondo acumulado durante años, y se habían encontrado con una Atlántida del desecho, con la escombrera de una inmensa juerga vandálica: decenas de mesas y cientos de sillas sustraídas de las terrazas de los bares próximos, papeleras y contenedores de basura, vallas metálicas y hasta máquinas expendedoras de chicles se agolpaban sobre el limo como en un gran monumento a la cochambre. Había también otros trastos más menudos, cámaras fotográficas y teléfonos móviles, botellas y transistores que seguramente se les habrían caído por descuido a los enamorados mientras se hacían arrumacos en una barca. Un grupo de mendigos o chamarileros hurgaba en el légamo, a la búsqueda de algún objeto que la herrumbre aún no hubiese desbaratado por completo, objetos de aire delictivo o difunto que ponían a escurrir sobre el pretil: una caja de caudales descerrajada, varios cuchillos que algún día cumplieron alguna misión carnívora (el óxido que corroía sus hojas era como una sangre fósil) y hasta un par de urnas funerarias. Compadecí a los cadáveres allí incinerados, a quienes por culpa de las filtraciones de la humedad, les convenía este epitafio: «Polvo serán, mas polvo reumático».

—Pero al final ya ves que todo se descubre, por mucho que lo ocultemos —dije. Habíamos permanecido en silencio durante unos minutos, contemplando aquel cementerio o bazar de delitos sin castigo—. Basta que alguien levante la tapadera del desagüe: el estanque se vacía y aparecen entre el fango nuestros secretos.

De un modo u otro, el secreto que creíamos a buen recaudo, sumergido en las catacumbas de la vida invisible, termina acatando ese designio de ascensión que le dicta la fatalidad; y entonces su descubrimiento desata el enojado desconcierto, la ofendida perplejidad, el aturdido horror de quienes se consideran con razón traicionados. Bruno pareció adivinar mis pensamientos:

—Es preferible que se vacíe el estanque. Peor es cuando el secreto permanece sumergido.

—¿Tú crees? —pregunté, no del todo convencido.

—No lo creo, lo sé —afirmó, concluyente. Pensé entonces que su gusto por la mistificación literaria, su coraza de hombre zangolotino e inmune al demonio de la perversidad era el agua que anegaba su secreto—. Aunque el secreto no salga a flote, sabemos que está ahí dentro, y nos pesa como una losa.

Se ensimismó en un silencio luctuoso, mientras la noche empezaba a avanzar sobre su perfil. Se le había apagado la pipa, pero su hálito, al coagularse en el aire, brotaba como un humo supletorio.

—Esa chica ha venido a buscarte, Alejandro —me anunció con brusquedad. Pero sus palabras no me causaron sorpresa alguna, tampoco alarma, estaba resignado a acatar mi condena—. Va de café en café, preguntando a la gente si te conoce. También pasa todas las tardes por el Círculo de Bellas Artes, por el Ateneo, por la Casa de América, por todos los sitios en los que, desde su mentalidad provinciana, piensa que los escritores se reúnen en tertulias. Algún gilipollas acabará dándole tu dirección, aunque sólo sea por chincharte.

—Supongo que lo tengo bien merecido —me encogí de hombros, en señal de resignación, también para reprimir un escalofrío—. ¿Qué aspecto tiene?

Bruno vació la pipa, golpeando la cazoleta contra el pretil. Las cenizas se disgregaron, arrastradas por un viento funerario.

—Desmejorada, cada día más desmejorada. Con el alma caída a los pies, que se dice vulgarmente —su voz parecía arrastrar todos los pecados que la humanidad ha perpetrado desde el inicio de los tiempos—. Todavía no se le nota la tripita. —Advertí en la elección del diminutivo un principio de encariñamiento—. Sabes, es una linda muchacha; lástima...

Se detuvo ahí, como si no se atreviese a nombrar su infortunio o como si ese infortunio le trajera a la memoria, en un ejercicio de ensañada nostalgia, el recuerdo de otro similar. Quizá erróneamente, sospeché que Bruno quería de algún extraño modo redimirse interviniendo en aquel desaguisado del que sólo yo era responsable (o responsable solidario con William, el violinista prófugo); aunque nunca me mencionó claramente este extremo, ya no pude dejar de pensar que con su abnegación estaba tratando de expiar tardíamente alguna falta. Pero, aunque yo aún no lo entendiese, la caridad puede ser también un impulso espontáneo; ininteligible para quien no lo siente, pero espontáneo.

—Intentaré hacerla recapacitar —dijo, con ligereza algo presuntuosa.

Como a los frailes mercedarios, el anhelo de liberar a un cautivo le transmitía un insensato optimismo. No reparaba en cuán costoso sería el rescate, cuán costoso o imposible.

—¿Estás loco? —reaccioné; pero, pronunciada en aquel contexto, aquella atribución sonaba indelicada—. La suya es una enfermedad incurable.

—Muchas otras lo son —me rebatió—. ¿O acaso piensas que el demonio de la perversidad que describe Poe se cura con aspirinas? Sin embargo, luchamos para mantenerlo bajo control. Además, si no logro que se cure, al menos le habré dado compañía. Vienen fechas en las que no conviene estar solo.

La noche traía una premonición de nieve, pero el hálito de Bruno sojuzgaba el frío con una temperatura de pesebre. Sospeché que sabía de lo que hablaba; sospeché que otros años, por aquellas mismas fechas, él habría probado el mismo acíbar que ahora amargaba las horas de Elena.

—Y tú, pedazo de cabrón —me reconvino con un como herido donaire—, vuelve a casa con esa novia que no te mereces. Ante todo, quiero estrenar mi chaqué.

Volví a casa, en efecto, cuando aún no eran las diez, pero Laura —que acabaría de llegar del trabajo, ni siquiera le habría dado tiempo de cenar nada, ni una mínima refacción— ya estaba en la cama, más fatigada que huraña. Me tumbé a su lado sin desnudarme, sin atreverme a rozarla; una sentina de acusaciones impronunciadas urdía su pócima en medio de ambos, convirtiéndonos en centinelas de nuestro propio silencio, de nuestras reticencias y tibios rencores. Laura había encendido la televisión, que arrojaba su luz pálida sobre nosotros, acentuando nuestro parecido con dos cadáveres que han dejado de quererse. En algún canal para minorías emitían un documental sobre el macabro idilio del doctor Raymond Martinot y su esposa Monique Leroy, digno de haber inspirado el argumento de una película de Georges Franju. El doctor Martinot había vivido con su esposa Monique en un castillo que parecía decorado por Madame Radcliffe, en Nueil-sur-Layon, cerca de Nantes. El reportaje trataba de evocar, con recursos visuales bastante ineptos, el noviazgo de Martinot y Monique, estremecido de malos augurios, quizá dificultado por alguna maldición o rencilla familiar; también su noche nupcial, en la que quizá concibieron al que sería su único hijo, Remi Martinot, mientras el viento de las landas se afilaba en las troneras del castillo y ahuecaba los cortinajes de terciopelo grana; y su convivencia enamorada, cuando aún eran arrogantes y bellos, paseando juntos de la mano por los corredores abovedados del castillo, que repetían sus pasos y adelgazaban sus sombras. Pero un día Monique empezó a enflaquecer y a extraviar a marchas forzadas la lozanía que había enaltecido su juventud; su piel se volvió macilenta y la humedad de las landas se inmiscuyó en sus huesos. En 1984, cuando apenas contaba cuarenta y nueve años, sucumbió al mordisco del cáncer; el doctor Martinot, perturbado quizá por la lectura de Mary Shelley, decidió congelar —criogenizar— su cadáver. Así podría velarlo noche y día, hasta que los progresos de la ciencia se tropezasen con la fórmula que resucita a los muertos. Para facilitar su adoración insomne, el doctor Martinot ordenó excavar una cripta en los sótanos del castillo e introdujo el cadáver de Monique en una cámara frigorífica que lo mantenía a una temperatura de doscientos grados bajo cero.

La hiedra trepó por los muros del castillo como una lepra de abandono. El doctor Martinot, asediado de fantasmas que le susurraban melodías mortuorias, dejó de pasar consulta a sus pacientes, dejó de pagar a la servidumbre, dejó de felicitar las Pascuas a sus amigos. Embelesado en la contemplación de su esposa criogenizada, se pasaba los días de turbio en turbio y las noches de claro en claro encerrado en la cripta, escuchando el alma de su esposa, atrapada en la cámara frigorífica como una mariposa a la que ensartamos con un alfiler y que todavía rebulle, agonizante o nostálgica de una pasada vida aérea. Mientras el doctor Martinot se entregaba a estas ceremonias sacrílegas y voluptuosas, la fortuna familiar empezaba a agotarse; fue entonces cuando su hijo Remi decidió convertir la cripta en una atracción turística. En connivencia con una agencia de viajes que le suministraba la clientela, Remi reclamaba a los curiosos que se acercaban hasta allí la muy civilizada cantidad de veinticinco francos. Probablemente, ninguno de aquellos visitantes que contemplaban con obscena delectación el cadáver criogenizado de Monique Leroy reparó en aquel anciano, cada vez más escuchimizado y transparente, que parecía el guardián de la cripta y que respondía al nombre de Raymond Martinot. Cuando por fin murió, exigió a su hijo Remi mediante testamento ológrafo que criogenizase también su cadáver y lo encerrase en la misma cámara frigorífica que ocupaba el cadáver adorado de Monique Leroy. Los turistas que descendían hasta la cripta del muy decrépito castillo descubrían con pasmo y pavor y recóndita lujuria los cadáveres de Raymond y Monique, trabados con lenguas, brazos, pies, y encadenados cual vid que entre el jazmín se va enredando. Nadie se paraba a escuchar, sin embargo, el coloquio cautivo de sus almas, como dos mariposas ensartadas con un mismo alfiler, rebullendo todavía, agonizantes o nostálgicas de una pasada vida aérea.

El documental se clausuró con una imagen de los dos amantes, juntos en su noche de hielo, que se fue fundiendo lentamente en negro mientras desfilaban los títulos de crédito y sonaba una música mortuoria de Chopin. Sentí envidia del doctor Raymond Martinot y de su esposa Monique Leroy, que quizá reanudasen su idilio en un futuro inconcebiblemente remoto, justo en el punto en que lo habían dejado, bajo otros cielos distintos y entre otros hombres para quienes su anterior vida se hundiría en el vértigo de las fechas que parecen previas a la invención del calendario. También yo hubiese querido que me criogenizaran junto a Laura, para salvar del derrumbamiento nuestro amor que habría creído invulnerable; hubiese querido despertar a su lado, después de varias generaciones o varios siglos, para comprobar que la pesadilla que ahora nos corrompía se había disipado, para comprobar que el secreto que se pudría en mitad de nuestra cama se había disgregado por completo (y sus cenizas aventadas por el olvido), como el enfermo que se acuesta con fiebre y despierta milagrosamente restablecido, creyendo que su dolencia quizá fue fruto de la imaginación, fruto de la hipocondría o de una personalidad extraña que durante unos días jubilosamente extintos se superpuso a la suya. Laura apagó el televisor, que aún conservó durante unos minutos una menguante fosforescencia. Luego se hizo un silencio denso e inmóvil como un yacimiento de antracita; lo sobrevolaban las emanaciones de aquella sentina donde se urdían las acusaciones que no nos atrevíamos a lanzar. Al fin Laura habló:

—He pedido al cura que aplace nuestra boda. Y he cancelado la reserva en el restaurante.

Quise protestar, quise que mis sentimientos se amotinaran, pero me descubrí poseído por una flojedad que quizá fuese otra manifestación del perverso demonio descrito por Poe, o quizá los efectos de una criogenización moral.

—Pensaba que esas decisiones tenían que ser conjuntas —dije sin irritación, casi sin asombro.

La perdía, la veía alejarse, bogando hacia un río que no me admitía en su corriente.

—Lo siento, Alejandro —se excusó, o tal vez sólo se explicó—. En estas condiciones no podría darte el sí quiero. Te estaría engañando; me estaría engañando a mí misma. No puedo participar en una farsa.

—Tendrías que haberme consultado. Quizá con ayuda...

Me aferraba a quejas inconsistentes, como el náufrago que desea morir ahogado se aferra a la chalupa que ya se hunde. Laura estalló:

—¿De qué ayuda estás hablando? Tú eres el que necesitas ayuda, Alejandro; pero no quieres pedírmela, no dejas que te la preste. —Y, tras el zarpazo de la cólera, el dictamen forense—: Esto se acaba, esto se está acabando. Y nunca me gustaron los entierros.

Aquella noche, Laura se fue a dormir al sofá del salón. Supongo que se mantuvo en vela, como me mantuve yo mismo, rumiando cada uno su soledad, paseando por los escombros de lo que había sido una fortificación inexpugnable. Un par de veces me levanté, para hacerle una visita, y un par de veces besé su frente cavilosa, deseando que esos besos actuasen a modo de ensalmo y borrasen el estigma de mi traición. El milagro no se produjo y Laura siguió durmiendo, siguió fingiendo que dormía, mientras la actinia volvía a devorarme en su abrazo.

Bruno me confesaría más tarde que durante aquellos pocos días llegó a creer que en su vida había prendido un esqueje de rejuvenecimiento. Jamás había concebido que la vida se pudiese aplicar a otro ideal que no fuese la literatura y, puesto que no creía en la gloria ni en la mamarrachada de la posteridad, este ideal literario se conformaba con saborear unas pocas satisfacciones estéticas que, a la postre, siempre acababan resultando insatisfactorias, porque al creador lo que hoy le complace mañana le desagrada, casi le ofende con su imperfección. Pero aquella misión de lazarillo inconfeso de Elena le inspiró la creencia de que existen otros elevados ideales fuera del refugio de la literatura, en el que, por lo demás, siempre había habitado irónicamente, sin acabar de creer en su trascendencia. En cambio, mientras acompañó el trastorno de Elena, primero observándola un poco a hurtadillas y como haciéndose el encontradizo, después entablando con ella conversaciones que se pretendían aleatorias o accidentales para tratar de asomarse al abismo sin fondo donde se recogía su dolencia, mientras pudo servirle de báculo en su peregrinaje por los pasadizos del delirio y acompañarla hasta la pensión donde pernoctaba (Elena seguía extraviándose, en el barullo de calles madrileñas) y despedirla en el portal, mientras duró esta misión de salvamento, Bruno atisbó la posibilidad de una vida enteramente distinta. Como el convaleciente al que favorece un cambio de clima, un cambio de régimen o medicación, Bruno empezó a experimentar una regeneración, no ya moral, sino incluso orgánica. En otro tiempo había empleado su inteligencia en libros tan estrambóticos como estupefacientes que proponían pesquisas entre las rendijas de la realidad; mientras se encomendó a la vigilancia de Elena, esas pesquisas ya no las impulsaba un propósito lúdico, sino el afán de rescatar a alguien de esa invisibilidad en la que se extravían algunas personas cuando se internan en un laberinto donde no hay escaleras que subir, ni puertas que forzar, ni fatigosas galerías que recorrer, ni muros que veden el paso. Pero bastó que se descuidara por unos pocos minutos para que Elena volviera a internarse en ese laberinto, esta vez sin dejar ni rastro.

Después de tropezársela por primera vez en el Café Gijón, adonde —gorrón impenitente— solía acudir todas las mañanas para hojear los periódicos y apreciar que, pese a sus disensiones ideológicas, coincidían todos siempre en el encumbramiento de los mismos genios meteóricos de las letras patrias, Bruno infirió que Elena volvería a la mañana siguiente. Y así fue, en efecto. Repitió su itinerario preguntando a los clientes recién desayunados o todavía ayunos pero ya medianamente mamados si por casualidad me conocían. Bruno la vio completar su ronda interrogadora, volvió a hacerse el longui cuando le tocó su turno (Elena ni siquiera reparó en su fisonomía, seguramente tampoco había reparado la mañana anterior, de modo que su insistencia quedaba excusada) y la espió entre el desorden de periódicos desgualdrajados que luego recompondría pésimamente, mezclando incluso hojas de unos con hojas de otros, hasta conseguir el perfecto prototipo de periódico con empanada mental ideológica, pero siempre leal en el encumbramiento de los mismos genios meteóricos de las letras patrias. Elena se sentó en una mesa junto a la cristalera que se abría al paseo de Recoletos y pidió al camarero que la atendió (y que intentó en vano ligar con ella) un desayuno copioso que devoró con una suerte de avergonzada gula, mientras su mirada se enredaba en el trasiego de transeúntes, entre los que no desesperaba de distinguirme. Por el encarnizamiento con que atacaba el cruasán y untaba de mantequilla las tostadas, Bruno sospechó que estaba aquietando el hambre de muchas horas, quizá de un día entero.

Era, desde luego, una linda muchacha, de una belleza si se quiere algo vulgar o llamativa que en épocas de esplendor podría haber llegado a resultar un poco asfixiante pero que, desmejorada por esa melancolía y esa huella de fatiga que asomaba a sus rasgos (y también por una cierta negligencia indumentaria, por un apagamiento de su coquetería), aparecía como una belleza inconsciente de sí misma, huida de sí misma, desamparada de sí misma. Era una linda muchacha.

Elena pagó aquella primera mañana el desayuno y se lanzó a la calle. Se pateó el centro de la ciudad recalando en cafés y foros del mangoneo literario; a cada parroquiano o visitante le preguntaba si conocía a Alejandro Losada y, si apreciaba síntomas de dubitación en alguno, le instaba encarecidamente a que le procurase alguna pista sobre mi paradero. No tardaba el parroquiano o visitante de turno en detectar en Elena un vislumbre de enajenación (quizá la fijeza deshabitada de su mirada, como los hombres que intentaban violar a Fanny Riffel atisbaban en sus ojos de un azul monástico el frío de la tumba); y entonces se escabullía de su asedio, sorteaba sus súplicas y casi se la tenía que quitar de encima, con manoteos y carreras y hasta amenazas de aviso a la policía. Elena alargaba estas cuestaciones hasta bien entrada la noche; a veces, para protegerse de la intemperie, se cobijaba en una iglesia, o en una estación ferroviaria, y allí, arrullada por los bisbiseos de las beatas o por la megafonía que anunciaba la partida y el arribo de trenes que cargaban y descargaban pasajeros (siempre las mismas beatas, siempre los mismos pasajeros), Elena se abstraía de la quietud o el fragor circundantes y se acurrucaba en su cárcel de amor, desde la que quizá avistase un paraíso prometido. Las agujetas entumecían sus articulaciones, los sabañones escocían su piel, el hambre se enroscaba en sus tripas, una debilidad casi voluptuosa se derramaba sobre sus miembros, pero su espíritu se erguía sobre tanta postración, su espíritu invicto y avizor se elevaba (como las llamas votivas, como el incienso) hacia otra región desterrada de la realidad donde se reunía conmigo, juntos al fin después de tantos traspiés y malentendidos, juntos para consumar sin impedimentos nuestra pasión. Estas ensoñaciones la transportaban a un estado de duermevela o arrobada inconsciencia; y de sus labios brotaban entonces palabras de alelada gratitud, sonrisas como carantoñas, y se llevaba la mano al vientre, entrelazada quiméricamente con la mía, para que el latido de aquella vida gestante siguiera prestándonos aliento y certeza. De vez en cuando algún feligrés apiadado, algún viajero no demasiado urgido por el reloj, se acercaba a ella y le ofrecía auxilio; Elena salía del trance como quien aterriza en un suelo inhóspito, erizado de abrojos: de inmediato las agujetas, y los sabañones, y las apreturas del hambre, anulaban su ingravidez, la devolvían a un mundo demasiado abigarrado y caótico, demasiado multiforme y extenso, en el que sus emociones no encontraban asidero. Y, como una huérfana que ha extraviado su genealogía, preguntaba al azaroso auxiliador: «Disculpe, ¿conoce usted al escritor Alejandro Losada?».

También le gustaba pasear por los parques, quizá porque encontraba en ellos el oasis que la aislaba de la ciudad hostil, quizá porque en su ámbito se figuraba pasear por los vericuetos de esa Arcadia que había soñado durante los voluntarios encierros en su cárcel de amor. Bruno la veía deambular por los caminos de grava, internarse por sendas escoltadas de alheñas, burlar las prohibiciones municipales y pisar el aterido césped para recoger las cortezas que se desprendían del tronco de los plátanos (le gustaba descascarillarlos a ella misma), los peciolos del castaño de Indias —con su abanico de siete hojuelas— que aún no habían retirado los barrenderos, los frutos del lentisco, arrugados y negruzcos tras las últimas heladas. Se detenía ante los estanques invadidos por las lentejas acuáticas y perturbaba su tapiz verde escribiendo con el dedo índice en la superficie del agua inscripciones que Bruno nunca acertaba a leer, porque cuando por fin podía asomarse al estanque (cuando Elena ya había reanudado su paseo), las lentejas acuáticas habían restablecido su dominio, celosas del secreto que Elena acababa de confiarles. Le gustaba acariciar los setos de boj que la podadera acababa de esculpir, para refrescarse las manos con la escarcha que impregnaba sus hojas, con la savia fluyente de sus tallos heridos y aún no restañados. Seguía el vuelo abufado y ceniciento de esos pájaros que resisten el rigor del invierno y la polución urbana sin emigrar hacia cielos más limpios y cálidos, esos pájaros plebeyos, con plumaje de faena, que construyen sus nidos con jirones de telas y peladuras de frutas y otros desperdicios rescatados de alguna montonera de cochambre, ande yo caliente. Pronto entabló con estos pájaros sin pedigrí una hermandad que quizá naciese de su común condición de supervivientes en un entorno poco benigno; y siempre reservaba un mendrugo de pan del desayuno que les migaba, o el corazón de una manzana (oxidado ya, mordisqueado por los mismos dientes que yo llegué a probar cuando su abrupta lengua amordazó mis últimas reticencias, allá en el hotel o varadero de espectros próximo al aeropuerto O'Hare), que los pájaros se disputaban con gran algarabía. Y mientras asistía complacida a su pitanza, se sentaba en un banco y revisaba los tesoros vegetales que había ido recolectando en el paseo: contaba las nervaduras de las hojas, repasaba los contornos anfractuosos de las cortezas, acariciaba las cáscaras erizadas de los frutos. Aunque le costaba prestar crédito a esta sospecha, Bruno llegó a pensar que Elena extraía significaciones ocultas de estas menudencias botánicas, en las que buscaba correlaciones con su estado emocional; y confirmó esta sospecha cuando vio, un día tras otro, cómo Elena guardaba las hojas y las cortezas y los frutos en su bolso, y cómo ayudándose de una navajita o lima de uñas arañaba furtivamente el tronco de los árboles, como si de este modo tratara de entablar contacto con un invisible comunicante. Bruno trató de descifrar en más de una ocasión estas muescas o raspaduras pero, aunque no se borraran como las escrituras en los estanques, nunca descubrió en ellas más que un barullo de rayas transversales. Se tranquilizó deduciendo que, a través de este esotérico método, Elena establecía algún cómputo, quizá las jornadas de su peregrinaje en Madrid, quizá los días que restaban para el parto, quizá la duración de su cautiverio de amor. Yo sabía que eran mensajes, señales que me hacía, con las que trataba de burlar el fantasmagórico secuestro a que mi familia me tenía sometido.

Casi a la medianoche, después de agotarse en su busca sin tino, Elena regresaba a la pensión en la que se hospedaba, en el paseo del Prado, en un estado de derrengamiento agravado por la inanición. Bruno la veía entrar en el portal con hechuras de catacumba, la veía subir por la escalera crujiente de carcomas y pecados, de peldaños muy erosionados por el trasiego de inquilinos, y detenerse en el primer descansillo, apoyando la espalda sobre la pared ametrallada de desconchones y tatuada con inscripciones escatológicas. Cuando Elena se perdía en un recodo de la escalera, Bruno cruzaba la calle (a veces, enfrascado en su espionaje, se desentendía como la propia Elena de los automóviles que embestían) y aguardaba hasta que se encendía la luz de su cuarto, igual que el adolescente Chambers aguardó en la esquina de LaSalle y Elm Street, hasta que la silueta de Fanny Riffel se recortó en los estores que cubrían las ventanas de su apartamento. Pero en el espionaje de Bruno no había intención libidinosa, ni siquiera erótica (o sólo de un erotismo ideal); simplemente, consideraba su obligación velar por Elena, y también mantenerla apartada de mí, para que así su enfermedad amainase. Pero la enfermedad de Elena era irreductible, según predicaban los manuales de psiquiatría; en todo caso, podría variar el destinatario de su amor delirante, pero no el delirio en sí, extremo que Bruno no acababa de asimilar, o quizá sí lo hubiese asimilado, y lo que deseaba con una fuerza irrazonable —pero irresistible— fuese tomarme el relevo: a este impulso paradójico Poe lo había designado demonio de la perversidad. Bruno aguantaba durante horas ante la pensión donde se hospedaba Elena, preguntándose en qué tareas aniquiladoras emplearía aquellas horas que más bien debería aprovechar para restablecer fuerzas y conceder reposo a su espíritu quebrantado en mil y un ascensos estériles hacia una región desterrada de la realidad. Sabía que no estaba acostada, porque su sombra huidiza deambulaba por el cuarto, poseída de una hiperactividad que evocaba la de un alquimista encerrado en su laboratorio, fundiendo en sus atanores y destilando en sus alambiques las sustancias que le depararían la piedra filosofal. Al cabo de tres o cuatro horas, Elena por fin interrumpía sus ajetreos y apagaba la luz; Bruno le deseaba entonces sueños prófugos de su cárcel de amor (deseaba un imposible, era un iluso) y regresaba a casa, también en un estado de derrengamiento que agravaba la inanición. Pero él, a diferencia de Elena, reunía reservas de grasa que le hacían más llevaderos los ayunos y las caminatas.

Madrugaba con alegría, para que Elena no se le adelantara en su diaria cita en el Café Gijón. La ceremonia se repetía, mañana tras mañana, como si los ciclos cósmicos que rigen el eterno retorno se hubiesen pasado de revoluciones: Elena completaba su ronda interrogatoria, Bruno se hacía el longui cuando le tocaba el turno (y Elena seguía sin reparar en su fisonomía) y la espiaba mientras desayunaba como acobardada de su propia avidez. Un día, cuando el camarero que ya había desistido de ligársela fue a cobrarle, Elena empezó a remover el contenido del bolso, hasta extraer un monedero flácido y bastante pringoso del que sólo pudo rascar una calderilla que no hubiese bastado ni como propina. Elena dedicó al camarero una de sus sonrisas convulsivas e ingenuas; aunque había enflaquecido bastante, todavía exudaba esa impresión de generosidad que tanto me atrajo, en el avión que a ambos nos condujo a Chicago, cuando el azar nos lió en su cinta atrapamoscas.

—Me he quedado sin dinero —dijo, sin dejar de sonreír.

Y se llevó una mano a la boca, como si se le hubiese escapado una inconveniencia. El camarero se quedó un poco descolocado, indeciso entre la obligación de aplicar el reglamento expeditivo que le había inculcado el dueño del café y el deseo de condonar la deuda. Pero antes de que reaccionase ya se había levantado Bruno de su velador (los periódicos como un acordeón de hastío) y, dirigiéndose a la mesa de Elena, anunció:

—La joven está invitada.

Y remetió en el bolsillo del chaleco del camarero un billete que se bastaba para sufragar media docena de desayunos copiosos. El camarero se disponía a devolverle el cambio, hurgando en el zurroncillo que llevaba colgado en bandolera, pero Bruno lo detuvo, con ademán pródigo o pontifical:

—A éste y a los siguientes.

El camarero se encogió de hombros y cedió protagonismo al remozadísimo Bruno, que siempre había consumido los brebajes más baratos y jamás había dejado propina, el muy roñoso; a fin de cuentas, el camarero siempre podría entenderse en inglés comanche con alguna americana folladora, y aquel grandullón tenía pinta de no haberse jalado un rosco desde la Guerra de la Independencia. Así que Bruno se quedó solo ante Elena, lamentando su facha tirando a desastrosa (el tabardo como de oso recién evadido del zoológico, naturalmente regado de lamparones; y debajo, la camisa de leñador que dejaba asomar entre la botonadura la barriga) y también la designación que había empleado para referirse a Elena («joven»), quizá demasiado castiza o chulapona y, desde luego, confianzuda; hubiese sido más correcto llamarla «señorita», aunque a la vez más carca, más como de viejo verde al que no se le levanta ni con poleas; hubiese sido más simpático, más rejuvenecedor (sobre todo para él, que ya frisaba la cuarentena) y a la vez más neutro decir «chica», pero «joven» o «señorita» o «chica» (o «moza», más rústico; o «zagala», más geórgico o pastoril; o «pibita», más austral y zalamero; o «chavala», más tunante; o «muñeca», decididamente propio de chuloputas; o «dama», demasiado cortés y relamido, huele a naftalina; o qué, o qué, o qué, tranquilo Bruno, coño, te estás poniendo nervioso), el caso es que la pata ya la había metido, el caso es que era una linda muchacha, y le agradecía el gesto:

—En serio, puedes sentarte. ¿No me oyes?

A Bruno casi se le descuelga la pipa del labio. Intentó recomponer un poco la figura, adoptando un gesto muy favorecedor para los gordos de mofletes carnosos, que consiste en imitar aquel mohín de inteligencia un poco abrumada que patentó Charles Laughton.

—Muchas gracias... —Bruno se sentía absurdamente nervioso, absurdamente confuso—. Disculpe, ¿cómo se llama?

—Elena Salvador. Pero puedes tutearme. —Introdujo una inflexión mandona—: Debes tutearme, eres mi bienhechor.

«Chiquilla», la palabra idónea era chiquilla, Elena era una chiquilla desnortada que se había quedado sin dinero en una ciudad extranjera.

—No sé qué ha podido ocurrirme —se excusó. Un resto de pundonor le impedía reconocer que había consumido sus ahorros y merodeaba la indigencia—. Me olvidé de meter la cartera. Si no llegas a intervenir, ya me veo fregando platos.

Bruno reparó con indulgente pudicia en su cabello más bien grasiento, que desde hacía más de un mes no se había teñido ni recortado: las raíces del pelo le brotaban ensañadamente negras en contraste con el tinte rubio, que había perdido su brillo; el flequillo sin volumen y demasiado largo se lo había apartado de la frente con unas horquillas como de niña menesterosa. Tenía los labios resecos, cansados de musitar oraciones sin destinatario. Pero en sus ojos glaucos (verde del mar Mediterráneo, verde esmeralda, verde veronés, con sus jaspeaduras pardas y amarillas), muy al fondo de sus ojos peregrinos en los pasadizos de la locura, aún alentaba un rescoldo de belleza.

—Creo haberte visto por aquí alguna vez —dijo Bruno, haciéndose el desentendido—. ¿Vives cerca?

También reparó en los puños tazados de su gabardina, en los que ya apuntaban las primeras hilachas. Quizá Elena se hubiese percatado de su escrutinio porque, excusando calor, se despojó de la gabardina. Debajo llevaba uno de sus jerséis de angora, demasiado claros para ocultar la suciedad, que antaño le habría reventado en las costuras, pero que para entonces ya delataba los estragos de una dieta de hambrunas y vagabundeos; sólo los senos, preparándose para la lactancia, y la tripita que ya empezaba a adquirir un dulce abombamiento recordaban su antigua opulencia.

—Soy forastera, me hospedo en una pensión —respondió Elena, con algo de rubor.

Bruno se animó a apoyar los codos sobre la mesa antes de lanzar la primera incursión a su intimidad:

—¿Turismo?

Elena lo miró fijamente a los ojos, fiscalizándolo sin ambages. Bruno se quiso defender con una cortina de humo, pero comprobó que la pipa se le había apagado.

—En realidad no. He venido a visitar a un amigo —dijo, todavía con cautela.

—Mucho mejor así, no conviene estar sola. —Bruno sabía que pisaba terreno inseguro, pero le tentaba el riesgo—. ¿Y hasta cuándo te quedarás?

Advirtió en sus senos de gestante —cuya contemplación procuraba rehuir, pero el rabillo del ojo le traicionaba— una palpitación que conmovía su simetría. Las reservas de Elena se rindieron ante la necesidad de confiar en alguien; después de todo, Bruno era su bienhechor, y también la única persona que mostraba interés por sus cuitas, la única que infringía su confinamiento en las mazmorras de la vida invisible.

—Hasta que lo encuentre. Ha desaparecido.

—¿Tu amigo ha desaparecido? —No tuvo que fingir indignación; por un momento se sintió ganado por la versión de Elena—. Pero, ¿no le anunciaste tu llegada?

—El caso es que sí, pero no obtuve respuesta. —Su mirada glauca se desenfocaba, mientras se llevaba el tazón de leche caliente a la boca. El berrete de blancura sobre el bozo transmitió a Bruno un estremecimiento de casta voluptuosidad—. No sé, se lo ha tragado la tierra.

Empezó a mordisquear el cruasán; el baño de caramelo le pringaba los dedos, le esmaltaba las uñas en las que se refugiaba la mugre.

—¿Tu amigo es ese Alejandro Losada por el que preguntas?

—¿Tú crees que podrían haberlo secuestrado? —soltó a bocajarro.

Bruno no supo si responder acatando esa intromisión del delirio o rechazándola con ahínco. Adoptó una solución intermedia, pero no reprimió la extrañeza:

—¿Secuestrado? ¿Para qué? ¿Para pedir rescate?

No había elevado el tono de la voz, pero Elena se puso en guardia, como si temiera que alguien —algún emisario de los secuestradores— pudiera estar escuchándolos. Desvió el asunto de la conversación:

—Olvídalo, son figuraciones mías. —Esbozó una sonrisa de resignación; más bien consideraba que eran los demás quienes se empeñaban en negar lo que, a su trastornado juicio, resultaba palmario—. ¿Y tú a qué te dedicas?

No había previsto una respuesta convincente para esa pregunta, pero Bruno era especialista en la invención de biografías apócrifas. No podía, por razones obvias, revelarle su verdadero oficio, pues se supone que las gentes del gremio nos tenemos fichadísimos unos a otros, formamos una sociedad de endogamias y zancadillas mutuas.

—Soy técnico informático —improvisó; así, eligiendo un trabajo sedentario, justificaba su gordura—. Ya sabes, instalación de *software*, páginas web, todas esas mandangas. Ahora las empresas dependen de nosotros. —Y añadió, para que la mentira no fuese tan completamente alejada de sus inquietudes—: Y en mis ratos libres soy cartógrafo.

—¿Cartógrafo de los que hacen mapas, quieres decir?

Elena sopesó la manzana que diariamente incorporaba a su desayuno, la manzana cuyo corazón arrojaba a los pájaros. Le sacó lustre con la manga de su jersey de angora; este gesto complació a Bruno, que nunca pelaba la fruta.

—Cartógrafo de países imaginarios. —Aventuró una risa zangolotina, que halló su reflejo en Elena, a quien aquella extravagante afición quizá suscitase simpatía; a fin de cuentas ella viajaba cada poco a una Arcadia que sólo existía en su fantasía—. Pero me he expresado mal, más bien soy recopilador. No hay día que alguien no se invente una micronación y lo proclame en internet. Países diminutos, establecidos sobre islas o sobre una franja de litoral en la que apenas pueden tumbarse a dormir. —Elena se dejó ganar por la hilaridad, que disimuló tímidamente con la manzana aún intacta—. Algunos fundadores de estos países liliputienses proclaman su independencia, promulgan constituciones, imploran reconocimiento diplomático, nombran ministros plenipotenciarios, emiten pasaportes... ¡La repera!

Ahora Bruno alzaba sin reparos la voz, observaba que a medida que la alejaba de su monomanía, a medida que la internaba en ese mundo chocante y fabuloso de las ínsulas baratarias, Elena se despojaba de la mujer enredada en los laberintos y telarañas de sus ensoñaciones para mostrar, aún con tiento y prevención, la mujer anterior que había sido, la mujer desbordante de entusiasmo y curiosidad.

—Te estás pitorreando de mí —lo interrumpió, divertida, y sacudió la mano, como si espantase sus chanzas.

Entonces mordió la manzana, que era reineta, de una carne en la que parecía resguardarse el pálido sol del invierno. El mordisco de sus dientes sonó como una crepitación blanda, incruenta, con una delicadeza de beso que ignora su destinatario; según me contaría después, Bruno se quedó prendado de aquel mordisco, presa de un apacible encantamiento. Antes de volver a hablar, contempló reverenciosamente sus movimientos de masticación, los carrillos colmados, los labios húmedos y otra vez apretados de vida, la mandíbula ocupada en su movimiento cadencioso.

—Que no, que hablo en serio —dijo, al fin. Cedió a la asociación de ideas—. ¿Has oído hablar del Jardín de las Hespérides, por ejemplo?

Elena denegó con la cabeza con algo de contrariado rubor; ahora los muerdos eran más insistentes, lo espoleaban a seguir hablando.

—Allí crecía un manzano de oro, regalo de bodas de la Madre Tierra a Hera. Un día, Hera descubrió que las hijas de Atlante, las llamadas Hespérides, a quienes había confiado el cuidado del árbol, hurtaban sus frutos. Entonces ordenó a la serpiente Ladón, que tenía cien cabezas y hablaba varias lenguas, que se enroscara alrededor de su tronco y ejerciera de guardián. Y Ladón cumplió a rajatabla su cometido, hasta que Euristeo ordenó a Heracles que robara las manzanas de oro.

—¿Heracles es el mismo que Hércules, el de los doce trabajos? —lo interrumpió Elena.

Bruno asintió. Sentía crecer ese orgullo mezclado de desazón que deben experimentar los padres cuando se proponen entretener a sus hijos con la narración de un cuento que quizá excede sus habilidades expositivas: había que ponerse al nivel del oyente, sin denotar altanería ni condescendencia, había que satisfacer su curiosidad antes de que se desbordara. Bruno no conocía la experiencia de la paternidad, pero quizá no estuviese del todo negado para estos afectos:

—Heracles consiguió las manzanas gracias a la ayuda del tontorrón de Atlante, que se dejó embaucar —continuó Bruno—. Con tal de librarse por unos minutos del peso del globo celestial, era capaz de cualquier majadería. Pero ésa es otra historia. Yo quería hablarte del Jardín de las Hespérides, que se hallaba en la ladera del monte Atlas. Pero existían dos montes llamados así, uno en la Mauritania y otro en el país de los hiperbóreos, los hombres que viven más allá de donde nace Bóreas, el Viento del Norte. ¿Sabías que Bóreas fertiliza a las yeguas? Vuelven sus cuartos traseros al viento y conciben potros sin ayuda de un semental.

Enseguida se arrepintió de haber introducido este inciso, que cambió por un instante la expresión de Elena, recordándole al hijo que portaba en el vientre, engendrado por un hombre que también vivía más allá de donde nace Bóreas, el hombre que su amnesia había fundido conmigo. Elena miró hacia el paseo de Recoletos, como los peces encerrados en una pecera miran el mundo sin agua del exterior, que es su atracción y su condena.

—Hace veintitantos años —dijo Bruno, tratando de recuperar su atención—, un escultor llamado Lars Vilks identificó el Atlas con un montículo que se yergue al sur de Suecia. En honor a la serpiente Ladón erigió dos esculturas en aquel paraje, al parecer incluido dentro de los límites de una reserva natural de aves marinas. Las autoridades suecas quisieron derribarlas, pero Lars Vilks lo impidió, encadenándose a ellas. Durante más de una década, las autoridades suecas pleitearon contra Vilks, pero al final, los jueces le dieron la razón al escultor, no me preguntes por qué, prohibiendo la demolición de estos monumentos. Lars Vilks proclamó entonces la fundación de Ladonia, una república independiente de Suecia, con un territorio de apenas un kilómetro cuadrado. Vilks ha logrado establecer en Ladonia una colonia de artistas que cada verano acampan en derredor de sus esculturas, que son su templo e inspiración constante.

Para entonces, Elena había terminado de comer su manzana; envolvió su corazón en una servilleta de papel y lo guardó en el bolso.

—Molaría nacionalizarse —dijo—. Tiene que resultar divertido vivir en Ladonia.

—Según como se mire. —Bruno lanzó una risita cohibida—. Tienen problemas de espacio. Te tocaría compartir tienda de campaña con una docena de *hippies* melenudos.

—Como Blancanieves.

Una claridad alborozada inundó las facciones de Elena. Bruno pensó que iba por el buen camino:

—Pero los hiperbóreos son algo más talluditos. Y, según mis informantes, roncan que es un primor. No te dejarían pegar ojo.

Ahora rieron ambos, unánime y efusivamente. Algo líquido y opalino brillaba en la mirada de Elena, quizá una lágrima de regocijo, quizá una pura exudación de vida que pugnaba por respirar.

—Estoy acostumbrada a las estrecheces —dijo Elena, guardando también el mendrugo de pan que completaba la diaria pitanza de los pájaros—. En Valencia vivo en un apartamento que es un cuchitril. Y el cuarto de la pensión en la que me hospedo... bueno, casi hay que entrar de perfil, para no rozar las paredes.

Y entonces, sin transición, se abismó en una tristeza muda y opaca, en la que Bruno no podía penetrar, en la que ni siquiera acertaba a orientarse. Hablar con Elena era como nadar contra el oleaje con un náufrago a cuestas: a cada poco logramos sacarlo a flote, para que respire, pero enseguida nos golpea otra ola, y otra, y otra, y nos encharca los pulmones de un agua que rezuma decrepitud. Era una labor extenuante, y contagiaba una sensación de esterilidad. Pero Bruno insistía en el salvamento, aunque no avistaba ninguna orilla.

—¿Alguna vez has estado enamorado? —soltó Elena, otra vez a bocajarro.

—Alguna vez, supongo. —Ante todo, había que rehuir el dramatismo—. Allá en el Pleistoceno.

—Eso sí que son estrecheces, y no las tiendas de campaña de Ladonia —hablaba como desde el fondo de un nicho, entre el ahogo y la resignación—. Es como barnizar el suelo de una habitación de cara a la puerta de salida. Vas retrocediendo hacia la pared del fondo, encantada del nuevo lustre que toma la madera. El olor del barniz te emborracha; el suelo reluce como nuevo. Pero, a tus espaldas, el espacio se va reduciendo. De pronto, te das cuenta de que tú misma te has tendido una trampa. Apenas te queda espacio para rebullirte, estás acorralada por el barniz fresco que no puedes pisar, porque todo tu trabajo se echaría a perder. Y acurrucada contra la pared del fondo tienes que esperar, sola y sin poder comunicarte con nadie, hasta que se seque el barniz.

Cerró la cremallera del bolso, que colocó sobre su regazo. Los senos, bajo el jersey de angora, temblaban como cachorros gemelos.

—A veces el barniz no se seca nunca —murmuró.

No logró convencerla para que se dejase acompañar. Mientras la veía alejarse por el bulevar, Bruno pensó que, en su ansia por trabar conocimiento con ella, no había reparado en las contrapartidas que ese trato acarrearía; por de pronto, ya no podría seguirla, o al menos no a tan corta y despreocupada distancia como había hecho hasta entonces, salvo que deseara que Elena lo tomase por un detective, un fisgón, un perseguidor enviado por mis espectrales secuestradores. Pero ese inconveniente lo mortificaba mucho menos que la constatación que acababa de hacer: la locura de Elena, que hasta entonces sólo había estimulado su piedad, se le antojaba ahora una injusticia demasiado rigurosa. Había leído que los trastornos psíquicos solían golpear más ensañadamente a los temperamentos más sensibles, igual que el hierro hiere y rompe con mayor estropicio la carne viva; con frecuencia había tenido oportunidad de comprobar este aserto, repasando las existencias de ciertos hombres de inteligencia privilegiada tocados por la varita mágica del arte. Pero esos hombres que ya ocupan el panteón de la celebridad son estatuas expuestas a nuestra admiración: puesto que su sufrimiento no nos atañe directamente —y además ha sido recompensado, siquiera de forma póstuma—, lo contemplamos como una especie de tributo que, a la postre, multiplicó sus talentos y se hizo fecundo, sirviendo como prototipo o escuela doliente que aquilata a quienes desean mirarse en su espejo. Elena no era una estatua expuesta a la admiración, sino una mujer expuesta a las plurales intemperies del desvalimiento: el escarnio, el desdén, el rechazo más o menos hastiado, más o menos displicente. Le sublevaba aceptar que estuviese predestinada a extinguirse en una cárcel indigna de su valía, atrapada por un cerco de barniz que no se seca nunca. Ignoro si, en el curso de estas meditaciones sediciosas, Bruno llegó a odiarme alguna vez, por intervenir como catalizador de una condena que Elena no merecía; si no lo hizo fue, desde luego, porque su amistad era acendrada, como había demostrado impulsando mi noviazgo con Laura. Y quizá también porque había adoptado la redención imposible de Elena como una cruzada personal, en la que acabaría alistándome cuando ya no pude soportar más la náusea de saberme miserable.

Vio alejarse a Elena por el bulevar, resuelta a repetir el mismo itinerario de indagaciones baldías de siempre, y actuó con rapidez, con la misma rapidez que el ladrón emplea para consumar sus latrocinios, con la misma voluntad clandestina. Caminó hasta la pensión del paseo del Prado donde Elena se hospedaba, entró en el portal con hechuras de catacumba que cada noche tragaba en su sombra a la derrengada Elena, subió las escaleras de peldaños crujientes de carcomas y pecados, pulsó el timbre de la pensión, que dejó en el aire una extraña reverberación acústica. Salió a abrirle, un poco a regañadientes y tras una tardanza de minutos, una mujeruca muy amojamada y menuda, como alimentada con cañamones; tenía un rostro bovino y al mismo tiempo rapaz, en insólita hibridación zoológica, y una mirada desmigajada de legañas. Bruno dedujo sin demasiada lástima que tendría que mantenerse en vela las veinticuatro horas del día para que los huéspedes morosos no se largasen sin apoquinar el parné.

—¿Y qué se le ofrece, pues? —lo saludó como a la defensiva.

Bruno pasó revista a las paredes del vestíbulo, empapeladas con motivos florales que la roña teñía de un otoño definitivo y funeral. Había, como único mobiliario, una cómoda, o sus trizas, pegadita a la pared del fondo, esperando que la hiciesen leña por clemencia; mientras tanto, soportaba sobre su repisa un tapete de ganchillo más injurioso que cualquier sambenito.

—Me envía Elena Salvador. —La patrona se puso en guardia, Bruno le había mentado la bicha—. Soy su primo. Tengo entendido que hay que abonarle ciertos retrasos.

El rostro de la mujeruca, de rasgos afilados, se ensanchó en una metamorfosis muy similar a la que experimentan los cadáveres ante los primeros avances de la corrupción; una metamorfosis que ablandaba sus rugosidades, lavaba su rictus acechante, iluminaba sus facciones de una como beatífica avaricia.

—Una semana y tres días, en concreto —se engolosinó, ante los billetes que Bruno sacó de la cartera, quizá el último remanente de sus derechos de autor—. Si tardan un día más, la pongo de patitas en la calle.

—Eso ni se le ocurra, porque le monto la de San Quintín —dijo Bruno con repentina fiereza. La patrona pegó un respingo, como el buitre que, al lanzar su primer picotazo sobre la mula que cree fiambre, recibe una coz—. Le pagaré otra semana por adelantado, para que no se repita lo ocurrido. Y como me entere yo de que trata mal a mi prima, aténgase a las consecuencias.

Empleó un tono admonitorio que disentía de su talante bonancible y cachazudo; pero es una ventaja reservada a los gordos ésta de acoquinar a sus interlocutores, a poco que se esfuercen. Bruno le tendió a la mujeruca los billetes que completaban la cifra acordada, uno por uno, con lentitud intimidatoria, como si entremedias se empezase a arrepentir de su prodigalidad; luego echó un vistazo al pasillo de la pensión, angosto y de techos altísimos, de los que podrían haber colgado un columpio o una horca.

—Y ahora, si es tan amable, ábrame el cuarto de mi prima. Me ha encargado que le recoja unas cosas.

La patrona abrió uno de los cajones de la cómoda con prontitud lacaya y extrajo una llave de un manojo que muy bien podría haber pertenecido a algún carcelero de La Bastilla, muerto en acto de servicio.

—Es la tercera puerta a la derecha, después de doblar el pasillo. Sírvase usted mismo, caballero —dijo, haciendo casi una reverencia que dificultaba su artrosis. Luego, añadió, con preventiva compunción—: Verá que está un poco sucia, pero es que su prima no me deja pasar a arreglarla, tiene siempre colgado el cartelito.

Bruno soltó un bufido vagamente apreciativo, como si se hiciese cargo. Al internarse en el pasillo lóbrego, le asaltó una zozobra de índole casi metafísica: se preguntó cuántas vidas desahuciadas habrían embarrancado en aquella pensión, cuántas coyundas mercenarias o nefandas habrían acogido aquellas paredes, cuántas noches desveladas, cuántas lágrimas y cuántas felonías, cuántos suicidios y cuántos abortos clandestinos, cuántas ilusiones pisoteadas, cuántas enfermedades ignominiosas, cuántas extremaunciones, cuántas citas finalmente desconvocadas, cuánta cólera revenida, cuántas plegarias sin destinatario, cuánto silencio de Dios. Todo ese torbellino de humanidad arrojada al desagüe se congregó en su derredor como un enjambre de bisbiseos emitidos desde el purgatorio y transmitidos a través de las cañerías retumbantes, como un culebreo de manos anémicas que se estiraban para palparlo y aferrarse a sus ropas y entorpecer su paso, implorando auxilio. Al doblar la esquina del pasillo, Bruno dejó atrás el retrete comunal, donde un huésped defecaba con quejidos de amputación lentísima, como si se estuviese extrayendo una muela. El olor egipcio de la mierda, mezclado con el olor de las estufas mal purgadas y el olor de berzas hervidas y el olor de las sábanas mal aireadas, formaba una amalgama muy similar a la que se respira en los mataderos. Bruno alcanzó casi a tientas, oprimido por una sensación cenagosa, la puerta de la habitación de Elena, que, en efecto, ostentaba un cartel disuasorio. Cuando por fin logró encajar la llave en la cerradura, lo asaltó un escrúpulo de conciencia; estaba a punto de infringir un coto de intimidad sin permiso ni legitimación, sin otro móvil (pero era un móvil que no lo eximía de culpa, más bien la agravaba) que satisfacer su curiosidad. Durante días había espiado desde la calle a Elena, azacanada en aquel cuarto como un alquimista en su laboratorio; necesitaba saber qué afán la consumía, cuál era la causa de tanto trajín. Bruno se había preparado para cualquier revelación, aun para la más terrible o estrafalaria: había pensado que, quizás, con las hojas secas y las cortezas y los demás despojos que se traía de sus expediciones por los parques, Elena habría preparado un remedo de belén o cualquier otra fruslería navideña; también había pensado —aquí interfería lo onírico— que con esas piltrafillas estuviese alimentando a algún animal descatalogado de los repertorios zoológicos, quizá una cría de la serpiente Ladón que, alcanzada la madurez, variaría sus hábitos alimenticios y se tornaría devoradora de vísceras aún palpitantes. Al empujar la puerta, creyó oír —pero era un espejismo acústico— un zumbido de moscardas.

No estaba preparado, sin embargo, para la visión que se le ofrecía. Empapelaban las paredes de la habitación, también el suelo y el techo, y hasta el armario con aspecto de catafalco, y el espejo del lavabo adosado a la pared, y la mesilla de noche, y el catre de la cama, recortes de periódicos y páginas arrancadas de libros, cientos de páginas y recortes que bullían su brebaje de letras repetidas, su tumulto de cacofonías (y entonces, mientras hacía desfilar la mirada sobre aquel hormiguero de palabras desgajadas, se acrecentó el zumbido imaginario de las moscardas); su primera impresión fue de vértigo, la segunda de temor reverencial. Se descalzó, como la propia Elena haría cada noche, para pisar aquel tapiz de hojas impresas sin ensuciarlo con el barro de sus zapatos. Las ramitas y cortezas y demás fruslerías vegetales recolectadas en los parques se diseminaban entre la marabunta de papel; al principio pensó que habían sido arrojadas al desgaire, pero enseguida entendió que marcaban un itinerario, como las migas de pan que Pulgarcito arrojó tras de sí, cuando se internó en el bosque, para encontrarse con el ogro. El perfume pastoso, levemente ácido, de la goma arábiga obstruía la respiración; con esta sustancia se había asegurado Elena de que no se desmoronase su insensata arquitectura: descubrió que las fruslerías vegetales estaban pegadas a los papeles con goma arábiga, y que éstos se adherían a las paredes y al suelo y al techo con goma arábiga. Bruno descubrió con meticuloso horror que aquellos recortes de periódico y páginas de libros contenían mi escritura, fragmentos de artículos y retazos de novelas escritos en los últimos tres o cuatro años. También descubrió (el zumbido de las moscardas inmiscuyéndose en las médulas de los huesos) que cada página desgajada y cada recorte ostentaban una pequeña mancha de color, el trazo de un grueso rotulador fluorescente que subrayaba, enmarcaba, resaltaba una palabra, una sola palabra por cada página o recorte que enlazaba con la palabra subrayada, enmarcada, resaltada con tinta fluorescente de la página o recorte contiguos. Los peciolos de los castaños de Indias, las cortezas de los plátanos, los tallos de los aligustres eran las líneas de sutura entre esas palabras, e indicaban con quiebros y circunvoluciones el sentido de la lectura. Bruno tardó varios minutos en comprender que se hallaba ante un vasto, incoherente, tautológico criptograma; cuando por fin aceptó esta conclusión que repugnaba al raciocinio, las paredes se fundieron en un caos giratorio, como si el zumbido imaginario de las moscardas hubiera contaminado también su percepción visual, encadenándola a un carrusel alucinatorio. Alargó un brazo hasta la falleba de la ventana (el cuarto era en verdad estrecho, como le había avanzado Elena) y la aflojó para que el aire de la calle enfriara sus sentidos, dispersara las moscardas. Luego, algo más calmado, pero todavía convaleciente del mareo, probó a descifrar aquel laberíntico galimatías: aunque la trabazón de las palabras adolecía de incongruencias sintácticas, de asociaciones informes, de repeticiones perversas; aunque abundaban las estructuras verbales truncas, o discordantes, o meramente ininteligibles, pudo determinar que componían una extensa (quizá infinita, puesto que cada noche Elena incluía nuevas hojas al tapiz, nuevas palabras rotuladas con tinta fluorescente) carta de amor que yo le dirigía, desde mi secuestro: «Amada-de-mi-vida-tu-vientre-escucho-en-las-caracolas-del-mar», leyó en orden descendente, del techo al suelo; y también, trepando por una pared y cruzando el armario: «El-veneno-que-destila-la-leche-que-me-ofrecen-para-dejar-el-pensamiento-tuyo-que-me-aniquila»; y en zigzag por el suelo, como el correteo de una cucaracha: «Tu-pelo-tus-bragas-tu-olor-botánico-tu-lengua-saliva-de-caracol-cuando-me-corres». Por la ventana abierta entraba un ventarrón que hacía tremolar y restallar los papeles, convirtiéndolos en una bandada de pájaros enviscados que aletean sin poder liberarse. También leyó, cuando ya retrocedía hacia la puerta, sobre el catre de níquel de la cama: «Si-no-aparezco-ofrenda-tu-amor-a-los-vientos-y-llena-el-mundo-de-tu-amor-eucaristía-para-todos». Y, a continuación, como una interpolación o un exabrupto: «Resucitaré». Bruno cerró la puerta, se calzó, desanduvo el pasillo urgido por una oscura aprensión. El criptograma empezó a crecer en su recuerdo, como un tumor cancerígeno; empezó a infiltrarse en sus pesadillas, con un zumbido de moscardas. Lo había atrapado con su música de palabras sonámbulas.

Aquí el orgullo ofuscó su sentido común; y cometió el error de pensar que aún existía solución para Elena. Debería haberme telefoneado: juntos habríamos ido a una comisaría, habríamos contactado con algún miembro de la familia de Elena, habríamos promovido algún tipo de actuación médica que dictaminase su trastorno o iniciara los trámites para internarla en un establecimiento adecuado (en un manicomio). Pero Bruno aún se consideraba absurdamente capacitado para sanar una enfermedad que se resiste a los fármacos más abrasivos; consideraba mesiánicamente que sus desvelos serían el mejor lenitivo para Elena. No puedo, sin embargo, culparlo de lo que pronto ocurrió, pues si su estúpida presuntuosidad terapéutica desató la catástrofe, mucho más culpable de sus efectos fui yo mismo, que primeramente me dejé arrastrar por el demonio de la perversidad y luego creí que el silencio acabaría tapando lo ocurrido en el hotel o varadero de espectros próximo al aeropuerto O'Hare, para acabar delegando en él una responsabilidad que sólo a mí competía. Elena volvió al Café Gijón a la mañana siguiente, como era su costumbre, antes de repetir las diarias estaciones de su calvario. En lugar de completar la consabida ronda entre los parroquianos, corrió al velador en el que Bruno fingía leer la prensa y le estampó un beso (tu saliva de caracol) en la frente, allá donde el cabello le comenzaba a ralear. El camarero lo miró con algo de envidia, mientras manipulaba en la cafetera.

—Gracias por ayudarme —dijo Elena—. Ahora empiezo a verlo claro. No volverá a repetirse.

Había nevado durante toda la noche; la ciudad se había despertado embalsamada y ártica, pero ya las roderas de los automóviles habían desprestigiado su sueño de decencia. Las frases de Elena eran calculadamente ambiguas, o tal vez no existiese cálculo en su ambigüedad, tal vez aludieran a un código de emociones que ni Bruno, ni ningún otro mortal, podría descifrar. Quizá Bruno pecó de ingenuo, pero había en los ojos de Elena una luz distinta, como si tras una pugna en la que hubiesen combatido las fuerzas que rigen el universo se hubiera declarado por fin una tregua que auguraba años de prosperidad y cosechas feraces. Bruno vio en los ojos de Elena —verde del mar Mediterráneo, verde esmeralda, verde veronés, con sus jaspeaduras pardas y amarillas— los primeros signos benignos de esa tregua.

—¿Qué es lo que no volverá a repetirse? —preguntó, dejándose arrullar por el optimismo.

—Lo que viste ayer. Se acabó. Para siempre.

Había en su voz una voluntad de renovación que ensordecía el zumbido de las moscardas. Volvieron a desayunar juntos: Bruno le contó la historia de alguna otra ínsula barataria descubierta en sus navegaciones por internet, que Elena escuchó entre carcajadas y expresiones de pasmo, mientras se comía a mordiscos otra manzana reineta; y ella le narró las vicisitudes de un viaje de fin de carrera por las islas del mar Egeo, del que volvió un poco defraudada, puesto que no llegó a ver al Coloso de Rodas, tampoco al minotauro de Creta, que seguramente habrían pedido asilo en alguno de esos países de pacotilla que Bruno cartografiaba. Entretanto la nieve volvía a descender sobre la ciudad con una ingravidez de vilano o maná volandero, para cicatrizar las roderas de los automóviles que antes habían profanado su manto. Elena había acabado de desayunar; pero esta vez había dejado el mendrugo de pan sobrante y el corazón de la manzana en el platillo de los desperdicios, junto al envoltorio plateado de la mantequilla y el sobrecito vacío del azúcar. Los pájaros sin pedigrí de los parques echarían de menos su pitanza.

—Me he puesto como el Quico, que se decía antes —bromeó Elena, dándose fricciones en la barriga, tu vientre escucho en las caracolas del mar.

A Bruno aún le causaba reparo fijar la mirada en sus senos realzados por el jersey de angora. Inquirió:

—¿Y hoy qué piensas hacer?

Elena aventó con un soplido las migas que espolvoreaban su regazo. Ensayó un gesto enfurruñado que ensanchaba deliciosamente las aletas de su nariz, haciéndola más chata aún, más carnal y expectante.

—Pensé que ya lo tendrías decidido —dijo—. Ahora mandas tú.

A Bruno primero lo sobresaltó, enseguida lo halagó, este reconocimiento de autoridad. Pero le faltaban dotes de cicerone:

—Déjame pensar... —Se auscultó la papada, como si quisiera detectar una súbita floración de ganglios. No acababa de asimilar el honor que se le hacía—. Con la nevada que está cayendo, mejor será que pensemos en un lugar cerrado.

Elena ya se estaba poniendo la gabardina. Zahirió a Bruno:

—Venga, no fastidies que la nieve te mete miedo. —Contemplaba a través de la cristalera la ciudad envuelta en su mortaja de castidad, las ramas de los árboles del bulevar como esqueletos de carámbano, el edificio de la Biblioteca Nacional como un iceberg neoclásico, los copos descendiendo ingrávidos, eucaristía para todos—. Cómo se nota que eres hombre de tierra adentro. En Valencia, cuando nieva, la gente abandona sus trabajos, sale a la calle para celebrarlo.

No era una celebración que pudiesen conmemorar cualquier invierno, en ocasiones pasaban hasta diez años sin que nevase; las pocas veces que el cielo les dispensaba ese regalo, la nieve ni siquiera llegaba a cuajar sobre el suelo, se derretía como avergonzada de su exotismo o extemporaneidad. Elena recordaba la primera nevada de su infancia con la misma nitidez que su Primera Comunión; como nadie le había explicado las causas de aquel insólito fenómeno meteorológico (pero no le hubiese importado no conocerlas nunca, la elucidación del misterio es siempre mucho más banal que el misterio mismo), Elena pensó que los ángeles estaban mudando el plumón. La maestra las dejó salir de clase y disfrutar en el patio de la escuela del acontecimiento. Elena notó que, al pisarla, la nieve crujía bajo sus pies con una levísima crepitación, como un animal invertebrado que no se atreve a proferir una queja cuando lo aplastan. Mientras las otras niñas se entretenían, con algarabía creciente, lanzándose bolas e improvisando habilidades escultóricas que no poseían, Elena se quedó paralizada, incapaz de dar un solo paso, para no agravar el dolor de la nieve, que de repente se le antojaba una criatura viva y fragilísima, huérfana como un polluelo caído del nido. Finalmente se decidió a tomar un puñado de aquella gran sábana sin costuras y comprobó que, en efecto, tenía una palpitación aterida, un canguelo de pichón que afronta el invierno con las alas quebradas. Elena abrigó el puñado de nieve entre sus manos, lo atrajo hacia su pecho (entonces sus senos aún no se preparaban para la lactancia, aún desconocían el llamamiento de la pubertad), para brindarle confortación y se lo llevó a casa, dispuesta a cuidarlo, hasta que pudiese echar a volar otra vez.

—Lo vi derretirse lentamente, sobre un plato de loza que coloqué encima de un radiador —dijo Elena, un poco ruborizada de su candor, un poco nostálgica también—. No lograba entender qué estaba ocurriendo, pero cuando sólo quedó en el plato un poco de agua tibia, me quedé con la impresión de haber cometido un horrendo crimen. Si le hubiese retorcido el cuello a un cisne no me habría quedado más chafada y arrepentida. Con decirte que hasta le confesé mi pecado al cura...

Caminaban por el bulevar desierto, apoyándose el uno en el otro para no resbalar, procurando que sus pisadas no lastimasen demasiado a esa criatura viva y fragilísima que Elena había tratado en vano de convertir en animal doméstico. Bruno la miraba de reojo, descubriendo en ella vestigios de aquella niña que creía en los ángeles y no participaba en los juegos de sus compañeras de clase, quizá un poco autista o replegada en sí misma, quizá un poco patito feo que un día se metamorfoseará en cisne, para que algún desaprensivo le retuerza el cuello.

—¿Y qué penitencia te impuso? —preguntó.

—Me regaló una bola de cristal rellena de agua que representaba la aparición de la Virgen de Lourdes a Bernardette en una gruta. Agitabas la bola y se arremolinaban unas motitas blancas, como un confeti diminuto. —Elena levantó el rostro al cielo y extendió los brazos, feliz de que se posasen los copos sobre su piel—. Durante meses, no me separé de ella, me tenía completamente hipnotizada.

También Elena tenía hipnotizado a Bruno, que se la quedó mirando como un pasmarote mientras ella empezaba a girar sobre sí misma. Viéndola así, giróvaga y exultante, nadie hubiese sospechado que se trataba de la misma mujer que había empapelado su habitación con un criptograma aberrante; ni siquiera el propio Bruno podía admitir esa identidad entre dos mujeres que se le antojaban antípodas, casi simultáneas pero antípodas. Entonces, en uno de aquellos giros, Elena patinó sobre la nieve, perdió el equilibrio y cayó hacia adelante, pegándose una morrada contra el suelo; Bruno alcanzó a mitigar algo esa morrada, interponiendo sus brazos entre su cuerpo que caía a plomo y las baldosas del bulevar, alfombradas de nieve. Fue una reacción tardía (estaba demasiado abstraído o engolosinado en la contemplación de su danza) y también un poco aturullada, pero a la vez instintiva: quizá por ello protegió con un brazo su vientre gestante y con el otro sus senos que ni siquiera se atrevía a mirar con franqueza, sus senos nutricios que tenían la misma calidez mórbida del vientre, como si en ellos también se amasaran otras vidas. El vientre y los senos de Laura quedaron, pues, protegidos, pero su rostro golpeó contra el suelo, aplastó la nieve que no se atrevió a proferir una queja y quedó un poco magullado, pero eran magulladuras veniales.

—¿Te encuentras bien? —preguntó, alarmado.

Elena se dio la vuelta, todavía un poco aturdida y todavía sostenida por sus brazos. Ambos estaban rebozados de nieve, envueltos en el plumón de los ángeles.

—Vaya tortazo. —Elena parpadeó perpleja, luego se sacudió la nieve del cabello y rió con su risa efervescente—. Si no llego a tenerte de colchón me mato.

Pesaba menos que un polluelo caído del nido, tenía su misma consistencia quebradiza, casi invertebrada. Bruno pensó que, si en aquel mismo momento la hubiese arrimado a un radiador, se le habría derretido entre las manos.

—Es la penitencia que no me impuso el cura —dijo, todavía risueña—. Los crímenes, tarde o temprano, se pagan.

Entonces, como una floración lenta y delgadísima, le brotó un hilillo de sangre de uno de los orificios nasales; no conviene exagerar

llamándolo hemorragia, fue apenas un hilo exangüe que, al estar reclinado su rostro, se deslizó oblicuamente por la mejilla (y Elena aún
no se había dado cuenta), alcanzó ya casi sin fuerzas el mentón (y
Elena seguía sin darse cuenta) y dejó caer tres gotas sobre la nieve. La
sangre holló la blancura de la nieve, la nieve mitigó el escándalo de la
sangre y, juntas, compusieron una mancha rosácea que extendió sus
contornos como el aceite los extiende sobre el papel poroso. Bruno recordó aquel episodio del *Perceval* de Chrétien de Troyes, en el que tan
esforzado caballero se quedaba ensimismado, contemplando la sangre que ha derramado una oca herida por un halcón, porque le recuerda el color arrebolado de la faz de su amiga; y en aquel ejercicio
contemplativo empleó Perceval una mañana entera, hasta alcanzar el
deliquio amoroso, como sin duda habría hecho Bruno si Elena no lo
hubiera apremiado.

—¡Eh, despierta, majete! —dijo, y le pellizcó en uno de sus carrillos—. Habíamos quedado en que buscaríamos algún lugar cerrado.

A Bruno le costó levantarse (se prometió empezar a hacer ejercicio, para rebajar tripa); pero mucho más le costó separarse de
aquellas tres manchas, ya fundidas en una sola, que hubiera querido
abrigar entre sus manos, para sentir su palpitación aterida. Elena,
entretanto, se había limpiado el hilillo de sangre con un *kleenex* y tironeaba de Bruno, agarrándolo de la manga del tabardo, como si
más bien fuese ella el cicerone de aquella excursión. Acabaron refugiándose en el Museo del Prado, ese hangar para turistas que sorprendentemente Elena aún no había visitado. Bruno dejó que fuese
ella quien estableciera el itinerario; dejó que expurgase, entre el maremagno de cuadros famosos o desapercibidos, aquéllos que menos
atraían su curiosidad; y, aunque sentía las rodillas débiles, se mantuvo a pie firme, sin buscar el alivio de una otomana, durante las
casi dos horas que Elena dedicó a la sala donde se exhibían las pinturas de Murillo, que fueron las que más reclamaron su embelesamiento, quizá porque invocaban un sueño extinto de pureza. Mientras registraba cada detalle de una Inmaculada vestida de sol, con la
luna a sus pies y una diadema de doce estrellas aureolando su cabeza, Elena lo puso al tanto de sus aficiones musicales, que habían
estado a pique de malograrse en los últimos años, por culpa de los
adolescentes cenutrios a los que trataba en vano de inculcárselas en
un instituto de Valencia (no mencionó, sin embargo, que acababan

de despedirla de ese instituto, por acumulación de ausencias injustificadas); luego, mientras comían en el restaurante del museo un es-
calope con vocación de suela, Bruno propuso que fueran a la ópera.
No podía permitirse grandes lujos, sobre todo después de la munificencia desplegada ante la patrona de la pensión el día anterior, pero
aún podía costearse un par de entradas en el gallinero, donde su tabardo de oso recién escapado del zoológico no pegaría tanto el
cante. Cuando Elena comprobó, tras pedir prestado a otros comen-
sales un periódico, que representaban en el Teatro Real el *Tannhäuser*
de Wagner, no paró de hacerle alharacas. Bruno se preocupó de explorar su nariz, obligándola a inclinar el cuello hacia atrás; la herida
estaba cauterizada, a diferencia de otras heridas que Bruno prefería
ignorar.

Consiguieron un par de butacas más bien esquinadas, de las que
requieren catalejo, e incluso periscopio, para descifrar lo que ocurre
en el escenario. *Tannhäuser* describía la lucha agónica de un *minnesänger* que, atrapado por los placeres sensuales que le dispensa
Venus, añora sin embargo su vida anterior, entregada a la composición poética y al amor casto de una doncella llamada Elisabeth. Cuando
por fin logre escapar de las asechanzas venusinas, Tannhäuser sufrirá la venganza diferida de su captura, que le inspirará canciones
de una carnalidad ofensiva y extemporánea. Tras una visita expiatoria a Roma, el *minnesänger*, que parecía destinado a la condenación
eterna, obtendrá in extremis el perdón divino (resucitaré), gracias al
sacrificio y a las oraciones de Elisabeth, que para entonces ha pere-
cido ya, agotada por las penalidades y el mal de ausencia (ofrenda
tu amor a los vientos y llena el mundo de tu amor). Wagner utilizaba una leyenda medieval germánica para ilustrar el perpetuo conflicto entre la carne y el espíritu, entre los instintos y el alma que aún
guarda la reminiscencia de un sueño extinto de pureza. Bruno escuchó la obertura, el torneo de los cantores en el segundo acto, el cántico de los peregrinos en el tercero, golpeado por sucesivas oleadas
de un arte que no admitía una explicación humana, un arte inhu-
mano o sobrehumano que lo anegaba de dolor y de dicha, de voluptuosidad y arrebato, que lo exaltaba con un afán de ascenso y lo hacía añicos por dentro. Mediado el cántico de los peregrinos, Elena
posó una mano sobre su antebrazo y lo oprimió muy tenuemente,
para transmitirle la trepidación estética que la agitaba. Bruno la

miró de reojo, paralizado por la música que llenaba el mundo, y vislumbró en la oscuridad del gallinero el rostro de Elena, iluminado de beatitud, casi levitante; lágrimas sigilosas y abundantes (no un hilillo exangüe) se deslizaban por sus mejillas, lavándolas de sufrimiento.

Era ya de noche cuando concluyó la ópera. Regresaron al paseo del Prado en silencio, habitados de una reverberación que hacía innecesarias las palabras; la nieve, para entonces, ya se había derretido, ensuciando las aceras de un barrillo triste y expoliado, como si por ellas hubiesen transitado las hordas de los bárbaros. A Bruno le desagradaba que Elena volviese a subir a aquella pensión donde se refugiaba el zumbido de las moscardas, o su espejismo acústico, pero no le quedaba dinero para pagarle una habitación en otro lugar, e invitarla a dormir en su apartamento de una sola cama le pareció que podía prestarse a malinterpretaciones. Así que la acompañó hasta el portal con hechuras de catacumba, y creyó percibir en su despedida una débil dulzura que se le antojó enfática, como si a través de su fórmula trivial Elena tratase de explicar razones más hondas. Luego la vio subir por la escalera crujiente de carcomas y pecados; su ascenso era mucho más resuelto y vigoroso que el de anteriores días, no necesitó detenerse en el primer descansillo, ni apoyar la espalda sobre la pared ametrallada de desconchones. Bruno cruzó la calle y se emboscó en el bulevar; se había preparado para afrontar su fracaso, aún no quería pensar que la aparente mejoría de Elena fuese definitiva. Por eso, cuando comprobó que Elena encendía la lámpara de la mesilla por el tiempo justo para cambiarse de ropa y meterse en la cama, cuando constató que se entregaba al sueño sin entretenerse en ajetreos de alquimista, su alegría fue más decisiva y pugnaz. Regresó a su apartamento pisoteando los charcos con infantil denuedo. Y esa noche no pegó ojo.

Exaltado por la vigilia, madrugó más que nunca; los acordes wagnerianos ritmaban su alegría, que no había hecho sino crecer durante la noche. Corrió al Café Gijón y se apostó en la mesa que ya consideraba propia, ante la cristalera que se abría al paseo de Recoletos, esperando que una mañana más los ciclos cósmicos que rigen el eterno retorno le deparasen la estampa de Elena acercándose por la acera. Lo desconcertó, sin embargo, que esta vez Elena avanzara por la acera contraria; le entristeció distinguir que caminaba como bajo los efectos de una marejada, entrampándose con el bordillo de la acera, como si hubiese sufrido una recaída; le sobrecogió verla pasar de largo ante el café sin inmutarse siquiera, proseguir su paseo absorto hasta la Biblioteca Nacional, acariciar las verjas que circundaban su recinto (como acariciaba los setos de los parques que la podadera acababa de esculpir), detenerse ante su portalón, subir su escalinata, perderse en su vestíbulo.

Mientras desandaba los pasillos repentinamente desiertos del hospital Saint Francis, Fanny experimentó una sensación muy turbadora, mixta de nulidad y plenitud: no sabía dónde se hallaba, no sabía qué había venido a hacer a un lugar de paredes forradas de azulejos y techos alumbrados de lámparas fluorescentes, no sabía en qué mes o año vivía, ni siquiera recordaba su propio nombre; pero, por otro lado, se sentía más viva que nunca, sentía la ebullición de su sangre como la crecida de un río que hubiese padecido durante años el estiaje, sentía el aire que desperezaba sus bronquios como una vaharada de eucaliptos, sentía la luz solar (ya había dejado atrás el laberinto de pasillos del hospital) como una tibieza que la volvía transparente. Tardó varias horas en recuperar la conciencia de lo ocurrido: había caminado con paso ágil por el arcén de la carretera que la acercaba a Chicago, sorprendida de que no circulasen coches, y se había detenido a descansar en un bar cuya clientela ni siquiera se volvió al sonar el campanilleo de la puerta. Permanecían todos petrificados en torno a un televisor, como víctimas de la Gorgona. En la pantalla se repetía una y otra vez la filmación del magnicidio de Dallas: eran imágenes borrosas que seguían a la comitiva entre el gentío que se apiñaba en las aceras, haciendo tremolar pañuelos y banderas; una nieve de confeti descendía sobre el Rolls Royce descubierto que transportaba al hermoso presidente y a su hermosa mujer, demasiado hermosos ambos, por mucho menos se cepillaron a Lincoln. Como la filmación era muda (o le habían arrancado el sonido), las detonaciones no precedían al impacto de las balas, de tal modo que el presidente parecía presa de un súbito ataque epiléptico. El primer disparo abrevaba en su garganta y lo proyectaba sobre el respaldo del asiento; parecía que se hubiese atragantado, y quizá eso fue precisamente lo que su mujer creyó que había ocurrido, porque se volvía hacia él, más curiosa que consternada. La segunda bala, disparada en dirección contraria, se incrustaba en su espalda y lo propulsaba hacia delante, como a un muñeco de pimpampum que empieza a desmadejarse; su mujer se inclinaba sobre él, más consternada que curiosa, quizá los vítores de la multitud no le hayan permitido oír las detonaciones, pero ha empezado a comprender, porque en las manos de su marido que tapan el boquete de la primera herida se agolpa la tumultuosa sangre, las manos del presidente aferradas a la garganta, como si quisieran anudar una corbata escurridiza que se deslía una y otra vez y extiende su creciente mancha sobre la pechera de la camisa. Había una tercera bala que erraba su objetivo y alcanzaba a uno de los guardaespaldas del presidente que ocupaba el asiento del copiloto. Y, ya por último, una cuarta que perforaba la sien del presidente, atravesaba su cráneo y reventaba su coronilla, su masa encefálica y las esquirlas de sus huesos convertidas en un confeti caliente que salpica a la hermosa mujer que comprende que se ha quedado viuda y sale gateando por la cola de la limusina, más despavorida que consternada, hasta que otro guardaespaldas la reconviene y la insta a velar el cadáver de su marido, su deber no es otro que morir a su lado, como las concubinas de los faraones morían en la pirámide que su soberano había erigido, para celebrar el festín de los gusanos. La filmación aún seguía, entre la enramada de los árboles, a la limusina convertida en coche fúnebre y descapotable, mientras sobre el mundo se posaba un silencio huérfano y los relojes se detenían, se detenía la órbita de los planetas y el curso de la sangre en las venas, menos la sangre del presidente sorprendido en la emboscada, que seguía manando aunque el corazón ya no la bombease, manando fértil como el agua de un hontanar.

Repitieron cien o mil veces aquella filmación, para que la nación entera pudiera contar los impactos de bala (quizá alguno más se perdió en el aire, junto a los gritos de la viuda), uno, dos, tres y cuatro en menos de seis segundos, disparados desde lugares distintos, en un fuego cruzado sin escapatoria que zarandeaba al presidente moribundo, mientras la sangre expiatoria abandonaba pacíficamente sus conductos, como una marea mansa que lo inundara de beatitud. Pero tras las cien o mil repeticiones entrevistaron a un experto en balística pagado por el Gobierno que postulaba la teoría de un francotirador solitario y aventuraba la hipótesis peregrina de una bala que rectificaba varias veces su trayectoria en el aire, para herir primero al presidente en la espalda y atravesar su garganta y proseguir sus estropicios en el cuerpo del guardaespaldas que ocupaba el asiento del copiloto. A Fanny la desconcertó que los parroquianos de aquel bar de carretera acatasen sin rechistar aquella hipótesis que contrariaba las leyes de la física; y aún la desconcertó más que se contentaran con imputar el magnicidio a un haragán cualquiera que la policía había apresado en un cine de los arrabales de Dallas, un tipo enclenque y malencarado que quizá no supiese ni apretar un gatillo. Fanny sabía que la antigua serpiente no duerme; sabía que, desde que fuera derrotada en aquella gran batalla que se trabó en el cielo, no cejaba en sus maquinaciones; sabía que, desde que fuera precipitada a la Tierra, no había cesado de engañar a los confiados mortales. Aquella bala que hería en zigzag sólo podía haber sido disparada por el Maligno; y, si los hombres no acertaban a interpretar tan diabólica iniquidad, era porque vivían cautivos de un dominio invisible que los había privado de inteligencia y voluntad.

Fanny había salido victoriosa e indemne de su primera contienda con el Enemigo. Pero ese triunfo inicial, quizá sólo un espejismo de triunfo, no debía distraerla de la misión mucho más vasta que Dios le había adjudicado. Una misión a la que convenía, más que la confrontación sin ambages, la astucia del soldado que se infiltra en las filas enemigas para estudiar sus técnicas de guerra y destruir sus bastimentos y polvorines y aprender sus más secretas debilidades. Ahora el televisor recogía los testimonios de Lyndon B. Johnson, el hombre que ocuparía el trono de sangre que había quedado vacante; y de Edgar Hoover, archipámpano del FBI que desautorizaba los rumores sobre una conspiración y se apuntaba a la tesis del loco solitario; y de generales con el pecho acribillado de condecoraciones que balbuceaban pamemas lacrimosas: aunque se fingían consternados, se les notaba poseídos de una recóndita alegría, ya que al fin podrían ejecutar sus designios de mortandad e instaurar un reinado de fuego que calcinase la Tierra. Eran muchos (su nombre es legión) y estaban investidos de las máximas potestades; y Fanny era una sola, y no contaba con otra arma que sus propias manos; pero había sido purificada por un hombre santo, y Nuestro Señor la había elegido entre todas sus criaturas para combatir ese reinado que ahora acababa de instaurarse. Recordó el consejo de Burkett: puesto que su misión era tan inabarcable como las aguas del mar, debía empezar por los Diablos que conocía; sabía que la batalla contra la antigua serpiente duraría toda la eternidad, y sabía también que en su insignificancia quebradiza y mortal apenas tendría tiempo para participar en unas pocas escaramuzas. Pero mientras alentase un rescoldo de vida en sus entrañas permanecería fiel a la misión que le había sido encomendada. A su muerte, Nuestro Señor nombraría a otros siervos suyos para que continuasen la labor iniciada; y ella podría disfrutar del merecido descanso de la gloria en compañía del Cordero y otear las vicisitudes de la batalla desde la cima del monte Sión, ataviada con una túnica blanca y con una palma en la mano. Pero para obtener ese permiso de residencia en la Nueva Jerusalén primero habría de vivir en la morada de los demonios, en la guarida de los espíritus inmundos. Levántate y ve a Nínive.

Chicago había cambiado mucho en muy pocos años. O quizá ocurriese que, contemplada desde los páramos de la vida invisible, la ciudad apareciese transfigurada, como ensombrecida de suspicacias y augurios. Fanny había aprendido a leer la escritura de los ángeles caídos, camuflada a veces entre las nubes que bogaban por el cielo como bajeles desarbolados, o esculpida en los rostros de hombres anónimos que se cruzaban con ella en la calle (cada arruga como un signo jeroglífico), o intercalada entre la tipografía de un periódico atrasado, o deslizada entre las emisiones radiofónicas nocturnas, u oculta en los fugacísimos vislumbres de la luz sobre las ventanas de un edificio. El desciframiento de estos mensajes la obligaba a mantenerse ojo avizor las veinticuatro horas del día; era un ejercicio árido y extenuante, pues la antigua serpiente, para sustraerse al acecho de su perseguidora, la confundía con falsos avisos, o ponía a prueba sus dotes hermenéuticas con galimatías ininteligibles, o distribuía consignas contradictorias entre los soldados de sus huestes, convocando reuniones que luego no llegaban a celebrarse o se celebraban en parajes muy remotos del lugar donde Fanny se había apostado. A veces, mientras consumía su paciencia en la detección de mensajes que trataban de burlar su escrutinio (el humo de una chimenea, las ondas que conmueven la superficie de un estanque, la algarabía de los petirrojos en una pajarería, el estruendo de los cláxones en un atasco, las huellas de un perro sobre la nieve, la ráfaga de una canción, el repiqueteo de la lluvia sobre un cristal, los mordiscos de las olas sobre la arena de las playas del lago Michigan), se rendía al desaliento, o más bien a un sentimiento de opresión, y reclamaba a Dios la clarividencia que empezaba a desasistirla. Entonces Dios le infundía nuevos ánimos y le concedía el don de comprender símbolos que hasta entonces le habían pasado inadvertidos, mensajes que habían sorteado su vigilancia; y, al interpretarlos y desentrañar sus arcanos (la configuración de las manchas de humedad en el techo de su apartamento, las muescas de una moneda hallada en la acera, los posos del té, las sámaras de los arces descendiendo con un vuelo de hélice, las vetas del mármol, las grietas del cemento, el vagido de los trenes elevados, el juego isócrono de los semáforos), Fanny recuperaba la fe en su empresa y daba gracias a Dios por haberle concedido el secreto don de debelar las escrituras políglotas del Maligno.

Algo tenía claro Fanny entre aquel barullo de dialectos diabólicos que cada día le susurraban un nuevo alfabeto: si deseaba que su misión llegase a buen término, debería esforzarse por barnizar su existencia con una apariencia de normalidad, de anodina y sojuzgada normalidad. La antigua serpiente andaría buscando a su perseguidora entre los pacifistas que protestaban contra las pruebas nucleares y la guerra del Vietnam, entre los proscritos que acampaban en los arrabales de la mendicidad, entre los pobladores de manicomios y sanatorios, entre quienes se resistían al estabulamiento y el gregarismo decretados por los magnicidas, entre los ariscos y los descontentos. Fanny resolvió que debía encubrir su búsqueda bajo una fachada de rutinas que la igualasen con el rebaño de individuos esclavizados, con esos millones de indolentes que acataban con orgullosa estulticia la dominación: vestiría sus mismos uniformes igualatorios, trabajaría en sus mismas oficinas tediosas, se afiliaría a sus mismos sindicatos inoperantes, se sometería a los mismos diezmos y exacciones. Viviría de incógnito entre el ejército de autómatas que la antigua serpiente estaba adiestrando con vistas a aprovisionar de carroña a los buitres del Harmagedón. Y sólo en las horas que escapan al riguroso horario laboral, sólo en las horas sustraídas al sueño (que es terreno abonado para que el Maligno siembre sus semillas de iniquidad), se dedicaría a desentrañar los mensajes recolectados durante el día, esos mensajes en los que simulaba no haber reparado para no poner sobre su pista a los chivatos y vigías de la antigua serpiente: la mancha de tinta en el papel secante, las baldosas ajedrezadas en el andén de una estación ferroviaria, los túneles excavados por la carcoma en el banco de un parque, los palominos en la ropa que aguarda turno en una lavandería, los números de teléfono garrapateados en la puerta de un retrete público, el borborigmo del agua en una cañería, el vaho que brota de las alcantarillas, las cicatrices de un lisiado que reclama una pensión al Gobierno.

Fanny se había cortado la melena, vestía con una suerte de afectada mojigatería que se nutría en los cajones de saldos, usaba gafas con montura de carey que corregían su prematura presbicia (o no tan prematura, pues el desciframiento de aquellos infinitos mensajes esquilmaba su vista). La habían contratado como dependienta en la sección de ferretería de unos grandes almacenes, donde poco a poco, en sucesivos hurtos veniales que no alcanzaban la consideración de cleptomanía, fue equipándose con una panoplia de utensilios punzantes (berbiquíes y buriles, leznas y alambres de espino) o sólo contundentes (alicates y martillos, llaves inglesas y destornilladores) que, llegado el caso, la ayudarían a repeler al Maligno. Aunque el sueldo que le pagaban no era demasiado rumboso, le permitía sobrellevar una existencia discretamente austera, con más privaciones que dispendios. Rehuía las tentaciones de la camaradería y la confidencia en su trato con los otros dependientes; su simpatía era siempre desvaídamente cortés y circunscrita a la estricta jornada laboral: jamás permitió que nadie invadiera su intimidad; jamás entabló vínculos que extendieran su reverberación a los páramos donde transcurría su vida invisible. Había alquilado un apartamento en el Northside, paredaño casi con el cementerio católico de San Bonifacio, en un edificio de ladrillo negruzco que la superstición había convertido en maldito, después de que algunos de sus inquilinos huyeran de él, sobresaltados en mitad de la noche por un murmullo de almas entrampilladas en el purgatorio. A Fanny, que no se arredraba ni ante los idiomas

proteicos de la antigua serpiente, ni siquiera la inmutó —incluso podríamos afirmar que la sedujo— la perspectiva de convivir con psicofonías. Se atenía a una dieta estrictamente vegetariana, en su afán por
mantenerse incontaminada de impurezas; esta abstinencia de la
carne la mantenía más lúcida y despierta, sobre todo en esas horas en
que, aprovechando que la virtud duerme, el Enemigo multiplica sus
mensajes: la luz intermitente de los neones, los ocelos en las alas de
una polilla que no sabe dónde posarse, el chisporroteo de una bombi-
lla averiada, el parpadeo de un gato nictálope, la geometría de las
constelaciones, el sigiloso goteo de un grifo, las arrugas de las sábanas que la ahogaban con su temperatura de sudario, el tictac de un
reloj, el tictac de un reloj, el tictac de un reloj que ha dejado de marcar
la hora porque olvidó darle cuerda.

Durante cuatro años se dedicó ininterrumpidamente a transcribir
los mensajes cifrados de la antigua serpiente en cuadernos con tapas
de hule que abarrotaba con una letra casi aljamiada, nerviosa como
una sucesión de rasguños que ni ella misma lograba entender cuando
la repasaba. Era tal la profusión de palabras huecas que profería el
Maligno —baladronadas y anatemas que jamás se cumplían, retahí-
las de blasfemias horripilantes que perdían parte de su ímpetu al ser
traducidas al inglés, a veces meros gruñidos de ponzoñosa guturalidad— que Fanny empezó a sospechar que encubriese un creciente
debilitamiento: el perro que ya no se atreve a lanzar su mordisco
suele despistarnos con sus ladridos. Poco a poco, le fue perdiendo el
respeto a su adversario: por las noches se maquillaba impúdicamente
(no le resultó demasiado arduo extender sus hurtos veniales a la sección de perfumería de los grandes almacenes donde trabajaba) y sustituía sus ropas de novicia añeja por otras que realzaban sus caderas
y ceñían su cintura sin adiposidades y modelaban sus senos que cada
mañana se frotaba con hielo picado, para mantenerlos tersos y firmes; incluso volvió a calzarse zapatos de tacón, descubriendo que
sus pantorrillas —aún esbeltas, aún respondonas— aguardaban el
milagro de la resurrección tras la condena de las alpargatas y los mo-
casines. No se dejó crecer el pelo, ni renegó de sus gafas de carey,
para que nadie pudiese invocar los rasgos de aquella *pin-up* que multiplicó las infracciones contra los mandamientos sexto y noveno.
También procuró rectificar los gestos pizpiretos o descocados que en
otra época empleó como artimaña de seducción fotogénica; ensayó

ante el espejo otros mohínes más comedidos y acordes con su edad (ya era una cuarentona sin remisión), incluso los complicó con el tranquilo misterio que la presbicia incorporaba a sus ojos zarcos y con un aire como pensativo que actuase disuasoriamente contra esos divorciados botarates que aún fantasean con la posibilidad de llevarse a la piltra a una ninfómana ya talludita. Cuando concluyó su transformación, Fanny constató ante el espejo que seguía siendo bella, aunque de un modo mucho más reposado y discreto: y es que la belleza es cuestión de esqueleto.

Empezó a frecuentar el salón de baile Aragon, que estaba muy próximo a su apartamento; a la vuelta de la esquina, como quien dice. Siempre se había pirrado por el baile, allá en su otra vida, y esta querencia irrefrenable y desinhibida le había proporcionado, además de muchas veladas de diversión, algún disgusto del que nunca había logrado reponerse del todo. En sus sueños seguía cobijándose, como una levadura de horror, el recuerdo de aquella violación mancomunada que había sufrido a manos de una banda de desaprensivos, en un vertedero de las afueras, después de que un hombre con bigotito plagiado de Gilbert Roland y voz de barítono la engatusara ante el escaparate de una tienda de la avenida Michigan con la promesa de una velada en el salón de baile Aragon; recordaba el filo de una navaja apretando su yugular, el hedor mareante y pútrido de las montañas de basura que sirvieron de paisaje al atropello, la monotonía de la lluvia que apelmazaba su melena y desleía el rímel de sus pestañas y se fundía con su llanto; recordaba las manos batracias de sus raptores palpando sus senos por encima del suéter de angora, su contrariedad ofendida y colérica cuando supieron que su víctima acababa de menstruar, su decisión final de arrodillarla sobre los desperdicios que rasgaban sus medias, para derramarse en su boca, uno tras otro, con embates que le despellejaron el velo del paladar y a punto estuvieron de asfixiarla. Fanny aún guardaba en las papilas el regusto belicoso y repetido de las eyaculaciones, y también el brusco encogimiento de la carne, que se replegaba como un molusco en su concha tras inocular su infección. Fanny había transportado esa infección en su sangre, más abrasiva que una septicemia, hasta que un hombre santo había accedido a purificarla por la senda estrecha y dolorosa; y ahora que su sangre estaba inmunizada contra el veneno que instila la antigua serpiente, contaba las horas y los días que faltaban para que se completase la expiación y al fin pudiera enfrentarse en singular combate a alguno de aquellos demonios que profanaron su cuerpo. Sus rostros de rasgos desdibujados por la bestialidad se habían esculpido en su memoria, como un bajorrelieve de tacto candente, con fijeza de daguerrotipos que seguían asaltando, más de veinte años después, sus pesadillas.

Y los buscaba. Buscaba esos rostros entre los miles o millones de rostros que el Diablo acopiaba a su paso para hacer más penosamente ardua su misión. Los buscaba sin tino, confundida por un enjambre de señales que la empujaban de un extremo a otro de la ciudad, pistas falsas que la antigua serpiente diseminaba a su paso para agotarla en caminatas que la dejaban al borde del desistimiento. Llegó, incluso, a visitar los terrenos del vertedero donde había sido forzada, con la esperanza de que sus agresores fueran animales de costumbres y siguieran perpetrando allí sus tropelías; con desaliento, descubrió que sobre aquel yermo o lodazal se había levantado una urbanización de chalecitos adosados, cada uno con su jardincillo correspondiente, como receptáculos de una felicidad tontorrona y cautiva. Fanny sintió que algo —quizá las ruinas de su maltrecha entereza— se desplomaba dentro de ella cuando vio corretear por el lugar a pandillas de niños desprevenidos que no tardarían en rendirse a los efluvios del Maligno. Seguramente, si no lo habían hecho ya, era porque el Maligno estaba demasiado atareado esquivando su cerco; esta sospecha no exenta de megalomanía terminó de convencer a Fanny de que quizá hubiese llegado la ocasión, tantas veces anticipada por el deseo, de ofrecerse como cebo a su adversario en lugar de perseverar en un extenuante juego del escondite. Por eso accedió a despojarse de sus ropas de novicia, rescatando a la mujer atractiva que aún sobrevivía entre los escombros del abandono y la esquizofrenia; por eso empezó a frecuentar por las noches el salón de baile Aragon, que había sido la golosina o anzuelo que le tendieron sus demonios violadores para lograr que montara en su automóvil. En alguno de los tratados de demonología de Burkett había leído Fanny que el baile —con su liturgia de cuerpos que se arriman y se amoldan a otros cuerpos, con su embriaguez de pasos repetidos hasta el mareo— era uno de los instrumentos de los que se sirve el Enemigo en su captación de nuevos adeptos. Puesto que se sabía inmune a la contaminación diabólica, Fanny no tuvo reparos en ofrecerse como fingida candidata a esa captación; y así, de paso, pudo refrescar su juvenil pasión danzarina.

El salón Aragon era por entonces —finales de los sesenta— una astrosa caricatura de lo que había llegado a ser, en décadas anteriores. Allí habían tocado asiduamente las bandas de Freddy Martin, de Wayne King, de Dick Jurgens; allí habían ofrecido conciertos Tommy Dorsey y Guy Lombardo, Xavier Cugat y Artie Shaw, Benny Goodman y Frank Sinatra. Diez años atrás, un incendio declarado en un edificio contiguo había devorado el vestíbulo del local, que hubo de ser clausurado por exigencias municipales; lo que no habían logrado el vaivén de las modas, ni los zarpazos de la Depresión, ni las sangrías bélicas, lo consiguió una epidemia del histerismo, que es enfermedad muy contagiosa y ofuscadora. Tras su reapertura, el Aragon se encontró sin clientela; una sucesión de dueños tarambanas o arbitristas —a cada nueva venta, el valor del local decrecía, hasta alcanzar precios de almacén— lo reconvirtieron en pista de patinaje, pabellón para combates de boxeo o discoteca lisérgica, con resultados igualmente catastróficos. En uno de estos traspasos, el Aragon había recuperado su condición primera de salón de baile; pero la época de las muchedumbres aglomeradas bajo la marquesina de la entrada —las mujeres embutidas en trajes de lamé, los hombres ataviados de esmoquin, según radiaba el locutor de la cadena WGN en aquellas emisiones en directo que la niña Fanny Riffel escuchaba como embobada en su Chillicothe natal— se había extinguido para siempre. El público del Aragon lo componían ahora palurdos en viaje de fin de semana a la capital (a veces acompañados de sus consortes rollizas que ponían el grito en el cielo cuando su pareja les pisaba un callo, a veces evadidos de la férula conyugal y obsesionados por echar una canita al aire), nostálgicos de la música retro y, en general, una patulea de divorciados y divorciadas con sarpullido en la entrepierna (siempre los mismos y siempre haciéndose los encontradizos) que desconocían los rudimentos del baile y sólo se preocupaban de consumir sus archisabidas citas a ciegas en un clima como de desganado lenocinio. Fanny desentonaba en aquel ambiente; o quizá sea más preciso describirla como un altivo unicornio que se resistía a mezclarse con la recua de mulas matalonas y percherones que triscaba en su derredor. Cuando accedía a conceder un baile, ni siquiera se dignaba mirar a su *partenaire* (al que ya había fichado previamente, con monótono desdén),

casi siempre un patán empeñado en ligársela con piropos agropecua-
rios y en sobarla un poco más de la cuenta. Pero bastaba que Fanny lo
fulminara con una mirada cruelmente conmiserativa (la misma que
se dedica a un gusano apachurrado, después del pisotón), para que el
postulante se retrajese y se limitara a seguir —a trancas y barrancas,
por lo común— los movimientos de aquella esfinge de plastilina.
Fanny no tardó en labrarse la fama de mejor bailarina del Aragon,
también de la más inasequible.

Las orquestas de antaño habían sido sustituidas —exigencias del
alicaído negocio— por un pianista ya sexagenario, consumidito como
una sardina en salazón y patéticamente vestido con una chaqueta de
lentejuelas que parecía confeccionada con los retales de una cortina
procedente de un burdel psicodélico. Tocaba un órgano Wurlitzer con
tres teclados que le permitía, en un fatigoso ejercicio malabar, imitar
los diversos timbres de los instrumentos de una orquesta, pero envilecidos por ese soniquete enlatado que tiene la música electrónica. El
Aragon aún conservaba su pista de baile originaria, que quizá en sus
años de gloria fuese considerada un santuario de la elegancia sobre-
cargada, pero que para entonces —bien rebozadita de mugre y desidia— sólo podía contemplarse irónicamente, como una apoteosis del
sincretismo *kitsch*. Trataba de imitar el patio de un castillo español (de
un castillo español decorado por un discípulo pastelero de Walt Dis-
ney, convendría especificar), rodeado de torreones con tejadillos de
terracota y chapiteles puntiagudos como pirulís, balconadas con sus
balaústres de estuco sobredorado y una *loggia* o galería porticada en
el segundo piso, que se empleaba como reservado para las parejas
más cochinas. A este reservado se subía por una escalinata custo-
diada por dragones y esclavos nubios de escayola; las alfombras que
recubrían sus peldaños habían sido muelles y cardenalicias, pero al
quedarse sin pelo habían adquirido un color como de felpudo de un
club de deshollinadores, que era, por lo demás, el mismo color desangelado y ceniciento que se había posado sobre la decoración, el
mismo color deslucido que afeaba la madera de la pista, amnésica de
la última mano de barniz que le dieran, seguramente anterior al bombardeo de Pearl Harbor. El techo, que era muy alto, intentaba reproducir un cielo nocturno y despejado, con tachones a guisa de estrellas
titilantes; para rematar el adefesio, los tachones habían perdido su
brillo, y más bien asemejaban asteroides. Bajo unos soportales que, a

modo de claustro, incorporaba el fingido castillo, se hallaba el bar, más bien rácano en su provisión de bebidas, atendido por camareros que parecían donantes forzados de sangre y amueblado con divanes de un escay reblandecido por el calorcillo de sucesivas generaciones de culos. Sentada en uno de aquellos divanes desvencijados, Fanny oteaba el panorama del Aragon, más bien desmoralizante, mientras bebía a pequeños sorbos una naranjada que se le iba quedando calentorra a medida que pasaban las horas. Nunca tomaba más de una consumición porque su sueldo de dependienta no le permitía dispendios.

Durante un par de años estuvo acudiendo al Aragon, segura de que la antigua serpiente acabaría picando el anzuelo que le tendía. El tiempo, con su séquito de apremios e impaciencias, ni siquiera la rozaba; su misión no estaba sometida a los plazos conclusivos que rigen las empresas de los hombres. Recién instalada en Chicago, había cedido a la congoja que nos transmite la infinitud; pero ahora que había aprendido a distinguir las maniobras dilatorias de su Enemigo, afrontaba su destino con una pachorra que era un preludio de la bienaventuranza. El tedio no llegó nunca a hacerle mella: a la ocupación de espantar el mosconeo de los divorciados se sumaba la otra ocupación insomne que abarrotaba sus horas, consistente en descifrar los mensajes diabólicos que escondían su escritura en las zurrapitas que la pulpa de la naranja dejaba al fondo de su vaso, en las chamuscaduras de cigarrillos sobre la madera del piso, en el teclado del órgano Wurlitzer que aporreaba el pianista en salazón (las teclas bemoles como piezas cariadas de una dentadura), en los flecos deshilachados de una cortina, en los redondeles nítidos y pegajosos de licores vertidos que ensuciaban la barra del bar antes de que el camarero los borrase con una bayeta húmeda, en los pasos de baile de un cojo que arrastraba la pierna derecha, en la titilación desvaída de los tachones, en el bigotito de ese cliente solitario que permanecía como abstraído en la transparencia efervescente de su *gin-fizz*, un bigotito como una delgada lombriz de luto que se deslizara entre su nariz y su labio superior, moviéndose a izquierda y derecha, arriba y abajo, como un filamento retráctil, como un sismógrafo que delatase, con sus culebreos y vibraciones, el curso en zigzag de sus pensamientos, un bigotito muy relamido que copia el de Gilbert Roland, aunque su propietario se piense que le otorga cierto parecido con Errol Flynn.

Han pasado algo más de dos décadas desde que el propietario de ese bigotito la abordase, ante el escaparate de una tienda de la avenida Michigan, para proponerle que lo acompañase al Aragon en su automóvil, al que luego se subirían sus compinches, rumbo al vertedero de las afueras. La sonrisa embaucadora, un poco bucanera, que entonces exhibía ha desertado de sus facciones; su estampa ya no es tan larguirucha como deslavazada; su traje muestra tazaduras en los puños y un desgaste indecoroso en las coderas; y por si estas incongruencias con el violador de hace veinte años no fueran suficientes, ese hombre absorto en su *gin-fizz* se ha quedado alopécico (pero también el cabello de Fanny ha perdido su brillo agreste), y usa gafas (como Fanny), y sus mejillas se han descolgado formando papitos (tampoco Fanny se mantiene indemne a las flacideces, pese a su esqueleto privilegiado). Los años no han pasado en balde para la antigua serpiente, pero el bigotito plagiado de Gilbert Roland, con sus guías parlantes (y Fanny se ha preocupado de transcribir sus palabras mudas sobre una servilleta de papel), es inconfundible. Fanny se alza del diván, izada por dos grandes alas de águila que le han crecido en la espalda, coronada por una diadema de doce estrellas que palpitan como carbunclos o corazones incandescentes. Fanny se sabe más hermosa e invulnerable que nunca cuando aborda a la antigua serpiente:

—¿No le apetece bailar?

El hombre del bigotito tardó en reaccionar a su petición. Diríase que su ensimismamiento hubiese transmigrado de la copa de *gin-fizz* a la sonrisa ingenua y convulsiva de la desconocida, a su boca de labios promisorios que, un día lejano, se quedaron resquebrajados y mudos después de probar el sabor intruso de su semen. Pero Fanny había sido purificada por un hombre santo y Dios la protegía con su armadura invisible; nunca más la antigua serpiente podría volver a profanarla. El hombre del bigotito no la había reconocido:

—Me gustaría decirle que sí, pero estoy baldado. No quiero quedar en ridículo ante una mujer como usted.

La voz de barítono borró cualquier vestigio de duda. Fanny inclinó la cabeza hacia atrás, cerró los ojos placenteramente, en un gesto que quizá admitía una lectura lúbrica (no le importaba que el hombre del bigotito así lo interpretase), pero que en realidad era el modo más discreto de dar gracias a Dios por la oportunidad que le ofrecía de convertirse en su paladín.

—Tan bonita, quiero decir —añadió al poco el hombre del bigotito, venciendo su timidez.

Fanny volvió a sonreír, ahora con un mohín halagado, y se acercó al hombre del bigotito arrimando un taburete a la barra. Parpadeó con la misma rauda coquetería que emplean los colibríes en su vuelo; el azul de sus ojos no tardaría en hipnotizar a su presa.

—¿En serio me considera bonita? —dijo, afectando incredulidad.

—Como un billete de cien dólares —se apresuró a responder el muy imbécil, incapaz de resistirse al tópico—. Pero permítame que la invite... —Había empezado a aturullarse—. Me llamo Breslin, James Breslin. Pero puedes llamarme Jim.

Muy poderosa debía de ser la gracia de Dios para que la antigua serpiente se franquease tan desinhibidamente. Fanny tomó la mano que Jim le tendía, la misma mano que veinte años atrás le había palpado los senos por encima del suéter de angora y clavado sus uñas en el cogote, obligándola a consumar la felación.

—Encantada, Jim. Puedes llamarme Fanny. Tomaré una naranjada.

Había empleado un tono entre preventivo y melindroso que cautivó a Jim:

—Venga, Fanny, no me digas que eres abstemia...

—Lo soy cuando me invita un desconocido —aclaró, tajante. Pero enseguida se tornó más meliflua—: Reservo el alcohol para cuando hay confianza.

Y, apoyando un codo sobre la barra, dejó que su mejilla reposara sobre el cuenco de la mano, en actitud lánguida u oferente.

—¿No te fías de mí? —preguntó Jim, transmitiendo la mayor calidez posible a su voz de barítono.

—Ya veremos. ¿Quién me asegura que no pretendes que me coja una cogorza, para después violarme en un descampado?

Formuló con los labios un pucherito de asustada mansedumbre. Jim se rió sinceramente:

—¡Por el amor de Dios! ¿Tengo yo pinta de violador? —El recuerdo de una juventud pandillera y desaprensiva nubló su frente—. Además, hasta el violador más impenitente se regeneraría al verte.

Emitió otra risita, ahora algo más meditabunda o consternada. Fanny aún no se había repuesto de la sorpresa que le producía comprobar que Jim no la había reconocido.

—¿Se regeneraría? ¿Por qué habría de regenerarse?

Jim movió nerviosamente su bigotito de *latin lover* venido a menos, a la vez que hinchaba las ventanas de la nariz (pero, tratándose de la antigua serpiente, quizá deba escribirse ollares); le avergonzaba manifestar su rendición:

—Porque eres la mujer con más clase que ha pisado Chicago. Por eso y porque tienes algo... —su cortejo, siempre apegado al tópico, hallaba dificultades en la elección de las palabras— desarmante en la mirada.

Y entonces Fanny recordó su etapa de mendiga y sonámbula por los arrabales de la ciudad, cuando los hombres también mendigos y sonámbulos que se abalanzaban sobre ella con la intención de forzarla se retraían al reparar en su mirada mineral y ausente, en sus ojos zarcos que no se resistían ni acataban, que no se ablandaban de lágrimas ni pestañeaban, que no dimitían de su fijeza fúnebre ni perturbaban su lejanísima impiedad de piedras fósiles. Pero Fanny había conseguido que su mirada volviese a resultar humana, aunque algo ida, merced a la presbicia que corregían sus gafas de carey.

—¿A qué te dedicas, Fanny? —preguntó Jim, definitivamente embobado.

—A las traducciones —dijo ella, con impávida ironía—. Soy traductora e intérprete de lenguas extranjeras.

Jim lanzó un silbido ponderativo.

—Ya decía yo que eras del tipo intelectual —esta constatación lo acobardaba un tanto, pues temía no estar a su altura—. ¿Y qué lenguas traduces?

Fanny se sentía a gusto en el pellejo de una mujer intelectual, que le exigía disfrazar su dicción un poco campesina. Prosiguió la broma en un susurro, para crear un espejismo de intimidad:

—Cualquiera que me pongan por delante —rehuyó el énfasis—: soy capaz hasta de traducir al mismísimo Diablo cuando jura en arameo.

—¿En serio? —Su bigotito escribió una rúbrica en el aire, en un respingo de admiración—. Pues como se enteren los de la CIA, te contratan para que descifres los códigos secretos de los rusos.

Quizá para probar sus dotes como traductora de mensajes crípticos, Jim había empezado a tabalear sobre la barra; Fanny no dejó escapar ni una sola palabra de aquel tamborileo que la antigua serpiente utilizaba para comunicar a sus huestes que la fábula de Jacques Cazotte se repetía en él, sin que pudiera hacer nada por impedirlo.

—Mi trabajo te parecerá una birria, comparado con el tuyo —anticipó Jim, refrescándose con un trago de *gin-fizz* que lo aureoló de coraje para referirse a un oficio que, a cada día que pasaba, le resultaba más denigrante y abyecto.

Se dedicaba a vender aspiradoras a domicilio; o más bien a intentar convencer a las amas de casa de las ventajas de este artilugio, cuyo funcionamiento les mostraba sobre la marcha, antes de que le diesen con la puerta en las narices. Jim no lograba colocar demasiadas aspiradoras; y puesto que trabajaba a comisión, sus ingresos no eran demasiado magníficos, lo justito para pagar la gasolina y las reparaciones del coche, el sustento en bares de carretera (pero la dieta recalcitrante de lípidos no había logrado derrotar su delgadez) y el alquiler de tabucos en pensiones tirando a cochambrosas. La parte más humillante de su oficio consistía, sin embargo, en atender las solicitudes de sus clientas hipotéticas (o más bien improbables), que aprovechaban las exhibiciones que Jim les hacía de las bondades de su aspiradora para pedirle que la pasaran por la alfombra del salón hasta dejarla requetelimpia. Cuando Jim concluía con la alfombra, las clientas todavía se hacían las dubitativas, fingiendo que su renuencia ya empezaba a ceder; entonces le preguntaban si aquel artilugio alcanzaba a aspirar el tamo que se acumula debajo de los armarios y sofás. E incrédulas ante la respuesta rotundamente afirmativa de Jim, lo conducían por todas las habitaciones de la casa exigiendo demostraciones prácticas: Jim tenía entonces que arrodillarse y encorvarse y hasta tenderse en el suelo para rebañar las pelusas más recónditas y atrincheradas. Y, para rematar la vejación, estas clientas improbables (o más bien imposibles) que quizá ya guardasen una aspiradora en el cuarto de los trastos, o que quizá no estuviesen dispuestas a comprarla (pues tenían contratada a una chacha a la que preferían agotar al modo tradicional en las tareas de limpieza, para que sudase con creces el sueldo mísero que le pagaban), lo llevaban a rastras hasta el retrete y le prometían: «Si ese cacharro me limpia los pelos que se le caen a mi marido, se lo compro». Y Jim tenía que aspirar aquellos pelos demasiado crecidos en ocasiones, o ensortijados en otras para pertenecer a su marido, o siquiera a su cabellera en trance de quedarse calva; y el asco indescifrable que revolvía sus tripas mientras recogía aquellas pilosidades seguramente inguinales se multiplicaba hasta la náusea luego, de regreso al tabuco de la pensión, cuando Jim tenía que hundir la mano en el saquito de la aspiradora y vaciar su contenido, dejándolo preparado para las exhibiciones de la siguiente jornada, que otras clientas imposibles (o más bien ensañadas y caraduras) se encargarían de amargarle con peticiones ignominiosas.

—Así que ya te explicarás por qué, al llegar la noche, estoy que no tengo el cuerpo para bailes —musitó con reconcentrada rabia Jim, mordiéndose las guías del bigotito, que se habían quedado desgalichadas, al írseles derritiendo el fijador.

—Pues niégate a hacerles la limpieza a esas zorras.

Había introducido la palabra malsonante para fingirse concernida por la narración de sus penurias, pero había llegado a sentir un calambre de complacencia al imaginar a Jim en el tabuco de su pensión, entorpecido por las agujetas o la ciática, con las manos hundidas en el saquito de la aspiradora, extrayendo la porquería recolectada en su diario recorrido por vecindarios que quizá ya estuviesen al tanto de su visita (se habría corrido la voz desde otros vecindarios limítrofes) y hubiesen acordado explotar la obsequiosidad del vendedor a domicilio. Imaginó las manos de Jim —huesudas, como de violinista asténico— hurgando en esa apelmazada masa de tamo y pelusillas cuya inhalación le revolvía las tripas y concluyó que, si la antigua serpiente necesitaba alojarse en un pelanas como aquél, su dominio quizá no fuese tan omnímodo como ella había llegado a creer. Jim seguía tamborileando sobre la barra; aunque se lavaba mil veces con jabón, no lograba desprenderse de ese último rastro de suciedad que se inmiscuye en las uñas.

—No puedo negarme, Fanny —dijo postradamente—. Entre cien zorras siempre hay una que al final me compra la aspiradora. Recuerda que trabajo a comisión.

—Claro, pobrecito. Perdona si te he ofendido.

Como la humillación es un pozo sin fondo, Fanny pensó que algún día Jim contrataría a un rotulista para que pintara en el capó de su coche la siguiente inscripción: «James Breslin. Servicios de limpieza gratuitos». En el Aragon comenzaba a imperar ese discordante guirigay que precede al cierre en los locales nocturnos: el pianista en salazón había abandonado su puesto y los clientes borrachuzos se tambaleaban por la pista de baile, como polizones en la bodega de un barco.

—¿Quieres que te acompañe a casa?

Había lanzado este ofrecimiento sin intención libidinosa, como si, no conforme con doblar el espinazo y ejercer de badil en las casas que componían su mortificante y diaria condena, aún necesitara mostrar sus habilidades como rodrigón. Fanny reparó en sus gastados zapatos de rejilla, que reproducían la geometría de una colmena; algunas tiritas de cuero se habían desgarrado, rompiendo la simetría y agravando la impresión de acabamiento que transmitía Jim. A punto estuvo Fanny de abismarse en el desciframiento de esa rejilla (indudablemente, otro mensaje codificado del Maligno, como los movimientos retráctiles de su bigotito, como el tamborileo de los dedos sobre la barra), pero supo reprimirse in extremis, para que la antigua serpiente no recelara de su comportamiento.

—No te molestes —dijo—. Vivo aquí al lado.

—Bueno, podríamos dar un paseo.

Y aquí Jim dejó asomar, al fin, aquella sonrisa embaucadora, un poco bucanera, que había empleado para engatusarla, veinte años atrás, ante el escaparate de una tienda de la avenida Michigan. Salieron juntos del Aragon a la noche de principios de verano, estancada en un bochorno que se pegaba a la ropa como una bofetada de viscosidad. Fanny caminaba soslayando las junturas de las baldosas, que son otra escritura del Diablo, lo que imprimía a sus andares una graciosa torpeza, como si la naranjada la hubiese puesto un poco piripi. Deteniéndose en el círculo de luz que vomitaba una farola, su rodrigón volvió a incurrir en el piropo más asquerosamente tópico:

—Tienes unas piernas preciosas. Me recuerdan a las de Cyd Charisse.

Fanny se las miró al bies, torciendo un poco la pantorrilla, como si reparara por primera vez en su existencia. Eran preciosas, en efecto, pero también robustas, preparadas para convertirse en tenazas que atrapasen al Maligno.

—Eso se lo dirás a todas, Jim —restó importancia al piropo, pero a la vez se colgó del brazo de su rodrigón, achuchándolo por primera vez—. Además, no está bien que un desconocido me requiebre. ¿Quién me asegura que no eres un hombre casado?

Se hallaban ante la verja del cementerio de San Bonifacio, que algún enterrador negligente había dejado entornada. Fanny sintió que Jim contenía un repeluzno; y sintió también que su sangre había dejado de fluir, detenida por el horror que le comunicaba la proximidad de la tierra sagrada.

—No pretenderás entrar ahí...

La antigua serpiente se revolvía dentro de él, como un gato escaldado. El cementerio de San Bonifacio recortaba su perfil de bosque petrificado sobre la noche; de su recinto brotaba un frescor de pudridero o catacumba, mezclado con un rastro de humedad otoñal (en los cementerios siempre es otoño) que Fanny ya había respirado muchas veces, desde las ventanas de su apartamento.

—¿Por qué no? ¿Te dan miedo los muertos?

Jim la miró desconcertado, tratando de atisbar en sus facciones, que eran risueñas y retadoras, el residuo de algún trastorno; pero enseguida recordó que Fanny era una mujer del tipo intelectual, y achacó la excentricidad que le proponía a algún refinamiento del espíritu que a él, adocenado por la venta de aspiradoras, se le escapaba. Fanny ya se paseaba por los senderos de grava del cementerio, desasida de su rodrigón, que encima resultaba un pusilánime; los tacones de sus zapatos emitían a cada pisada una música incitante.

—Tan cobardón como todos los hombres casados —rezongó, caminando entre las hileras de tumbas.

Jim corrió a su encuentro, lastimado por el reproche. El cementerio de San Bonifacio, muy suntuoso de mausoleos y cenotafios, había sido fundado por la comunidad católica alemana; aunque todavía seguían practicándose inhumaciones (el perfume frondoso de la tierra recién removida así lo testimoniaba), la mayoría de sus tumbas y panteones delataban sus orígenes decimonónicos, cuando la muerte aún era un asunto serio que requería la aportación de granito. Había sarcófagos con cruces como espadones torvos esculpidas sobre la lápida; también estelas y monumentos funerarios con figuras de ángeles orantes y genuflexos y Dolorosas que sostenían a su Hijo en brazos; y cipos coronados por guirnaldas y medallones. La hierba crecía fragante entre los sepulcros, abonada por sus inquilinos, que quizá soñasen en su descanso eterno con las tierras que dejaron atrás, más umbrosas y fértiles. Jim tomó del antebrazo a Fanny y la atrajo hacia sí con ímpetu, renegando del mequetrefe que se arrodillaba y encorvaba y hasta se tendía en el suelo para rebañar las pelusas más recónditas que se atrincheran debajo de las camas y los armarios:

—Ni cobardón ni casado —se defendió—. Lo estuve en otro tiempo, pero eso ya es agua pasada.

Las estatuas de los cenotafios aguzaron el oído, para escuchar sus confidencias; hay algo mórbido y cotilla en todas las estatuas, en su palidez escrutadora, quizá porque todas son hijas de la mujer de Lot.

—¿Agua pasada? Uno no se casa y se descasa así como así.

La palidez de las estatuas se había contagiado a Jim, que parecía sucumbir a los síntomas de una lipotimia. Trastabillante, se dirigió hacia el césped que rodeaba las tumbas, a imitación de los parterres (cada tumba como un rododendro que creciese sobre la carroña), para sentarse allí, con la espalda apoyada sobre el monumento funerario erigido en honor de una tal Lauretta M. Guernstein, una niña de siete años representada en su vera efigie, sosteniendo una paloma entre las manos, y con una pamelita a sus pies. A Lauretta M. Guernstein se le había quedado ese rostro un poco defraudado de los muertos prematuros, que es el mismo que se les queda a los viajeros en el andén cuando pierden el tren al que creían haber llegado puntuales. En un impulso de irreverencia o mera congoja, Jim encendió premiosamente un cigarrillo; la brasa, avivada por sus caladas, era otro mensaje que Fanny ya no se molestó en descifrar, pues sabía que era el S.O.S. que la antigua serpiente lanzaba a sus congéneres, sintiéndose desfallecida y a un punto de la extinción. Jim se había casado, siendo todavía muy joven, con una muchacha italiana a la que había dejado embarazada; jamás hubiese accedido a encadenarse a una mujer de la que ni siquiera estaba enamorado si algunos miembros de su familia, a los que protegía la mafia, no se lo hubiesen sugerido en un callejón. Jim era por entonces (pero Fanny no hubiera necesitado esta precisión) un hombre muy poco mirado con las mujeres, a las que trataba como trapos en los que se limpiaba sus efusiones venéreas; quizá las amenazas de la mafia fueron el castigo justo a tanta fanfarronería impune. Se casó, pues, con la mujer que no amaba (y ella le correspondía con idéntico desvío) y crió durante siete años —los mismos años que Lauretta M. Guernstein había tardado en amueblar la tierra— al hijo de aquella unión, quizá fruto de una lujuria beoda y olvidadiza, quizá concebido en algún vertedero de las afueras (y su madre de hinojos sobre las inmundicias, con las rodillas laceradas y rasgadas las medias), al que acabaría cogiendo cariño. Ricky, ése fue el nombre con el que lo bautizaron, en una ceremonia que monopolizó la familia materna, apadrinada por un capo que envió telegramas de felicitación desde el presidio en el que cumplía condena por evasión fiscal.

—Le gustaba mucho el submarinismo. Un verano lo llevé a Florida, para que viese los arrecifes de coral, cerca de la playa de Pompano. —Jim había consumido el cigarrillo, pero no se atrevía a arrojarlo al césped del camposanto. La brasa, al chamuscar el filtro, despedía un humo como de almizcle rancio—. Todavía recuerdo lo feliz que fue. Pero un día su madre desapareció del mapa y Ricky con ella. No he vuelto a verlos, ni a tener noticias suyas.

Las guías de su bigotito plagiado de Gilbert Roland se habían desflecado del todo, y caían sobre las comisuras de sus labios como los jirones de una derrota. Fanny acogió sus confidencias con un silencio pensativo; resolvió que la madre de Ricky habría huido para evitar que su hijo se incorporase a las huestes del Maligno. La estampa de Jim —sentado en cuclillas sobre el césped, con la mano convertida en el ridículo pebetero de una colilla humeante, con el bigotito mustio que quizá ya padeciese los achaques de la alopecia que arrasaba su coronilla, con los zapatos de rejilla cuyas suelas, de tan gastadas, casi transparentaban los calcetines— transmitía un patetismo más grimoso que conmovedor:

—Ni siquiera me ha escrito una carta —balbuceó todavía, tentado por el llanto.

Fanny elevó la mirada al cielo, prolijo y banal como un astrolabio, en busca de un signo que le ayudara a tomar una decisión. Nunca le resultaría más sencillo que entonces aniquilar a este nuevo avatar de la antigua serpiente; habría bastado con sacudirle un golpe con la llave inglesa que guardaba en el bolso (su víctima, incluso, le ofrecía la nuca desnuda, pues, cabizbajo, se había enfrascado en sus hipidos y sollozos), para privarlo de conocimiento y, acto seguido, machacarle el cráneo contra el pedestal que sostenía la estatua funeraria de la niña Lauretta M. Guernstein (su tumba convertida en un ara de los sacrificios). Pero ese desenlace desagradaba a Fanny. Su misión consistía en batallar contra el Maligno; pero la batalla presupone cierto encarnizamiento entre los contendientes, cierta hostilidad y resistencia recíprocas, como había ocurrido en su combate anterior, allá en el hospital de Peoria. Ahora la antigua serpiente exponía mansamente su cuello a la espada del verdugo, como quien aguarda una liberación: quizá esa mansedumbre desconsolada fuese una treta de su Enemigo, que sabiéndose inferior a su rival trataba de estimular su piedad; quizá fuese el reconocimiento de una culpabilidad que sólo podía redimir la derrota. Pero Fanny no estaba dispuesta a brindarle una derrota redentora; tampoco a dejar que la insidiosa piedad ensuciase su determinación. Tendría que devolver a la antigua serpiente la confianza en su poder; tendría que restañar su herida y cuidar su convalecencia antes de asestarle el golpe definitivo. Las doce estrellas de su diadema, que un minuto antes palpitaban como carbunclos o corazones incandescentes, extinguieron su fulgor.

—No te tortures más —lo consoló—. Estoy segura de que Ricky algún día dará señales de vida, cuando crezca y comprenda que su madre lo apartó de ti.

Jim seguía con la cabeza gacha, avergonzado de su debilidad. Fanny se sentó a su vera sobre el césped que debía su lozanía a la descomposición de la carne y masajeó dulcemente su cogote.

—Al menos tú puedes presumir de tener un hijo —prosiguió—. Yo ni siquiera eso. Y, por si fuera poco, mi padre murió de diabetes. Conque aquí me tienes: sin hijo, sin marido y sin padre, una mujer sola en el mundo.

—Será porque tú quieres.

Jim trató de insistir en las caricias, pero Fanny se alzó repentinamente, dejándolo con la miel en los labios. Debía procurar no parecerse demasiado a esas divorciadas busconas o ninfómanas que se arrastraban por el Aragon, abrumadas por el peso de la soledad y la amenaza de la menopausia; una estrategia de paulatinas cesiones y melindrosos rechazos acompañaría mejor, además, la convalecencia de su Enemigo, a quien no convenían los sobresaltos de la euforia tras haberse hundido en las simas de la depresión. La estatua de Lauretta M. Guernstein, como las demás estatuas del cementerio de San Bonifacio, aplaudían su astucia con una sonrisa de connivencia que Jim no detectó.

—Creo que ya es hora de regresar a casa —dijo, y se encaminó hacia el sendero de grava que conducía hasta la verja.

—Espera... —Jim tardaba en reaccionar—. ¿Volveremos a vernos?

La grava crujía bajo sus zapatos de tacón, iluminada por una tímida fosforescencia que quizá le comunicasen los huesos de los muertos, desde su residencia subterránea. Fanny se sentía ingrávida como el astronauta Armstrong en su paseo inaugural por la luna, esplendorosa como la mujer del Apocalipsis que aparece en mitad del cielo, con la luna bajo sus pies.

—Pues claro —no se volvió para hablarle—. Todavía tenemos una copa pendiente. Recuerda que sólo tomo alcohol en compañía de un hombre cuando hay confianza.

Esta promesa de idilio transfiguró a Jim, que en un santiamén borró sus tribulaciones y hasta recuperó el vigor que le habían arrebatado sus demostraciones con la aspiradora. Caminaba con las manos remetidas en los bolsillos del pantalón, a pequeños brincos, imitando a esos niños que acaban de percibir la propina dominical y salen a la calle dispuestos a pulírsela creyéndose herederos de Rockefeller. No volvieron a intercalar palabra hasta que se detuvieron ante el portal del edificio donde Fanny había alquilado su apartamento, el edificio de fachada negruzca donde presuntamente se habían escuchado psicofonías, que es como la gente lega denomina los mensajes acústicos de Satanás. Embalado y dueño de un desparpajo que hasta entonces no le había asistido, Jim propuso que quedaran citados para el día siguiente en el Aragon; Fanny, con contrariedad muy calculadamente hipócrita, difirió ese encuentro para el fin de semana, pues antes tendría que emplearse a fondo con unas traducciones que se le resistían. La dilación chasqueó un tanto a Jim, pero sobre todo le sirvió para constatar que las riendas de aquella relación incipiente las llevaría Fanny: ella había decidido cuándo se dejaría invitar a una copa, pues sólo se mostraba abstemia ante los desconocidos; ella decidiría cuándo podría besarla en los labios, palpar su cuerpo turgente y sin embargo no excesivamente llamativo, que reclamaba el homenaje de unas manos como el imán reclama el homenaje del hierro; ella decidiría cuándo podría subir al apartamento, para consumar aquella pasión que lo consumía, tan impetuosa y tan pura a la vez; y aunque ese consentimiento se prolongara hasta el tálamo, Jim estaba dispuesto a afrontar esa espera y también el matrimonio. De momento, Fanny se despidió con un buenas noches muy insinuante y halagüeño y un par de besos en las mejillas que dejaron a Jim encaramado en una nebulosa; insensatamente pensó que no volvería a lavarse las mejillas, para que ese hormigueo delicioso perseverase en su piel. Fanny ya se había internado en el portal, pero Jim aún aguantó unos minutos en la acera, recostado sobre una farola, hasta que se iluminó la ventana del apartamento de su amada, como el adolescente Chambers, allá en el verano del 59, aguantó en la esquina de LaSalle con Elm Street para ver su silueta recortada sobre unos estores estampados e imaginar libidinosamente su desnudez. Pero en el espionaje de Jim no había libidinosidad ni clandestina zozobra, tan sólo esa veneración contemplativa que embarga a los enamorados. Jim siguió los movimientos de Fanny (de su silueta) a través del apartamento, vio cómo se despojaba de sus ropas (al llegar a las prendas más íntimas, Jim cerró los ojos, temeroso de profanar su desnudez con una mirada que no fuese del todo casta) y cómo las sustituía por el camisón, antes de ahuecarse el cabello y apartar las sábanas que iban a envolver su descanso. Cuando Fanny apagó la lámpara de la mesilla, Jim le deseó dulces sueños (jamás conseguiría despojarse de los tópicos, esa excrecencia que delataba su vulgaridad) y se alejó por la acera, de nuevo con las manos remetidas en los bolsillos del pantalón y de nuevo avanzando con pequeños brincos, engolosinado como un niño con su propina. Si se hubiese vuelto para escudriñar desde la distancia el apartamento de Fanny, quizá hubiese acertado a distinguir en la oscuridad un rostro que apartaba los estores y lo veía alejarse. Quizá hubiese acertado a distinguir en ese rostro una sonrisa que se deleitaba en la perfidia.

A partir de esa noche, menudearon los encuentros entre Fanny y Jim, aunque siempre sometidos a la disciplina organizativa de la primera, que alguna vez llegó a dejar plantado a su pretendiente para que en los avances del cortejo nunca llevase él la iniciativa y entendiese que aquella isla de felicidad podía naufragar tan pronto como Fanny lo deseara. En la siguiente cita, postergada hasta el fin de semana, Fanny probó el brebaje que tanto gustaba a la antigua serpiente, ese *gin-fizz* que, en efecto (tal como ella lo había imaginado), sabía a azufre y centellas y liberaba burbujas que eran otra escritura del Diablo; también dejó que Jim le susurrara al oído piropos algo más osados pero igualmente catalogados en las antologías del pésimo gusto, mientras posaba una mano sobre su muslo, una mano que todavía se mantuvo quieta, como un sapo paralítico. En la despedida de esa primera cita, Jim tuvo que volver a conformarse con los besos en las mejillas, si bien Fanny se preocupó de demorar un poco más el esguince de su cuello y en fruncir los labios con un poco más de rendida voluptuosidad. En la segunda cita, Fanny necesitó beber tres raciones de aquel brebaje burbujeante para vencer el asco que le produjo saborear la saliva de Jim, gélida y abrasiva a un tiempo, entrelazar su lengua con la lengua de Jim, de papilas como pedúnculos de viscosidad, aspirar su aliento que era una bocanada mustia y pobretona venida del tártaro, sentir sobre sus labios el picajoso contacto de aquel bigotito plagiado de Gilbert Roland. Luego, de regreso al apartamento (la había vuelto a besar, atornillándose a su respiración, indagándole las encías y el paladar, en la despedida), Fanny se tomó una pastilla emética, para vomitar en el lavabo los gérmenes que la antigua serpiente había intentado traspasarle, disueltos en la saliva. En citas sucesivas, Fanny se avino a bailar con Jim en la pista del Aragon, dejando que se arrimara cada vez más, hasta que su acoso de pulpo les impedía ejecutar los pasos que dictaba la música; mientras le sobaba el culo con aquellas manos que habían vaciado de tamo y pelusas el saquito de la aspiradora, mientras le proponía insistentemente que concluyeran la noche en su apartamento, Fanny se entretenía descifrando el mensaje críptico que escondían las motas de caspa que nevaban los hombros de la antigua serpiente. Fueron al menos media docena las citas que se detuvieron ahí, en el manoseo cada vez más obcecado de Jim, en su besuqueo de animal molusco que le dejaba un rastro de baba y un hedor de cloaca en la boca; dependiendo de su estado de ánimo y del aguante con el que afrontase la prueba, Fanny se mostraba más dúctil o rígida, se dejaba ensuciar más o menos por la antigua serpiente, que ya no podía diferir más el revolcón. En el portal de las despedidas, Jim intentaba sofaldarla, acorralándola contra las escaleras, pero bastaba que Fanny sustituyera el timbre de voz melindroso por otro más severo y concluyente para que cesara la pugna; el pobre tontaina, tartamudo y todavía jadeante, le pedía entonces excusas, y se mostraba dispuesto a seguir esperando hasta que Fanny se decidiera a dar el paso definitivo. La deseaba mucho —confesaba, con rutinaria propensión al tópico—, pero la amaba todavía más.

Era cierto. La amaba con esa suerte de necedad expiatoria que emplean en sus idilios tardíos quienes no creyeron en el amor, allá en su juventud entregada a la crápula. A Jim jamás se le pasó por las mientes que aquella mujer cuarentona, pero todavía terne, que había resucitado sus hormonas y curado su neurastenia y redimido su fracaso fuese la misma que él y otros compinches habían violado en un vertedero de las afueras, entre otras razones porque las mujeres violadas en aquellas excursiones oprobiosas (Jim las recordaba con oprobio, pues le hablaban de un hombre anterior en el que no quería verse reflejado) no fueron una ni dos ni tres, sino muchas e indistintas, hermanadas todas ellas en el anonimato de las vidas que se arrojan al cubo de la basura. Tampoco acertó jamás a relacionarla con la *pin-up* que abarrotó calendarios y revistas, quizá porque por aquella época había estado demasiado ocupado estuprando (y embarazando) mujeres de carne y hueso y lágrimas para reparar en las mujeres de papel cuché que consolaban a los fantasiosos y a los solitarios. Pero desde que sus abusos a salto de mata se tropezaron con el escarmiento que le propinaran en un callejón unos sicarios de la mafia, se había convertido en otro hombre, más humillado y pusilánime, sin otro quehacer (la venta a domicilio de aspiradoras era la materialización de esa condena) que purgar los crímenes de aquel individuo anterior. En medio de ese paisaje penitente, Fanny había irrumpido confirmando la posibilidad del milagro; y Jim no estaba dispuesto a dejar que se desvaneciera. Por eso —la deseaba mucho, pero la amaba todavía más— reprimía sus impulsos casi incontenibles cuando Fanny así se lo exigía; por eso aguantaba sin rechistar sus precavidos rechazos, sus desconcertantes veleidades, sus arbitrarias actitudes de entrega o desapego; por eso, por temor a que sus pesquisas deshicieran el sortilegio sobre el que se sostenía precariamente aquel milagro, había renunciado a explicarse las rarezas de Fanny, los misterios de Fanny, los silencios y ensimismamientos de Fanny que, sin embargo, era políglota y trabajaba como traductora de libros fantasmagóricos e intérprete de lenguas que nunca se decidía a enseñarle.

En una de aquellas citas que siempre le dejaban un regusto ambiguo de alborozo y frustración, Jim logró convencer a Fanny para que lo acompañara a los reservados del Aragon. Allí, sobre un diván de terciopelo calvo y regado de lamparones resecos que extendían su mapa de pecados contra el sexto mandamiento, Jim pudo por fin acariciar a Fanny por debajo de la protectora falda que él había llegado a considerar inexpugnable, por fin pudo avanzar hasta más allá del elástico de las medias y rozar el calor blanco de sus muslos, por fin pudo abarcar con ambas manos sus nalgas algo desmoronadas ya, pero que todavía escondían una íntima sazón. Mientras exploraba aquel continente incógnito sintió que se apoderaba de Fanny una suerte de laxo envaramiento (si la contradicción es admisible), como el de una muerta que se ablandara ante la expectativa de un premio en ultratumba.

—Jim, ¿has oído lo que te he dicho?

Pero no, la antigua serpiente no la había oído, estaba demasiado engolfada en aquel magreo desconsiderado con el que esperaba, ilusamente, allanar su resistencia. Fanny podía escuchar el zumbido a presión de la sangre de su Enemigo, irrigando venas y arterias que jamás antes habían abierto sus esclusas, inundando el corazón que a duras penas podía bombearla con sus latidos, otra escritura del Diablo que tendría que descifrar.

—¿Me has oído, Jim? —insistió Fanny.

Jim le mordía la garganta con besos que dejarían allí su huella ofuscada, convirtiéndose en moratones. Con fatiga y hastío, Fanny pensó que tendría que volver a restregarse con jabón de sosa, para raspar hasta la última molécula de su saliva.

—Perdona, mi amor, ¿qué decías? —dijo Jim, que ya temía que sus apetitos fuesen a sufrir otra postergación.

—Lo siento, Jim. Este lugar es demasiado sórdido. No podría...

Las guías del bigotito de Jim se habían despeluzado, en el ardor de la pugna. Entre las grietas de su resignación asomaba el restallido de la cólera:

—De acuerdo, Fanny. Este sitio es demasiado sórdido. ¿Y no crees que andar retrasando tanto lo que no debe retrasarse es también un poco sórdido?

Su voz de barítono se había agriado, como cuando veinte años atrás le había ordenado que se arrodillase sobre los desperdicios del vertedero. Pero Fanny no se iba a arredrar ante un demonio a quien había visto sollozar, ofreciéndole la testuz desnuda en el cementerio de San Bonifacio.

—¿Quieres escucharme primero? —se irritó—. Te estoy diciendo que mañana es mi cumpleaños. He pensado que podríamos cenar juntos en mi apartamento. Y después...

Calló, mientras se recomponía la ropa. La incredulidad de Jim no se conformaba con la elipsis:

—¿Y después?

—¡Hay que ver cómo eres, Jim! Necesitas que todo te lo den blanco y migado. —Fanny afectaba seguridad, pero le costaba encajar los botones de su blusa en el ojal correspondiente—. Después que sea lo que Dios quiera.

—¿Podré quedarme a pasar la noche contigo? —dijo, todavía con palabras cautelosas que no osaban entregarse a la celebración.

Fanny se estiró las medias con un gesto travieso, hasta taparse los muslos en los que aún se notaban, como una urticaria de premura, las impresiones de los dedos, casi garras, de Jim, que se habían hincado en sus molledos con el mismo amoroso encarnizamiento que las manos del panadero emplean para amasar su hornada. Retardó la respuesta:

—De algún modo hemos de celebrarlo, ¿no? No se cumplen años todos los días.

Dejó caer la falda, que conservaba las arrugas delatoras del forcejeo en el diván, y sonrió —por primera vez desde que empezara a citarse con Jim— con una sonrisa franca, voluptuosa de carcajadas que aguardan un desenlace feliz para verterse en cascada. Jim, incapaz de reprimir por más tiempo el alborozo, se arrodilló ante ella, abrazó sus piernas y posó su rostro sobre el enfaldo, allá donde se concentraba toda la tibieza del vientre, donde hubiera deseado quedarse a vivir. Dio gracias por el favor que se le concedía, dedicó a Fanny los piropos más trillados y le juró que ambos recordarían esa fiesta de cumpleaños hasta que la muerte los separase (introdujo esta cláusula matrimonial); Fanny asintió a este juramento, tan audaz y presuntuoso, y aseguró que pondría todo de su parte para que no fuese un mero desiderátum. Nunca había visto a Jim tan pletórico y exultante, tan seguro de sí mismo, tan dispuesto a recusar cualquier impedimento que surgiese al paso de su determinación; esta seguridad —que nada tenía de bravuconería ni vano alarde— transformaba al alfeñique Jim en un hombre de virilidad aquietada, al fin victorioso de las humillaciones que durante años, en su peregrinaje de puerta en puerta vendiendo aspiradoras, había acatado sin ofrecer resistencia. Fanny se sintió orgullosa de haber promovido esta metamorfosis: en cierto modo, la seguridad de Jim se transmitía a ella, que a su vez se la devolvía redoblada a su pretendiente, en uno de esos raros casos de simbiosis en que organismos rivales se fortalecen entre sí antes de despedazarse. Jim la acompañó hasta el portal de su casa, llevándola de la mano, muy en su papel de guía o protector y, en el trance de la despedida, la ciñó con ambas manos de la cintura y la tomó en volandas (quería mostrarle un anticipo de su vigor masculino, aunque reservara su apoteosis para la fiesta de cumpleaños), haciéndola girar en el aire. Fanny se sintió liviana como un pájaro, pero también a merced de un contrincante ufano de su poder, a quien no resultaría fácil reducir. Cuando Jim la posó otra vez sobre el suelo, después de ungirla con un beso devoto en la frente, Fanny espantó estas cavilaciones volviendo a impostar una sonrisa voluptuosa de carcajadas:

—Ha sido mejor que el tiovivo —dijo.

—Pues prepárate para mañana. Será mejor que la montaña rusa.

Jim la pellizcó en la mejilla, le propinó un cachete que era acaso una caricia, y se alejó por Clark Street, con andares que ya no incorporaban los brinquitos pueriles que Fanny le había detectado en ocasiones anteriores, sino que se demoraban en su zancada, más tranquilos que retadores, más plácidos que arrogantes, como si dispusieran de todo el tiempo del mundo. Ni siquiera cuando pasó junto a la verja del cementerio de San Bonifacio, al sentir la vaharada fresca de los muertos, inmutó Jim el alegre sosiego de su caminata. Aunque la pensión donde tenía alquilado un tabuco quedaba casi al otro extremo de la ciudad, Jim no tomó aquella noche ningún tren, no tanto porque el importe hiciera tambalear su economía como porque rechazaba la idea de encerrar el sereno júbilo que lo esponjaba por dentro en una jaula con ruedas. Sentía la necesidad de comunicar ese júbilo a la ciudad dormida, al ventarrón que a veces dificultaba su avance y a veces lo propulsaba, a los noctámbulos que lo veían pasar como a un intruso o un advenedizo. Resolvió en las más de dos horas que duró aquella caminata interrumpir su vida sojuzgada que tanto lo manchaba de vergüenza e iniciar otra que lo hiciese digno a los ojos de Fanny; por desgracia, él nunca podría estar a su altura (ahora lamentaba haber abandonado el instituto antes de tiempo, reclamado por la canallería y la vagancia); por desgracia no era ducho en ningún oficio (un pelanas, eso es lo que era, o había sido hasta entonces), pero a sus casi cincuenta años se veía con fuerzas para aprenderlo; cualquiera serviría, con tal de no seguir envileciéndose en la venta mendicante de aspiradoras a domicilio. Sin asombro ni extrañeza, se imaginó instalado en un futuro utópico, quizá empleado como encargado de ventas de alguna compañía con sede en la avenida Michigan, compartiendo un chalecito adosado con Fanny, ahorrando dinero para la jubilación, entreteniendo la vejez en la lectura de los cientos o miles de libros que Fanny hubiese traducido, también en el cultivo del jardincito que rodearía su chalé (la lectura y la botánica se le antojaban actividades muy distinguidas e intelectuales); a fuerza de pensarlo y repensarlo, ese futuro utópico se hizo tangible y perfectamente real, mucho más real que el afrentoso presente del que había renegado. Esa noche desdeñó la incitación del sueño; la mera idea de acostarse en el camastro de la pensión y respirar el aire del tabuco, pululante del polvo que se desprendía de los saquitos de las aspiradoras, le revolvía las tripas. Con la aurora, sus pensamientos se tornaron más resolutivos: montó en el coche que empleaba en sus peregrinajes de vendedor ambulante y condujo hasta una chatarrería que en alguna ocasión lo había aprovisionado de piezas de recambio para el despedazado motor de aquel trasto, que se iba cayendo a cachos por la carretera. Jim vendió el coche por una suma no demasiado superior al aguinaldo que se reparte entre los niños que cantan villancicos de puerta en puerta; algo menos tacaño fue el precio acordado por la partida de aspiradoras nuevecitas que guardaba en su maletero, de las que Jim apartó una, como regalo de cumpleaños para Fanny. El fabricante para el que trabajaba a comisión no vacilaría en pleitear contra él, cuando la semana próxima descubriese la espantada, al no recibir el estadillo de cuentas y el pago correspondiente, pero Jim ya había soltado las amarras que lo ataban a una vida subalterna que no era la suya. Con el dinero que juntó en la chatarrería, Jim encargó un taxi que lo trajo de vuelta a Chicago, liquidó las cuentas pendientes con el dueño de la pensión en la que había vegetado durante años (en un último vistazo sin nostalgia, se horrorizó de haber pernoctado en aquel antro), alquiló una habitación en un hotel del Northside (el más cercano al apartamento de Fanny, para que la definitiva mudanza fuese apenas un paseo) y renovó su vestuario en una sastrería que sólo comerciaba con tejidos sin mezclas sintéticas. El traje de raya diplomática, la camisa de blancura almidonada, la corbata de seda acentuaban su parecido con Errol Flynn; o al menos eso pensó, con más orgullo que vanidad, mientras se reflejaba en el espejo de luna de la sastrería, aunque el dependiente que lo atendió más bien descubrió en él una versión desmejorada de Gilbert Roland. Aún le sobraron unas monedillas con las que compró en una floristería un clavel para la solapa de su chaqueta (carmesí como un estallido de brusca sangre) y un ramo de rosas para Fanny (blancas como un epitalamio), que completarían el regalo de la aspiradora. Puntual como un satélite que completa su ciclo, acudió a la cita; sólo después de golpear con los nudillos —un golpecito rítmico y discreto— en la puerta del apartamento de Fanny, al agacharse para comprobar la caída impecable de sus pantalones de raya diplomática, reparó en que había olvidado sustituir sus desastrados zapatos de rejilla. Pero la desolación del descubrimiento ni siquiera le hizo mella, porque Fanny ya descorría el cerrojo y asomaba su rostro hospitalario y rejuvenecido justo en el día de su cumpleaños, su rostro de belleza sin edad que se ensanchaba en una sonrisa.

También ella había estado muy ocupada durante las últimas horas, ajetreada por ese temblor de inminencias que asalta a las colegialas ante la fiesta de graduación. Ella tampoco había podido pegar ojo en toda la noche, aunque su insomnio, a diferencia del de Jim, no se hubiese entretenido en paseos noctámbulos, sino en tareas domésticas, que desgastan mucho más (y este desgaste la enojaba, pues quería entregarse a Jim en plenitud de facultades, relajada y fresca) y ni siquiera permiten abstraerse en pensamientos ensoñadores sobre chalecitos adosados y vejeces amenizadas por la lectura y la botánica. Fanny ordenó y limpió el apartamento hasta quedarse deslomada; si Jim hubiese tenido el detalle de regalarle antes una aspiradora, quizá el trabajo hubiese resultado más llevadero. Retiró los periódicos atrasados y las libretas de hule que atestaban la mesa del comedor y, tras cubrirla con un mantel que ella misma se había preocupado de bordar, fue disponiendo los platos y los cubiertos y las copas del vino y las servilletas, también los búcaros y el candelabro, en disciplinada simetría, como si su configuración refutase las escrituras caóticas y abigarradas de la antigua serpiente. Fanny quemó una pastilla de sándalo para que aromatizase el ambiente y se tragase los olores de la sopa de almendras, del pavo en pepitoria (esperaba haber acertado con las preferencias culinarias de Jim), de las frutas que había escarchado siguiendo una receta del *Reader's Digest*. Siempre que cocinaba platos en condiciones se sentía más contenta consigo misma, más satisfecha de sus habilidades, más segura de poder conquistar a un hombre por otra cualidad que no fuera su atractivo físico, por lo demás menguante, aunque Jim se esforzase en encomiarla con piropos archisabidos, mas no por ello menos halagadores. En cierto modo, aquella cena de cumpleaños, preparada con tan minucioso mimo, pretendía desagraviar a su pretendiente de las muchas dilaciones y comportamientos esquivos con que había correspondido a sus aproximaciones siempre devotas, siempre rendidamente devotas, aunque a veces las perjudicase un exceso de prisa por culminar lo que es preferible saborear en dosis prolongadas y diferidas. Pero no sólo de pan vive el hombre; y Fanny, que deseaba que Jim disfrutara la cena hasta quedar ahíto y relamerse y chuparse los dedos, también quería complacerlo después (que sea lo que Dios quiera), también deseaba resarcirlo por tantos meses de espera y abstinencia en los que lo había tratado como si fuera un convaleciente que necesita reponer fuerzas. Precisamente para complacerlo se había aprovisionado de mil potingues (quizá los hubiese hurtado de la sección de perfumería de los grandes almacenes donde trabajaba); para complacerlo había elegido un conjunto de ropa interior negra tan recargado de puntillitas y encajes como los que antaño había usado en sus sesiones de modelo fotográfica; para complacerlo se había comprado (de su propio bolsillo, nada de hurtos) un camisoncito muy corto, casi un picardías, de un cendal leve como el humo, que apenas velaría su desnudez, que apenas mitigaría el barroquismo procaz de las bragas, la belicosa provocación del sostén. Ese camisoncito y ese conjunto de ropa interior, junto a unas sandalias en chancleta, compondrían el atuendo elegido por Fanny para la cena de su cumpleaños; un atuendo tan exiguo exigía, sin embargo, un especial cuidado en los aderezos cosméticos. Fanny empleó el resto del día en el retrete: se puso en remojo durante más de dos horas en un baño de sales (ya nunca más el jabón de sosa) que exterminó hasta el último barrillo de su piel, se pintó las uñas de pies y manos con esmalte (carmesí como un estallido de brusca sangre) y se embadurnó el rostro con cremas (blancas como un epitalamio) que devolvían la prestancia juvenil a su rostro de facciones algo descolgadas. Se perfumó con colonia francesa, se empolvó las mejillas, se perfiló los labios, se sombreó los párpados y se tiñó de rímel las pestañas; el cabello aún mojado tras el baño lo expuso al aliento calcinado del secador (en el ruido de su motor también se agazapaba una escritura del Diablo, pero Fanny había perdido el don de lenguas, o prefería desistir de él) y lo cepilló sin desmayo, como si almohazase el lomo de un caballo, hasta extraerle

un brillo agreste que creía extinto, un brillo emergido de algún yacimiento de azabache que mordió su rostro y la hizo sentirse más bella
que nunca cuando se vio reflejada en el espejo del lavabo, una belleza
sin edad que se ensanchaba en una sonrisa. Un minuto antes de que
Jim golpease con los nudillos en la puerta, tras mirarse por última
vez en el espejo con el rabillo del ojo, comprobó que todo estuviese
en orden: los cubiertos y las copas de vino y las servilletas, también
los búcaros y el candelabro, respetuosos de las simetrías sobre la
mesa dispuesta para la cena, las cazuelas con la sopa de almendras y
el pavo en pepitoria sobre el fogón requetelimpio de la cocina, el cajón del aparador donde debería hallarse la vajilla abarrotado con una
panoplia de utensilios punzantes (berbiquíes y buriles, leznas y
alambres de espino) o sólo contundentes (alicates y martillos, llaves
inglesas y destornilladores) que Fanny repasó y enumeró y acarició,
como el guerrero que repasa y enumera y acaricia las piezas de su armadura antes de entrar en combate, como el guerrero que aquieta su
fiebre posando la hoja de la espada sobre la frente urdidora de hazañas y de crímenes, pero Jim ya golpeaba con los nudillos la puerta,
puntual a su cita, primero la cena y después que sea lo que Dios
quiera.

Durante aquellas semanas en que Bruno se echó sobre los hombros, primero el espionaje, y después la quimérica curación de Elena, Laura y yo seguimos viviendo juntos, conscientes de que nuestro amor evolucionaba rápidamente hacia su disgregación, pero retenidos aún por las ataduras del hábito. Cada día que pasaba era para mí más penoso e insoportable caminar sobre los bajíos de la culpa; las bodegas de mi conciencia, allí donde se estiban los remordimientos, hacían aguas por doquier, arrastrándome lentamente al naufragio. Laura, por su parte, aún no había asimilado del todo que el edificio que habíamos levantado entre ambos, sostenido sobre pilares tan firmes y ciertos, se hubiese derrumbado, y caminaba entre sus escombros golpeada por el horror y la perplejidad de quienes, acostumbrados a una existencia pacífica, un día despiertan y descubren que su casa ha sido arrasada por las bombas; de quienes, desahuciados bruscamente por una fuerza enemiga e invasora de la que hasta el día anterior no tenían ni siquiera noción, aún se resisten a acatar los edictos que ordenan la evacuación de la ciudad. Poco a poco, la supervivencia entre esas ruinas se convierte en un acto de heroísmo estéril —se interrumpe el suministro de víveres, se cortan las comunicaciones, hay que alumbrarse mediante velas y candiles, el olor a cadaverina es cada vez más irrespirable—, pero unos pocos ciudadanos prefieren quedarse en sus lares, entre las ruinas de sus lares, aunque a la postre el destino que les aguarda sea más desesperanzado que el de aquéllos que han elegido la diáspora, pues saben que la tropa de ocupación no empleará con ellos la piedad. Nuestra convivencia se hacía cada vez más cruelmente catatónica; y a este infierno interior se sumaba, además, el disgusto que a ambos nos producía ese clima de impostada felicidad exterior que imponen las celebraciones navideñas, un disgusto que adquirió ribetes luctuosos cuando tuvimos que reunirnos con nuestras respectivas familias y disfrazar las verdaderas razones de la suspensión de nuestra boda. Pero aun entre tanto síntoma de acabamiento, aun sabiéndonos habitantes de una ciudad demolida, no nos resignábamos a abandonarla, pues sabíamos ambos (es cierto que se habían cortado las comunicaciones, pero todavía subsistía entre nosotros, como vestigio de una bonanza pretérita, una especie de fluencia telepática) que al menos aquellas ruinas contenían la presencia del ser que nos interesaba, el ser que explicaba nuestros hábitos, el ser que prestaba argumento a nuestras vidas.

Sabíamos que, de mantenerse o recrudecerse las condiciones de aquella especie de embargo, tendríamos que separarnos. Laura a veces insinuaba su intención de dejarme, aunque sus palabras nunca la manifestasen expresamente; pero había ciertas pasividades de la conducta, ciertas miradas lánguidas o hastiadas, cierta impaciencia negligente en las pocas frases que me dirigía, que anticipaban esa resolución. Así que, aunque el presentimiento de la ruptura aún permanecía en una nebulosa de vaguedad, resolví prepararme anímicamente para el momento en que efectivamente sobreviniese. En cierto modo, actuaba (y a Laura le ocurría algo muy similar) como solemos hacerlo cuando esas personas que amamos arrastran achaques durante largo tiempo: la convivencia con su enfermedad nos proporciona oportunidades para anticipar su muerte; nuestra sugestión, al acostumbrarse a sus achaques, exagera esa enfermedad, presagia su muerte y nos obliga a lamentarla antes de que acaezca. En esa previa celebración del luto, valoramos lo que vamos a perder y nos entregamos al dolor con efusión plañidera o serena austeridad, de tal forma que, cuando la defunción en verdad se produce, la recibimos como la confirmación de lo que ya temíamos (de lo que ya habíamos llorado), con entereza y hasta cierta conformidad. Así, tratando de anticipar mentalmente mi ruptura con Laura, pensaba que la separación real se realizaría de forma más amable, menos traumática; y esa esperanza —si es que entre las gradaciones del dolor se puede contar la esperanza— actuaba sobre mí como un analgésico, o quizá simplemente como un cloroformo que amortiguaba mis padecimientos cotidianos con la promesa de un padecimiento más definitivo e irrevocable. Pero todos estos paños calientes y cataplasmas se revelarían a la postre inútiles, cuando la ruptura se consumó. De repente, la ausencia de Laura se reveló, no como el hueco de orfandad que yo había sospechado (un hueco extenso, pero de fronteras definidas, una herida abierta y perenne, pero perfectamente localizada), sino como una falta que abarcaba mi cercenada vida en su conjunto, una lepra que se extendía a todo mi organismo. Era tal la inmensidad del sitio que ocupaba dentro de mí, que no existía pensamiento ni actividad que pudiese completar sin su presencia.

Bruno me telefoneó aquella misma mañana, para referirme la repentina alteración en el comportamiento de Elena. Había tratado de seguirla, pero los bedeles y vigilantes del vestíbulo le habían denegado el acceso a las salas de lectura de la Biblioteca Nacional por no poseer carné de investigador; había exigido, implorado que le confeccionasen uno, pero la pereza administrativa impone entre sus trámites que el solicitante espere unos días, desde que rellena los formularios de la solicitud hasta que le expiden el carné, y esos trámites inamovibles no se iban a infringir por muy encarecida o beligerantemente que Bruno reclamase una excepción. No se explicaba cómo Elena había logrado salvar estos impedimentos: quizá, en los primeros días de su vagabundaje madrileño, había sacado el carné de marras; quizá ya lo poseyese de una estancia anterior. Bruno se hallaba en un estado de nervios lindante con la histeria: supuse que, al temor de que se produjera un encuentro aleatorio (pero el azar es una cinta atrapamoscas) entre Laura y Elena, se sumaba en su caso la conciencia de una derrota impremeditada, justo cuando creía paladear las mieles del triunfo. Paradójicamente, me sorprendí tratando de calmarlo, tratando de restar gravedad a su desliz, tratando de que aceptara que contra la fatalidad no sirven los antídotos: la enfermedad de Elena —se lo había repetido mil veces— era irreductible, del mismo modo que los secretos vericuetos de la vida invisible, como el itinerario subterráneo de los topos, acaban aflorando a la superficie.

—Estás, entonces, dispuesto a afrontar... —comenzó Bruno.

—Lo estoy. Sólo lamento no haberlo afrontado mucho antes.

¿No sería esta muestra de arrepentimiento tardío otra epifanía de aquel demonio de la perversidad que diagnosticó Poe? Probablemente sí; o quizá sólo fuera una expresión de agotamiento. En cualquier caso, deseaba que Laura se enterase por fin de mi traición; deseaba que Elena se la contase, a sabiendas de que su versión delirante no se correspondería con lo que realmente había ocurrido. Aunque, calculando los intereses de mora que mi deuda de lealtad había acumulado, la versión de Elena sería el castigo que mi dilación reclamaba; y estaba más dispuesto que nunca a aceptar sumisamente este castigo, hasta sus últimas consecuencias. Consumí las horas escuchando las cintas de Chambers, sumergido sin escafandra en aquel infierno que invocaba la voz de Fanny Riffel; la sensación de opresión vívida, casi pulmonar, que en otras ocasiones había experimentado con repugnancia mientras me entregaba a estas espeleologías de una vida expoliada actuó aquel día sobre mí como un bálsamo, pues no existe mejor medicina para el contuso que convalece en un hospital que compartir habitación con el agonizante que, por contraste, le inculca el apego por la vida y la conciencia de haber resultado beneficiado en el reparto arbitrario de penalidades. La oscuridad empezó a enturbiar lentamente los objetos, añadiéndoles esa pátina de postración definitiva que los hace insensibles al tacto; pronto la noche se coló como un ladrón descalzo por las ventanas del apartamento, mientras la voz de Fanny Riffel recitaba las escrituras del Enemigo, mientras se adelgazaba por la estrecha senda de la purificación, mientras balbuceaba palabras afónicas que se hacían ininteligibles, fundiéndose con el bisbiseo monocorde de la cinta. Laura debería haber regresado mucho antes de la Biblioteca Nacional; quizá mi deseo autodestructivo —y, sin embargo, tan plácido, tan estoicamente plácido— de reparación se hubiese cumplido, compensando así, con intereses usurarios, mi cobardía.

En la oscuridad, me sentí como desdoblado en otro hombre (exactamente la misma sensación que me asaltó en el hotel o varadero de espectros próximo al aeropuerto O'Hare) que hacía la autopsia de mi propio cadáver; vi mi propio corazón al fondo de la caja torácica, mi corazón que incongruentemente palpitaba, como un manjar que se disputaba un tropel de murciélagos. Sonó el teléfono y los murciélagos se dispersaron con un aleteo membranoso, chillando como demonios asperjados con un hisopo.

—Dime.

No empleé la fórmula más protocolaria y distante, dígame, porque sabía que era Laura. Había olvidado apagar el magnetófono, y la voz de Fanny Riffel discurría al fondo, fluvial y espantable como el río Leteo.

—Hubiera preferido saberlo por ti. —No había ira ni indignación en su voz, ni siquiera aspereza, tan sólo una abrumada pena—. Me he venido a vivir con mi padre.

Era ridículo cantar la palinodia, pero no me asistían otros argumentos:

—Las cosas no sucedieron como ella las cuenta. En realidad...

Me ocurrió lo mismo que a veces nos sucede cuando llamamos a la compañía telefónica que nos provee de línea para exponer una queja: creemos estar hablando con una persona dispuesta a atendernos y, cuando iniciamos nuestra exposición, nos damos cuenta de que estamos hablándole a una máquina que emite impávida unas instrucciones:

—Te ruego que me traigas unos pocos vestidos, los encontrarás en las perchas de la parte derecha del armario. Luego coges el neceser que hay debajo del lavabo...

Así siguió durante unos cuantos minutos, como si estuviese dictando la lista de la compra, con voz metálica y sin inflexiones. Desde el magnetófono me llegaba la voz subrepticia de Fanny, anudándose con la de Laura, en un perturbador efecto estereofónico.

—Has matado lo que había entre nosotros —dijo, a modo de colofón—. Ahora sólo espero que no te mates a ti mismo y tengas valor para hacer lo que tienes que hacer.

Y colgó, antes de permitirme oponer ninguna excusa, antes de que pudiera preguntarle qué se suponía que tenía que hacer, cuando ya cualquier remedio llegaba a destiempo; era la extremaunción que se administra al difunto que antes de expirar se negó a abjurar de sus crímenes, o se declaró relapso de sus herejías. Recogí como un autómata los bártulos que Laura me había enumerado en una maleta, salí a la calle y tomé el primer taxi que salió a mi encuentro. Madrid tenía ese aire mustio que se les queda a las ciudades después de las Navidades; la Gran Vía parecía un salón de baile del que ya han desertado los últimos invitados, después de emborracharse hasta el vómito y de regar el suelo de vidrios rotos. Esta marchitez se extendía también al barrio de Salamanca; los escaparates de las tiendas ni siquiera estaban iluminados, para no delatar su aspecto desangelado después de que las señoronas de los alrededores los hubiesen dejado sin mercancía, en las sucesivas oleadas de consumo bulímico que desatan los Reyes Magos y las ofertas de enero. Sólo cuando me hallé ante el portal del edificio donde vivía el coronel recordé sus severísimas admoniciones, todo aquel discurso ampuloso que me endilgó sobre las calamidades que el matrimonio introduce en la existencia del artista, para acabar advirtiéndome que, si no extirpaba esa «vocación de peligro», esa «querencia por los márgenes» que el escritor incorpora a la vida, me abriría en canal desde el ombligo hasta la gorja, antes de que le hiciese daño a su hija. Aquellas reflexiones un tanto injuriosas sobre mi oficio, que me retrataban —sin apenas conocerme— como un potencial asaltacamas, aquellas consideraciones o insidias que no refuté más enojadamente por miedo a lastimar a Laura (pero sobre todo porque el coronel me amedrentaba, sobre todo porque su apostura membruda y su biblioteca grecolatina me intimidaban), se revelaban a la postre ciertas. Cuando, después de pulsar el timbre del portero automático, escuché su voz pulcra, preguntando con sequedad la identidad de quien llamaba, me pregunté si estaría dispuesto a cumplir sus amenazas.

Así, ocupado en estas cavilaciones fúnebres (las manos macbethianas del coronel, en cuyas líneas quizá se leyese una premonición de sangre), el ascensor me pareció más que nunca un receptáculo mortuorio, un ataúd o quizá un cadalso en miniatura donde el coronel consumaría su anunciada venganza, atravesándome con aquel sable nupcial que, allá en la adolescencia, perturbó mis sueños. Pero el hombre que me aguardaba en el vestíbulo de su casa en nada se parecía al sexagenario de esqueleto incólume a los quebrantos de la edad que yo había conocido, apenas un año antes; mucho menos al oficial de aladares entrecanos y perneras del pantalón muy esmeradamente planchadas que me trastornaba de envidia y de celos cada vez que, a la salida del colegio, tomaba a Laura en volandas y se la comía a besos. En cuestión de meses (o quizá de días o de horas, quizá el disgusto ocasionado por nuestra ruptura fuese el desencadenante de su decrepitud) había envejecido lo que otros hombres tardan en envejecer años o décadas: sus rasgos, troquelados con tanto primor, se habían encogido y arrugado a un tiempo, como los de una momia, a la vez que su cabello níveo había empezado a ralear y a crecer lacio, como si ya no lo sustentase aquel pensamiento adusto, ferozmente arquitectónico, que influía sobre su dicción. Pero donde quizá más se notaban las vicisitudes de su declive, donde se delataba el hombre jubilado que ya no opone resistencia a los avances sediciosos de la ancianidad, era en el atuendo: si en la visita en la que Laura y yo le anunciamos nuestro compromiso nos había recibido con un traje de lana bien tramada y cernida que enguantaba su cuerpo, ahora se asomaba a la puerta en bata y zapatillas, bata de indecoroso tartán —el tejido se había abolado— y no exenta de algunas cazcarrias, zapatillas que parecían ahormadas especialmente para unos pies protuberantes de callos. Creo que, en otras circunstancias, me habría congratulado de que por fin mi rival se mostrase provecto y próximo a su fecha de caducidad; pero sabía que ese desmejoramiento no se debía a causas puramente biológicas.

—Venía a traerle esta maleta a Laura —empecé. Me estaba frotando las suelas de los zapatos en el felpudo, pero el coronel no se apartaba del vano de la puerta—. ¿Dónde está?

—¿Adónde cree que va?

Ni siquiera podía reprochársele que empleara un tratamiento displicente, puesto que nunca me había tuteado, nunca me había concedido esa confianza. Siempre me había considerado un usurpador. Puse la maleta sobre el felpudo, procurando rehuir su mirada acusatoria.

—No creo que debamos hacer una tragedia de esto...

La ira le trepó a la garganta, le llenó la boca con su sabor de azufre. Noté que la barbilla le temblaba:

—Eres un mamarracho —dijo, tuteándome al fin. Era el desprecio, y no la confianza, lo que lo apeaba de su enriscada altivez—. «No creo que debamos hacer una tragedia de esto» —me parodió, impostando una voz afeminada y zascandil—. A lo mejor te parece una comedia, hijo de puta. ¿Te hace gracia desgraciarle la vida a Laura? ¿Te hace gracia andar metiendo la polla en todos los agujeritos? —Las palabras malsonantes salían en tromba de su boca, quizá hubiesen aguardado más de sesenta años para poder al fin hacerlo—. ¿Es parte de tu trabajo? ¿El señor escritor necesita vivir experiencias? —Se detuvo para salivar. Cerré los ojos, resignado a recibir un escupitajo, que no llegó a lanzarme—. Me repugna la gentuza como tú, me repugnan los maricones como tú que necesitan hacer exhibiciones de virilidad.

Había proferido aquella catarata de dicterios atronando la escalera; los insultos más groseros se habían colado por el hueco del ascensor y descendían hasta el portal, después de topetar en todas las puertas de la vecindad, como polillas ciegas y solivantadas. Se empezó a oír un concierto de cerrojos que se desatrancan y llaves que hurgan en la cerradura, codiciosas de asomarse al alboroto. A mis espaldas, en la vivienda del otro extremo del rellano, se apartó la tapadera de la mirilla.

—Será mejor que no demos el espectáculo. —Procuraba mantener la ecuanimidad, pero aquella apariencia de flema no hacía sino enardecer más al coronel—. Por favor, permítame hablar con Laura.

Vi venir su puño hacia mi rostro, pero no hice ademán de esquivarlo, no podía conceder crédito a lo que veía. El golpe me reventó el labio inferior, me desencajó la mandíbula; un dolor retumbante me hirió los tímpanos y extendió su onda hasta el cráneo, que por unos segundos me pareció que estuviese relleno de borra. Me tambaleé, más empujado por el estupor que por el impulso del retroceso. El coronel se palpaba los nudillos, también con cierto estupor de que no se le hubiese tronzado ningún hueso. Algunas puertas ya se abrían con un chirrido de goznes que delataba a los vecinos, aunque se asomasen de puntillas a la balaustrada de la escalera y procuraran contener la respiración.

—A los cabrones como tú no os gusta dar espectáculo —dijo, tomando de la manija la maleta—. Preferís que vuestras canalladas no se aireen. Todo muy correcto y civilizado.

Me contuve la hemorragia con la manga de la gabardina, no era un hilillo exangüe. La mandíbula dislocada exageraba mi estupefacción.

—Creo que si tuviera veinte años menos te machacaría a golpes. Te arrastraría por las escaleras y te daría de comida a los perros. —Hablaba sin mirarme, con nostalgia de un ardor guerrero—. Da gracias a Dios de haberme pillado para el arrastre.

Se dispuso a cerrar la puerta. Tras el estallido de furia volvía a ser un anciano que empezaba a arrastrar los pies por culpa de una artrosis que quizá fuese la emanación de otra dolencia más aflictiva. Entonces sonó, feble y tronchada, la voz de Laura, procedente del interior de la casa:

—Ya está bien, papá. Déjalo que pase.

Por un momento pensé que el coronel volvería a emberrincharse al sentirse desautorizado, pero las palabras de Laura, por el contrario, lo amansaron, como si su mero eco le infundiese una serenidad que en su ausencia había extraviado. Ahora el coronel me miraba con una suerte de simpática repulsa; a fin de cuentas mi comportamiento canallesco le había restituido a quien consideraba suya, a quien nunca debería haberse apartado de su protección. Incluso me devolvió el tratamiento respetuoso:

—Adelante. Ya la ha oído.

Al entrar en el cuarto de Laura, me pareció estar contemplando a una muerta. Se hallaba acostada, con las sábanas arrolladas y ceñidas a su cuerpo, como si fuesen un sudario de pliegues muy rígidos, como esculpidos en piedra. La lámpara de la mesilla, a través de la tulipa de cristal esmerilado, proyectaba una luz neblinosa que alargaba las sombras. Los cabellos de Laura se desordenaban sobre la almohada, como algas que balancea la corriente. Al verla de aquella guisa, inmóvil y funeraria, pensé en Monique Leroy, la esposa criogenizada del doctor Martinot, flotando ingrávida en su noche de hielo, y también en las muñecas de aquella *nouvelle* de Felisberto Hernández, *Las Hortensias*, con la que Bruno desatase aquel equívoco que propició nuestro noviazgo. Como las Hortensias de Felisberto Hernández, Laura parecía componer alguna figura alegórica, tal vez la extinción del amor, tal vez el apabullamiento de la mentira. Me senté pesadamente en el borde de la cama; hasta mi rostro magullado llegaba la vibración del aire que producía su respiración, una brisa enferma y deshabitada. La conciencia de mi falta actuaba sobre mí como una liberación; puesto que ya había sido desenmascarado, no tenía que preocuparme de formular argumentos exculpatorios, coartadas abyectas, toda esa morralla cínica y tenaz con que algunos mentirosos sostienen y no enmiendan su mentira. Antes de hablar, antes de moverse siquiera, Laura destinó una mirada displicente a mi labio tumefacto, que todavía sangraba.

—Es increíble —dijo con una voz reflexiva, ajena a su destinatario—. Llevo aquí tumbada casi cuatro horas, intentando odiarte, intentando enfadarme, para luego poder descargar contra ti todo ese veneno, vomitarte hasta el último tropezón. Te juro que lo he intentado. Pero no lo he conseguido. Creo que he dejado de sentir. O, por lo menos, creo que ya no me inspiras ningún sentimiento. Tampoco indiferencia, en realidad. Te miro y veo a un extraño; trato de recordar por qué hemos vivido juntos y descubro en mi memoria una laguna, una amnesia, no sabría explicarlo. —Hizo una pausa; ahora en su voz se pulsaba una nota trémula—: ¿Tú serías capaz de hacerlo, Alejandro?

Había una explicación muy llana: el desapego había suplantado al sentimiento, y ni siquiera el asombro que le producía la elucidación de mis mentiras bastaba para torcer ese desvío. Aquella mañana, como tantas otras, le había tocado servir las peticiones de los lectores; ella siempre comparaba este trabajo con el de la criada que es enviada, al poco de ser admitida en una casa a cuyos inquilinos aún apenas conoce, al supermercado, para hacer la compra: su señora le ha escrito en una lista los artículos que debe adquirir, y la criada, mientras los toma de los anaqueles donde se exponen junto a otros artículos del mismo género y los amontona en el carrito que empuja por los pasillos de linóleo, empieza a bosquejar el retrato de familia de sus nuevos patrones, los imagina zampones o frugales, golosos u obsesionados por las dietas, campechanos o altaneros, austeros o derrochones. A Laura también le gustaba probar este juego adivinatorio con las fichas que los usuarios de la Biblioteca Nacional rellenaban, solicitando libros; y mientras paseaba con su guardapolvo azul mahón y su carrito, entre altísimas estanterías combadas por el peso de los mamotretos que nadie había leído nunca (mamotretos que aguardaban durante siglos en el limbo, hasta que una mirada improbable los bautizase) y de las que picoteaba tal o cual volumen requerido, probaba a hacer conjeturas sobre los peticionarios. Fuera de los investigadores, que eran bueyes uncidos al carro de su tesis (con frecuencia ni siquiera elegida por ellos, sino asignada a voleo por sus superiores en el escalafón académico), Laura había descubierto que la mayoría de los lectores espontáneos tenían algo de refugiados que pedían asilo en la biblioteca para poder leer aquellos libros que las modas tiránicas, o su circunspección pusilánime, les habrían impedido adquirir en una librería u hojear delante de sus hijos. Así, abundaban las peticiones de libros de asunto escabroso o subversivo, también de autores expulsados del canon por razones ideológicas; y es que la gente, aunque aparente comulgar con las ruedas de molino que le propinan los formadores del espíritu cultural, siempre se las ingenia para escaquearse por una grieta o hendidura y leer justamente aquello que le tienen prohibido o desaconsejado, aquello que no se nombra, aquello que está anatemizado. A Laura le sorprendió mucho tropezarse aquella mañana, entre las peticiones más madrugadoras, con una ficha que solicitaba uno de mis libros primerizos, una colección de cuentos costeada de mi bolsillo que por piadoso pudor me había cuidado de no volver a editar, y aun de no incluir entre los títulos que componían mi bibliografía oficial; es achaque frecuente entre escritores mantener en la sombra a estos hijos tempranos y descarriados de su ingenio, a los que ingratamente niegan legitimación, de los que ingratamente se abochornan, por considerarlos ruborizantes o demasiado reveladores de sus débitos. Laura retuvo el nombre de la peticionaria, Elena Salvador, y el número del pupitre que le había sido asignado en la sala de lectura, y se prometió que a la hora de la refacción matutina, haciéndose la encontradiza, trataría de sonsacarla sobre los motivos de su curiosidad hacia aquella pieza de mi prehistoria literaria. Quizá pensó que el relato de este gracioso suceso podría descongestionar un poco el silencio que gangrenaba nuestra convivencia, ahora que nuestras bocas ya no eran cornucopias de palabras.

En lugar de bajar a la cafetería con sus compañeros, aprovechó la media hora de asueto para trabar conocimiento con aquella exhaustiva arqueóloga de mis pecadillos de juventud. Se aproximó a ella por la espalda; luego, muy sigilosamente, se internó entre las hileras de pupitres por el pasillo en cuyo fondo se hallaba sentada aquella tal Elena Salvador. Aunque un poco perjudicado por el cansancio y una como delgadez ojerosa, decidió que aquel rostro irradiaba un aura intensamente viva: viva de un modo franco, ardoroso, intrépido. Cuando ya se encontraba a apenas cinco o seis metros de ella, reparó en que estaba garrapateando algo sobre un papel; por el movimiento de su mano no se denotaba que trasladase anotaciones a un cuaderno, más bien parecía que estuviera reconcentrada en algún extraño garabato o tachadura. El tubo fluorescente del pupitre iluminaba su perfil de belleza un poco estragada y vulgar, en cuyas facciones se presentía una extraña dureza u obcecación. Entonces Laura reparó en que sus garrapateos con tinta indeleble (iba armada de un bolígrafo, también de un rotulador grueso) eran tatuajes que hacía sobre el propio libro, enmarcando y resaltando y subrayando una palabra por página: primero la sacudió un sobresalto de horror, pero enseguida recapituló las instrucciones que había recibido de sus superiores, referidas al trato con biblioclastas, que debía ser condescendiente para evitar que, al percibir la alarma del bibliotecario, pudieran agravar su estropicio —que hasta ese momento podría ser sólo venial— despedazando el libro que había excitado su vesania destructiva.

Elena estaba demasiado volcada sobre mi volumen de relatos para que el método muy expeditivo del tirón por sorpresa resultase. Laura se sentó a su vera, en el pupitre contiguo, arrastrando adrede las patas de la silla para que Elena reparara en su presencia, como así ocurrió, en efecto; le dedicó una sonrisa cohibida, que era a la vez una excusa tácita por haber infringido su enfrascamiento, y Elena le correspondió con otra exculpatoria, para enseguida disponerse a continuar con sus rayaduras. «¿Qué tal está ese libro?», inquirió Laura, cuando ya Elena había desencapuchado otra vez el rotulador. «Oh, mucho mejor de lo que Alejandro se cree. Yo ya me lo he leído media docena de veces», dijo Elena, que no rehusaba el palique; a Laura le turbó que la biblioclasta aludiese al autor por su nombre de pila, y Elena detectó esa turbación, que atribuyó a la envidia que entre algunos lectores suscita saber que otra persona disfruta de la privanza de quien para ellos resulta inaccesible. Pero mucho más aún la turbó que hubiese leído mi pieza de bisoñez hasta seis veces seguidas, lo que denotaba una afición rayana en la monomanía. «Pero es un libro difícil de encontrar, ¿no?», la sondeó Laura, empezando ya a contravenir las instrucciones, que aconsejaban un intercambio mínimo de palabras, las estrictamente imprescindibles para despistar al biblioclasta y arrebatarle la presa. Pero Elena había encapuchado otra vez el rotulador y lo había posado sobre la superficie inclinada del pupitre, denotando que estaba dispuesta a descansar de sus garabatos. Mi libro de relatos, que aún no tenía el lomo combado por el uso, se cerró espontáneamente, quizá avergonzado de su incompetencia. «Y que lo digas —ponderó Elena—. Anduve detrás de su pista durante años, hasta que se lo compré por catálogo a un librero de viejo sevillano. Me divertí mucho leyéndolo. Está claro que Alejandro —el nombre de pila otra vez, la molesta familiaridad— aún estaba un poco verde, pero se muestra la mar de divertido y ocurrente; también un poco bruto, la verdad: no deja títere con cabeza.» A Laura no le pareció un juicio desacertado (creo que añoraba cordialmente aquella brutalidad o burricie de mis inicios, aunque razonablemente prefiriese mi actual contención; quizá frescura y oficio formen una emulsión inconciliable); pero ya hemos dicho que Elena podía mostrarse discretísima, fuera de lo tocante a sus delirios. «A ver, pásamelo, que le eche un vistazo», propuso Laura, tentando la suerte. Elena sostuvo entre sus manos el libro, como si fuese una patena; la encuadernación era grimosa, la tipografía de la portada como de boletín sindical o anuncio de suspensorios, había que abaratar costes y el impresor no había resultado un discípulo aventajado de Gutenberg, precisamente. Antes de acceder a la petición de Laura, Elena se quedó mirándolo con unción: «Mira que lo leí una y otra vez —murmuró—, pero nunca hasta ayer se me ocurrió que pudiera contener un mensaje. Alucino con la capacidad de Alejandro para anticiparse al futuro. Parece mentira que ya entonces supiera que estábamos predestinados el uno para el otro». A cada nueva frase, Elena añadía motivos de desorientación y vértigo en Laura, quizá también ella empezase a oír el zumbido de las moscardas. «¿Mensajes? —No logró dominar su extrañeza—. No te entiendo.» Elena la miró compasivamente; pensó que a aquella pobre chica le hubiese gustado ser la destinataria de los criptogramas que yo había elaborado en exclusiva para ella, y poseer la ciencia infusa capaz de descifrarlos: «Mensajes disfrazados entre sus escritos —dijo, pasando con celeridad las páginas del libro, y apuntaba con el índice las palabras señaladas con rotulador—. Ahora que estamos separados son mi consuelo y mi guía; sin ellos, no sé qué habría sido de mí». A Laura le asaltó esa impresión de liviandad viscosa tan característica de los sueños; pronto acabaría la media hora de asueto de que disponía, pero aún no deseaba que el despertador la apartase de aquel sueño, cada vez más chocante y absurdo. Elena le mostraba algunas palabras resaltadas con tinta fluorescente, unidas entre sí por rayas de bolígrafo que pasaban de una página a la siguiente, como tallos de enredadera o lianas: «¿Lo ves? —aleccionó a Laura, y probó a leer una de aquellas frases hechas de retazos—: "Sacrificarse-por-amor-el-mundo-entero-pletórico-de-tu-amor-hasta-que-yo-lo-oiga". —Pasaba las páginas con premura y cierto estrépito; Laura temió que algún vigilante reparara en ella, o que algún lector quisquilloso se quejase del bulli-

cio—. Así, mientras dura su secuestro, yo recibo instrucciones».
«Luego... ¿Está secuestrado?», preguntó Laura en un bisbiseo; este
último disparate ya se le antojaba propio de una de esas forofas per-
turbadas que se creen conectadas a distancia con el hombre público
al que sólo conocen por sus obras o apariciones mediáticas. «Lo ha
secuestrado su familia por imposición de la bruja de su novia —dijo
Elena, descomedida; Laura, pese a la alusión directa, no se sintió todavía injuriada—. Nos llevaban vigilando desde hace mucho. En
Chicago, por ejemplo...» Un hormigueo de ansiedad, clarividente y
ofuscador a un tiempo, la recorrió de pies a cabeza; de repente, las
piezas de aquel rompecabezas surrealista que Elena había desplegado ante ella casaban entre sí, hasta deparar el dibujo de lo que había permanecido escondido. Era una sensación mágica —repelente-
mente mágica— que ponía a prueba su credulidad, como la que debe
sobresaltar al fotógrafo desprevenido que supone haber retratado un
paisaje inocuo y, mientras revela las fotos en el laboratorio, al sumer-
gir el papel en la cubeta con la solución de bromuro, ve concretarse
ante sus ojos —las babas del diablo, las babas del diablo— la comisión de un crimen inicuo. «¿Os visteis en Chicago?», la interrumpió.
Y Elena cabeceó en señal de asentimiento: «Hasta allí tuvimos que ir-
nos, para escapar de su familia. Pero, cuando ya estábamos recogidi-
tos en nuestro hotel, lo llamaron para amenazarlo». El crimen inicuo
se concretaba, como un ectoplasma con pasaje de ida y vuelta a las
regiones de ultratumba, perfilaba sus contornos mientras Elena hablaba. «Os visteis en Chicago», repitió Laura, ahora sin modulación
interrogativa, aplastada por el peso de la revelación. «Y antes en Valencia, no te creas —alardeó Elena—. Allí hicimos a nuestro hijito.
Pero tuvimos que dejarlo, los espías de su familia nos tenían asediados. Chicago era más seguro.» Elena friccionó con orgullosa dulzura
su vientre grávido; y Laura creyó distinguir en él un principio de
abombamiento.

—No pensarás que eso es cierto —intervine al fin. Estaba dispuesto a apechugar con mi culpa, y con los intereses de mora, estaba
dispuesto a reconocer que en mi desliz intervino algo más que el
mero altruismo, y también que mi silencio había sido taimado; pero
no podía cargar también con las canalladas de un violinista prófugo—. Coincidí en Chicago con esa mujer, pero no la había visto
nunca antes en mi vida.

Pero Laura no atendía a razones. Su voz, velada de una arenosa frialdad, no admitía la debilidad compasiva, tampoco el énfasis acusatorio:

—No pienso ni dejo de pensar nada. Sé que me mentiste, y que mantuviste en secreto tu mentira, con eso basta.

Ataqué por otro flanco:

—Recordarás perfectamente que no quería viajar a Chicago ni a rastras. Fuiste tú la que me obligaste.

Laura me miró con una calma sobrehumana, como si estuviese contando mis cabellos; sus ojos esquivaban los míos:

—¿Reconoces que me mentiste? ¿Reconoces que callaste algo que te avergonzaba?

Mis labios se resistían a responder con una sola palabra, pero cualquier justificación hubiese sonado a fárrago en aquellas circunstancias:

—Sí.

Un rictus amargo de triunfo se paseó por sus labios, como una calentura o un beso calcinado. Una vez confesada mi culpa —que ya nada le importaba— podía permitirse el lujo del reproche:

—Entonces, ¿por qué pretendes que te crea? Si me traicionaste un poco, ¿por qué no me habrías podido traicionar mucho? Lo difícil es dar el primer paso, echar a andar es sencillo.

Era una recriminación vaga, átona, extirpada de cualquier afán polemista. Por eso mi empeño por delimitar el alcance de mi traición resultaba ridículo. Creo que me acaloré:

—¿Estás insinuando que yo la dejé embarazada? ¿Que éramos amantes?

Laura se removió muy someramente en la cama, lo justo para alterar los pliegues de las sábanas, lo justo para taparse el cuello con el embozo. Quería apartar de mi mirada aquel cuello que tantas veces había servido de báculo a mi respiración premiosa.

—No insinúo nada. Sólo te hago entender que no puedes, a estas alturas, pretender que tu versión vaya a misa. Me parece igual de poco fiable que la suya. —Chasqueó la lengua con pesadumbre—. Sólo que ella me da pena. Tú no me das nada.

Por el pasillo, el coronel arrastraba las zapatillas, sin preocuparse de que su presencia pasase desapercibida. Laura reanudó la narración de aquel encuentro con la misma voz neutra y como descreída de sí misma que había empleado hasta entonces. «Vine a buscarlo a Madrid, pero no consigo encontrar su paradero —continuó Elena, que se había avenido a entregarle a Laura el ejemplar de mi libro primerizo, cuando a Laura ya le importaba un comino su salvamento o destrucción—. Su familia debe de tenerlo encerrado en algún zulo, es lo que hacen los terroristas con sus víctimas. Pero Alejandro se las ha ingeniado para enviarme un emisario. Quizá no hubiese sido imprescindible, porque en sus mensajes ya me dice lo que tengo que hacer. Sólo que yo soy un poco lerda, y no acababa de entender...» Un lector avinagrado que llevaba unos cuantos minutos remejiéndose en su silla las amonestó; Laura tomó a Elena del brazo y juntas salieron de la sala de lectura, hasta una dependencia adyacente, donde se arrumbaban los ficheros manuales que ya casi nadie consultaba desde que se informatizasen los fondos millonarios de la biblioteca. La proximidad de Elena le había revelado que su gabardina —que no se había quitado, a pesar de que la calefacción funcionaba a todo trapo, en un inequívoco síntoma de autismo— estaba algo más sobada de lo que permite el decoro; también —esto Bruno no lo había advertido, no había querido advertirlo, los ejercicios sublimatorios no reparan en estas minucias— que empezaba a exhalar un hedor agrio, como de tristeza fermentada. «Me decías que te ha enviado un... —el término le chocaba, era muy respetuoso de las convenciones diplomáticas— emisario», repitió, un poco maquinalmente; de súbito, tras casar las piezas de aquel rompecabezas que al principio había creído carentes de toda trabazón, tras concretarse ante sus ojos la evidencia de mi deslealtad, empezaba a perder interés por aquella historia. Elena buscaba en los ficheros el cajón que abarcaba mi apellido; lo abrió y escarbó en la ringlera de fichas, hasta dar con las que catalogaban mis obras: lo hacía por el puro placer de contemplar mi nombre mecanografiado. «Se llama Bruno. Bruno Bonavista, escritor como Alejandro —afirmó Elena, con el orgullo risueño del detective que no se deja embaucar—. Se presentó como técnico de ordenadores, debe de pensarse que me chupo el dedo, o que no piso las librerías. Por lo demás, es un chico muy majo, aunque en realidad no es tan chico. —A sus labios, durante una fracción de segundo, asomó una como misericordiosa melancolía que, sin duda, hubiese desmoralizado a Bruno—. Está empeñado en cuidar de mí, y también de mi hijito, se nota que Alejandro lo ha dejado bien adoctrinado. Ayer me llevó a la ópera y por fin comprendí...». Se detuvo, como si necesitara recuperar el aliento; la encomienda no era baladí, pero estaba dispuesta a acatarla, aunque en su desempeño gastase hasta su último aliento: «Tengo que sacrificarme por él, como Elisabeth hizo por Tannhäuser. —Y parafraseó el último mensaje mío, que acababa de interceptar—: El mundo entero pletórico de mi amor, hasta que él lo oiga. Mi amor lo salvará». Cerró el cajón del fichero, como si sellase un juramento. Laura no acababa de penetrar en el busilis de aquellas frases, su turbio misterio la horripilaba demasiado, le infundía vértigo y malestar, pero también una rara atracción: «Deberías hablar con Alejandro», dijo, y observó que Elena, al escuchar que ella también me designaba por mi nombre de pila, se ponía en guardia, había percibido en la voz de Laura un residuo de familiaridad desencantada que sólo se explicaba si mantenía algún vínculo conmigo. La miró de hito en hito mientras empezaba a retroceder; en su aturdimiento le resultaba demasiado arduo discernir si se trataba de otra emisaria enviada con la encomienda de cuidarla o si, por el contrario, era un agente del enemigo, quién sabe si su propia rival. «Tú también conoces a Alejandro, ¿verdad?», preguntó, sofocada por una aprensión, mientras seguía reculando, un poco más y se toparía contra uno de los ficheros, quizá se enratase entre sus patas y cayese de espaldas al suelo. Laura alzó un brazo, para anunciarle el peligro del tropiezo, pero Elena entendió este gesto como una especie de *vade retro* y arrancó a correr, casi se traga el busto de un prócer decimonónico, seguramente exiliado de los despachos de los directivos. A Laura le faltaban fuerzas para perseguirla; además, tampoco quería que los vigilantes jurados la tomasen por una cleptómana a la fuga. «¿Dónde puede encontrarte?», voceó, infringiendo las ordenanzas que regían el funcionamiento de la biblioteca (por segunda vez, pues dejaba escapar a una biblioclasta sin que recibiese el preceptivo rapapolvo). Elena se volvió, sin interrumpir su carrera: «El amor es el hilo», dijo, con exultación acezante, y se perdió camino de la escalinata de entrada, saltándose los puestos de control del vestíbulo.

—El amor es el hilo —repitió Laura—. Tú sabrás lo que significa.

En virtud de alguna certeza que desafiaba la lógica, Laura creía que la dolencia que aquejaba a Elena era responsabilidad exclusiva mía, de mi inmadurez y deslealtad, y creía, por tanto, que su lenguaje habría de resultarme perfectamente diáfano, del mismo modo que a

Elena le resultaban diáfanos los mensajes que hallaba, desperdigados en mis escritos y predestinados a ella —*tolle, lege*— desde mucho antes de habernos conocido. La herida del labio, que había dejado de sangrar, me palpitaba como si hubiese desarrollado un corazón autónomo y diminuto.

—Supongo que no lo dices en serio —me rebelé, con sojuzgado enojo—. Las cosas de las que habla esa muchacha sólo ocurren en su cabeza.

Laura volvió a removerse en la cama, ahora incluso me ofrecía la espalda, más exhausta que asqueada o despectiva.

—Ojalá tengas razón. Pero me dio la impresión de que hablaba de inmolarse de veras. No me preguntes cómo.

Llena el mundo de tu amor, eucaristía para todos. Distinguí en la penumbra, clavado con chinchetas sobre una pared, el mismo póster de aquella vieja película, *Lady Halcón*, que habría acompañado a Laura en su mudanza desde nuestra ciudad levítica; nosotros también, como los amantes de aquella historia, estábamos perseguidos por una maldición, habitantes de mundos estancos, pero ni siquiera podíamos vislumbrarnos en los instantes brevísimos en que rayaba el primer claror del alba o se apagaba el último rescoldo de sol.

—¿Y qué se supone que debo hacer yo?

Tardó en contestarme; cuando por fin lo hizo, sus palabras estaban lastradas por una especie de hastiada acrimonia:

—Allá tu conciencia. Pero yo, en tu lugar, no podría mirarme en el espejo mientras Elena ande por ahí, destruyéndose. Tu deber es rescatarla.

Había pronunciado esta última frase como si se tratara de un mandato apodíctico, su rigor me desbordaba:

—¿Rescatarla? ¿De quién? ¿De dónde?

Pero ya no obtuve respuesta. Aún aguardé unos minutos, pero Laura se había convertido otra vez en una estatua yacente o alegórica del mal que a ambos nos corroía. Salí de la habitación cabizbajo y contrariado, como un feligrés que ha ido en busca de confortación al confesionario y se marcha con un suplemento de culpa cargado sobre sus desmoronados hombros. En el vestíbulo, el coronel espiaba mi derrota; aunque erguido, se apoyaba en la pared, con ese fastidio que exhiben quienes respetan la puntualidad, para censurar su tardanza a quienes la quebrantan.

Pensamos ilusamente que el dolor cambia siempre de forma, evolucionando hasta manifestaciones más benignas, incluso consoladoras; y quizá así ocurra cuando se trata de un dolor catártico, cuando nace del arrepentimiento o la constancia de una pérdida. Pero cuando viene a ocupar el hueco que ha dejado la imposibilidad de otros sentimientos, cuando desciende sobre una tierra yerma en la que no halla semillas que faciliten su transformación en abono, cuando las nubes no descargan su lluvia que lava los pecados y erosiona el recuerdo, el dolor cristaliza y se enquista, es un azogue siempre insatisfecho que lanza mordiscos a ciegas, mordiscos que nunca obtienen la recompensa de la saciedad. Convivir con ese dolor es como padecer envidia: una impresión de incesante esterilidad, un martirio infecundo, una tristeza sin remisión. Nos acostamos con el anhelo de despertar en otro estadio de nuestra enfermedad en que ese dolor se haya volatilizado o siquiera transformado en algo distinto, explicable mediante síntomas que admitan una terapéutica, como el lector que interrumpe la lectura de un libro a la conclusión de un capítulo espera que el natural desenvolvimiento de la trama le depare otros paisajes, otras pasiones, acaso no más amenos, pero por lo menos variados. Pero ese dolor estéril es como un libro de arena, monótono y siempre igual, no importa la página por la que lo abramos. Laura había dejado una ausencia en mi vida que la convertía en algo parecido a la vitrina de una joyería expoliada por los ladrones; no se trataba tan sólo de que su contenido se hubiese desvanecido, es que su misma finalidad no se explicaba. Yo contemplaba esa vitrina vacía con la misma ofendida perplejidad que el visitante de un museo sentiría si, después de pagar su entrada, se tropezase con las salas desnudas, en cuyas paredes aún se recortan rectángulos preservados del polvo, y, al protestar al bedel, éste le recomendara que pruebe a figurarse los cuadros retirados para su mejor conservación a partir de las cartelas que detallan su tema, su autoría, sus medidas, las técnicas empleadas en su elaboración. El sucedáneo de contemplación estética que el bedel nos propone es tan grosero e insultante que de buena gana le partiríamos la cara, pero sabemos que ya no nos reembolsarán el dinero de la entrada y, además, planeábamos la visita a este museo desde hacía mucho tiempo, estábamos tan hechos a la idea de consumir la tarde en sus salas que ya no sabríamos en qué otra ocupación emplearla, y también hemos quedado con un amigo a tal hora, a la puerta del museo; de manera que, como resignados zascandiles, paseamos ante los rectángulos preservados del polvo, que nos muestran una tela de raso menos ajada que la del resto que forra las paredes, y nos entregamos al absurdo ejercicio imaginativo sugerido por el bedel. Ese ejercicio, que en mi caso era más evocativo que imaginativo, era el único antídoto contra el dolor que anegaba mi vida: y, aunque vagos y escurridizos, llegaba a sentir cierta felicidad (un sucedáneo de felicidad), cierto bienestar retrospectivo (un sucedáneo de bienestar), al recordar que las salas vacías que componían el museo de mi existencia habían contenido en otro tiempo a Laura, dignificándolas con su presencia.

Echaba de menos, incluso, las rutinas que habían envilecido la última etapa de nuestra convivencia. Mientras esas rutinas duraron, las consideré execrables, puesto que mataban el más mínimo atisbo de originalidad y dejaban que se pudriese el amor, o los jirones de amor que aún nos mantenían juntos; pero ahora que esas rutinas se habían esfumado junto al sentimiento moribundo que amparaban, se me antojaban, nostálgicamente, muletas o asideros a los que mi corazón lisiado podía aferrarse. Sin esas muletas o asideros, sólo me restaba entregarme al dominio paralizante del dolor. Quizá para exorcizarlo, o para distraer su tiranía, acepté en aquellos días escribir un relato para uno de esos libros colectivos y misceláneos, literatura de baratillo, que versaría sobre las impresiones diversas que una tropa o jarca de escritores, cada uno de su padre y de su madre, habíamos experimentado tras la hecatombe de las Torres Gemelas. Siempre rechazo estos encargos en los que el tufillo mercenario desbarata cualquier pretensión de fuste, pero en esta ocasión (quizá porque la ausencia de Laura me hacía sentirme como un mercenario sin guerra) contrarié mi designio arisco. Mi fruslería versó sobre la epopeya interior de John Walker Lindh, el talibán americano, con quien seguía encontrando raros motivos de hermandad (un interruptor, un fusible que salta), sobre todo en aquellos días en que mi dolor sin esperanza era una jaula comparable, siquiera en términos especulativos, con los sucesivos y cada vez más angostos encierros que había padecido aquel muchacho errático. Para ejecutar este relato (en cuyo decurso intercalé, seudoeruditamente, alguna cita borgiana), adopté un tono distanciado y neutral, casi de crónica periodística que trata las vicisitudes del horror como si fuesen un banal repertorio de trámites burocráticos. Entreveradas secretamente en esa trama expositiva, deslicé de matute, a modo de contrapunto al vía crucis de Walker, una serie de pasajes introspectivos, cada vez más luminosos y arrobados, a medida que las penalidades sufridas por el protagonista devenían más atroces, a medida que los episodios de su calvario se iban haciendo más tortuosos. El cuento se iniciaba *in medias res*, cuando John Walker Lindh se rendía en Kunduz, tras un asedio que ha diezmado a sus conmilitones, al ejército de la Alianza del Norte, que ha prometido otorgarles un salvoconducto que les permita retroceder hasta las líneas de vanguardia talibanes si deponen las armas y entregan la ciudad. Pero los rebeldes no cumplen su palabra y conducen a los prisioneros a la fortaleza de Kala Jangi, después de someterlos a diversas vejaciones y befas, después de magullarlos con puntapiés y puñetazos. En Kala Jangi, John Walker Lindh será interrogado por agentes de la CIA, pero de su boca, sellada por un juramento de silencio, no sale una sola palabra. En la revuelta de prisioneros que se sucederá, Walker resulta herido en una pierna; durante las doce horas que dura el bombardeo de la aviación americana, yace entre cuerpos desmembrados, haciéndose el muerto. Luego se refugiará, junto a otros supervivientes de la escabechina, en los sótanos de hormigón de la fortaleza, una ratonera a la que los soldados de la Alianza del Norte no se atreven a descender, por temor a ser acribillados; en cambio, sí se atreven sin empacho alguno a arrojar granadas por los conductos de ventilación del sótano que, al estallar, riegan de metralla a los talibanes allí hacinados, causando gran mortandad. También vierten gasolina en llamas que achicharra a los que aún están vivos e incinera a los que antes fueron alcanzados por la metralla. John Walker Lindh permanecerá en aquella cámara subterránea durante una semana, acurrucado en un rincón que los otros refugiados emplean como letrina (su herida ha comenzado a gangrenarse), anestesiado por la pestilencia de los cadáveres carbonizados y de las vísceras sin dueño que se desperdigan como chafarrinones sobre el suelo de hormigón. Al sexto día, los soldados de la Alianza del Norte llenan el sótano con un agua heladora, hasta que la inundación alcanza la altura de la cintura; como Walker no puede tenerse en pie (la herida de la pierna no se lo permite), tiene que resignarse a probar aquella agua enturbiada de inmundicias, estirando de vez en cuando el cuello para poder tomar aire. Otros talibanes menos afortunados que él, que ni siquiera pueden resistir sentados o a la pata coja, mueren ahogados, entre aullidos de desesperación. Al séptimo día de encierro, cuando por fin los soldados de la Alianza del Norte reducen a los pocos que aún sobreviven a las granadas y la gasolina y la inundación, Walker padece calambres e hipotermia y vomita un líquido verdusco y aguanoso en el que se mezclan los miasmas destilados por los cadáveres de sus compañeros. Maniatado con cinta de embalar, sus captores lo arrojan con las ropas aún empapadas en un contenedor metálico, junto a otros prisioneros y heridos de la revuelta, una escombrera humana rezumante de sangre, encharcada de excrementos, que trasladan en camión hasta un campamento de soldados americanos; muchos mueren en el trayecto, asfixiados por el peso de los otros cuerpos que se amontonan encima del suyo. Cuando lo descargan del camión, Walker lleva más de quince días sin probar bocado, pero sus labios no se rebajan a la súplica; lo instalan en una camilla y lo transportan hasta una habitación sin luz, donde aún habrá de languidecer un par de días más en un estado próximo a la inconsciencia, sin recibir alimentos ni asistencia médica ni una mísera manta que le sirva de abrigo en las noches inacabables. Los soldados que se turnan en su vigilancia entran de vez en cuando en la habitación para denigrarlo o escupirlo, se hacen fotografías con él, posando ufanos como el pescador que muestra los despojos de la trucha que ha picado su anzuelo; le han vendado los ojos y amarrado a la camilla con cinta aislante: de esta guisa lo retratan, entre risotadas y chacotas, mientras le anticipan su destino en la silla eléctrica. Finalmente, cuando los médicos de la Cruz Roja llegan al campamento, el traidor John Walker Lindh es operado de su herida en la pierna; mientras la morfina se reparte por su sangre, aplacando los calambres que recorren su cuerpo reducido al pellejo y al esqueleto, apaciguando el hambre y el frío húmedo que reblandece sus huesos, Walker se siente inundado de piedad y agradece a Alá que le haya concedido el don de disfrutar el paraíso en vida. Entonces descubrimos que cada una de las penalidades soportadas con alegre estoicismo por John Walker Lindh han sido peldaños en una escalera de perfeccionamiento, estaciones gozosas en su peregrinaje hacia esa visión anticipada del paraíso prometido por Mahoma. Aquí el tono distanciado del relato se hacía añicos, para ceder ante la pujanza de un estilo visionario que trataba de explicar el triunfo secreto de Walker, que había elegido la senda del dolor —hijo desnaturalizado, traidor a su patria, esbirro de una causa inmunda— para así, lacerado y zaherido y reducido a un guiñapo, contemplar con sus propios ojos aquel jardín ameno, extenso como el cielo y la tierra, con valles regados por manantiales de leche, miel y vino que no emborracha, donde crecen árboles sin espinas que dispensan una sombra generosa y cuyas ramas se inclinan hasta el suelo para que los bienaventurados, que reposan sobre lechos bordados de oro, puedan arrancar sus frutos sin esfuerzo, mientras huríes vírgenes de grandes ojos y redondos senos, comparables a perlas cuidadosamente resguardadas, les sirven copas de un licor especiado de alcanfor o jengibre.

En la ejecución de este relato consumí casi un mes; a la postre, los compiladores del volumen me lo rechazarían, pretextando que era demasiado extenso y no se atenía a la declaración de intenciones del proyecto, que aspiraba a ser «una condena comprometida de la violencia y el terror». Mi relato, a juicio de los compiladores, bordeaba peligrosamente las fronteras de la ambigüedad moral puesto que, en última instancia, eran precisamente la violencia y el terror los instrumentos de los que mi personaje se servía para obtener la redención personal. No me esforcé en refutar esta interpretación; y sólo lamenté haberme embarcado en una «causa comprometida», esa nueva forma de beatería cultural a la que tantos escritores entregan las migajas de su numen para posar de solidarios ante la galería y tranquilizar su conciencia de burguesitos con chalé en la sierra. Por lo demás, mientras permaneciese inédito, mi relato cumpliría el verdadero designio para el que había sido escrito, que no era otro sino la purga de mi corazón, la necesidad de que aquel dolor estéril que enquistaba cada minuto de mi existencia se volatilizase, o siquiera se metamorfoseara en algo distinto. No aspiraba, como John Walker Lindh, a contemplar en vida el paraíso; me bastaba con poder contemplar sin vergüenza mi rostro reflejado en un espejo. Laura me había indicado cuál habría de ser mi camino de perfección: tenía que rescatar a Elena, tenía que evitar que siguiera destruyéndose, detener su propósito de inmolación antes de que fuera demasiado tarde. Bruno me secundaba en esta empresa ímproba y algo insensata; carecíamos de un mapa que nos permitiera seguir los pasos de la fugitiva, pero también de una brújula que guiase nuestra pesquisa. De tal modo que todos nuestros esfuerzos se fiaban, en definitiva, a la intervención del azar, esa cinta atrapamoscas. Mi primer movimiento —impotente y desnortado— consistió en llamar a todos los titulares valencianos de un teléfono que ostentasen en la guía el patronímico de Elena, hasta dar con algún miembro de su familia. Salvador era un apellido nada infrecuente; tuve que hacer decenas de llamadas infructuosas y soportar las reacciones quisquillosas u hostiles de algunos usuarios celosos de su intimidad (casi tan celosos como yo mismo), antes de escuchar al otro extremo de la línea la voz de su madre, que era como el eco de la voz de Elena, tamizado por el enfisema de la apatía:

—¿Quién pregunta por ella? —interrumpió mis explicaciones con desconfianza.

—Verá, no creo que mi nombre le suene de nada —dije—. Me llamo Alejandro Losada...

—Sí me suena. Claro que me suena.

Lo afirmó antes de que pudiera completar mi introducción. Había sarcasmo en su voz, un sarcasmo claudicante y como desasido de sí mismo.

—La supongo al tanto de lo ocurrido. Su hija vino a Madrid...

—Hace casi mes y medio —volvió a interrumpirme. Esta vez percibí, al fondo de su fatiga, un rescoldo de soliviantada aspereza, como si mis explicaciones le pareciesen el colmo de la desfachatez—. Cuento cada día que pasa.

—Quizá ignore la razón de su viaje... —apunté.

—Se equivoca. La conozco perfectamente. Viajó porque usted no respondía a sus cartas, después de dejarla embarazada. —Había formulado muy calmosamente su acusación, como si la asistiese una certeza inamovible—. Hace falta ser hijo de puta.

Confesaré que me quedé estupefacto. Había pensado, en un acceso de ingenuidad, que mi conversación discurriría sobre la premisa, aceptada pacíficamente por ambas partes, de que el trastorno de Elena no admitía controversia alguna; debería haber previsto que el amor maternal distorsiona ciertas percepciones. Escuché, lejana y desazonada, una voz masculina que inquiría a la madre de Elena la identidad de su interlocutor.

—Dé gracias de que mi marido está impedido en una silla de ruedas —me dijo—. Si no fuese así, a lo mejor usted ya no estaba ahí para contarlo.

Más incomodidad que sus insultos y execraciones me causaba el tono indolente con que los pronunciaba.

—Disculpe, señora, pero se equivoca usted de persona. A su hija la dejó embarazada un violinista canadiense de gira por Valencia.

Rió sin ganas, como si excretase un sapo:

—¡Un violinista, qué disparate! Y nada menos que canadiense. Le recomiendo que, cuando declare ante el juez, se invente mentiras menos rebuscadas.

Comprendí que no debía dilapidar mis esfuerzos en una vana exculpación que de nada serviría a mis propósitos. La expectativa de que, en efecto, un juez ordenase que se estableciese mi disputada paternidad mediante pruebas genéticas me abrumaba y aliviaba a un tiempo. Ahora era el padre tullido quien me arrojaba sus dicterios y trataba de arrebatarle a su esposa el auricular.

—¿Tienen noticias de ella? —pregunté, tratando de hacer oídos sordos a la catarata de exabruptos cada vez más envalentonados e hirientes—. ¿Saben dónde se hospeda? —alcé la voz, para que mis palabras no fueran engullidas por aquella vorágine de furia paralítica—. ¿Saben si sigue en Madrid?

—No sabemos nada de nada. Ni siquiera ha llamado para pedir dinero. No sé cómo se las arreglará —dijo al fin la madre. Lo que en principio me había parecido apatía eran más bien las cenizas de una esperanza esquilmada—. Su hermano fue a comisaría, para denunciar su marcha, pero los policías lo despacharon diciéndole que una persona mayor de edad era muy libre para cambiar de aires.

No quise agriar todavía más un coloquio que quizá era una mera colisión de soliloquios. La madre de Elena seguía hablando, ahora con un tono mendicante:

—¿Y usted sabe algo? ¿Ha visto a mi hija? —Sobre su voz se empezaban a desplomar los sollozos, las frases (que eran más suplicantes que recriminatorias) se desangraban en un gemido entrecortado y otra vez se recomponían, mientras los pulmones aún no habían consumido su depósito de aire, para quedar por fin truncas, ahogadas por las lágrimas. Era como escuchar a la propia Elena, como volver a espiar a través del auricular su dolor humillado—. Usted puede sacarla de ese infierno. Usted puede hacerse cargo de ese niño que viene. Usted puede...

Sus ruegos se fundían en un dialecto ininteligible, eran un hilo de palabras desmenuzadas que goteaban sobre mi conciencia, filtrándose entre yacimientos de compunción y desgarro.

—Le prometo que haré todo lo que esté en mi mano —dije, con un arrojo que a mí mismo me asustó.

La madre de Elena se sorbió los mocos, se tragó el nudo de llanto que atoraba su garganta, se humilló ante el hombre al que consideraba verdugo de su hija, pero también su único salvador hipotético:

—Dios se lo pagará, señor Losada. Y ya verá qué buena muchacha es Elena, ya verá qué cariñosa es. —Inevitablemente, estas ponderaciones de su hija sonaban como involuntarios sarcasmos. Hizo una pausa, para dominar el impetuoso amago de los sollozos—. Pero usted parece hombre de buen corazón... ¿Por qué se ha portado así con ella? ¿Por qué no contestó siquiera sus cartas?

Reiteré mi promesa y abrevié la conversación, antes de que nos entrampásemos otra vez en un círculo vicioso de reproches y censuras. En el mismo instante de colgar, ya me arrepentía de haber establecido esta comunicación, que en cierto modo había constituido un reconocimiento de culpa y una asunción de responsabilidades. Pero, al mismo tiempo, sentí algo semejante a un corrimiento de tierras en mi interior, como si los carámbanos que apresaban mi dolor hubieran comenzado a derretirse, permitiendo que respirase y buscase nuevos cauces, dejando que se transformara en un dolor distinto, quizá más punzante y desventurado, pero a la vez más permeable a la expiación. Ese mismo dolor, acicateado por la tozuda convicción de que aún era posible reparar el desaguisado, animaba a Bruno en sus caminatas por Madrid en pos de Elena, o de su fantasma. Siguió desayunando en el Café Gijón todas las mañanas, para constatar con creciente desaliento que Elena había infringido sus hábitos, sin expectativas de restablecerlos. También frecuentó los foros del mangoneo literario, donde Elena solía asaltar a los visitantes de turno, solicitándoles alguna pista sobre mi paradero, y las iglesias y estaciones ferroviarias donde se refugiaba de la intemperie, mientras su espíritu ascendía a regiones desterradas de la realidad, y los parques en los que gustaba de conversar con los setos de boj y los aligustres, escribir jeroglíficos en los estanques, arañar el tronco de los árboles y alimentar a los pájaros sin pedigrí que resisten los rigores del invierno y la polución urbana sin emigrar hacia cielos más limpios y cálidos. En ninguno de estos lugares halló ni rastro de ella, tampoco en la pensión del paseo del Prado, cuya dueña pretendió que Bruno le abonase los desperfectos que aquella huéspeda (su supuesta prima) le había causado. Precedido por la murga de aquella mujeruca que parecía alimentada con cañamones, Bruno pasó al cuarto que Elena había ocupado durante semanas, esperando hallar algún vestigio de su presencia, alguna pista que le permitiera colegir cuáles eran sus nuevos itinerarios; pero la habitación ya había sido limpiada (un olor a lejía o aguarrás perforaba la pituitaria), y las paredes, otra vez desnudas, sólo exhibían sobre el encalado los pegotes de goma arábiga que Elena había empleado para sostener en pie su criptograma. Se había desvanecido el zumbido de las moscardas, y su lugar lo ocupaba ese silencio ruinoso y culpable que queda flotando en las celdas de los monasterios cuando sus inquilinos desertan de las asperezas de la clausura para regresar al siglo. Bruno posó la mirada sobre la cama de catre niquelado que durante semanas había acogido el atribulado cansancio de Elena, que se sumaba a otros cientos o miles de cansancios anteriores, excavando una hondonada en el colchón.

—Bueno, y a mí quién me paga la pintura de las paredes —insistía la dueña de la pensión, que quería aprovechar la oportunidad para sacar tajada.

—Ya le pagué una semana por adelantado. Arrégleselas como
pueda.

La dueña de la pensión se alejó entre rezongos, viendo que se había cerrado el grifo de la munificencia. Aún se quedó Bruno unos minutos en la habitación, escudriñando el interior del armario (tres o
cuatro perchas de alambre penduleaban en la barra, como esqueletos
simplificados por la orfandad), agachándose para mirar debajo de la
cama, abriendo los cajones vacíos de la mesilla; la dueña de la pensión había fregoteado a conciencia el lugar, con esa dedicación escrupulosa del asesino que borra los indicios de su crimen. Encogía el
alma pensar que una vida podía ser tan fácilmente tachada, extirpada
como un apéndice o una verruga y expulsada a los páramos de la
invisibilidad, allá donde no alcanza la jurisdicción de censos y padro-
nes. Bruno se rebelaba contra estas cirugías del olvido; prefería pensar que las vidas están envueltas en un aura que las hace distingui-
bles, incluso más allá de su mera extinción física, y testimonia su
paso por la Tierra. Recordaba, con precisión casi intolerable, el rostro
de Elena iluminado de beatitud y las lágrimas sigilosas y abundantes que desfilaban por su rostro mientras escuchaba el cántico de los
peregrinos de *Tannhäuser*; recordaba el mordisco de sus dientes en la
manzana reineta del desayuno, que seguía sonando en su memoria
con una crepitación blanda, con una delicadeza de beso que ignora
su destinatario, mientras él le narraba las fabulosas vicisitudes de
alguna ínsula barataria; recordaba, sobre todo, con minuciosidad que
invadía sus vigilias, la floración lenta y delgadísima de la sangre en
uno de sus orificios nasales, el hilillo exangüe que dejó caer tres gotas sobre el suelo, fundiendo su color escandaloso con el color cándido de la nieve. La imagen visual de esos recuerdos estaba, además, ligada a fulguraciones del sentimiento que guardaba como oro
en paño, en estuches que la incuria no lograría deteriorar; todos los
días abría esos estuches para respirar su aroma, y enseguida los volvía a cerrar otra vez, para que su esencia no se disipase. Fue la vivacidad de esos recuerdos, sin duda, el combustible que mantuvo encen-
dida la llama de su esperanza, mientras buscaba a Elena por otras
pensiones de la zona, mientras perseguía su aura incierta entre las
muchedumbres que escupen las bocas del metro (en cada rostro se repetían las expresiones de la prisa y la desconfianza), mientras alargaba sus caminatas hasta los parajes más recoletos de la ciudad, allá

donde la soledad es un perrillo sin dueño, famélico y acribillado de pulgas.

A Elena se la había tragado la tierra. Durante casi un mes (aproximadamente el mismo tiempo que empleé en escribir aquel relato que nunca publicaría sobre la epopeya destructiva y liberadora del talibán John Walker Lindh, aproximadamente el mismo tiempo que mi dolor tardó en deshelarse y hacerse fértil), Bruno siguió en vano su pista, tropezándose siempre con el mismo muro de insalvable cerrazón. Elena había ingresado en ese gueto de invisibilidad que las grandes ciudades reservan para quienes ya considera inservibles o desahuciados, esa chatarrería humana que desmerece la fachada de cosmopolitismo y prosperidad que las autoridades municipales desean propagar por el mundo. Mendigos morenos de luna y de mugre que han olvidado su propio nombre, razas de la diáspora esclavizadas por las mafias que les ayudaron (previa confiscación de su alma) a burlar la vigilancia de los puestos fronterizos, enfermos que han agotado todos los remedios de la farmacopea y han sido desalojados de todos los hospitales, ancianos evadidos de los barracones o pudrideros donde los confinaron sus familias, yonquis que se van quedando transparentes de tanto beber la luz tísica de los amaneceres, expresidiarios que llevan escrita en la frente su reprobación, parados que aún guardan en la billetera sin billetes la carta de despido que los deportó a la intemperie, prostitutas que son un epítome desencuadernado del atlas. Un suburbio de la humanidad que cada día incorpora nuevos miembros, que cada noche registra defunciones y natalicios anónimos, que se renueva y crece al margen de las estadísticas oficiales, como una marea reptante, tozuda, allanadora de todos los diques que se erigen para mantenerla a buen recaudo, encerrada en los sótanos de la vida invisible.

—Desengáñate, Alejandro. Es ahí donde debemos buscarla —me dijo Bruno.

Después de tantas caminatas e inquisiciones infructuosas, aún conservaba incólume su confianza en una Providencia que dispone atajos y abrevia incertidumbres.

—¿Ahí? ¿Dónde es ahí? —me sublevé, un tanto destemplado—. Hablas de ese gueto como si fuera un barrio perfectamente delimitado.

Me pareció sorprender en sus ojos, detrás del humo de la pipa, una pálida fosforescencia, como si el recuerdo de Elena hubiese dejado allí un jirón de su aura. Quizá se estuviese volviendo loco, quizá la locura fuese una enfermedad contagiosa que acabaría infectándonos a ambos:

—En absoluto —dijo sin titubeos—. De sobra sé dónde nos metemos.

Bruno, que a simple vista parecía un excéntrico con la cabeza en las nubes, poseía una habilidad innata para entablar contacto humano. Lo había demostrado —aunque ese intento de aproximación se hubiese saldado con un fracaso— penetrando de puntillas en esa cárcel de amor por la que deambulaba Elena. Creo que esta capacidad para entrometerse en las existencias ajenas se explicaba porque su carácter —expansivo, jovial, incluso meticón— inspiraba confianza en su interlocutor, a quien nunca juzgaba ni trataba como un inferior, sino que le presuponía una inteligencia que vencía sus reticencias y lo hacía sentirse importante. Pero esa habilidad innata lo empujaba con frecuencia a cometer desatinos; quizá fuese una habilidad demasiado engreída de sí misma.

—¿Dónde nos metemos, Bruno? —pregunté, usando esa condescendencia que empleamos con los niños, cuando los pretendemos disuadir de una empresa que se nos antoja descabellada.

—Supongo que en un laberinto.

Pero no había escaleras que subir, ni puertas que forzar, ni fatigosas galerías que recorrer, ni muros que vedasen el paso, tan sólo una extensión muda como la soledad.

—¿Entonces?

Dejé la pregunta en suspenso, para enfrentarlo a la condición quimérica de su proyecto y obtener así su desistimiento. Bruno apartó de un manotazo el humo de la pipa, para que su cortina no velase aquella pálida fosforescencia que enaltecía su mirada. Definitivamente, se había vuelto loco:

—¿No recuerdas las instrucciones de Elena? El amor es el hilo. —Y completó aquella consigna críptica con algo que parecía un refrán—: Tirando del hilo se llega al ovillo.

Cuando Fanny le franqueó la puerta de su apartamento y Jim contempló su escueto atuendo —el camisón o picardías de un cendal leve como el humo que trasparentaba las bragas y el sostén— se quedó como atontolinado, sin atreverse a cruzar el umbral, sin tenderle tampoco los regalos que le ocupaban ambas manos —la aspiradora sustraída a su proveedor antes de liquidar el negocio, el ramo de rosas blancas como epitalamios— y le impedían abrazarla, incapaz de pronunciar una sola palabra, ni siquiera la felicitación de cumpleaños más previsible y trivial. Para aplacar aquella especie de nerviosismo, Jim empezó a frotar sus gastados zapatos de rejilla en el felpudo de la entrada, y hubiese seguido durante largo rato ocupado en esta acción mecánica, atónito ante el recibimiento que Fanny le dispensaba, si ella no lo hubiese arrastrado hacia dentro, tironeando de la corbata de seda cuyo nudo le oprimió el cuello, como la premonición de una horca. Fue también Fanny quien tomó la iniciativa, antes incluso de ponderar sus regalos, con un beso que le robó el aliento y llenó sus labios de un carmín muy apetitoso que sabía a manteca de cacao; por fin Jim soltó los regalos, que dejó recostados sobre el sofá, para poder colmar sus manos con aquellas turgencias que siempre se le habían mostrado huidizas y que ahora se le brindaban liberadas de abrochaduras y corchetes. La piel de Fanny era más tersa que nunca, como lavada con un agua lustral que la absolviese de arrugas; su cabello, antes sólo fosco, había adquirido una calidad como de río que se despeña sobre los hombros, que invitaba a abrevar y chapuzarse en él, y exhalaba una fragancia de juventud resucitada que enardeció a Jim, una fragancia que sumaba al rastro de todos los potingues cosméticos que Fanny se había aplicado unas horas antes el perfume de la sangre alerta. Se estuvieron besando y achuchando durante varios minutos, en un silencio que tenía algo de pugna carnívora, hasta que Fanny decidió que, como preámbulo a la batalla sin cuartel que luego los trabaría, ya había sido suficiente. Para liberarse del manoseo de Jim, se amparó en la excusa más socorrida: «Si no paramos, se nos enfriará la cena».

Antes de sentarse ambos a la mesa dispuesta con un puntilloso respeto de las simetrías, Fanny todavía encareció los regalos de Jim, que le mostró el funcionamiento de la aspiradora y remató su exposición con una frase de aliviado orgullo: «Ya nunca más volveré a explicar a nadie cómo se debe usar este chisme». Fanny sonrió con sincero entusiasmo a la predicción de Jim, pues denotaba que la antigua serpiente ya se había recuperado de pasados achaques. Aspiró el aroma de las rosas (cada corola como un mensaje cifrado, con su exacta y envolvente disposición de pétalos todavía frescos), y apartó dos del ramo, cuyos tallos introdujo en los búcaros de falso cristal veneciano que reposaban sobre el mantel. Durante la cena, Jim embauló las raciones que colmaban su plato y hasta pidió otras suplementarias, que se tragó casi sin masticar, regadas copiosamente de vino; su voracidad, que parecía azuzada por un ansia de gratificar los esfuerzos culinarios de Fanny, no le impidió hacer gala de una facundia con la que, seguramente, se proponía aturdir a su rival, para que el torrente de palabras obstruyera sus tímpanos y así quedasen mermadas sus defensas. Pero Fanny apenas escuchaba su cháchara en la que se entremezclaban, como piezas de un rompecabezas absurdo, los chalecitos adosados, las aficiones botánicas y lectoras (que aún no cultivaba, pero prometía cultivar) y una vejez idílica que los juntase ante la chimenea. Las argucias de la antigua serpiente no distraían a Fanny, que asentía a la cháchara con gesto eclipsado y a veces la interrumpía para murmurar alguna impudicia que dejaba a Jim descolocado, por osada e imprevista, o bien alargaba la pierna por debajo de la mesa para frotar con los dedos del pie su paquete, que pese a la raya diplomática no tardaba en perder la compostura, abultándose de una carne que al principio tenía la consistencia blanda de un mondongo, y poco a poco se fue tensando, hasta amenazar con reventar la botonadura de la bragueta. Hacia los postres, empalmadísimo y ahíto, Jim se atusó las guías de su bigote plagiado de Gilbert Roland (pero el pobre mequetrefe imitaba la sonrisa que Errol Flynn empleaba para seducir a Olivia de Havilland) y recapituló: «Bueno, Fanny, ¿qué opinas de mis proyectos?». A lo que ella respondió incongruentemente, recuperando aquella dicción campesina, tan ingenuamente lasciva, que había reprimido durante años: «Por favor, Jim, mi tarrito de miel no puede esperar más».

«Sólo un minuto, pequeña», la apaciguó Jim, que se limpió con una servilleta los restos de confitura de frutas que se le habían quedado adheridos a los labios y corrió al retrete, después de pringar otra vez a Fanny con un beso salivoso. Mientras Jim trataba de descargar dificultosamente la vejiga (la erección se lo impedía), Fanny encendió la radio y sintonizó una emisora de música *country*, elevando el volumen hasta el estruendo; luego extrajo del cajón del aparador donde guardaba su panoplia de utensilios punzantes o sólo contundentes un martillo mocho, cuyo peso casi doblegaba su muñeca. Se apostó en la pared, junto a la puerta del retrete que la antigua serpiente había dejado abierta; la escuchó orinar con meaduras breves o intermitentes que, al repicar contra la loza, emitían una música turbia, quizá la contraseña del Maligno, anunciando a sus 6.666 legiones de 6.666 ángeles caídos cada una la inminencia de su victoria. «No me habías dicho que te gustase la música *country*», la reconvino zalameramente, justo antes de tirar de la cadena. «¿O es que no deseas escandalizar a los vecinos? Mira que te prometí la montaña rusa y...» El martillo lo golpeó en la misma crisma, donde los antiguos reyes de Israel recibían la unción del óleo sagrado; Jim se tambaleó como un funámbulo borracho, con la mirada absorta de una perplejidad pánica (le asustaban las doce estrellas palpitantes como carbunclos o corazones incandescentes que coronaban la frente de Fanny), pero, aun entre las brumas de la inconsciencia, logró aferrarse a las jambas de la puerta del retrete. Fanny descargó entonces otro martillazo, esta vez sobre su sien, que acabó de derribarlo, con estrépito de árbol talado; no se había vuelto a abotonar el pantalón, y el miembro viril le coleaba entre los faldones de la camisa como una culebra ciega que ha perdido la pista de su hura. Antes de rebanárselo de un tajo, Fanny decidió que convenía amordazar e inmovilizar al Enemigo, no fuera a revivir y las tornas se cambiaran.

En el cajón del aparador, detrás de la panoplia de armas hurtadas de la ferretería en la que trabajaba como dependienta, guardaba una esponja y un rollo de cuerda de sarga dispuestos para la ocasión. Remetió la esponja en la boca de Jim, que tapió con esparadrapo (pero dejando libre su bigotito plagiado de Gilbert Roland, que luego arrancaría con unos alicates), y ató sus brazos y piernas con lazos y nudos más intrincados que aquel famoso de Gordias que Alejandro hubo de deshacer con la espada. Aquella habilidad la había aprendido mientras trabajó para Klaus Thalberg en películas de *bondage*, pero ya la creía olvidada; al recuperarla tantos años después, al contemplar cómo sus manos manejaban con desenvoltura y ahínco la cuerda de sarga, Fanny entendió, una vez más, que los designios divinos son inescrutables, pues la destreza que antaño le sirvió para pecar le valía ahora para abatir a Satanás. La música *country*, chirriante de armónicas y de banjos, retumbaba en las paredes, provocando las primeras protestas entre los vecinos; poco a poco, esas protestas se irían haciendo más desabridas y conminatorias —con invectivas y aporreamientos de la puerta incluidos—, pero para entonces Fanny estaba ya demasiado enfrascada en una batalla sin cuartel con la antigua serpiente, que había despertado de su desmayo y se revolvía (lo poco que las cuerdas de sarga la dejaban revolverse) y lanzaba berridos gemebundos que la mordaza de esparadrapo no lograba sofocar plenamente cada vez que Fanny le punzaba con una lezna o berbiquí, mientras la sangre abandonaba sus conductos, a veces con un reguero exangüe, a veces con el ímpetu de un géiser que salpicaba su picardías de levísimo cendal. Cuando la policía irrumpió en el apartamento, arramblando los cerrojos y bisagras de la puerta, para reprender y apalear un poco al gamberro que atronaba el edificio con aquella música descoyuntada, Fanny ya había completado la emasculación que proclamaba su triunfo; la embriagaba la misma dicha que Judit debió de sentir al decapitar a Holofernes. La antigua serpiente había dejado de rebullirse, y sus despojos, que ya nunca más volverían a profanar el cuerpo de otra mujer, se esparcían por la alfombra. Fanny se dejó esposar sin oponer resistencia por uno de los policías, mientras el otro evacuaba las tripas en un rincón del apartamento, mientras una marea de vecinos morbosos o desquiciados la increpaban, ignorantes de que acababa de liberarlos del Maligno.

Fanny fue encerrada en la prisión para mujeres de Dwight, al sur de Chicago, en una celda que sus carceleros creían incomunicada; pero allí también llegaban los mensajes de su Enemigo, escritos siempre en un alfabeto nuevo: la sombra cambiante de los barrotes del ventanuco sobre el techo de la celda, el moho que florecía en los mendrugos de pan que guardaba debajo del jergón, los tropezones en el caldo del rancho que le tendían a través de una trampilla en la puerta, la hilera de hormigas que desfilaba por el suelo, las marcas que otros inquilinos anteriores de aquella celda habían grabado con sus uñas en el yeso de la pared para computar el decurso de los días, el remolino del agua escapándose por el desagüe del lavabo con un gorgoteo melancólico, el mapa de manchas aborrecibles que la lejía no había podido disolver en su uniforme de presidiaria, el rumor de pisadas en los pasillos, como un claqué sobre algodones. Eran, todos ellos, mensajes coléricos que clamaban venganza, emplazando a Fanny a otra contienda en la que la antigua serpiente ya no se dejaría engatusar; hubiese deseado tener a mano sus cuadernos de tapas de hule, para transcribir aquel alud injurioso y retador, pero hubo de conformarse con descifrarlo mentalmente y responder a su adversario de viva voz, en larguísimos parlamentos que solían interrumpir los guardianes del presidio, tundiéndole las costillas a garrotazos. El abogado de Fanny, un picapleitos asignado de oficio que olfateó en aquel asesinato con tufillo satánico la oportunidad de hacerse célebre, intentó en primer lugar que la declarasen incapacitada para comparecer en juicio. Temía el picapleitos que Fanny, que había sido capaz de fingirse cuerda durante meses ante su víctima, adoptase idéntica estrategia ante los miembros del jurado, lo que contribuiría a avinagrar la animadversión que estos buenos señores, lectores bulímicos de prensa sensacionalista, sin duda ya le profesarían a priori. La petición, sin embargo, le fue denegada; su estratagema consistió entonces en aplazar la celebración de la vista oral mediante la solicitud de exámenes periciales que dictaminasen el trastorno de su cliente. Un par de psiquiatras del Hospital (o manicomio) Chicago-Read fueron enviados al presidio de Dwight, con la encomienda de explorar la salud mental de Fanny.

En la enfermedad denominada esquizofrenia, la vasta realidad que circunda al enfermo es percibida mediante deformaciones delirantes que la transforman en un caos deshilvanado. En la enfermedad denominada paranoia, en cambio, esa deformación atañe tan sólo a territorios concretos de esa realidad, que el enfermo interpreta mediante pautas igualmente disparatadas, pero regidas por una obsesiva lógica que sistematiza las percepciones averiadas y las dota de una irrefutable armonía interna. En Fanny, esquizofrenia y paranoia habían engendrado una hidra de delirios mesiánicos, religiosos y erotomaníacos que no dejaba esperanzas a la curación. A la crisis que había desatado su pulsión homicida había seguido un proceso de regresión autista que la apartaba del mundo real y la encapsulaba en un recinto dimitido de la inteligencia, en el que el soliloquio divagatorio y la manipulación de sus propias heces (que había empezado a utilizar a guisa de tizas para tatuar las paredes de su celda) se habían convertido en actividades frecuentes. Sólo cuando sus sentidos estragados por el alelamiento detectaban algún mensaje emitido por el Diablo, recuperaba Fanny una suerte de dislocada clarividencia que infringía su mutismo y su pasividad, a veces hasta estados de agitación e hiperestesia que sólo remitían cuando se le inyectaba un sedante. Uno de estos accesos la acometió cuando la examinaban los psiquiatras encargados del informe pericial: mientras la bombardearon con el test de palabras inductoras de Jung, se mantuvo atrincherada en el silencio, como si se hubiera propuesto impedir la elaboración de un diagnóstico, pero bastó que probaran a mostrarle las láminas de Rorschach, con sus arbitrarias manchas de tinta, para que su apatía se transformase en frenesí. Le habían cortado el cabello a trasquilones; unas ojeras que quizá encubriesen algún hematoma ahondaban su aislamiento.

—Dígame qué le sugiere este dibujo.

Se hallaban en una sala de paredes muy altas y forradas de azulejos, quizá en otra época utilizada como quirófano o mazmorra de torturas. Una mesa de chapa de cinc, muy a propósito para realizar autopsias, separaba a Fanny de sus inquisidores, cuyas facciones apenas podía distinguir. Un flexo arrojaba un círculo de luz quirúrgica sobre la mesa, manteniendo en una penumbra emboscada el resto de la habitación. Al principio Fanny ni siquiera hizo ademán de mirar la lámina que se le tendía: sobre la cartulina blanca, una figura de contornos simétricos urdía su enigma. Podía tratarse de una nube de formas caprichosas, de una palmatoria desportillada, de un caracol bicéfalo, de un sombrero abollado, de un emblema esotérico. En realidad, sólo era una mancha de tinta.

—Haga un esfuerzo. Pruebe a decirnos qué ve.

Fanny sólo acertaba a distinguir de sus inquisidores dos pares de manos de uñas pulidas y dedos algo velludos que se entrelazaban en actitud de contenida exasperación. Sus palabras le llegaban en sordina, como ahogadas por una almohada de estopa:

—Debería esforzarse por colaborar. Ha sido su abogado quien solicitó este examen.

Una de aquellas manos se abalanzó sobre la lámina y se la aproximó aún más. Fanny se estremeció, como si hubiera visto aparecer una tarántula mutilada. Involuntariamente, fijó la mirada en la mancha de Rorschach, que de inmediato se hizo inteligible:

—Decidle que puede meterse sus condiciones por donde le quepan —dijo, en un tono más jocoso que desafiante—. No pienso rendirme.

Fanny alzó las manos esposadas, que hasta entonces habían reposado sobre su regazo. Tomó la lámina y se inclinó sobre ella, para descifrar mejor los pasajes más abstrusos del mensaje, pues la antigua serpiente, en su propensión a retorcer la sintaxis de las frases, solía incurrir en el galimatías.

—Pobre imbécil —hablaba en un murmullo, ajena a sus interlocutores—. Pensará que así voy a flaquear. Pero está escrito: «No tentarás al Señor tu Dios».

Deuteronomio, capítulo VI, versículo 16. Los psiquiatras no parecían demasiado duchos en lecturas bíblicas:

—Le ruego que se atenga al dibujo. Díganos...

—¡Ya he dicho todo lo que tenía que decir! —Fanny se había erguido en un acceso de furia, y aporreaba la mesa de cinc con las manos esposadas. Los flejes de hierro lastimaban sus muñecas con un cerco de lividez—. Marchaos al infierno, si no queréis que os despedace aquí mismo.

Una pareja de guardianes o celadores que se habían mantenido en la sombra, a espaldas de Fanny, la redujeron cuando ya intentaba trepar a la mesa. Con el carrillo apoyado sobre la superficie de cinc, presa de convulsiones que la inmovilidad hacía más aparatosas, ensartó una sucesión de anatemas que los psiquiatras escucharon con el mismo gesto contrito con que los niños encajan las regañinas de su maestro.

—¡Y aún creéis que podréis derrotarme! ¡Malditos cerdos apestosos! —Fanny trató de escupir, pero le faltaba el resuello y tenía la boca demasiado seca, de modo que sólo expulsó un espumarajo—. Yo ahora os mato uno por uno, pero detrás de mí viene quien os exterminará con un solo golpe de su espada. No os esforcéis prometiéndome riquezas. Adoraré al Señor mi Dios, y sólo a Él serviré. Y no penséis que vuestros mensajes lograrán burlar mi vigilancia: aunque creáis que duermo, estoy despierta; aunque me veáis presa, mi oído está avizor. Yo maldigo vuestra estirpe, maldigo vuestra descendencia y maldigo el aire que respiráis. Ni todos vuestros dragones podrían con su fuego asustarme. Mañana mismo volveré a diezmar vuestro ejército. Porque el Señor me protege con una diadema de doce estrellas...

Aún prosiguió su retahíla de reprobaciones mientras los guardianes la devolvían a rastras a su celda de seguridad, por corredores que añadían a su voz un eco bastardo, transformándola casi en un vagido. Pese al sedentarismo forzoso y a la dieta de rancho, Fanny guardaba para estos accesos paroxísticos una reserva de vigor casi sobrenatural (las legiones de arcángeles la sostenían y aguijoneaban) que ponía en apuros y hacía perder la compostura a los corpulentos guardianes del presidio; a estos arrebatos de furor, que solían durar hasta que las fuerzas y la capacidad de sufrimiento se le agotaban, sucedían períodos catatónicos, durante los cuales su enfermedad se encerraba herméticamente en una crisálida. El diagnóstico de los psiquiatras de Chicago-Read admitió sin discrepancias la depauperación extrema de la reclusa, víctima de una psicosis esquizofrénica degenerativa con complicaciones paranoides en estado muy avanzado; aunque estimaban que ya era demasiado tarde para lograr su sanación, pues después de tantos años sin tratamiento la enfermedad se habría hecho ya crónica, recomendaban su inmediato traslado a un centro de salud mental (a un manicomio) donde, al menos, recibiera terapias específicas.

A principios de 1973 (por las mismas fechas, tras el armisticio o rendición firmado por Kissinger, Chambers era liberado del Hanoi Hilton después de seis años de cautiverio), el ayudante del fiscal del distrito encargado del caso solicitó, como medida provisional de seguridad, el internamiento de la inculpada en Chicago-Read, destino que después ratificaría la sentencia de la Corte Suprema del estado de Illinois, en un veredicto absolutorio que aceptó la circunstancia eximente de trastorno mental. En su breve comparecencia ante el gran jurado, Fanny reconoció sin ambages su autoría en el asesinato de James Breslin, vendedor de aspiradoras a domicilio, con la misma desarmante ingenuidad con que veinticinco años atrás, ante el comité presidido por el senador Kafauver, había reconocido trabajar como modelo y actriz para el pornógrafo Klaus Thalberg. En aquella ocasión no había mostrado conciencia de haber delinquido, aunque su posterior conversión religiosa la lastimase con remordimientos que fueron el preludio de su locura. Ahora, asumía el asesinato de James Breslin sin sombra de pesadumbre ni contrición, incluso proclamaba su orgullo de soldado cuya proeza salvaría muchas almas de la condenación; y no se privó de mencionar, para que el jurado apreciase que sus méritos no eran aislados ni recientes, el parricidio con el que había respondido a la conspiración diabólica que cercenó la vida del hermoso presidente Kennedy, por mucho menos se cepillaron a Lincoln. A estas alturas, su declaración ya se había tornado incoherente y tortuosa, agitada de letanías que trataban de conjurar el poder de Satanás, cuyo nombre es legión. Entre los asistentes al juicio se extendía un rumor de protesta y desagrado; algunos habían comenzado a manotear, como si quisieran espantar un olor de letrina o el vuelo de un cínife. Entonces Fanny reparó en el taquígrafo que registraba su declaración, tecleando en la estenotipia; reparó en aquel ingenio que imprimía sobre la cinta de una bobina su tumulto de palabras inconexas; reparó en la cinta que poco a poco se iba arrollando en el suelo, como una serpiente agazapada; reparó en el bajorrelieve de signos que no podía discernir desde el estrado, y gritó, exaltada: «¡Véanlo! ¡Vean al Demonio que nunca duerme! ¡Vean cómo reparte órdenes a su ejército!». El juez, con un golpe de mazo, ordenó a los agentes que evacuaran a la acusada.

El infierno blanco de Chicago-Read. Encerraron a Fanny en un habitáculo de paredes enguatadas, sin ventana ni aberturas que perturbaran su monotonía, fuera de la puerta acorazada (y también pintada de blanco) y de una rejilla de ventilación por la que se filtraba el aliento de la antigua serpiente. Un tubo fluorescente emitía desde el techo su zumbido monocorde, en el que Fanny distinguía, sin embargo, inflexiones y suspiros que hubiesen pasado inadvertidos para un oído menos avezado que el suyo. Como la habían despojado de sus cuadernos de tapas de hule y ni siquiera la proveían de un lapicero, Fanny se vio obligada a transcribir los mensajes sobre la guata que forraba las paredes, utilizando como tinta sus excrementos y como pluma su dedo índice, que se había olvidado del alfabeto latino y se demoraba en arabescos de apariencia sumeria o cabalística. No tardaron en reprimir sus carceleros estos excesos grafómanos empaquetándola en una camisa de fuerza que ni siquiera le retiraban para dormir. Fue en aquellos días en que la inmovilidad le impedía atender el cúmulo de mensajes diabólicos que la atosigaban sin descanso cuando Fanny más cerca estuvo de rendirse. Las muy expeditivas terapias que los psiquiatras de Chicago-Read decidieron imponerle, antes de que se demenciara por completo, también contribuyeron a su aplastamiento: primero los tratamientos de choque con insulina recomendados en las psicosis esquizofrénicas agudas, que le provocaban hipoglucemias comatosas y ataques epilépticos de los que revivía in extremis, mediante suministros masivos de glucosa; después, descargas eléctricas de hasta 130 voltios que sacudían su cuerpo —o los escombros de ese cuerpo que otros manejaban, como si fuese un pelele— con convulsiones que la asomaban al precipicio de la agonía. Ambas terapias, con su rosario de pérdidas de conciencia, trataban de extirpar su enfermedad por el método más agresivo: agostando su memoria, de tal manera que sobre las ramificaciones de su delirio cayese una túnica de amnesia.

Y cada vez que la sometían a un *electroshock,* mientras la corriente atravesaba sus sienes con un dolor gélido que le quitaba el sentido, Fanny veía crecer ante sí una luz cegadora que la envolvía, y la tornaba ingrávida, y la elevaba hasta regiones empíreas. Y en uno de aquellos ascensos o arrebatos columbró una puerta abierta en mitad del cielo, y escuchó, envuelta en el tañido de las cítaras, una voz que fundía en su modulación el estruendo de muchas aguas y el estampido del trueno: «Descansa de tus trabajos —le decía— y aguarda la llegada de quien te redimirá de ese infierno. Porque yo enviaré a la tierra un ángel de mis huestes que alumbrará tu camino hasta la cumbre del monte Sión. La antigua serpiente no tendrá poder sobre él, porque lo baña la sangre del Cordero; en su mano sostendrá una gran cadena, con la que inmovilizará a la antigua serpiente por mil años, y la arrojará al abismo, para que no siga engañando más a las gentes». Fanny avanzó en pos de esa voz y ascendió las escaleras que conducían hasta el trono de Dios, talladas en mármol y sardónice; sobre el trono se extendía un solio, como un arco iris del color de la esmeralda; y rodeaban ese solio siete lámparas, ardiendo en una combustión eterna, y veinticuatro sabios revestidos de ropas albas y con coronas de oro sobre sus cabezas, y cuatro animales de seis alas cada uno que tenían ojos en lugar de plumas. «¿Y cómo reconoceré a ese ángel si, como sospecho, se presentará ante mí bajo especie humana?», preguntó Fanny, que no osaba alzar la cabeza, pues no se creía digna de contemplar tanta gloria. «Él saldrá a tu encuentro, amada sierva —respondió la voz—. Y en pago a tus muchos servicios acompañará tu peregrinaje por el valle de las sombras, hasta que acaben los días de la tribulación.» Fanny sintió entonces la caricia dulcísima de una mano que enjugaba sus lágrimas y borraba sus quebrantos; y a hurtadillas quiso conocer el rostro que se correspondía con esa mano, aun a riesgo de que su atrevimiento fuese castigado severamente, pero al instante se disolvió aquella visión, como un cristal que se hace añicos dejando en el aire el rastro de un vahído. Y Fanny, que había llegado a creerse puro espíritu mientras permaneció ante el trono de Dios, notó que otra vez se hacía grávida, para precipitarse en el infierno blanco de Chicago-Read.

—Por hoy ya es suficiente —dijo el psiquiatra, apartando los electrodos de sus sienes—. Controlen el ritmo cardiaco.

En su pecho crecía una angina de congoja por la que se le escapaba el resuello. Cuando por fin sus latidos se acompasaban y su respiración de acordeón roto se apaciguaba, los enfermeros la conducían en silla de ruedas hasta su cuarto, que ya no era aquel habitáculo enguatado donde la recluyeran durante los primeros meses. Ahora que las terapias de choque habían arrasado los síntomas más ostentosos y hostiles de su enfermedad, ahora que la amnesia anegaba el recuerdo de sus crímenes y la causa mesiánica que los inspiró, la habían trasladado al pabellón más vigilado del manicomio, allá donde se confinaba a los internos por orden judicial, autores de los delitos más aborrecibles a quienes su trastorno eximía de responsabilidad. A Fanny le asignaron una habitación al fondo de un pasillo que abría sus ventanas enrejadas al huerto del manicomio, donde los pacientes en régimen abierto zascandileaban, entre matas de tomates anémicos, creyéndose quizá protagonistas de una utopía silvestre de Thoreau. Si las descargas eléctricas y las hipoglucemias comatosas no hubiesen cegado su clarividencia, Fanny habría descubierto la escritura del Diablo camuflada entre los surcos abiertos de la tierra, en las semillas que los pacientes en régimen abierto sembraban en esos surcos, en los grumos apiñados del brécol y la coliflor, en las vainas granujientas del guisante, en las lechugas mordisqueadas por los gusanos, en la florescencia de la primavera, en el rocío unánime y diminuto que acribillaba las hojas como una exudación del amanecer, en el vuelo rasante de los gorriones que picoteaban la fruta. Pero ahora esas escrituras discurrían ante su mirada como músicas extranjeras. Jamás hubiese podido imaginar que aquella existencia vegetativa, sometida a rutinas lánguidas y sedentarias, mereciese la designación de vida. Mientras padeció penalidades sin cuento, mientras los garfios de la esquizofrenia la desgarraron, hasta penetrar en la purísima médula del dolor, se había sentido viva, irrefutablemente viva. Extirpado ese dolor, la vida se parecía demasiado a una cáscara huera. Sólo la esperanza en el advenimiento de ese ángel bañado en la sangre del Cordero que acompañaría su peregrinaje por el valle de las sombras la mantenía vigilante.

A cada poco entraba en su habitación un enfermero con la bandeja de la comida (purés con consistencia de engrudo, pescados hervidos con sabor a limo), a la que siempre acompañaban, a modo de golosina, las grageas que aseguraban su estancia plácida en el limbo. Cuando la medicina debía administrarse por vía intramuscular (las nalgas de Fanny, antaño opulentas, convertidas en un acerico), solía ser una mujer la encargada de inyectársela, para que el pudor no la cohibiera; en general, se pretendía mantenerla en un estado perenne de neutralidad emocional, para lo cual se consideraba esencial el mantenimiento de unos hábitos invariables. Fanny escrutaba los rostros de enfermeros y celadores, anhelosa de encontrar en ellos algún rasgo que delatase su naturaleza angélica, pero uno tras otro acababan decepcionándola: eran mastuerzos que la trataban con una condescendencia empalagosa, como si fuese una niña todavía lactante, y regaban su plática de diminutivos y banalidades meteorológicas; cuando se resistía a tomar las grageas la amenazaban con castigarla sin postre, o con «darle un azotito en el culito». Tampoco los psiquiatras de

Chicago-Read se distanciaban mucho de este patrón, aunque se dieran mucho pote y se refiriesen a los enfermeros como a miembros de una casta inferior. Diariamente la visitaba uno que deslizaba, entre la artillería de preguntas intrascendentes, menciones que se pretendían casuales a Ése cuyo nombre es legión: «¿Dónde he dejado el bolígrafo? Se lo habrá llevado el diablo», decía, palpándose los bolsillos vacíos de la bata; o bien, apuntando a los gorriones que se posaban en los árboles frutales del huerto, haciendo caso omiso del espantapájaros que debería ahuyentarlos, observaba: «¿Se ha fijado? Son de la piel del demonio»; o bien, comentando los diarios pescozones que la prensa le propinaba a un presidente llamado Nixon, mucho menos hermoso que Kennedy, pero más cotilla y manipulador, se burlaba: «Ni que tuviese como asesor al mismísimo Satanás». Fanny nunca picaba el anzuelo; con un mohín de risueño escepticismo lo corregía:

—Por favor, doctor, no me sea supersticioso. El Demonio no existe.

Una vez a la semana la convocaban en una sala donde se reunía la junta de psiquiatras de Chicago-Read, presidida por su director. Era la única ocasión que se le procuraba de atisbar los dormitorios comunales donde se hacinaban otros internos menos afortunados que ella, abandonados por sus familias; puesto que ninguna orden judicial los retenía allí, y como en su mayoría no eran enfermos de pago, se descuidaban su vigilancia y medicación, también su aseo personal. Campaban a sus anchas por los pasillos, en coloquios vociferantes con sus fantasmas o enzarzados en una pugna con los piojos y sabandijas invisibles que parasitaban su cuerpo; ellos mismos tenían que ocuparse de hacer sus camas de sábanas fermentadas de orines y de fregar los pasillos que servían de palestra para sus trifulcas y bailes de San Vito, bajo la supervisión de celadores que más bien parecían matones de taberna. De una semana para otra, Fanny observaba fluctuaciones en la población de Chicago-Read: los ingresos de nuevos orates se compensaban con las deserciones de otros que lograban fugarse (las ventanas de sus dormitorios no estaban protegidas por barrotes) o cortarse las venas (los cristales de las ventanas eran quebradizos) o extinguirse de pura abulia. En aquellas juntas de psiquiatras, que tenían algo de examen de graduación, Fanny era sondeada, inquirida, sonsacada, auscultada, a veces zaherida y vilipendiada; no tardó en comprender que su indefensión estimulaba cierto instinto de competencia entre los médicos, que jugaban a probar su aguante con interrogatorios cada vez más insidiosos, cada vez más intimidantes y astutos. Debían de creerse contendientes en un torneo de discípulos freudianos:

—Háblenos de su padre, Fanny —decía uno a quemarropa, después de revisar cansinamente los encefalogramas y cuadros clínicos que otro acababa de tenderle.

La mandaban sentarse en un taburete muy alto que le impedía apoyar los pies sobre el suelo, en una especie de proscenio alumbrado de lámparas que dirigían su haz de luz hacia su rostro, como las candilejas de un teatro. Deslumbrada, Fanny apenas podía distinguir las fisonomías de sus inquisidores.

—Había combatido en Francia. Allí lo hirieron de metralla en un brazo y en el costado...

—¿Solía mostrarle las cicatrices? —la interrumpía otro, todavía más brusco y calenturiento. Y enseguida justificaba su exabrupto, para que los otros colegas no malinterpretaran su curiosidad—: A los niños se les suele asustar así.

Fanny fruncía el entrecejo, afectando incomodidad y horror. Aunque vestía un pantalón muy basto y holgado, confeccionado con el mismo desaliño y la misma tela que la camisa (ambas prendas impuestas como uniforme epiceno en el manicomio), se preocupaba de mantener las rodillas juntas, para que ninguno de aquellos fantoches pudiera acusarla de insinuarse obscenamente.

—¡Oh no! ¿Cómo iba a hacer papá algo tan desagradable? —entonó la frase con una suerte de escandalizada ñoñería—. Ni siquiera quería hablar de aquel asunto. Pudo haber cobrado una pensión del Gobierno, pero renunció a ella porque no soportaba la idea de que cada mes le recordaran aquella guerra que tanto odiaba.

—Y, sin embargo —intervino otro, con voz más neutra—, en su familia llegaron a pasar hambre, según nos ha contado usted misma.

Y no sólo hambre, también el dedito en la huchita, también la caricia viscosa de aquella pomada que papá fabricaba dentro de su cuerpo, aquella pomada acre y nutricia que tanto desagradaba a Fanny. Y, aunque se resistía, papá no interrumpía sus friegas.

—Ya lo ven —Fanny sonrió, con orgullosa nostalgia—. Era un cabezota, un bendito cabezota.

Y la miraba fijamente con unos ojos grandes y verdosos, de pupilas como diamantes de concentrada negrura, hasta que la pomada por fin brotaba a borbotones, y entonces su mirada se aflojaba, en un placentero desvanecimiento.

—No fue eso lo que dijo de él en el juicio —la cercó la voz más calenturienta—. Usted declaró que tenía el diablo metido en el cuerpo. Declaró también que abusó repetidamente de usted, con tocamientos y penetraciones superficiales. Existe una transcripción literal de sus declaraciones.

El taquígrafo golpeando las teclas de la estenotipia, la cinta de papel escupiendo un tumulto de palabras inconexas, arrollándose poco a poco en el suelo, como una serpiente agazapada que cambia la piel, se despereza y abandona la guarida del prepucio y cabecea con su ojo de cíclope, presta a escupir su veneno.

—También declaró que usted misma lo había matado con sus propias manos. —Esta nueva voz acusatoria procedía del otro extremo de la sala, pero Fanny se cuidó de torcer el cuello con brusquedad, debía mostrar aplomo y sosiego, quizá una leve compunción abochornada—. El mismo día que asesinaron a Kennedy en Dallas.

Las nubes tumefactas devorándose a sí mismas, como tripas de un buey que abandonan en tropel el peritoneo. Augurios y escrituras del Diablo que volvían desde un pasado del que casi no recordaba nada, con un viento de baraja rota: el humo de una chimenea, el vagido de un tren, los túneles de la carcoma en un banco de Lincoln Park (por mucho menos se cepillaron a Lincoln), el vaho que brota de las alcantarillas, el tictac de un reloj que ha dejado de marcar la hora porque olvidó darle cuerda, los ocelos en las alas de una polilla, el teclado de un piano como una dentadura cariada, el tictac de un reloj, la corola de una rosa con su exacta y envolvente disposición de pétalos, el tictac de un reloj, una hilera de hormigas desfilando por el suelo de una celda, el tictac de un reloj, el bigotito de Jim plagiado de Gilbert Roland, el tictac de un reloj. Fanny bajó los párpados, para que sus inquisidores no apreciaran el enjambre de alfabetos que golpeaba las paredes de su cráneo.

—Por Dios se lo pido, señores. No me recuerden las burradas que dije cuando estaba trastornada.

Inclinó la barbilla, como una virgen ofendida en su pureza. En realidad, quería apartar su mirada en ascuas del escrutinio de aquel sanedrín sádico.

—Mi padre murió porque era un cabezota. Genio y figura hasta la sepultura. —Se sorprendió a sí misma conciliando el temblor de un sollozo y una medrosa sonrisa, algo que sólo los actores más duchos logran ofrecer simultáneamente—. Sufría de diabetes y no quiso tratarse con insulina. Y mira que le insistí... Pero él erre que erre. Se le gangrenaron las piernas y hubo que amputárselas, pero ya era demasiado tarde, la sangre no le circulaba. En el hospital de Peoria podrán confirmarles todos los detalles.

Los psiquiatras se habían quedado mudos, quizá un poco abochornados de su felonía. Pero Fanny sabía que se trataba de una vergüenza momentánea, que no duraría más de lo que dura la sangre en sus conductos cuando un berbiquí los agujerea, cuando una lezna los desgarra.

—Nos lo han confirmado, Fanny —intervino el director, blandiendo un cigarrillo—. También nos han confirmado que su nombre no figura en el registro de visitas del hospital. Jamás fue a ver a su padre, durante los meses que duró su agonía. Y ni siquiera asistió a su entierro. Ningún miembro de su familia asistió al entierro, en realidad. Hubo que enterrarlo en una fosa común.

—¡Claro que no fui a verlo! —Su llanto era tranquilo, sin estridencias de plañidera—. No me atrevía a contrariarlo. Jamás me perdonó que posara ligera de ropa para las revistas. Lo consideraba un oficio propio de meretrices, una... —iba a decir «abominación del Diablo», pero se reprimió— una deshonra para la familia. Renegó de mí, me desheredó. —Esta precisión resultaba ridícula, pues el padre de Fanny jamás tuvo otra posesión que su picardía y la ropa que llevaba puesta—. Y a las monjas del hospital les advirtió que no quería verme ni en pintura. Aun así, yo llamaba todos los días, para interesarme por su salud, y por si cambiaba de opinión. —Hizo una pausa extenuada, como si aún aguardase la retractación paterna—. Nunca lo hizo.

El director había encendido el cigarrillo y expelido la primera bocanada de humo, que se retorcía como un dragón herido.

—¿Le guardó rencor por ello?

—¿Rencor? —Tampoco convenía mostrarse en exceso candorosa. El rencor era una pasión humana, demasiado humana, que jamás se había inmiscuido en sus designios mientras batalló con la antigua serpiente—. No sabría responderle. Quizá fue una penitencia excesiva la que me impuso. Hubiese deseado reconciliarme con él.

El humo del cigarrillo se deshilachaba de volutas como garras, como garfios, como áspides que se arquean antes de lanzar su picadura. Fanny hubiese querido avanzar por aquella especie de proscenio y borrarlas de un manotazo, pero se mantuvo quieta en el taburete, con las rodillas juntas, con los brazos pudorosamente cruzados sobre el regazo.

—¿Y no será que ese despecho, ese... resquemor que le dejó la intransigencia de su padre lo descargó luego contra James Breslin? —preguntó alguno de aquellos botarates, dándoselas de perspicaz.

El director del manicomio se revolvió en su asiento, como si esa pregunta hubiese hurgado en la llaga de su amor propio:

—Esa pregunta no me ha parecido muy ortodoxa, doctor. Habíamos acordado que, por el momento, soslayaríamos ese asunto, mientras la paciente no dé pruebas de haberlo asumido.

—Pero cuanto más lo soslayemos... —balbucía el infractor del acuerdo.

—Es el abecé del entrevistador psiquiátrico. Antes de pasar al nivel de discusión motivacional, debe completarse la transferencia. Si no entiende algo tan simple, quizá haya errado su vocación.

Estas disputas, en las que siempre salían a relucir una jerga embarullada y el avispero de desavenencias y celos profesionales en que se debatían sus inquisidores, convertía a Fanny en espectadora de una representación bufa en la que cada actor aprovechaba para meter con calzador su lista de agravios y vindicar sus métodos frente a los del colega o rival. Todos estaban convencidos de que su adscripción a Chicago-Read era el período de meritoriaje que el sistema de sanidad pública les imponía, antes de permitirles abrir una consulta particular para millonarios chavetas. Fanny se sentía como un aborigen de la selva de Borneo ante un cónclave de teólogos que discuten sobre la existencia de su alma; era una sensación tan divertida como desoladora.

—Señores, por favor, no quisiera ser motivo de discordias. Creo que puedo responder a esa pregunta.

Y sus inquisidores se quedaban cariacontecidos y estólidos, como niños sorprendidos en la despensa mientras untan un dedo en el frasco de la mermelada. Como retazos relampagueantes de una pesadilla, volvían a golpear a Fanny los recuerdos de aquella tarde remotísima en que fue raptada y conducida a un vertedero de las afueras: el filo de una navaja apretando su yugular, el hedor mareante y pútrido de las montañas de basura, la monotonía de la lluvia, sus rodillas laceradas, el regusto belicoso y repetido del semen en su paladar.

—James Breslin era un proxeneta. Me obligaba a prostituirme en el salón de baile Aragon. Les ruego que no ensucien la memoria de mi padre mezclándolo con ese tipejo.

—¿Dice que la obligaba? —intervino el psiquiatra que acababa de enzarzarse con el director del manicomio. Tenía una voz aflautada y subrepticia—. Podría haberlo denunciado.

Fanny agachó la cabeza, afectando un desconsuelo que no sentía, pues sabía que era la sierva amada del Señor. Para dotar su patraña de circunstancias más verosímiles, atribuyó al vendedor de aspiradoras a domicilio James Breslin los chantajes empleados por el adolescente Chambers:

—Yo estaba sola en el mundo y era una débil mental. Breslin me amenazó con sacar a la luz unas fotos muy escabrosas de mi etapa como modelo.

Siguiendo el ejemplo del director, otros psiquiatras se habían puesto a fumar. Las brasas de sus cigarrillos se hacían señales en la oscuridad, formaban una constelación de mensajes que invitaba al ejercicio hermenéutico. A veces, las preguntas que le dirigían se olvidaban de la pesquisa terapéutica, o la utilizaban como coartada de otras intenciones menos confesables:

—¿Cómo de escabrosas, señorita Riffel?

—No sabría responderle. —Fanny se encogió en el taburete, estremecida por la pululación de la vergüenza—. Nunca me las enseñó. Pero, a veces, mientras posaba para los fotógrafos, bebía un poco más de la cuenta y perdía conciencia de mis actos.

—Muy escabrosas tenían que ser para que Breslin las empleara para extorsionarla. —La voz aflautada y subrepticia buscaba ahora la anuencia de sus otros colegas, aunque para ello tuviese que recurrir a los chistecitos—. Le aseguro que, desde que usted estuvo de moda a esta parte, la pornografía ha avanzado una barbaridad, más incluso que la astronáutica.

Una risita unánime, como de comadrejas que han perdido los dientes, se extendió entre los miembros de la junta. Fanny no perdió la oportunidad de lanzar una pullita, amparándose en el candor:

—¡Y tanto, doctor! Alguna vez he visto de refilón las revistas que los enfermeros les alquilan a los internos.

Supo de inmediato que se había pasado de lista. Su experiencia en este tipo de interrogatorios mancomunados le había demostrado que los psiquiatras apreciaban como síntomas de mejoría el sometimiento y la docilidad; cualquier atisbo de insolencia lo interpretaban como una recidiva o recrudecimiento de la perturbación, y duplicaban la dosis de medicinas.

—Cualquier irregularidad que detecte debe comunicármela por el conducto reglamentario, señorita Riffel —dijo el director, menos protocolario que ofensivo—. Ya me encargaré yo de discernir si verdaderamente se trata de una irregularidad, o de...

Dejó en suspenso la frase, que Fanny habría podido completar sin esfuerzo: «O de otro de sus delirios esquizofrénicos». Pero jamás había detectado en esas revistas de gimnasia genital ningún mensaje de la antigua serpiente, demasiado astuta para manifestarse allá donde más previsible resulta su presencia; y así, antes que una publicación pornográfica prefiere los pasquines electorales, los boletines religiosos, los folletos de instrucciones de un electrodoméstico, las novelas mojigatas de Richard Bach, la sección de pasatiempos del *Chicago Tribune*, los tests psiquiátricos, como el de las palabras inductoras de Jung, al que Fanny respondía con asociaciones bucólicas. El sol ponía en su boca las playas de Florida (aunque en su fuero interno alumbrase la llanura de Harmagedón, abarrotada de osamentas calcinadas); los caballos le inspiraban, indefectiblemente, horizontes nunca hollados y relatos de pioneros (aunque en sus sienes retumbara el galope de los cuatro jinetes del Apocalipsis); las estrellas las asociaba con las cosechas fecundas (aunque las estuviese viendo caer, tras abrirse el sexto sello, sobre la Tierra, como caen las brevas de una higuera sacudidas por un recio viento); la sangre evocaba los crepúsculos y la maternidad (aunque sabía que era el mejor detergente para lavar los pecados, el mejor remojo para el alma atribulada cuando abandona sus conductos, a veces con un reguero exangüe, a veces con el ímpetu de un géiser, salpicándolo todo en su derredor).

—Tiene que decidirse, señorita Riffel: ¿crepúsculos o maternidad?

Fanny pensaba en Judit, con las manos tintas en la sangre de Holofernes, regresando a Betulia para mostrar el despojo y celebrar el triunfo. A ella también le hubiese gustado celebrar su triunfo sobre la antigua serpiente, encarnada en aquel vendedor de aspiradoras a domicilio llamado Breslin; pero los tratamientos con insulina y *electro-*

shock habían encapsulado ese episodio en una burbuja de amnesia de la que sólo habían logrado escapar la brusca visión de la sangre, un berbiquí, una lezna. Se mordisqueó los labios antes de elegir la palabra con más posibilidades psicoanalíticas; le gustaba tender estos caramelos a aquel hatajo de botarates infatuados:

—Maternidad.

—¿Le hubiese gustado ser madre, señorita Riffel?

Afortunadamente no procreó mientras estuvo infectada por el Maligno, pues habría transmitido el estigma a su descendencia; desgraciadamente, no pudo procrear después de que la purificara un hombre santo, pues su batallar insomne contra la antigua serpiente le hubiese impedido atender a su prole. Ahora que su vientre era estéril, sentía la falta de hijos como una amputación, pero Dios le había prometido que enviaría un ángel lavado en la sangre del Cordero que la acompañaría en su peregrinaje por el valle de las sombras. Esperaba a ese enviado del cielo con la misma fervorosa expectación con que una madre embarazada espera el parto.

—Supongo que sí. Un hijo me habría ayudado mucho en mi curación. Quizá hubiese impedido que enfermara. Pero, ¿de qué sirve lamentarse? No podemos cambiar el pasado.

El psiquiatra chasqueaba la lengua, compungido. Del test de palabras inductoras de Jung pasaban a las láminas de Rorschach, que susurraban un pentecostés de dialectos cuya clave Fanny había extraviado. Las manchas de tinta sin duda contenían mensajes cifrados, pero Dios le había ordenado que descansase de sus trabajos, así que probaba a buscarles similitudes banales: una orquídea mustia, un sombrero abollado, el mapa de una isla desierta, una pareja de siameses fumando en pipa, una mariposa desovando, un barco con las velas desplegadas, un nido de serpientes, no, perdón, un nido de oropéndolas. Cuando el psiquiatra retiraba las láminas, Fanny fruncía los labios en un mohín:

—¿Nota alguna mejoría, doctor?

—Sin duda, señorita Riffel. Pero debemos andarnos con tiento. De momento seguiremos con la misma medicación. ¿Se ha presentado algún efecto secundario?

Fanny negó enérgicamente, sacudiendo la cabeza a derecha e izquierda. Pero mentía. Achacaba su gordura (aún no le habían concedido un espejo para el lavabo, pero le habían facilitado un uniforme de una talla superior, porque el antiguo le oprimía la cintura) a la ingestión de los neurolépticos, también los temblores y lipotimias que la doblegaban al amanecer, y las convulsiones y trasudores que le impedían conciliar el sueño y prolongaban su estancia en un infierno blanco y desierto como una geografía lunar. También las floraciones ictéricas que parcheaban su piel eran causadas por los neurolépticos, pero Fanny se las arregló para disimularlas, exponiéndose al sol que penetraba por la ventana de su cuarto. En unos pocos meses estuvo tan morena como una nativa; y puesto que le habían dejado de cortar a trasquilones el pelo que seguía creciendo ferozmente negro, se popularizó entre internos y enfermeros el mote de Pocahontas para referirse a ella, incluso en su presencia. Nunca declaró los estragos que los neurolépticos le causaban, por temor de que le administrasen dosis aún más agresivas, o antídotos que la idiotizaran, impidiéndole reconocer al ángel que alumbraría su camino hasta la cumbre del monte Sión. Para preparar su advenimiento, Fanny solicitó al director del manicomio —siempre por el conducto reglamentario— algunos favores y exenciones; muchos le fueron denegados, pero con los pocos que le concedieron logró quitarse diez años de encima: la exoneraron de vestir el áspero y grisáceo uniforme, le permitieron apuntarse a una dieta vegetariana que contrarrestó la retención de humores propiciada por los neurolépticos, le dejaron vestir ropas medianamente ceñidas y cepillarse el cabello durante horas, como si almohazase el lomo de un caballo, hasta extraerle un brillo que ya no era agreste, porque los animales enjaulados terminan olvidando los itinerarios del bosque. También consiguió que las enfermeras que le acribillaban el culo con inyecciones de clozapina le regalasen algún potingue cosmético, casi siempre reducido a las últimas rebañaduras, o caducado, o pasadísimo de moda. Pero aun de estas sobras y reliquias sabía sacar provecho Fanny, para envidia de aquellas brujas, que empezaron a ensartarle las agujas hipodérmicas con mayor ensañamiento, y siempre utilizando como diana un moretón reciente.

Fanny había aprendido a maquillarse utilizando como espejo un codo del catre de níquel de su cama, al que sacaba brillo de continuo, arrojándole su vaho y frotándolo con una gamuza. Los potingues cosméticos los escondía al fondo de un cajón de la mesilla, detrás del mamotreto de la Biblia que apenas necesitaba consultar, puesto que mientras acompañó al predicador Burkett en su caravana nómada tuvo ocasión de leerla varias veces de cabo a rabo. Aquella mañana de abril de 1975 los pacientes en régimen abierto que zascandileaban por el huerto habían montado una gresca más bullanguera de lo común, pues habían descubierto un nido de verderón entre las ramas de un manzano, y lo celebraban con gritos histéricos. Esa algarabía le impidió apercibirse de que por el pasillo que conducía hasta su habitación avanzaba el director del manicomio, ejerciendo de cicerone para un visitante que escuchaba sus monsergas sin decir ni mu. Una enfermera acababa de trepar al manzano, para inspeccionar el nido, y los pacientes en régimen abierto, que un segundo antes se mostraban fascinadísimos por la ornitología, se agachaban para verle la horcajadura de los muslos y también las bragas, que es panorámica muy apreciada por los tontos de capirote. El director del manicomio golpeó con los nudillos la puerta de su habitación e impostó una voz meliflua:

—¿Se puede? —dijo.

Fanny guardó apresuradamente los potingues cosméticos en el cajón de la mesilla; el reflejo que le devolvía el catre de níquel estilizaba su rostro, abreviaba sus arrugas y flacideces. Aguzó el oído para escuchar las palabras susurradas que el director dirigía a su acompañante, con un regodeo digno de examen psiquiátrico:

—Esta pájara maniató y amordazó a su amante, después de dejarlo inconsciente. Durante más de tres horas se divirtió haciéndole cortecitos con una cuchilla y agujeritos con un berbiquí. —Fanny imaginó al director completando sus explicaciones con gestos muy descriptivos; imaginó también la mueca de fatigado espanto de su interlocutor, que permanecía mudo—. Luego, cuando ya se aburrió de torturarlo, le arrancó el pene y los testículos y lo dejó morir desangrado.

Afuera, la enfermera había alcanzado por fin el nido de verderón, que sostenía entre sus manos, mientras contaba los huevos de cáscara moteada en los que la antigua serpiente había tatuado su escritura. Uno de los pacientes, encalabrinado con la visión de carne incógnita que se le ofrecía, no pudo reprimir el impulso de magrearla. La enfermera pegó un respingo y dejó caer el nido, cuyos huevos se estrellaron sobre el tronco del manzano, haciéndose papilla; bajó del árbol a trompicones y escarmentó al sobón, sacudiéndole mojicones y collejas, para regocijo de los circunstantes. Pero Fanny ya no prestaba atención a la tremolina; su mirada se había quedado prendida de las escurrajas de huevo que galardonaban la corteza del manzano, viscosas e irisadas, con sus tropezones de cáscara moteada, con su escritura rota y hecha añicos. Fanny recordó entonces aquella voz que le había hablado desde su trono celestial: «Sostendrá una gran cadena, con la que inmovilizará a la antigua serpiente por mil años, y la arrojará al abismo, para que no siga engañando más a las gentes». Los huevos despachurrados goteaban resignadamente su yema, acatando una condena milenaria. Fanny supo que el redentor que la salvaría del infierno blanco de Chicago-Read había por fin llegado.

—¿Se puede? —repitió el director, ahora con un tono más imperioso que melifluo, aporreando la puerta sin remilgos.

Fanny retrocedió hasta la pared del fondo, en señal de pleitesía y veneración, también temerosa de que, en su anagnórisis, el ángel lavado en la sangre del Cordero la cegase con su claridad resplandeciente. Respondió con una voz modosita y atribulada a un tiempo:

—Adelante.

Siempre habían estado allí, aunque yo no hubiese reparado en ellos. De repente, los inquilinos de la vida invisible se corporeizaban ante mí, cada uno con su historial de padecimientos esculpido en las facciones. La prensa sólo se acordaba de ellos cuando morían inadvertidamente sobre los bancos de los parques, como estatuas yacentes condecoradas por las cagadas de las palomas; o degollados en un desmonte, en los entresueños del alba, cuando la sangre mana con timidez dormida; o sepultados bajo las ruinas del edificio que les servía como guarida para chutarse, con la jeringuilla todavía ensangrentada en las venas de delgadísimo asfalto; o apaleados por su capataz o chulo en un ergástulo que compartían con otros veinte o treinta esclavos que contemplarían su agonía con envidia, porque la muerte, entre los inquilinos de la vida invisible, es el descanso, o al menos el más benigno de los castigos. Siempre habían estado allí, aunque yo no hubiese reparado en ellos; o, si lo había hecho, había fingido que su sufrimiento no me concernía. En la calle de Preciados extendían sobre una manta mercancías averiadas o apócrifas, relojes que quizá sólo midiesen el tiempo hasta pasado mañana, bufandas y chales de dudosa cachemira, cedés pirateados, un batiburrillo de baratijas y abalorios que recogían apresuradamente cada vez que olfateaban la proximidad de la policía, convirtiendo la manta en un hato que cargaban al hombro antes de escapar despavoridos; eran negros altiricones y herméticos, como príncipes nubios sometidos a una dieta de aire, moros que traían en la lengua la algarabía de los zocos y el grito de los almuédanos, indios petisos que hacían sonar instrumentos andinos y se enredaban con los ponchos mientras trataban de escapar. Si uno se fijaba en sus rostros (pero los rasgos fisonómicos de las razas perseguidas se confunden, a los ojos del occidental, en un mismo arquetipo indistinto), descubría que cambiaban de un día para otro, quizá tuviesen establecido un turno de relevos para despistar a la policía, quizá sus capataces los sustituyesen a medida que sus antecesores en el puesto eran deportados a sus países de origen, quizá simplemente heredaban aquella porción de acera cuando el negro o moro o indio petiso que la ocupaba hasta el día anterior con su manta moría de una paliza o unas fiebres tifoideas, en cualquiera de los ergástulos sin electricidad ni agua corriente donde los hacinaban las mafias de la inmigración, auténticas letrinas donde la carne se iba pudriendo lentamente, hasta quedar reducida a puro excremento. No había día que no se descubriese uno de estos ergástulos donde los inquilinos de la vida invisible se derrumbaban, para reparar las fatigas de un trabajo que les había dejado el espinazo molido y el alma rasguñada por la rapacidad de sus patronos; pero su descubrimiento, de tan repetido, apenas producía conmoción en la sociedad, inmunizada contra el espectáculo de la vida reducida a esclavitud. La abyección, que al principio nos perfora la inteligencia y el sentimiento con su fetidez, acaba conviviendo con nosotros, como un animal doméstico, y cuando queremos reaccionar contra ella ya es demasiado tarde, porque se ha enquistado en nuestros hábitos.

Siempre habían estado allí, aunque yo no hubiese reparado en ellos; o, si lo había hecho, había fingido que su sufrimiento no me concernía. En la calle de Montera se amontonaban las putas, con su aire de cariátides desahuciadas a las que un arquitecto poco respetuoso de los cánones clásicos hubiese colocado precisamente ahí para soportar el peso de las fachadas, como si no les bastase el peso de su tristeza milenaria. En los últimos meses se habían multiplicado, quizá una fuerza invisible y agónica las congregase en ese lugar, recaudándolas en los arrabales de la civilización; me recordaban a esos cetáceos que se han quedado varados en una playa, aguardando la parsimoniosa muerte, con el sol clavado en las retinas. Algunas todavía probaban a desafiar la mirada azorada de los viandantes, o a dirigirles una sonrisa que pretendía ser a la vez aviesa y libidinosa; pero sus labios no aguantaban ese gesto risueño y acababan formulando un rictus desalado y capitulante, como de pájaros en cautiverio que se han acostumbrado a mirar la vida entre barrotes. Las había negras, ceñidas de ropas o andrajos que dejaban asomar unos muslos muy rollizos o quizá sólo tumefactos; se juntaban entre ellas y hablaban asomando unos dientes de clavicordio que sobrevivían a la piorrea. Las había mulatas, o cuarteronas, o entreveradas de mil sangres que han conocido la diáspora y el desprecio; miraban con unos ojos pitañosos que el aparatoso maquillaje sólo conseguía entenebrecer, pero cuando alzaban la voz empleaban un soniquete muy derrengadamente sabroso, como una rodaja de melón que empieza a pudrirse. Las putas eslavas, en cambio, perseveraban en un mutismo lastimado; los ojos oblicuos y levemente tártaros, la boca como una rúbrica de ferocidad, la tez muy pálida y acechada de lipotimias añadían a su tristeza un rencor indescifrable.

Y luego estaban, en fin, las putas autóctonas, desportilladas como muebles que han conocido mil mudanzas, recostadas en las mismas esquinas que hace veinte o cien años, esas esquinas que el uso ha ido erosionando, hasta adaptarlas a sus cuerpos que ya apenas se sostienen en pie, aplastados por la canícula o resquebrajados por la escarcha. Algunas tenían una delgadez de radiografía, y ya ni siquiera se molestaban en disimular los picotazos de la jeringuilla; otras, las más veteranas y solanescas, se refugiaban en un pasadizo que une la calle de Montera con la plaza del Carmen, arrinconadas por la invasión de putas foráneas que exaltaban la concupiscencia de la clientela con una promesa de exotismo. Para ellas sólo quedaban esos viejos más tirados que las magreaban mientras fijaban los términos de la transacción y les enseñaban las encías desdentadas y blandengues, encías de una carne batracia que aún sentía nostalgia de los mordiscos. En el pasadizo olía a orines rancios, a calor estabulado y exhausta pesadumbre; cada vez que lo cruzaba procuraba contener la respiración, pero no lograba sustraerme a un sentimiento sin nombre, en el que se fundían la insidiosa piedad, y la grima, y también una suerte de secreta rabia que dirigía contra las putas desportilladas, y contra sus clientes, y contra los alguaciles desidiosos, y contra mí mismo, que no tenía valor para llorar. Hay sentimientos que el diccionario no acierta a designar, pero que existen y crecen en el pecho como un liquen de invasora decrepitud; quizá tengan que ver con el asco de vivir, de seguir viviendo, mientras a nuestro alrededor otras vidas se ofrecen en almoneda.

Siempre habían estado allí, aunque yo no hubiese reparado en ellos; o, si lo había hecho, había fingido que su sufrimiento no me concernía. Arrebujados entre cartones al cobijo de un portal; arrodillados en mitad de la calle, con una leyenda regada de faltas de ortografía que compendiaba sus penurias; sonámbulos y resacosos de un vino en *tetra-brik* que sustituía el jugo de las uvas fermentadas por una combinación de polvos químicos; pordioseando con gritos de plañidera en los que se mezclaban las plegarias y las blasfemias, un ejército de mendigos greñudos y embarullados de harapos me asaltaba en los semáforos, a la puerta de los hangares comerciales, en el atrio de las iglesias, en los paseos de los parques. Ya no bastaba con despacharlos con una limosna más o menos rumbosa, rehuyendo su mirada en la que me escupían una acusación o un reproche. En la línea del metro en la que asiduamente viajaba solía coincidir con una muchacha de raza gitana que vendía *La Farola* por los vagones. Era una muchacha de larguísima melena de azabache que le descendía hasta la cintura, recogida en una coleta; en su piel, tatuada por los soles del éxodo, aún se atisbaban unas facciones que podrían haber sido bellas, unos ojos que ya se habían olvidado de segregar el bálsamo de las lágrimas, unos labios agrietados a los que de vez en cuando acudía una súplica musitada en rumano, que es un idioma lastimero y demasiado próximo al nuestro, demasiado dolorosamente próximo. Sujeto en cabestrillo, como si fuese un apéndice maltrecho de su propio cuerpo, cargaba con un niño que sus brazos apenas podían sostener, un niño que iba creciendo con ese silencio resignado de quienes ya no tienen fuerzas para gritar su hambre. A veces, exhausta de la cuestación que sólo le deparaba unas monedillas, se recostaba contra las puertas del vagón, y su rostro se reflejaba por un segundo en el cristal, con un prestigio de camafeo roto, y sus ojos de córnea blanquísima se remansaban en la noche vertiginosa de los túneles, en ese horizonte sin luz del subsuelo, antes de abandonar el vagón y arrastrar su fatiga por el siguiente, como quien desempeña una condena de estaciones archisabidas sin vislumbrar su desenlace.

Al depositar una limosna en la mano que sostenía los periódicos, me atrevía a mirarla de frente. Resultaba muy difícil descifrar su edad, quizá apenas hubiese estrenado los años núbiles, pero en su gesto derrumbado había una antigüedad de milenios que se remontaba hasta Adán, o quizá hasta el mismísimo Dios, que nos insufló su hálito. En los ojos de aquella muchacha rumana ya no quedaba apenas rastro de ese hálito; tampoco en la palma de su mano, en la que se sedimentaba una tristeza sucia e irremisible. El traqueteo del tren vulneraba su resistencia y hacía trastabillar sus pies menudos, sobre los que parecía agolparse todo el peso del planeta. En cierta ocasión, el súbito impulso de una curva la empujó contra mí; pude oler entonces la vaharada agria que exhalaba su cuerpo. Las ropas que la recubrían de la cabeza a los pies apenas me dejaron intuir su anatomía, pero el hueso de su cadera chocó contra mi muslo, y distinguí las aristas del hambre aguzando su esqueleto, acuchillando su carne que había nacido para ser ubérrima y se había quedado escuálida. El niño que llevaba en cabestrillo abrió los párpados, asustado por el envión, y amagó un puchero que se le quedó crucificado en los labios, también agrietados como los de su madre, quizá ignorantes de la lactancia. Sostuve a la muchacha rumana de la cintura, para evitar que el peso del niño la desequilibrase, y ella me miró con una gratitud indescifrable, como avergonzada de sí misma, y avergonzada también de mí, y avergonzada de que el mundo siguiese girando, impertérrito en su órbita. Fue una mirada compungida en la que navegaba el grito sordo de todas las razas perseguidas. El tren se detuvo y la muchacha rumana se dirigió hacia el andén, que quizá tuviese para sus pies rendidos la misma calidad movediza que el suelo del vagón. Un segundo antes de que el tren cerrara sus puertas automáticas, la muchacha rumana volvió a mirarme desde el fondo de su belleza esquilmada por los soles del éxodo. Entonces dijo un par de palabras que apenas pude distinguir entre el concierto de chirridos que anunciaban la partida del tren:

—Gracias, amigo.

Fueron tan sólo dos palabras, pero había en ellas tanta concentración expresiva, tanta perpleja gratitud, que llegué a sentirme íntimamente remunerado. Quizá, durante esa fracción de segundo en que mis manos ciñeron su cintura, la muchacha rumana había dejado de sentirse invisible; quizá estaba demasiado habituada a que los pasajeros del metro rechazaran su proximidad, demasiado habituada a explorar en sus rostros un mohín de esquivo desagrado, incluso cuando depositaban en su mano la limosna requerida. Yo mismo había esbozado ese mohín en multitud de ocasiones: en él se resumían el desdén soliviantado, la vergüenza lastimada de desconcierto, el deseo vehemente de espantar cuanto antes una visión que nos incomoda, el asco de sabernos tan cobardes como para no aportar algo más que ese óbolo tacaño, algo que de verdad nos exija un sacrificio. Mientras la muchacha rumana se alejaba en el andén (o era mi tren el que se alejaba, mientras ella permanecía inmóvil, con su hijo en cabestrillo), sentí que algo se removía dentro de mí, quizá esa nostalgia ancestral que se despierta en nosotros cuando intuimos que una persona, cualquier persona con rostro, podría ser nuestro hermano, allá en las genealogías remotísimas de la sangre, allá en el barro común con el que ambos habíamos sido moldeados en el primer capítulo del Génesis. Aquellas dos palabras pronunciadas cuando ya apenas podía oírlas se convirtieron en un estribillo o ensalmo que acabaría transformándome, o acaso sólo trastornándome, pues algo de trastorno había en ese propósito de enmienda que empezaba a fraguarse en mi voluntad.

¿Puede cambiar un hombre de la noche a la mañana? Seguramente no; seguramente esa metamorfosis requiera un período de incubación del que ni siquiera el mismo hombre que padece el cambio es consciente, mucho menos quienes lo rodean. De ahí que las conversiones suelan revestirse con ropajes de brusquedad que las aproximan a los actos impremeditados, casi irracionales, aunque en su meollo sean decisiones largamente maduradas. Había necesitado arruinar mi relación con Laura para comprender que el rescate de Elena —dondequiera que Elena se hallase—, aparte de un deber de conciencia, era también un medio de salvación personal. Ya no bastaba con arrimar contrafuertes a una vida cuyos cimientos se habían desmoronado; había que allanarla por completo, fundarla sobre roca y levantarla conforme a planos de nueva planta. En la erección de esa nueva vida trabajé a impulsos de un brío que estaba teñido de algo que podríamos denominar una cualidad religiosa. Asuntos que hasta ese momento se me habían antojado primordiales —incluida mi propia condición de escritor— me parecían de repente naderías insulsas, o al menos lujos perfectamente prescindibles. Sentía que mi vida había sido un desperdicio, que necesitaba ocuparla con otras inquietudes si no quería condenarme para siempre. Por fortuna, Bruno me acompañaba (o más bien me precedía) en este proceso de radical despojamiento del hombre viejo; juntos decidimos que ninguna otra actividad adventicia nos distrajese de la misión que nos habíamos propuesto culminar. Considerada ecuánimemente, con la serenidad y la distancia que otorga el paso del tiempo, nuestra conducta durante aquellos meses quizá parezca insensata o incomprensible. Pero no todos los actos humanos —y no me refiero sólo a los espontáneos o reflejos, sino también a los más premeditados— obedecen a un impulso comprensible. Yo diría, incluso, que los actos incomprensibles son precisamente los más humanos.

Ni siquiera poseíamos una mísera fotografía que testimoniase la existencia de Elena. Esta carencia dificultó aún más nuestra búsqueda, pues los inquilinos de la vida invisible no parecían muy dispuestos a atender nuestras descripciones. Una fotografía tiene la virtud demiúrgica de conceder consistencia física a una persona; incluso los difuntos, incluso quienes pasaron de puntillas por la vida, adquieren espesor en la fijeza sepia de un daguerrotipo. En cambio, los vivos que no se dejan retratar adquieren de inmediato una naturaleza ectoplásmica y escurridiza, sus rasgos se erosionan como los de una estatua de arenisca. A esta complicación se agregaba la desconfianza indiscriminada que cultivan los inquilinos de la vida invisible contra cualquier atisbo de injerencia o intrusión. Bruno y yo procedíamos de ese mundo hostigador que los había condenado al ostracismo; nuestra pretensión de rescatar a quien antes habíamos desterrado despertaba sus suspicacias, seguramente legítimas. Parecía existir entre ellos una suerte de pacto tácito por el que se comprometían a encubrir a los demás miembros de su borrosa hermandad; no se trataba exactamente de una expresión solidaria o cómplice, sino más bien de un llamamiento agónico y, en el fondo, egoísta a la reciprocidad. Cualquier inquilino de la vida invisible encierra en la memoria secretos que no desea desenterrar (a veces un historial delictivo, a veces una tragedia personal cuya reminiscencia ha logrado acallar, a veces simplemente una vida anterior de la que reniega, un interruptor o fusible que salta) y presume que a los demás inquilinos les ocurre exactamente igual, pues sabe que sus biografías están cortadas por el mismo patrón —o por otro patrón aún más severo—, y decide evitarles el mal trago de enfrentarlos a esa temida exhumación con la esperanza de que ellos actúen en correspondencia cuando sea él perseguido por los fantasmas del pasado. Esta hosquedad difidente se refugiaba en muy diversas estrategias: algunos inquilinos de la vida invisible se atrincheraban en el mutismo más cerril, fingiéndose sordos; otros alzaban las barreras del idioma, como una verja de pinchos que congregaba los más abstrusos dialectos tribales; otros, en fin, se limitaban a rehuir nuestra proximidad con visajes y aspavientos, como si fuésemos heraldos de mal agüero, y hasta nos amenazaban fiera o lúgubremente, exhortándonos a desistir de nuestros merodeos. Quizá nos tomasen por periodistas o policías de incógnito que trataban de involucrarlos en algún sórdido asunto de rapto o trata de blancas; quizá en alguna otra ocasión se hubiesen dejado engatusar o comprometer por estos virtuosos de la capciosidad y aún les durasen las escaldaduras. El caso es que no soltaban prenda.

Y cuando la soltaban solían embrollarnos más, con pistas que conducían hasta callejones sin salida, desviando nuestras pesquisas hacia parajes de inextricable maleza cuyo desbrozo nos ocupó semanas o meses para, finalmente, devolvernos al punto de partida. Algunos de estos soplos o indicaciones torcidas nos eran suministrados con la intención dolosa de agrandar nuestra desorientación pero, en su mayoría, eran fruto de percepciones difusas o inconcretas. Pronto aprendimos que los inquilinos de la vida invisible desarrollan aberraciones sensoriales en las que realidad y alucinación se funden en una amalgama indisociable; y aprendimos también que nuestra descripción de Elena, que trataba de ser minuciosa, no bastaba para individualizarla de otras mujeres de similar edad y similar aspecto físico a las que el delirio o el despecho amoroso habían engullido en una vorágine de locura y autodestrucción.

En estas incursiones cada vez más desalentadas por las catacumbas de la vida invisible nos tropezábamos con gentes que habían hecho de la donación al prójimo una profesión de fe y entusiasmo que no se arredraba ante la magnitud inabarcable de su empeño. Entre los miembros de aquel séquito disperso de samaritanos destacaba por su ubicuidad un fraile trinitario que regentaba una hospedería (albergues, llaman ahora a estos establecimientos) para mendigos, ejercía de capellán en la cárcel de Soto del Real y, entre tanto pluriempleo, aún sacaba tiempo para patrullar los barrios extremos donde se hacinan los ejércitos famélicos de la inmigración, los descampados donde la resaca de la droga abandona a sus súbditos, las estaciones de metro en las que quedan embarrancados quienes no han encontrado un techo menos opresivo para pernoctar. Se llamaba Gonzalo, rondaba la cincuentena y tenía facciones rústicas, un poco sanchopancescas, como de campesino tostado por el sol; era un andarín y un culo de mal asiento que, en otro siglo, se hubiese bastado él solito para liberar a todos los cautivos de Argel. Como le había tocado vivir en una época en que las formas de cautiverio se han multiplicado hasta el infinito, apenas daba abasto para atender los requerimientos dispares que recibía; y así lo mismo despachaba cartas de recomendación para un expresidiario que camelaba a un bufete de abogados para que prestase asesoramiento gratuito a quienes se refugiaban en su albergue sin permiso de residencia y, entretanto, arrancaba subvenciones que destinaba a nuevos proyectos de redención social. Se decía, entre bromas y veras, que extorsionaba al alcalde, amenazándolo con difundir ciertos pecadillos de entrepierna o entrenalga sonsacados en confesión. Escogía a sus colaboradores entre drogadictos rehabilitados, presos en libertad condicional y mujeres que él mismo había rescatado del burdel, encarándose con sus proxenetas, de los que previamente había allegado pruebas que los incriminaban en tal o cual delito (sus feligreses de Soto del Real le suministraban la información). Era un pescador insomne de hombres, una criatura ungida para predicar la buena nueva a los abatidos y sanar a los de quebrantado corazón, para anunciar la libertad a los cautivos y la remisión de sus penas a los encarcelados. Como, además, poseía una memoria ecuménica, guardaba un censo mental de todos los inquilinos de la vida invisible a los que había prestado auxilio, numerosos como las olas del mar.

—Elena... —se pasó la mano por el pelo hirsuto y cortado a cepillo—. ¿Estaba embarazada?

Habíamos coincidido con él en un pasadizo de la estación de metro de Atocha, donde cada noche se congregaban los mendigos de catadura más estragada. El padre Gonzalo se inclinó ante uno de ellos, presa de un tembleque en el que se fundían un delírium tremens crónico y un frío de tuétanos congelados; con un ademán enérgico, indicó a dos jóvenes camilleros que lo acompañaban que se hiciesen cargo de él. Una ambulancia aguardaba en la calle.

—Creemos que sí —dije, sin atreverme aún a cantar victoria.

—¿Una muchacha con la nariz un poco chata? —El padre Gonzalo aplastó la suya con su dedo índice—. La tuvimos en el albergue.

Los camilleros ya se llevaban al mendigo, que había empezado a rezongar una letanía ininteligible. Los colaboradores del padre Gonzalo repartían mantas entre aquellos gurruños yacentes que se alineaban contra la pared de azulejos, y les ofrecían galletas y café con leche de termo.

—¿La tuvieron? ¿Quiere decir que se marchó?

Otra vez los parajes de inextricable maleza que conducían al punto de partida. El padre Gonzalo mostraba ciertos reparos en contar la historia; pero después de inspeccionarnos someramente se decidió, actuaba a golpe de intuición e impulso cordial:

—Cuando llegó al albergue, a principios de año, no traía documentación alguna. Como os podéis imaginar, esto es lo más normal en nuestro ambiente; nadie le puso pegas ni le hizo preguntas. Las autoridades cada vez nos achuchan más, pretenden que pidamos el carné o el permiso de residencia... —formuló una mueca de asco—. No te jode, se pensarán que para demostrar que eres hijo de Dios hacen falta papeles. Si quieren poner alambradas en las fronteras que lo hagan, en eso no me meto; pero en mi albergue la única ley que rige son las Bienaventuranzas.

Me gustaba aquel fraile trabucaire, defensor de un privilegio de asilo que se había abolido muchos siglos atrás, apacentador de putas y ladrones como el Nazareno que fundó su religión.

—Conque ni siquiera sé si en verdad se llamaba Elena.

—Así se llama —confirmó Bruno, en un tono vindicativo—. Al menos en eso no le mintió.

El padre Gonzalo vestía un jersey muy holgado, de una lana tosca y desteñida. No usaba abrigo: quizá pensaba que esta prenda denigraba su fortaleza física, quizá se hubiese desprendido de él al iniciar su ronda nocturna, imitando el ejemplo de San Martín.

—Más que mentir callaba —prosiguió—. No había manera de hacerla hablar sobre aquellos asuntos que la torturaban. Estoy acostumbrado a estos silencios, pero en el caso de Elena me resultaban más intrigantes de lo común. Era una mujer cultivada y sensible. ¿O me equivoco?

—En absoluto, padre. La está describiendo a la perfección —contestó Bruno.

El padre Gonzalo había extraído de un bolsillo del pantalón un paquete de Ducados, que tendió a uno de sus colaboradores, para que lo repartiese entre los mendigos del pasadizo después del frugal tentempié. Observé que los mendigos recibían los cigarrillos como si fuesen los panes y los peces del milagro de Betsaida, gracias, amigo, y que los fumaban con una muy deleitosa parsimonia, dejando que la caricia de la nicotina adormeciese sus quebrantos.

—Y luego los mamarrachos del Ministerio de Sanidad dicen que el tabaco perjudica la salud. ¿Qué cojones sabrán esos tipos? —Tras el exabrupto, por lo demás sensatísimo, el padre Gonzalo reanudó su historia—: Elena me revolucionó el albergue: durante el día se andaba insinuando a todo quisque; por la noche..., en fin, ya sabéis a lo que me refiero.

Empezábamos a barruntarlo (el mundo pletórico de su amor, eucaristía para todos), pero no nos habíamos atrevido a concretar nuestras sospechas, quizá por temor a su escabrosidad.

—No exactamente... —balbucí.

El padre Gonzalo se retrajo un tanto, arrepentido de haber formulado una inconveniencia. Ahora hablaba en un trance de vacilaciones e incómodos silencios:

—No era una ninfómana, eso os lo puedo asegurar. —El bochorno le atoraba la garganta—. Se acostaba con unos y con otros, pero no lo hacía por gusto. Tampoco... tampoco tomaba precauciones, ya me entendéis, creo que sólo deseaba destruirse. Cuando me enteré, me quedé de piedra. Por el albergue pasan gentes enfermas, gravemente enfermas...

Me tuve que recostar contra la pared para no sucumbir a un vahído; los azulejos que la recubrían estaban impregnados de un vaho condensado que me transmitía su fiebre y sus gérmenes. El padre Gonzalo había llamado a capítulo a Elena; cuando entró en su despacho, le entristeció comprobar que su belleza había adquirido ese grado de maceración que es el preludio del acabamiento. Se había embadurnado los labios de un carmín que restallaba en su rostro como una llaga carnívora; el rímel de las pestañas, empastado y negrísimo, se desbordaba hacia las comisuras de los párpados, obstruyendo la secreción de las glándulas lacrimales. Había adoptado modales pretendidamente disolutos y se vestía con unas ropas muy ceñidas y escuetas que resaltaban la curvatura de su vientre y también su enflaquecimiento galopante; en general, parecía que se hubiese disfrazado de pelandusca ínfima para una carnavalada. Algo desentonaba, sin embargo, en la composición de ese personaje paródico: por un lado, lo interpretaba con convicción notable, como si le fuese la vida en ello; por otro, había exagerado tanto su caracterización que transmitía un patetismo desmedido y casi cómico. «¿Qué farsa absurda estás representando, Elena?», le preguntó el padre Gonzalo, entre la exasperación y el azoramiento. Ella rehusó responder; se había escarranchado sin pedir permiso en la única silla que había en aquel despacho que más bien parecía celda monacal, sin más adorno en las paredes que un crucifijo de madera cruda que hubiese gustado a León Felipe, los brazos en abrazo hacia la tierra, el astil disparándose a los cielos, que no haya un solo adorno que distraiga este gesto, este equilibrio humano de los dos mandamientos. De repente, Elena encaramó las piernas al escritorio desde el que la escrutaba el padre Gonzalo; no llevaba bragas, la vulva palpitaba al fondo, mustia, casi cárdena, como un animal abierto en canal que aún se aferra tozudamente a la vida. Una marea de perpleja piedad inundó al padre Gonzalo; desvió la mirada hacia el rostro de Elena, que se esforzaba en impostar visajes libidinosos, los párpados entornados, la lengua titilante entre los labios, rebañando los rastros de carmín, los orificios de la nariz ensanchados por una respiración acezante, estaba imitando el repertorio gestual de una actriz porno. El padre Gonzalo se levantó y aseguró con pestillo la puerta de su despacho; todo era demasiado ridículo y demasiado horrible a un tiempo. Ni siquiera él, que había afrontado las situaciones más peliagudas en su trato con desharrapados y facinerosos y heroinómanos con síndrome de abstinencia, sabía cómo reaccionar en un caso tan extravagante. «Así, padre, así; asegúrese de que nadie nos va a interrumpir», dijo Elena, exagerando sus jadeos, exagerando hasta la caricatura la articulación de cada sílaba, como hacía Fanny Riffel en sus cortometrajes de fetichismo y *bondage*, con ese punto de ronroneo quejicoso que los niños ensayan en sus pucheros. «Me estoy mojando, padre. Estoy preparada», añadió todavía, mientras hurgaba con los dedos en la vulva, a la que notoriamente no afloraba ningún síntoma de lubricación. A cada nueva obscenidad, el padre Gonzalo sentía crecer la pujanza de la lástima.

Apenas había tenido ocasión de conversar detenidamente con aquella muchacha, pero recordaba que un mes atrás se la había encontrado en la capilla del albergue, en actitud recogida y, al advertir que él trajinaba en el ambón, le había preguntado si tenía algún disco de música sacra. El padre Gonzalo, un tanto avergonzado, le había tenido que reconocer que no, la economía del albergue no alcanzaba para lujos, pero le prometió que en el próximo presupuesto incluiría una partida para su adquisición: «Tú te encargarás de seleccionarlos, ¿de acuerdo?», le propuso, ofrecimiento que Elena se apresuró a aceptar, embalándose: «Y algunos libros también. La biblioteca está un poco esmirriada». El padre Gonzalo lamentaba ahora no haber dedicado más atención a aquella muchacha que difería tanto del prototipo habitual de las mujeres que solían recalar por el albergue, apaleadas por el analfabetismo y la intemperie, también por sus capataces o señores feudales, que las obligaban a ganarse la soldada (que luego les arrebataban) en oficios denigrantes o extenuadores. «¿Prefiere que se la chupe? También sé hacerlo muy bien», dijo Elena, sorprendida de que el padre Gonzalo no respondiese a sus provocaciones con la misma prontitud con que lo hacían otros hombres. Lo había dicho con voz suplicante o humillada, como si impetrara la limosna de un asentimiento; yo conocía bien esa voz, la había escuchado por teléfono, mientras la nieve descendía sobre Chicago. «Usted ni siquiera tendrá que bajarse los pantalones», precisó, mientras se arrodillaba en el suelo, un segundo antes de que el padre Gonzalo le largara una bofetada que casi la tumba.

—¿Qué podía hacer? —se disculpó, mirándose la mano tantas veces sanadora que en aquel instante se había hecho lesiva, infringiendo su vocación—. Pensé que así la devolvería a sus cabales.

Al menos logró que interrumpiera aquella farsa grotesca. El golpe la había demudado; miraba al padre Gonzalo como si fuese uno de esos ángeles de las hagiografías, que irrumpen en los lupanares para liberar a una pupila apenas púber antes de que sea entregada a la lujuria de la clientela que se disputa sus primicias. Unos churretones de carmín manchaban sus mejillas, o quizá fuesen trazas de sangre, o quizá fuesen sangre y carmín mezclados en una misma sustancia ultrajada. «¿Por qué te destruyes así?», le preguntó el padre Gonzalo, después de tenderle un pañuelo que Elena empleó para limpiarse no sólo los churretones, sino también la espesa capa de carmín que embadurnaba sus labios, convirtiéndolos en una llaga carnívora. Elena lloraba sin ruido, el rímel derretido escribía en su rostro lentas estrías de luto. «Es muy largo de contar, no merece la pena que lo aburra con historias tristes», murmuró, y el padre Gonzalo notó, como el médico que pierde el pulso del paciente, que Elena se le escapaba, que una parte de ella navegaba a la deriva de una corriente donde sus redes de pescador de hombres no tenían jurisdicción. No era la primera vez que experimentaba esa forma de frustrante congoja (en realidad, la había experimentado cientos o miles de veces) pero, aunque estaba curtido en su oficio, aún se revolvía contra sus limitaciones, hubiese querido disfrutar del poder omnímodo de Dios para rectificar la condición fragilísima del hombre y abolir aquella ley áspera que lo perseguía, de generación en generación, desde que fuera desalojado del Edén. «Perdóneme si le he ofendido», dijo Elena, frotándose la mejilla contusa y estirándose la falda, que se le había remangado. El padre Gonzalo se acuclilló a su lado; había aprendido a ponerse a la altura de la aflicción que trataba de remediar. «No hay nada que perdonar. A ver si ahora vas contando por ahí que soy un tío estrecho», bromeó a costa de su celibato. En su empeño por taparse los muslos, Elena había dejado expuesto el vientre que tampoco alcanzaba a cubrir la escueta camiseta; entonces el padre Gonzalo reparó en su abombamiento, que empezaba a atirantar la piel. «Pose la mano, verá cómo lo nota», lo invitó Elena, y el padre Gonzalo auscultó con las yemas de los dedos los latidos de un corazón autónomo que pugnaba por incorporar su música al clamor del mundo, al clamor doliente del mundo. El vientre tenía el calor próvido de la tierra que guarda una semilla o un tesoro escondido, su misma tibieza voluptuosa. «¿Quién te ha dejado embarazada?», preguntó alarmado. Una vaga sonrisa se formó en las comisuras de los labios de Elena; el rímel derretido añadía a sus facciones un tremendismo picassiano: «No se preocupe, es hijo del amor. Juntos estamos buscando a su padre». En su expresión había una mezcla de abandono y tozudez que asustó al padre Gonzalo; apartó la mano del vientre, que le transmitía una rara incandescencia. «¿Y cómo lo buscas? ¿Follándote a cualquier hijo de vecino?», se soliviantó, con cazurrería impropia de un clérigo. La estaba perdiendo, la había perdido. «Parece mentira que usted no lo entienda —se lamentó Elena, un desalentado hastío entristecía su queja—. ¿Cómo dijo Jesús? El grano de trigo necesita morir para dar fruto. Corríjame si me equivoco. ¿No hay que sacrificarse para que otros se salven? Con mi sacrificio estoy salvando al padre de mi hijito.» Y volvió a sonreír, ahora sin vaguedad, ahora con orgullo y algo de jactancia.

—Le conseguí volantes para que de inmediato la examinaran los médicos—dijo el padre Gonzalo, atosigado por los remordimientos—. Pero Elena se olió algo, pensaría que la iban a encerrar en un psiquiátrico. No sé, me temo que actué con poco tacto. Se largó sin despedirse, mañana hará un mes.

El paquete de Ducados había regresado a sus manos, después de cumplir su ronda curativa. El padre Gonzalo encendió el único cigarrillo que los mendigos le habían dejado; había en ese gesto una admirable aritmética de la camaradería. Fumaba sin tragarse el humo.

—Ahora mismo tendría que haberos ofrecido el pitillo, en lugar de quedármelo yo. Perdonadme, pero es que soy un verrugo.

—Usted hizo lo que pudo —dije—. ¿Habló con la policía?

—Hablé, claro que hablé. —Hinchó los carrillos y frunció los labios, como si reprimiera un impulso de cagarse en la puta madre que los parió—. Pero no puedo pretender que me presten mucha ayuda, después de haber impedido tantas veces su actuación. *Do ut des*, me habrían dicho, si supieran latín.

—¿Y no ha tenido más noticias de ella?

—Alguna he tenido, pero de poco provecho —resopló, agobiado—. Sé que anduvo haciendo la calle. Pero las putas del lugar la echaron a patadas, lo suyo era competencia desleal.

Se mordió los labios, un poco avergonzado de haber usado esa expresión mercantil que trivializaba la tragedia de Elena. Introdujo una mano por el cuello holgadísimo del jersey y extrajo una cartera muy abultada, pero no de billetes de banco, sino de pequeños retazos de papel en los que quizá se compendiase el balance de sus expediciones como pescador de hombres. En una de sus fundas guardaba una colección de fotografías que perpetuaban los rasgos de un puñado de inquilinos de la vida invisible: todos ellos tenían un no sé qué de muñecos de cera guillotinados, una truculencia de cadáveres que se dejan crecer los pelos de la barba; cada foto hubiese servido sobradamente para redactar una biografía imaginaria. En la esquina superior izquierda ostentaban las perforaciones de una grapa.

—Al ingresar en el albergue les hacemos una ficha. La mayoría nos proporcionan datos falsos que luego no sirven para nada. Pero al menos nos queda esto. No es mucho, pero menos da una piedra.

El padre Gonzalo pasaba las fotos, que tenían un aire de reliquias repetidas; muchas podrían haber sido tomadas en aquel mismo pasadizo de la estación de Atocha, sobre el fondo de la pared de azulejos, tomando como modelos improvisados a los mendigos que allí se recogían. Los inquilinos de la vida invisible acaban pareciéndose mucho unos a otros, quizá el anonimato propicie estos mimetismos.

—Aquí está. Elena Salvador, desaparecida el 7 de febrero de 2002 —la fecha, garrapateada con el lapicero, figuraba en el reverso de la foto—. ¿Qué edad puede tener? ¿Veinticinco, tal vez veintiséis años? Qué despilfarro de vida.

Con el cabello recogido en una coleta y la cara lavada de maquillajes, parecía, más que esa pelandusca caricaturesca que acababa de describirnos el padre Gonzalo, una novicia a punto de profesar, fortalecida en su vocación por el cilicio y el ayuno. La delgadez excavaba angulosidades en su rostro, hacía más prominente la barbilla, afinaba sus labios que ya no tenían brío para sonreír; pero sus ojos glaucos perseveraban en su ardor.

—Podéis quedárosla. A vosotros os será de mayor provecho que a mí —su voz era ronca, mientras barajaba las fotografías de los otros inquilinos de la vida invisible, un cementerio portátil que se ampliaba cada día—. La mies es mucha y los obreros pocos. Si la encontráis, no dejéis de decírmelo.

—Cuente con ello.

Volvió a frotarse el pelo hirsuto, como si se quisiera sacudir la caspa del desánimo. Nos dio la espalda, atacado por un súbito acceso de timidez, y se reunió con sus colaboradores, que lavaban la pantorrilla de un mendigo, corroída por el herpes o mordisqueada por algún perro, quizá el mismísimo Cerbero. Cuando ya nos acercábamos a la embocadura del pasadizo, volvimos a escuchar su voz; el retumbo le añadía una calidad acusatoria, acaso proterva:

—Una sola pregunta.

Nos volvimos. Los fluorescentes ronroneaban en el techo, era un zumbido de moscardas.

—¿Alguno de vosotros es el padre?

Creo que de buena gana Bruno hubiese asumido o cogido al vuelo aquella paternidad que se nos arrojaba, como una posibilidad de redención o una servidumbre, pero me anticipé:

—Yo. Espero contar con usted para el bautizo.

El padre Gonzalo agitó el brazo en señal de despedida, o más bien de apresurada bendición. A partir de esa misma noche, empezamos a vivir con una parquedad que nos hubiesen envidiado los anacoretas. Pusimos en común nuestros ahorros, que destinamos en una proporción nada nimia a la compra de un automóvil de segunda mano que nos descargó de las caminatas sin rumbo ni medida. Con el dinero restante, subveníamos a nuestras frugales necesidades. Resulta muy aleccionador comprobar cómo nuestra existencia cotidiana se sostiene —o al menos eso creemos, hasta que descubrimos su naturaleza superflua— sobre el mantenimiento de unos gastos que sólo responden a las inercias más cerriles del consumismo. Renunciar a ellos se nos figura una especie de privación robinsoniana, pero una vez que se ha consumado dicha renuncia, no los echamos de menos, incluso experimentamos cierta alegría liberatoria, pues en el apego a las cosas materiales se refugia nuestro miedo a no poder llenar las horas con la simple fluencia de nuestro mundo interior. Bruno y yo vivíamos anegados por un mundo interior que giraba en torno a Elena; tan anegados que a veces temíamos haber perdido la capacidad para salir de él. Empezábamos a recelar que aquel dolor fértil que guiaba nuestras pesquisas se hiciese autocomplaciente en exceso, pues también las penitencias, cuando son asumidas con voluntaria disposición, pueden degenerar en cárceles de ensimismamiento, como le había ocurrido al talibán John Walker Lindh. Pero bastaba, para exorcizar ese peligro, con que posáramos la mirada sobre aquellos suburbios de vida invisible que nos estaban siendo revelados.

En alguna ocasión, nuestra tartana sirvió de ambulancia improvisada, y una vez, incluso, dejó de ser ambulancia para resignarse al cometido más desmoralizador de coche fúnebre. Ocurrió mientras recorríamos un asentamiento de chabolas de Pitis, que ya aguardaba la demolición, después de que el Ayuntamiento lo hubiese desalojado, para agilizar la tramitación de las licencias que exige la especulación inmobiliaria. Sus habitantes habían sido repartidos por varios albergues del extrarradio, pero las chabolas las habían ocupado los trapicheadores de la droga, que de inmediato atrajeron a esos yonquis terminales que ya sólo pueden picarse en el frenillo de la lengua porque su piel es un mapa de postillas que no deja resquicio a la aguja hipodérmica. Los faros del automóvil alumbraban aquella geografía invadida por las inmundicias; las bolsas de plástico y los papelotes se enganchaban en los abrojos y tremolaban como esos trapos sucios que quedan gritando al viento su abandono en los balcones de las casas desalquiladas. Un camino sin asfaltar, bamboleante de baches, se internaba entre las chabolas, que en la noche perforada por los trenes de lejanías tenían un aspecto de mausoleos de la ganga de los que hubiesen desertado los muertos, hartos de esas goteras que se filtran por el tejado de uralita, hartos de esas filtraciones con olor a cloaca que acaban enmoheciendo el alma. De vez en cuando, en mitad del camino, surgían a nuestro paso las más incongruentes maulas: una lavadora en cuyo tambor fornicaban los gatos en una zapatiesta con ímpetu de centrifugado; una bombona de butano que adquiría solera y un prestigio de barrica al relente, mientras esperaba al borracho suicida que se amorrase a su espita; una mecedora con la rejilla destripada que se balanceaba con una cadencia fantasmal; un perchero en el que se había ahorcado por desesperación un abrigo hecho jirones; una caja de pescado acondicionada como cuna, en cuyo fondo, almohadillado de helechos, aún se conservaba el molde de una vida lactante. Ahuyentados por la luz de los faros, echaban a correr, como garabatos humanos escapados de una litografía de Munch, los yonquis que acababan de pillar su papelina después de mil regateos estériles con el camello, y buscaban una chabola crujiente de jeringuillas rotas que les sirviese de lecho —habían desarrollado dotes de faquir— mientras les durase la melopea de la heroína. En una de estas carreras despavoridas, uno de ellos cayó fulminado como un gorrión abatido por una pedrada, a escasos diez o doce metros de nuestro automóvil. Cuando bajamos a auxiliarlo, ya estaba rígido; tenía la dentadura podrida, los ojos velados por una membrana amarillenta, el cartílago de la nariz consumido, las venas necrosadas, los huesos canijos y descalcificados. Los faros del automóvil abrevaban en su mirada, tan dignamente abstraída.

—Mierda, no me atrevo a hacerle la respiración artificial —masculló Bruno, avergonzado de que su instinto se retrajese ante el miedo de una infección sin cura.

—Déjalo, sería inútil. Está requetemuerto —dije, para tranquilizar su conciencia, para tranquilizar la mía.

Aún voceó, en espera de una respuesta, a los otros yonquis que se habían refugiado en las chabolas, medrosos como mochuelos, reclamándoles colaboración, pero nadie le contestó. Las bolsas de plástico y los papelotes enganchados en los abrojos restallaban al viento, como crespones con ínfulas de estandartes. Cargamos el cadáver del yonqui en el asiento trasero de la tartana y lo trasladamos al ambulatorio más próximo, conscientes de la inutilidad de nuestro gesto. Bruno conducía por los desmontes como si lo hiciera bajo los efectos de la hipnosis, sin preocuparse de sortear baches y badenes; yo permanecía callado a su lado, sin atreverme a intercalar palabra, oprimido por una amargura impersonal. La conmoción que nos produce la muerte de una persona anónima —la muerte en directo, quiero decir— es de una índole muy diversa a la que desencadena la extinción de un allegado, mas no por ello menos desazonante: puesto que nuestros sentimientos de pesadumbre y aflicción son necesariamente abstractos, puesto que no hallan un asidero de vivencias comunes y vínculos afectivos, creemos que en ese muerto se compendia la deleznable naturaleza del hombre, que nuestro padre Homero comparó con las sucesivas generaciones de hojas que caen de los árboles. En el cadáver de aquel yonqui que se dejaba sacudir por el traqueteo del coche se prefiguraban nuestros cadáveres; y, en cierto modo, aquel viaje por los caminos funerales de la noche era la cifra o metáfora de otro viaje más definitivo por los pasajes de ultratumba. Esta sensación casi sobrenatural ya no nos abandonaría mientras duró la búsqueda de Elena; tanto Bruno como yo nos veíamos como habitantes transmigrados de un país que existía más allá del mundo físico. Era como internarse en un túnel con la esperanza de volver a saludar la luz; cuando las tinieblas nos comienzan a intimidar, cuando su humedad ciega empieza a reblandecernos, ya es demasiado tarde para retroceder, y no queda otro remedio que seguir avanzando por el túnel cada vez más negro, cada vez más angosto, cada vez más sordo a nuestra respiración. Y no se atisba el final.

Buscamos a Elena por cada rendija y anfractuosidad de ese túnel. A cada paso notábamos que nos hundíamos un poco más, que las probabilidades de regresar a la superficie disminuían. Éramos buzos que extenúan sus pulmones en la espeleología de una gruta cuya extensión se desconoce; sabíamos que nuestras reservas de aire se agotaban, sabíamos que los primeros síntomas de la asfixia nos sorprenderían a una profundidad abisal, pero también que ya era demasiado tarde para probar el ascenso. Poco a poco, como le ocurre al buzo que prolonga su inmersión, aprendíamos a ver en las tinieblas; poco a poco, nuestra presencia en aquellas geografías dejaba de resultar chocante, dejaba de suscitar suspicacias entre los inquilinos de la vida invisible. La fotografía que nos había proporcionado el padre Gonzalo nos facilitaba la andadura, pero en cada nueva encrucijada, en cada bifurcación que nos aproximaba al desenlace, se hacía más nítida una certeza: en el afán por extender su amor, eucaristía para todos, Elena estaba descendiendo hasta simas de abyección impronunciables. Empecé a comprender —si es que la irracionalidad admite comprensión— que, al pasar de un hombre a otro, como un cachivache que todos usan y todos desprecian, estaba probando una vía de purificación que la enalteciese a mis ojos. Empecé a comprender que, al dejarse envilecer por rufianes que quizá estuviesen estrenando en su cuerpo modalidades de lujuria que jamás se habían atrevido a probar, al degradarse sin tasa, estaba completando su andadura hacia un paraíso del que esperaba disfrutar en vida. Como el talibán John Walker Lindh, que se inmoló para contemplar la gloria de Alá, Elena se destruía para obtener la benevolencia de un dios esquivo y tiránico que llevaba mi nombre.

La fotografía de Elena discurrió por cientos de manos. Mientras la examinaban al resplandor de una fogata, mientras cambiaban impresiones con sus cofrades en la miseria, empezamos a vislumbrar en los rasgos de los inquilinos de la vida invisible expresiones de reconocimiento, acompañadas de palabras ponderativas o chocarreras, acompañadas también de aspavientos muy explícitamente alusivos a la cópula, a todas las cópulas imaginables, en su vastísimo repertorio de posturas y orificios. A veces remataban la pantomima con una risotada ávida (y enseñaban las encías almenadas, de una crudeza casi genital), o relamiéndose con una lengua que aún saboreaba, retrospectivamente, las migajas de la lubricidad. Como algunos aún guardaban fidelidad a sus dialectos tribales (los corros de negros que la habían asaltado al alimón) o padecían afasia (los viejos que habían asistido, atónitos, a la resurrección de su carne), no siempre tuvimos que escuchar los pormenores de cochambre que se empeñaban en rememorar. La buscamos en los edificios colonizados por los *okupas*, bajo las arcadas del Viaducto, en los campamentos de cíngaros, en los solares donde se aparean las ratas. Pasaban los días, con su argumento de aniquilaciones, como aniversarios que celebraban la tristeza del mundo; pasaban las semanas, con sus soles difuntos y sus lluvias desganadas, y Elena era cada vez un fantasma más cierto, más a la vuelta de la esquina. Las referencias que al principio adolecían de vaguedad y discrepaban entre sí, o sólo concordaban en la constatación de su progresivo deterioro, se hacían cada vez más confluyentes, más coincidentes, más circunscritas a aquella fábrica en ruinas del barrio de Tetuán donde, según varios testimonios, se habría instalado, como si ya intuyera que la coronación de su sacrificio estaba próxima.

—No puedo más, Bruno —dije sin oírme—. No sé si me asusta más seguir detrás de su rastro, por los siglos de los siglos, o encontrarla al fin. ¿Te has parado a pensar en qué estado la hallaremos?

Veíamos, a través del parabrisas del coche que apedreaba la lluvia, el edificio de la fábrica, monótono de ventanas sin cristales. Cada ventana era un trampolín para los suicidas, una bocanada de negra muerte que quizá condujese hasta el mismo infierno. Parecía uno de esos caserones donde se registran psicofonías y concilios de murciélagos; en los desconchones de su fachada se enumeraban las lepras del tiempo. ¿Qué industria tétrica se habría acogido allí? ¿La molturación de almas, quizás? ¿La síntesis de filtros y venenos?

—A mí me asusta más encontrarla —me contestó sin dubitación—. Pero se supone que a eso hemos venido, ¿no?

Los hilos de lluvia correteaban por el parabrisas y también, por un curioso efecto óptico, sobre el rostro de Bruno, que parecía descomponerse y hacerse trizas, como aquejado por una devorante psoriasis. Ambos nos estábamos descomponiendo.

—Venga. No lo dilatemos más.

Extrajo de la guantera un par de linternas que ya habíamos utilizado en otras prospecciones de la vida invisible. La fábrica en ruinas, que hasta unas pocas semanas antes había acogido un cafarnaúm de drogadictos y mendigos y apátridas, acababa de ser evacuada y clausurada por la policía, después de que los vecinos de la zona se quejaran hasta desgañitarse; una cinta amarilla de plástico bordeaba su fachada, anunciando castigos para quienes se atrevieran a traspasarla. La tranca que aseguraba el portón ya había sido, sin embargo, forzada. Nos agachamos para sortear el precinto policial; al cobijo de la cornisa de la fábrica, veíamos caer la lluvia, su estrofa monótona, que bruñía los edificios y el asfalto.

—Yo primero —dije, arrogándome dotes de guía, o sólo acatando mi mayor responsabilidad.

La lluvia, en el interior de la fábrica, acrecentaba su estrépito, se hacía fragosa y martilleante, era una metralla que repiqueteaba en la azotea y se ahondaba en las abstrusas dependencias del caserón y se escurría por sus canalones. Los haces de luz de nuestras linternas se lanzaban, un poco desesperadamente, a la conquista de aquella oscuridad náutica, hasta estrellarse en las paredes que los grafiteros habían convertido en murales abigarrados en los que se retorcía una turbamulta de figuras apenas humanas, híbridas de Bacon y los estridentistas mejicanos. También restallaban, junto a las firmas sinuosas de los grafiteros, leyendas escatológicas y subversivas, consignas ácratas, llamamientos a la insumisión, emblemas y anagramas de ideologías extintas o hibernadas, pintarrajos de salido, pollas de glande hipertrofiado. Caminábamos sobre una alfombra de cascotes, tizones de hogueras, excrementos resecos, cáscaras de huevos, condones con regalito, pañales zurrados, jeringuillas que guardaban, como en el viril de un relicario, una gota de sangre dispuesta a licuarse en la onomástica de San Pantaleón. Entre este batiburrillo de porquerías, culebreaban animalejos con ínfulas saurias, quizá salamanquesas o rutinarias lagartijas. Aquí y allá faltaban las baldosas del suelo, y de la tierra súbitamente destapada brotaban hierbajos rastreros, mayormente correhuelas, que son el acanto de los pobres. Cruzamos el zaguán inhóspito de desperdicios y nos adentramos en una gran sala que en otro tiempo habría albergado la maquinaria de la fábrica; amplios ventanales se abrían a un patio de vecindad con los sumideros tupidos, en el que el agua de la lluvia empezaba a concebir pretensiones lacustres. Las paredes de aquella sala estaban revestidas hasta media altura de azulejos, la mayoría con el esmalte resquebrajado o rotas las esquinas, lo que le confería un aspecto como de quirófano de campaña o lonja para mayoristas de la tortura y el descuartizamiento. Enfoqué con la linterna el techo, esperando toparme con cadenas rematadas de garfios de las que pendiese un muestrario de cadáveres en diversos grados de descomposición, pero sólo avisté unos esotéricos raíles, sobre los que se desplazaría algún ingenio móvil de la cadena de montaje. La gran sala se comunicaba con otras dependencias más pequeñas, que a su vez se comunicaban entre sí (no había puertas en los vanos), como si el arquitecto que diseñó el edificio hubiese querido incitar a los trabajadores a que fuesen rotando de sección en sección, como si ya hubiese previsto los capítulos de amor libre que se desarrollarían allí, cuando la fábrica se convirtiese en comuna para zarrapastrosos. Mientras hacíamos desfilar la luz de las linternas por aquellas dependencias como capillas de la incuria, iluminamos fugazmente un bulto que parecía acuclillado en el suelo, quizá defecando, quizá pegándose un hartazgo de cucarachas y cochinillas de la humedad.

—¿Elena? —dije, con voz que magulló el fragor de la lluvia—. ¿Eres tú? Soy Alejandro, he venido a buscarte.

El bulto se incorporó, como un impreciso búho, y escapó a la inquisición de las linternas. Ni siquiera estábamos seguros de su condición meramente humana, podría tratarse de un cíclope, de una arpía, de un minotauro, de una esfinge, de cualquier monstruo entreverado de hombre. Me sorprendí incubando ideas insensatas emanadas de una pesadilla: quizá el chapoteo en la abyección había introducido mutaciones en el organismo de Elena, chancros y agallas y membranosidades nostálgicas de algún callejón evolutivo que no hubiese explorado Darwin; quizá estuviese padeciendo degeneraciones somáticas, al estilo de las criaturas de David Cronenberg. La linterna sólo había desvelado, durante una décima de segundo, un rostro desencajado por el fogonazo del pánico. Escuchamos una carrera velocísima; quienquiera que fuese aquel solitario guardián de la fábrica en ruinas, había desarrollado habilidades nictálopes y una agilidad de gacela. También escuchamos, amortiguado por el blando suicidio del agua en las cañerías, su ascenso por una escalera. Bruno temblaba de puro miedo, como yo mismo temblaba.

—¿Elena? —grité, para exorcizar el hormiguillo que me corroía—. ¡No huyas, venimos por ti, el amor es el hilo!

Empezaba a ensartar necedades. Bruno me puso una mano en el hombro, sudorosa y fría como un basilisco:

—Será mejor que subamos —me susurró, suplicando mi anuencia. No podíamos hacerlo con la misma celeridad que había exhibido el habitante incógnito de las tinieblas. La fábrica constaba de cuatro pisos de planta repetida; en las escaleras se desperdigaba un bazar de despojos: un carrito de la compra con las ruedas torcidas, el esqueleto de un paraguas plegable como una araña panzarriba, guantes mancos, revistas pornográficas con su costra o almidón de semen y, sobre todo, muchos huesos y plumas de paloma, quienes habían vivido en aquel lugar no se habían dedicado a su adiestramiento. Precisamente fue un alboroto de palomas, un revoloteo tumultuoso de alas que chocan entre sí lo que delató el escondrijo de aquel ser que había escapado a nuestro escrutinio. Atravesamos la gran sala del tercer piso, de paredes igualmente forradas de azulejos descalabrados, pero esta vez condecorada de inscripciones soeces que me aplastaron de rabia y asco y dolor: «Elena, polvos a granel», rezaba una de ellas, con letras que chorreaban una sustancia bituminosa. Me sentí desfallecer al imaginar los vejámenes que se agolparían detrás de aquellas palabras. Ahora la mano de Bruno, otra vez sobre mi hombro, me sostenía en pie:

—Santo Dios, qué le habrán hecho.

—Vamos, Alejandro —su voz también se estrangulaba—. Es hora de averiguarlo.

Nos introdujimos por una puerta lateral y caminamos por una hilera de dependencias que se empequeñecían en la distancia, en una perspectiva decreciente en la que el vano de cada puerta enmarcaba el siguiente. El suelo estaba tapizado por las cagadas de las palomas, que crujían como un hojaldre arqueológico bajo nuestros pies; algunas volaban golpeándose con las esquinas del techo, todavía aturdidas y todavía legañosas, abanicando con las alas el espeso polvo que caía sobre nosotros como una lluvia de ceniza. En la penúltima dependencia, acurrucado en un rincón, hecho un ovillo, había un hombre que se rascaba sin cesar con sus manos góticas y sarmentosas, como si luchase con un ejército de hormigas ilusorias. Vestía un gabán de enterrador y un pijama rayado que quizá fuese un uniforme de presidiario; cuando por fin pudimos contemplar su rostro a la luz de las linternas, nos sobrecogieron sus facciones resumidas como las de un aguilucho, de una palidez de albayalde perturbada de verdugones, la piel gallinácea del cuello por la que deambulaba una nuez picuda, los ojos de besugo, saltones y como injertados en su calavera angosta, el cráneo mondo y abultado de lobanillos o derramamientos de líquido cefalorraquídeo, la nariz como el pico de un sifón, las orejas de trasgo o sátiro.

—Bismili no ha hecho nada malo. Bismili es hombre de paz, no querer líos.

Hablaba en una letanía de sílabas rotas, en un graznido claudicante, y seguía manoteando, frotándose el gabán sin descanso, acribillado de faunas diminutas que sólo existían en su mente alucinada. Reparé en sus uñas, muy largas y pulidas, como de esqueleto que no descuida la manicura y gusta de escarbarse las fosas nasales hasta acariciar el nervio trigémino.

—Bismili no soportar más palizas. Él colaborar si Vasile lo pide.

Bruno se acercó, intrigado, a Bismili, que se había encogido más sobre sí mismo y barboteaba en su dialecto vernáculo alguna plegaria aprendida en la infancia.

—Tranquilízate. No queremos hacerte daño —dijo.

Probó a imponerle la mano sobre la cabeza protuberante de lobanillos, como si quisiera transmitirle alguna gracia sanadora. Al principio sólo logró transmitirle una tiritona que hizo tabletear las articulaciones de sus huesos, pero poco a poco esa tiritona se fue aplacando, y Bismili se atrevió a mirarnos detenidamente, haciendo pantalla con una de aquellas manos de Nosferatu. Carecía de cejas y pestañas, era completamente glabro.

—¿No venís de Vasile, el rumano?

La lluvia irrigaba las tripas de la fábrica. Las palomas también empezaban a apaciguarse; algunas, refugiadas entre las molduras del techo, se abufaban y recogían la cabeza debajo del ala, para recuperar el sueño interrumpido.

—No sabemos quién es ese Vasile del que nos hablas —lo tranquilizó Bruno—. ¿Tú también eres rumano?

Supongo que, como yo mismo, ubicaba a Bismili en la película de Murnau.

—Kosovar —dijo Bismili, sacudiendo enérgicamente la cabeza—. Bismili de Kosovo, escapó de Milosevic. Bismili hombre de paz.

Pero apenas era un hombre jibarizado, una radiografía de hombre.

—Nosotros también, Bismili, nosotros también. Hemos venido para llevarnos a una amiga nuestra, Elena se llama.

Me había preparado para que la faz de Bismili se contrajera en un rictus de sórdida lascivia, me había resignado a escuchar una risa de hiena que espantara los pocos rasgos humanos que sobrevivían en su rostro. Pero el nombre de Elena actuó sobre él como un bálsamo.

—¿La conoces? —lo acucié desde la sombra.

Bismili había adoptado un gesto seráfico, que enseguida se tiñó de patetismo.

—¿Se marchó cuando la policía desalojó la fábrica? ¿Adónde se fue? —pregunté, asumiendo que nuestra búsqueda proseguiría por los siglos de los siglos. Hasta la eternidad, como el llanto y el crujir de dientes de los condenados al infierno. Me agaché y zamarreé a Bismili—: ¿Adónde?

Estaba desmintiendo con mi comportamiento la aproximación pacífica que había iniciado Bruno. Bismili se apretó aún más contra el rincón; pensé, absurdamente, que se escabulliría de nuestro acoso reptando por la pared, como las salamanquesas o los vampiros.

—No sé, no sé. —El pavor se condensaba en sus ojos—. Vasile llevársela.

—¿Quién cojones es Vasile? —estallé, incapaz de dominar mi furia. Amagué con empotrarle la linterna en la boca—. ¿Acaso es Dios, para que no pares de mentarlo?

—Vasile Morcea. Mucho peor que Dios, cuando se enfada. Peor que el demonio. —El hormiguero fantasmal volvía a pasearse por su pellejo—. Militar con Ceaucescu. No temblar pulso si hay que matar. Tampoco a sus hombres. Rajar con cuchillo.

Estiró el gaznate y se pasó una de sus uñas por la piel gallinácea. Me incorporé, para vencer el mareo que gravitaba sobre mí.

—¿Cuándo fue eso?

—Semana pasada venir con matones, después que policía cerrar fábrica. Vasile saber que Elena follar gratis. Vasile saber que estaba embarazada, barriga de siete meses o más. Vasile saber que gente pervertida pagar mucho por acostarse con embarazada. Vasile tener muchas chicas en Casa Campo, pero ninguna embarazada.

La lluvia arreciaba, ensordeciendo piadosamente las explicaciones de Bismili. Sentí que la fábrica en ruinas era un galeón atrapado entre los bajíos que, al subir la marea, desembarrancaba y se alejaba de la costa a la deriva; el mismo suelo que pisábamos era una cubierta movediza a merced del oleaje. El sabor agrio de un vómito me trepó al paladar. Bismili también se había levantado y manoteaba cada vez más nervioso:

—Yo luchar para que no llevaran Elena, pero ellos más fuertes. —Había un candoroso retoricismo en esta afirmación—. Dejarme inconsciente de paliza. Cuando despertar, Elena —chasqueó los dedos— desaparecida. Vasile llevársela, Vasile llevársela.

Las palomas, resguardadas en las molduras del techo, se habían montado en un carrusel que giraba en órbitas cada vez más anchas, cada vez más rápidas. Bruno corrió a sujetarme y me condujo hasta la dependencia contigua, para que pudiera descargar el brebaje de repulsa que me llenaba la boca.

—Ahí dormía Elena, ahí recibía tipos sucios. —Bismili nos perseguía, ajetreado por su inclemente baile de San Vito—. Elena decir que era promesa, así salvaría hombre que amaba.

Contuve las bascas, para no añadir mi podredumbre al cementerio de escorias que encenagaban el aire de aquella habitación. Las mondaduras de frutas, los huesos de paloma y los condones usados intercambiaban sus efluvios, logrando una mezcla que era dulce y acre a un tiempo, un hedor como de curtiduría. Había al fondo, sobre el suelo, un colchón que congregaba en sus manchas todos los fluidos que segregan los hombres, y también todas las aflicciones que segrega un alma agónica.

—Algunas noches dormir juntos, Elena y yo, para dar calor —continuaba Bismili—. Elena pedirme que pusiera mano en su barriga, para notar hijito que viene, latidos de hijito. Elena decir que antes de nacer hijito, salvaría hombre que amaba.

La luz de la linterna identificaba otros objetos y menudencias que me habían pasado inadvertidos: unas bragas hechas trizas, quizá rasgadas con un cuchillo o unas tijeras; una cuerda de estopa con restos de sangre; huellas de manos sobre las paredes, quizá estampadas con heces; una guedeja de cabellos arrancados de cuajo, rubios en un extremo, allá donde su crecimiento no había expulsado aún los últimos residuos de tinte; una fotografía mía, recortada de la portada de uno de mis libros y clavada con chinchetas en la pared, junto al cabecero del colchón, una fotografía con salpicaduras indiscernibles, y arañada. El zumbido de las moscardas —pero era un espejismo acústico— me obstruía los tímpanos, me infestaba el entendimiento, se inmiscuía en las médulas de los huesos. Bismili se había arrodillado ante el colchón, que tenía algo de túmulo en el que los gusanos ya han iniciado su labor subterránea; lloraba desgarradamente, mientras se sacudía las hormigas imaginarias, lloraba por sus ojos de besugo, ojos de párpados glabros que habían desarrollado habilidades nictálopes:

—Yo tomarla por loca. —Fijó la mirada en mi fotografía y cabeceó en señal de asentimiento, un rastro de ternura atemperaba su llanto—. Pero ella tener razón, ella salvar hombre que amaba.

Soñé que la Biblioteca Nacional ardía como una inmensa pira, elevando al cielo, como en una conmemoración del solsticio estival, pavesas crepitantes de palabras antiguas. Laura y yo nada hacíamos para evitar el destrozo, felices como aquel Heróstrato de la Antigüedad que incendió el templo de Diana para que su fama fuese inmortal; tampoco la multitud que se agolpaba en el paseo de Recoletos, aplaudiendo cada vez que el calor del fuego reventaba una ventana. Caía la noche y el incendio se iba poco a poco extinguiendo; el edificio de la Biblioteca Nacional se había convertido en un hangar ahumado, parecido a la fábrica en ruinas de Tetuán. Entonces Laura y yo, que nos habíamos quedado solos en la acera, caminábamos hacia la verja que lo circunda; la puerta se abría automáticamente a nuestro paso y un sendero de grava nos conducía hasta la sala de calderas de la Biblioteca, que tenía un aspecto como de búnker soviético donde se fabrican armas bacteriológicas. Los conductos del gasóleo, que no habían llegado a estallar, retemblaban en el techo tiznado con un estruendo ensordecedor; los manómetros que medían la presión de las calderas apuntaban unánimemente hacia la franja roja que señala el peligro de explosión. Pero nada nos inmutaba a Laura y a mí, que avanzábamos, cogidos de la mano, a través de pasillos subterráneos y luego ascendíamos una escalera por cuyo hueco aún caían de vez en cuando pavesas encendidas, hojas de papel coruscante que se convertían en ceniza a ojos vistas. El humo, cada vez más espeso a medida que nos acercábamos a los altillos de la Biblioteca, no nos causaba asfixia; por el contrario, sentíamos un frescor mentolado, como de bosque de eucaliptos, al respirarlo.

La escalera nos había conducido hasta un vasto depósito de libros arrasado por las llamas. Sólo los anaqueles metálicos habían sobrevivido al estropicio; los volúmenes que sostenían, grávidos hasta un segundo antes del incendio, se habían convertido en caparazones inertes, de apariencia todavía enhiesta, que sin embargo se deshacían al tacto, como mariposas disecadas. Reinaba en aquel lugar un silencio antiguo, como de santuario profanado que aún guarda el nombre secreto de Dios. Mientras dejábamos atrás cientos de estanterías atestadas de libros carbonizados y todavía humeantes empezaba a saborear el misterioso y casi terrible sabor de la felicidad. Laura sonreía pudorosamente, me guiaba a través de aquel laberinto de repetida destrucción, evitándome un peregrinaje errático que podría haberse prolongado hasta el final de mis días. De repente, nos hallábamos ante una vitrina que las llamas habían respetado; en su interior reposaba un libro intacto, un antifonario muy primorosamente miniado de caracteres góticos. Laura abría la vitrina (una llave herrumbrosa se había materializado inopinadamente en sus manos) y me tendía con unción el antifonario; yo lo abría con idéntica unción y acariciaba las guardas fragantes y castas, el pergamino anfractuoso, los tetragramas que acogían la música del canto gregoriano, las antífonas estampadas en negro y bermellón, en caracteres rematados por caprichosos rasgueados. Entonces reparé en que, mezcladas con el polvo secular del códice, se habían adherido a las yemas de mis dedos unas partículas blancas que muy bien podían ser diminutas migas de oblea. Al volver una hoja rodaron de repente, como lunas minúsculas, una porción de Hostias que, en lugar de caer al suelo y hacerse añicos, se quedaron suspendidas en el aire, antes de empezar a volar en nuestro derredor como una pululación de luciérnagas. Allí estaban, por fin, las Hostias volátiles que, según narra la leyenda de mi ciudad levítica, abandonaron el sagrario en el que se hallaban confinadas, justo antes de sucumbir al beso de las llamas, para escapar de la quema colándose por una tronera de la iglesia. Allí estaban, como una bandada de cándidos pájaros, las Hostias volátiles que habían sobrevolado la niebla de nuestra ciudad, como un maná nómada que se enreda entre las hojas de los álamos y de los chopos, para desaparecer, transportadas por una ráfaga de viento. Allí estaba, por fin, el Grial de nuestra infancia, el tesoro de evasiva pureza que habíamos perseguido infructuosamente en expediciones nocturnas a las iglesias sin culto de nuestra ciudad levítica. Alargué una mano para tomar una de ellas y compartir su sabor de ambrosía o elixir con Laura, pero en ese momento desperté.

Durante unos minutos el sueño pugnó por trasvasarse a la vigilia, pugnó por encontrar morada en la realidad demasiado turbia que estaba viviendo, para infundirme la esperanza de otros días mejores. Fueron unos minutos muy reparadores, un interregno de voluptuosa paz que se fue desmoronando a medida que mis sentidos cobraban consciencia de la naturaleza ilusoria de aquellas Hostias volátiles que sólo existían en la mitología de mi infancia, a medida que sobre la memoria remota de aquel ámbito en el que había crecido mi amor por Laura se imponía la memoria inmediata del infierno que había pisado la noche anterior. Hasta mis oídos llegaba, procedente del fondo del piso, un ruido de cajones que se abren y se cierran premiosamente, puertas que golpean contra su batiente, grifos que liberan y cercenan el curso del agua, pasos que se azacanean de la cocina al baño y del baño al comedor. Antes de que me asaltara el temor de que me estuviesen desvalijando (pero tampoco había mucho que desvalijar), recordé que Laura, que seguía teniendo llave del piso, venía muy de vez en cuando a llevarse cosas, nunca más de las que cupieran en una maleta no muy grande, en una mudanza perezosa que no terminaba nunca. No sé si esta prolongación de su marcha definitiva obedecía a una táctica dilatoria o si, por el contrario, reflejaba el asco invencible que le suscitaba dedicarse plenamente a embaular sus bártulos, labor que le habría ocupado un día completo, o quizá más tiempo aún. Sospecho que esta segunda posibilidad sea la más verosímil: al recoger sus pertenencias de forma diferida, y siguiendo únicamente el mandato de las necesidades más inaplazables, Laura evitaba el mal trago de enfrentarse de una sola tacada al espectro de nuestro amor, que había dejado su sello, su huella compungida, en cada objeto que poblaba el piso. Laura solía, además, hacer sus incursiones en horas en las que, según presumía, no me encontraría en casa, para evitar confrontaciones que a ambos nos habrían lastimado; siempre acertaba a pasarse cuando yo no estaba, tino que carecía de mérito puesto que, desde que iniciara mi desesperada búsqueda de Elena, sólo regresaba al apartamento para dormir, o para batallar con el insomnio y los remordimientos.

Transcurrían cuatro o cinco días, a veces incluso una semana, hasta que Laura volvía para proseguir su mudanza por etapas. Y en ese intervalo de tiempo, yo iba descubriendo, como en un pesaroso juego de escamoteos, los huecos de ausencia que esos objetos o reliquias de otra época más dichosa excavaban en mi soledad. Se trataba de descubrimientos inopinados: mientras me jabonaba en la ducha alargaba un brazo para tomar la esponja calcárea que Laura había comprado para sí en una tienda naturista (y que yo le gorroneaba sin pedir permiso) y me encontraba de repente palpando la loza desnuda de la bañera; hacía calas en el abigarrado caos de mi biblioteca y, entre dos libros que habían emparedado uno suyo, se abría una flojera que ponía en peligro su verticalidad; me asomaba al fondo de un armario y me tropezaba con una percha desocupada de la que había colgado el guardapolvo azul mahón (tenía guardapolvos de quita y pon) que usaba en el trabajo, el guardapolvo un poco falangista que la empequeñecía y le borraba cualquier asomo de turgencia, el guardapolvo que en más de una ocasión había abrazado a escondidas —a escondidas de quién, si estaba solo—, tratando de rememorar el cuerpo que lo había habitado, tratando de invocar la sensación gratificante y vívida, casi muscular, de su tamaño de mujer menuda que cabía venturosamente y con holgura entre mis brazos. Como nunca sabía dónde podía toparme con la ausencia de estos objetos que eran estandartes del recuerdo, procuraba no remover nada en el apartamento, como el arqueólogo que retarda la apertura de un sarcófago, temeroso de que los restos que presuntamente esconde se los haya arrebatado otro arqueólogo más madrugador o diligente. Y aun así, viviendo de puntillas, no había día que no echase de menos alguna dulce prenda para mi mal perdida.

Desde que la dejara en casa de su padre, acostada en aquella cama en la que me contó su encuentro con Elena, funeraria como una mujer criogenizada o una muñeca de párpados inmóviles, no había vuelto a ver a Laura. Hablábamos por teléfono con cierta frecuencia, en conversaciones demasiado erizadas de reservas en las que yo le rendía cuentas de mis avances (o más bien retrocesos) en la búsqueda de Elena y ella escuchaba, al principio con afectada indiferencia, pero cada vez más apiadada y anhelante de que esa búsqueda llegase a su término; quizá no le importara demasiado mi salvación, pero le perturbaba o apenaba el destino de aquella mujer que había decidido sacrificarse por mí, como Elisabeth hizo por Tannhäuser. También supe que, cuando mi llamada se demoraba algo más de lo previsto, o adolecía de laconismo, Laura se preocupaba de contactar con Bruno, para recabar informes más precisos y proponer soluciones alternativas. En cierto alambicado modo, estaba deseosa de ayudarnos en aquella misión, pero subsistía en ella un resto de orgullo que le impedía participar sin la intermediación de un teléfono. Me levanté de la cama, enaltecido por la reminiscencia que el sueño de las Hostias volátiles había dejado en mí, y me dirigí a la biblioteca, donde oía remejer a Laura. Todo lo que rodeaba mi vida desde hacía unos meses era confuso y envolvente, como si alguien estuviese escribiendo a mi costa una novela un poco al buen tuntún, sin saber qué sorpresas depararía el siguiente capítulo; esta sensación de imprevista —y, casi siempre, funesta— aleatoriedad me inspiró la valentía necesaria para reunirme con Laura. Tenía esa belleza amarga de los que prefieren sonreír, aun cuando los corrompe la tristeza, ese aire altanero y adormilado a la vez de quienes se han habituado a convivir con su desdicha pero aspiran a disimularlo. Estaba hojeando precisamente el ejemplar de la primera edición de *Las Hortensias,* la *nouvelle* de Felisberto Hernández que Bruno nos había regalado al comienzo de nuestro noviazgo.

—Puedes llevártela, si quieres —dije, a modo de saludo.

Laura siguió pasando páginas, con ojos vagos que apenas rozaban la tipografía y sin embargo la asimilaban con una caricia. Aquel libro era el último istmo que nos unía, el único bien ganancial que testimoniaba nuestra disuelta sociedad; proponer que se lo llevara equivalía, en cierto modo, a finiquitar nuestra relación.

—Creo que su sitio es éste —dijo, devolviéndolo a su estantería. Hizo una pausa cargada de pesadumbre inmediatamente contenida que me estrujó el alma—. Te nombro depositario de él.

Pensé que en aquel libro sin lomo, pobretón y otoñal, se custodiaba, como en el antifonario de mi sueño, un oro incorruptible que, en otro tiempo —apenas unos pocos meses antes—, nos habíamos propuesto conservar hasta la muerte, confundido con el torrente sanguíneo. Laura todavía no me había mirado; cuando por fin lo hizo, se fijó muy detenidamente en mí, hurgando más allá de mis actuales rasgos, en busca del hombre que había amado. Pero en ese ejercicio retrospectivo se tropezó con impedimentos que la alarmaron:

—¿Te has visto en el espejo? —Ella misma me había recomendado que no lo hiciese, mientras Elena anduviera por ahí, destruyéndose—. Estás muy desmejorado.

—Será que he dormido poco. —Su piedad me incomodaba, quizá porque era la ganga de otro sentimiento irrecuperable—. Tuvimos una noche movidita.

—¿Sabéis algo nuevo de Elena?

Había un fondo de aprensión en esa pregunta. Como en tantas otras ocasiones, su expresión delataba a la sibila.

—Cosas horribles —dije. Me había propuesto no volver a ocultarle nada—. Ahora está metida en una de esas mafias de prostitución de la Casa de Campo.

Mi revelación la había golpeado como un escupitajo.

—Dios, pobre muchacha.

—La regenta un rumano, un tal Vasile Morcea.

Laura permanecía quieta, helada por un relámpago de terror.

—He leído que esos tipos son violentísimos, que trabajan con sicarios sin escrúpulos. ¿Conoces a ese Morcea?

—Todavía no, pero lo conoceré. Me he propuesto rescatar a Elena, y no pararé hasta conseguirlo.

Me asustó la impávida firmeza de mis palabras; como le había ocurrido a Chambers con Fanny Riffel, Elena se había convertido en una religión de la que no estaba dispuesto a abjurar ni aunque me torturasen con hierros candentes. La amenaza del plomo que mafiosos como Morcea regaban por doquier no me arredraba.

—¿Te has vuelto loco, Alejandro? Haz el favor de llamar a la policía y exponerles el caso. Tú ya has hecho lo que tenías que hacer.

Por primera vez en mucho tiempo se interesaba activamente por mi suerte. Era una sensación gratificante, pero también melancólica, como amasada de derrotismo. Supongo que esta amalgama agridulce es la misma que acomete a los reclutas cuando están a punto de partir hacia el frente y perciben que el amor de sus novias o esposas, que apenas unos días antes anestesiaba la tibieza, se multiplica y hace ferviente. Laura se había acercado y me miraba con fijeza:

—¿Me has oído? Ya has cumplido con creces tu obligación.

En su voz reñían el miedo y el remordimiento de saberse íntimamente responsable de aquella determinación suicida, la conciencia culpable de haberme incitado a una misión que había aceptado a regañadientes y que, poco a poco, se había ido convirtiendo en una militancia fanática. Sonreí blandamente, le pincé con los dedos aquella nariz respingona, fuera de catalogación, que hermoseaba su rostro.

—Tú déjame hacer. Tengo un plan.

Más que un plan, tenía un borroso proyecto de temeridad. No me costó demasiado averiguar el modus operandi del mafioso Vasile Morcea; a cada poco, los periódicos relataban las ruindades de rufianes de similar calaña y procedencia. El contrahecho Bismili había mencionado que Morcea se había curtido en el ejército de Ceaucescu; en esto concordaba con el prototipo de traficante de carne eslavo: individuos con experiencia militar, casi siempre procedentes de cuerpos especiales dedicados a la represión más áspera, al exterminio de disidentes, a la limpieza étnica, soldados sin honor ni bandera, a menudo meros mercenarios adiestrados en disciplinas montaraces, sicarios que con idéntico aplomo administraban una muerte cachazuda o fulminante, acampados siempre en los suburbios de la legalidad. El derrumbamiento de las dictaduras comunistas los había dejado ociosos de sangre y de pólvora, relegados a actividades subalternas en cuarteles esteparios, o directamente arrojados al fango del que procedían, sin otro aval que una carta de licenciamiento que, por pudor, omitía sus destrezas. Algunos se habían alistado en ejércitos extranjeros, allá donde todavía se requerían ejecutores de pillajes y holocaustos más o menos discretos (ante la sonrisa pavisosa de las Naciones Unidas, ese cónclave de pisaverdes), allá donde todavía se podían pisotear las inoperantes convenciones ginebrinas, allá donde un uniforme de camuflaje es un salvoconducto para fusilar a mansalva o violar a las muchachas que han quedado huérfanas o viudas, de resultas del fusilamiento. Pero la mayoría se había reciclado en delincuentes civiles después de un penoso vagabundaje por los precipicios del lumpen; allí habían descubierto que sus habilidades intimidatorias, su desparpajo en la comisión de crímenes que otros verdugos más escrupulosos desestimaban, sus dotes organizativas (existe una burocracia de la muerte, más ágil y eficaz que ninguna otra, puesto que prescinde del papeleo) y, sobre todo, su expeditiva capacidad para mercadear con las vidas ajenas les otorgaban un rango jerárquico muy superior al que habían alcanzado en el ejército. Como la ambición expansionista es un rasgo que les habían inculcado, allá en la juventud aturdida de entelequias y crueldad, no habían tardado en probar a instalarse en países más prósperos, donde sus actividades como proxenetas o capataces de esclavos rendían beneficios casi inmediatos. El funcionamiento de sus organizaciones trashumantes era muy simple: sus compinches en la retaguardia engatusaban a jóvenes famélicas con el ofrecimiento de un empleo bien remunerado como camarera o fregona en cualquier país de esa Europa donde atan los perros con longanizas; una vez aceptado ese empleo promisorio, con el que —se les aseguraba— podrían costearse sus necesidades, subvenir a las de su familia y aun permitirse algunos lujos, se las montaba en autobuses, disfrazadas de turistas. Si alguna joven famélica se escamaba de tanta generosidad, se le advertía que los gastos de transporte se le descontarían de sus primeros sueldos. Y así, ignorantes de su destino, iniciaban su viaje hacia las regiones de la vida invisible.

Los mafiosos de la prostitución como Vasile Morcea estaban de enhorabuena. El Gobierno español acababa de suprimir la exigencia de visados a los visitantes rumanos; la mera exhibición de pasaportes en los puestos fronterizos bastaba para facilitar su contrabando humano. Los autobuses de jóvenes famélicas llegaban a La Junquera, o a cualquier otro paso del Norte, hacia la medianoche, cuando el sopor y el tedio hacían más relajada la vigilancia de los guardas; unos pocos kilómetros antes, el conductor les había entregado a cada una cantidades próximas a los quinientos euros para que, llegado el caso, pudieran demostrar su solvencia en los controles policiales, así como un documento donde se acreditaba la reserva de una habitación en un hotel de cuatro estrellas de Madrid. También les habían repartido unas botellas de ginebra, con la consigna de que se achisparan un poquito, lo justo para fingir esa alegría gregaria que caracteriza a los excursionistas; como las muchachas tenían las tripas horras alcanzaban ese grado de venial embriaguez casi al primer sorbo, y desfogaban su incauta euforia canturreando tonadas populares de su comarca de origen, melodías desafinadas que incorporaban a su letra alguna picardía. Una vez realizadas las comprobaciones sumarias o prolijas de rigor y traspasada la frontera, el conductor retiraba a las pasajeras el dinero y las reservas del hotel y las invitaba a emborracharse sin trabas. En cualquier área de descanso poco concurrida, el autobús se detenía, cuando ya las botellas rodaban por el suelo y las jóvenes famélicas se enroscaban en las butacas, amordazadas por un sueño cabezón; allí aguardaban las furgonetas de las mafias, cuyos esbirros se encargaban de despertar y movilizar a las jóvenes, ordenándoles que se distribuyeran en remesas de ocho o diez por cada furgoneta. Aquí las curiosas y las remisas se rifaban el primer sopapo; a las más recalcitrantes, como medida ejemplar, se las cogía de los pelos y se las arrastraba por el asfalto que les excoriaba la piel, para arrojarlas como fardos en la furgoneta asignada. Las más dóciles acataban las órdenes sin rechistar, o arrugadas de sollozos que luego, en el interior de las furgonetas, cuando la puerta corrediza que aseguraba su cautiverio se cerrase con estruendo, se harían ciegos y retumbantes.

De esta guisa, como corderos que han perdido las ganas de balar, viajaban durante toda la noche hacia sus respectivos destinos: ciudades de la periferia con polígonos industriales bien abastecidos de obreros con orquitis, burdeles como verbenas de neones en las rutas más frecuentadas por los chulánganos del volante, y también —y sobre todo— Madrid, rompeolas de la vida invisible, donde capataces como el tal Vasile Morcea explotaban a destajo a estas mujeres durante no más de tres o cuatro años (si es que antes no perecían), para después sustituirlas por otras que captaban con engaños igual de burdos. Las mafias de prostitución rumanas poseían pisos francos en los suburbios de la ciudad, donde alojaban a sus esclavas y las sometían a severas dietas de violaciones y apaleamientos, hasta extirparles el último resto de voluntad; por si acaso alguna aún guardase intenciones prófugas o denunciantes, se les advertía que sus familias en Rumanía serían inmediatamente represaliadas. A continuación, se les especificaban los baremos de productividad a los que deberían ajustarse si no deseaban que les quebrasen las piernas o les rajasen la tripa: sus jornadas constarían de doce y hasta catorce horas; cualquier recaudación inferior a cuatrocientos euros en los días laborables y seiscientos durante los fines de semana se consideraría síntoma de absentismo o relajación y sería muy sañudamente castigada. Algunas de estas esclavas ni siquiera

habían cumplido los dieciocho años, pero esta menudencia cronoló-
gica quedaba enseguida reparada, pues sus proxenetas las surtían
de pasaportes y permisos de residencia que falseaban su edad y
otros datos que podrían facilitar su identificación. También se las
engordaba hasta que sus anatomías desnutridas adquirían apetito-
sas redondeces y se las proveía de atuendos que sirviesen como reclamos en el oficio forzoso que se les acababa de adjudicar: zapatos
o botas acharoladas, con tacones o plataformas que espigaban su estatura; camisetas y pantaloncitos que dejaban al descubierto brazos
y muslos, también barrigas escurridas y mofletes del culo; si el calor
y la lujuria de la clientela apretaban, estas prendas mínimas —que
eran su único abrigo, aun en los meses más inhóspitos del invierno— podían abreviarse aún más. Como la fortaleza física de las
esclavas no tardaba en languidecer ante jornadas tan extenuadoras,
sus proxenetas las obligaban a desayunarse unas rayas de cocaína o
unas pastillitas de éxtasis. De este modo, mejoraban sus prestaciones, espantaban su cansancio y afirmaban su dominación sobre
aquellas mujeres que, a falta de otro aguarrás más abrasivo que les
borrase el asco de seguir viviendo, se hacían adictas a los paraísos
artificiales.

En una de estas redes de prostitución había sido atrapada Elena.
Afrontar su rescate (y afrontarlo de manera inmediata, sin tardanzas
que podrían resultar irreparables) constituía algo más que una temeridad; quizá mi resolución participara ya del insensato mesia-
nismo, ese vicio que con anterioridad le había censurado a Bruno,
cuando se creyó capaz de curar la erotomanía de Elena. Pero las circunstancias —mis circunstancias— habían cambiado mucho desde
entonces: el hombre antiguo que yo era no hubiese movido un dedo
por nadie; el hombre nuevo que pugnaba por imponerse necesitaba
actuar y redimirse de pasados yerros, para así poder contemplar su
propio rostro reflejado en un espejo. Aquella misma tarde convoqué
a Bruno en mi apartamento para exponerle mi determinación. Laura
también quiso asistir, siquiera como oyente, a la reunión; a medida
que avanzaban mis explicaciones, su expresión fue derivando de la
incredulidad al asombro, del asombro al espanto, del espanto a la
abrumada angustia.

—Pero... no... no puede ser cierto lo que estoy oyendo. —Se había
llevado las manos a los oídos, como si así quisiera detener el flujo de

osadías o insensateces que brotaba de mi boca—. Por favor, Bruno, dile que eso que propone es una locura.

Bruno había encendido su sempiterna pipa; miró a Laura desde detrás del humo, con una como irónica resignación. Hacía demasiado tiempo que ambos guiábamos nuestra conducta por impulsos no demasiado cuerdos.

—No veo muy clara tu estrategia —dijo—. Supongamos que ese tal Morcea y sus secuaces no reparan en nuestro espionaje, que ya es mucho suponer. Pero no entiendo por qué hemos de esperar a saber dónde se halla el piso donde esconden a Elena y a las demás chicas. Me parece mucho más simple y más rápido buscar a Elena en la Casa de Campo y recogerla.

—¿Y qué te crees? ¿Que te ibas a ir de rositas? —me fastidiaba que me contradijese con planes aún menos meditados que el mío—. Los proxenetas merodean por allí, haciéndose pasar por clientes. Si vieran que nos llevamos a Elena no se andarían con chiquitas. Esos cabrones tiran con balas de verdad, Bruno.

Preferí no desviar la mirada hacia Laura, para no enfrentarme a su creciente consternación. Bruno se remejió inquieto, como si ya notase el mordisco del plomo en la carne.

—¿Y quieres que nos metamos en su piso? Eso es meterse en la boca del lobo, nos dejarían hechos un colador. —Hablaba con un indignado sarcasmo—. ¿O prefieres que nos disfracemos de mensajeros? Llamamos al timbre y, cuando salga a abrirnos uno de esos rumanos, le espetamos con toda la pachorra del mundo: «Buenos días, caballero. Disculpe que le molestemos. Veníamos a recoger a Elena Salvador. ¿La han embalado ustedes ya? Supongo que el envío es a portes pagados, ¿no?».

Aunque sin ánimo de resultar gracioso, no se había recatado de introducir ciertos histrionismos.

—Quizá si hubiesen abandonado el piso... —comencé.

—Oh, claro, se me olvidaba que mañana es San Isidro —continuó Bruno, más corrosivo y exaltado—. Morcea les dirá a sus fieras corrupias: «Chicos, ya sabéis lo que nos predican los políticos: hay que integrarse en el país de acogida. Os doy el día libre, para que bailéis el chotis en las verbenas». Alejandro, por favor...

Hice caso omiso de sus chanzas:

—Hay una manera.

—Ya me dirás cuál.

—Cuando sospechan que la policía anda detrás de ellos, cuando reciben un soplo, esos tipos ponen pies en polvorosa. Vacían los pisos de armamento, drogas y documentos comprometedores y se dan el piro. Desaparecen por una temporada, como si se los hubiese tragado la tierra. De las chicas se despreocupan; que se las compongan como puedan.

Bruno se había quedado pensativo; el humo de la pipa se posaba sobre su frente, como una tentación que aún no acierta a concretarse.

—Un soplo... ¿Y cómo se lo haríamos llegar?

Laura aprovechó esa pausa para intentar hacernos entrar en razón:

—Vamos a una comisaría y contamos a la policía lo que ocurre. ¿Qué os parece la idea?

Buscó desesperadamente nuestra connivencia, repitió su propuesta inútil y razonable (inútil porque ansiaba el beneplácito de un par de locos), nos interpeló con enfado y algo de despecho, finalmente se rindió a la evidencia.

—Habría que conseguir el número de teléfono de ese Morcea —dijo al fin Bruno—. No cualquier número, sino el que usa en los tratos con sus compinches.

Asentí, respiré hondo, ambos estábamos dispuestos a iniciar la inmersión que quizá agotase nuestras reservas de oxígeno y nos dejase tirados en las grutas de la vida invisible:

—Creo que sé cómo hacerlo.

Antes incluso de que se abriera la puerta, Tom Chambers había reconocido esa voz. No era exactamente la misma voz humillada y sollozante que, durante el verano de 1959, había respondido a sus procacidades telefónicas; el fondo de aniquilación que oxidaba su timbre quizá fuese idéntico, pero mientras aquélla proclamaba la claudicación de un moribundo, ésta se revestía del orgullo maltrecho de un superviviente. Durante los más de seis años que había permanecido cautivo en el Hanoi Hilton, postrado en una jaula de bambú sobre el mullido lecho de sus defecaciones, o resistiendo las periódicas sesiones de tortura que quebraron sus huesos y encharcaron sus pulmones y le achicharraron un testículo, convirtiéndolo ya para siempre en un eunuco a medias (one-balled eunuch, pero mi idioma posee la palabra ciclán para designar al hombre que ha extraviado uno de los atributos de su virilidad), durante aquellos más de seis años de penitencia severísima en los que ningún recodo de su anatomía resistió la invasión de llagas y magulladuras, no había dejado pasar ni un solo día sin pensar en la mujer cuya paz había arruinado con sus llamadas intempestivas y amenazantes, con sus jaculatorias de insultos, con los descarríos y lubricidades que le dictaba aquella bestia de perversidad que se había inmiscuido en su cuerpo.

Durante más de seis años, el recluta Chambers había acatado los varapalos que le dispensaban los carceleros del Vietcong como una retribución justa a sus desmanes telefónicos; y, a su regreso a Chicago, tras la retirada cabizbaja pactada por Kissinger, había decidido completar su calvario buscando a la mujer desahuciada que un día vio marchar, con andares de mendigo o ectoplasma, por North Milwaukee Avenue, rumbo a ninguna parte, rumbo al naufragio o a la invisibilidad. Cuando Chambers inició su misión expiatoria, Fanny ya había sido juzgada por el asesinato de James Breslin e internada en el manicomio; las vicisitudes del juicio apenas habían encontrado hueco en la prensa, demasiado ocupada en vapulear a los irresponsables que habían prolongado una guerra perdida desde la primera escaramuza, con desprecio de una generación inmolada en la hecatombe, convertida en carroña que llenaba el buche a los buitres del Harmagedón. Chicago era un laberinto más hondo e intrincado que la mera locura, un laberinto donde no había escaleras que subir, ni puertas que forzar, ni fatigosas galerías que recorrer, ni muros que le vedasen el paso. Pero Chambers, que creía en el milagro o intuía que el azar es una cinta atrapamoscas, se lanzó a recorrerlo.

Probó primero a visitar el apartamento que Fanny Riffel había habitado en la confluencia de North LaSalle y Elm Street, pero el edificio de fachada angosta que el adolescente Chambers había merodeado en sus espionajes acababa de ser demolido y reemplazado por otro edificio de arquitectura más trivial, cuyos inquilinos no supieron darle pistas sobre aquella mujer que nunca habían oído nombrar, o bien no quisieron dárselas, puesto que Chambers, con su aspecto macarrísima e hiperbóreo, no despertaba demasiada confianza. Por las mañanas caminaba hasta Lincoln Park, donde había visto a Fanny por primera vez, repartiendo folletos religiosos; las bañistas que tomaban el sol en biquini, como las parejas de novios que se arrimaban a la espesura tratando de darse un furtivo lote, como en general la multitud de paseantes ociosos y domingueros abrumados de hijos que reclamaban unos centavos para comprar un helado, terminaron considerándolo parte del paisaje, y sólo les extrañaba que no se decidiera a rasguear una guitarra y cantar canciones contestatarias, pues de muy buena gana lo habrían premiado con una limosna. Pero Chambers no necesitaba limosnas para sobrevivir, pues recibía una pensión del Gobierno (una pensión raquítica y casi injuriosa, pero suficiente para sufragar sus muy ascéticas necesidades), con la que supuestamente le pagaban el cojón achicharrado y los más de seis años de estancia en las mazmorras del Hanoi Hilton. Mientras veía desfilar ante sí rostros congestionados por el esfuerzo físico (había muchos cantamañanas correteando por el parque) o enflaquecidos por el insomnio (había también muchos locos erráticos o peripatéticos), rostros ancianos y niños, rostros que abarcaban todas las razas del atlas, rostros inéditos o plagiados de otros rostros, una zarabanda de rostros parlanchines o pensativos que nunca cesaba, Chambers llegó a considerar la vastedad desmoralizadora de su empeño. Pero exorcizaba el desánimo convenciéndose de que, por mero cálculo probabilístico, el rostro de Fanny Riffel acabaría emergiendo entre el océano de rostros indistintos o repetidos.

Había en su búsqueda algo de entrega mística a esa fuerza de carácter sobrenatural que los descreídos denominan azar. Como la propia Fanny en su pesquisa de la antigua serpiente, como el perturbado John Walker Lindh que se aventuró en el desierto para tropezarse con su destino, como San Agustín sugestionado por una cantinela *(Tolle, lege; tolle, lege)* que le impulsó a leer al albur el primer versículo sobre el que se posó su mirada, como yo mismo en mi búsqueda del secreto de Chicago («Todas las ciudades tienen un secreto, una llave que franquea el paso a otra ciudad desconocida», me había dicho Laura, con voz de sibila), Chambers profesaba esa convicción irracional que concibe el mundo como un palimpsesto de infinitas y superpuestas escrituras, anhelante de enfrentar cada una de esas escrituras con la persona que les ha sido adjudicada por predestinación o sorteo. Pudo haber recurrido a los servicios de un detective (suponiendo que la pensión raquítica y casi injuriosa hubiese soportado tamaños dispendios), o sondear a periodistas y currinches dedicados a la crónica de sucesos que aún recordasen a la célebre *pin-up* de los años cincuenta; pudo haber acudido a las oficinas municipales del censo, o reclamar información mediante un anuncio en la prensa, pero entendió (y el rechazo que le habían mostrado los inquilinos del edificio en la confluencia de LaSalle y Elm Street corroboraba esta creencia) que debía acometer su misión en soledad, en secreta soledad, del mismo modo que en su adolescencia había emprendido el acoso y la mortificación de una mujer indefensa. Así que durante dos años desgastó las suelas de sus botas puntiagudas y repujadas por las calles de Chicago, indagando rostros que a veces ni siquiera reparaban en su escrutinio y otras veces reaccionaban ante él con iracundia o amilanamiento; un aluvión de rostros que al principio llegaron a confundirlo (porque creía descubrir en ellos algún fragmento aislado de la fisonomía de Fanny) y que, con el decurso de los meses, aprendería a descartar con un pronto, fugacísimo vistazo, como el filatélico aprende a manejarse entre una hojarasca de sellos sin valor. Ni siquiera soslayó en sus caminatas el itinerario que Fanny debió de seguir aquella tarde en que la vio por última vez, agazapado cobardemente detrás de una pilastra herrumbrosa que retemblaba cada vez que un tren se aproximaba, en la confluencia de North Milwaukee y Bloomingdale. Y aunque la ciudad se había ensanchado mucho desde entonces, agregando nuevas barriadas como excrecencias a su esqueleto de animal bulímico, aquel paraje del noroeste se le antojó igualmente expoliado por el ventarrón que se afilaba en los cristales rotos de los almacenes sin mercancía, igualmente erizado de escombreras y de gatos famélicos, como si el tiempo se hubiese coagulado en torno a aquella tarde de oprobioso recuerdo.

Durante los dos años que duró su búsqueda, Chambers padeció muchas tentaciones de desistimiento. Quizá para vencer ese influjo derrotista, desarrolló una suerte de sexto sentido ilusorio que le permitió entablar vínculos telepáticos con la mujer o fantasma que perseguía infructuosamente. Así, cuando trataba de adivinar la posición del sol por los vislumbres de su luz en las ventanas de un rascacielos, pensaba: «Seguro que Fanny también sorprendió ese reflejo fugacísimo en alguna ocasión»; y cuando hallaba una moneda sin valor en la acera, al reparar en sus muescas, pensaba: «Seguro que Fanny también se fijó en ellas»; y cuando mataba el aburrimiento contemplando los mordiscos de las olas sobre la arena de las playas del lago Michigan, pensaba: «Seguro que Fanny también se entretuvo así»; y cuando, extenuado y un poco hambriento, lo aturdía el juego isócrono de los semáforos, pensaba: «Seguro que Fanny también se mareó mientras los veía cambiar repetidamente de color»; y, en fin, cuando escuchaba la ráfaga de una canción o el vagido de un tren, cuando a su paso descendía del cielo la sámara de un arce con su vuelo de hélice o ascendía el vaho de las alcantarillas, Chambers concluía, con desprecio de la lógica o credulidad de visionario, que esos signos testimoniaban el paso de Fanny por aquellos mismos lugares, como el escolio garrapateado a lápiz o la esquinita doblada de una página testimonian al lector que se asomó antes que nosotros a un libro. Ya que su búsqueda estimulaba la lucubración metafísica, Chambers, siguiendo el ejemplo de los panteístas que adivinan a Dios (no ya su reflejo, sino a Dios mismo) en cada accidente del incontable universo, se convenció, incluso, de que aquellos signos no eran tan sólo testimonios de Fanny, sino también manifestaciones de Fanny, discretas manifestaciones de Fanny que le marcaban la ruta. Fanny se convirtió así en su religión y en su libro sagrado; y cada una de sus discretas manifestaciones, sólo inteligibles para él, adquirían el rango de artículos de fe o palabras proféticas. Por supuesto, no concebía que dichas palabras pudiesen contener erratas o incoherencias; tampoco el creyente verdadero interpone reticencias o vacilaciones en su aceptación de los dogmas.

Fue este talante predispuesto a la magia lo que le permitió desprenderse de ese séquito de altibajos (suertes adversas y favorables, pesimismos y euforias, decaimientos y revulsiones) que suele lastrar las empresas humanas, sobre todo cuando su resolución se hace esperar y depende de factores que exceden nuestras facultades. Su abuela católica le había enseñado que somos instrumentos en manos de la Providencia, y que de nada sirven nuestros desvelos por torcerla. Chambers, que antes de su cautiverio en el Hanoi Hilton había desestimado estas enseñanzas, se acogía a ellas con voluntad de converso y seguía andando su laberinto, seguro de desenredar su centro, seguro de que Fanny inspiraba con su presencia cada uno de sus pasos. Sin este talante predispuesto a la magia, se habría limpiado el culo con la carta de membrete gubernativo que le ofrecía trabajo como celador (como loquero) en Chicago-Read, en atención a sus méritos de guerra y a modo de vergonzante recompensa por los sufrimientos padecidos. Sin este talante predispuesto a la magia, habría acallado con un bufido la cháchara del director del manicomio, empeñado en entonar la loa de su establecimiento, incongruente con el espectáculo dantesco que se exponía a su mirada; y cuando le impuso la obligación de recogerse la melena en una coleta, como requisito previo para ser admitido en la plantilla, le hubiera pegado un puntapié en la entrepierna con la esperanza de incorporarlo a la cofradía de los ciclanes. Pero Chambers consideraba que la carta con membrete gubernativo y la cháchara de aquel psiquiatra fatuo, y sus pejigueras pretendidamente higiénicas eran señales providenciales que lo aproximaban a una nueva aparición de la mujer o fantasma que perseguía. Quizá la aparición definitiva, el centro del laberinto.

—Le presento a Fanny Riffel, una de nuestras internas más ejemplares —dijo el director, con hipocresía demasiado ostentosa.

Fanny, recostada sobre la pared del fondo, estudió las proporciones del ángel que le enviaban para acompañar su peregrinaje por el valle de las sombras. La desconcertaron sus facciones hiperbóreas, de una belleza ruda y ancestral, su vestimenta macarrísima (las botas puntiagudas y repujadas, el pantalón muy apretado que le esculpía el paquete, la hebilla del cinturón que incorporaba la calavera de un bisonte, la camisa de leñador con las mangas recortadas) y, sobre todo, sus brazos historiados de tatuajes, brazos de estibador o camorrista que se remataban en unas manazas que acababan de encadenar por mil años a la antigua serpiente.

—El señor Chambers es un héroe de guerra —lo presentó superfluamente el director—. Pronto trabajará como celador en nuestro establecimiento...

—Pronto no. Mañana mismo —lo interrumpió Chambers, sin apartar la vista de Fanny.

Había temido que Fanny le reconociera la voz, como él había reconocido la suya a través de la puerta, y reaccionara con furia u horror; pero se trataba de un temor infundado, pues la voz del Chambers adulto en nada se asemejaba a la voz del adolescente Chambers, a quien durante el verano de 1959 parasitó un monstruo que le dictaba palabras sórdidas o aberrantes. Ahora por fin la mujer que había sido destinataria de esas palabras (la mujer que había enloquecido al escuchar esas palabras) se reunía con él para concederle una segunda oportunidad. Al director lo había intimidado la sequedad imperiosa con que Chambers había anunciado su inmediata incorporación a la plantilla del Chicago-Read; formuló una sonrisa apergaminada:

—Sí, tal vez mañana mismo. En cuanto le encontremos acomodo, en cualquier caso.

—No, he dicho mañana mismo. La carta de Washington dice que se me otorgue «trato preferente».

Chambers ni siquiera lo miraba, de tal modo que sus exigencias resultaban aún más terminantes. A Fanny le divertía ver al director, tan presuntuoso y zaheridor en los interrogatorios de la junta de médicos, convertido ahora en un chisgarabís ante la envergadura de ave de su ángel redentor. Fanny sonrió a Chambers con una sonrisa de beatitud que compendiaba su infinito dolor y su infinito agradecimiento; Chambers se hubiese arrodillado de buena gana ante ella, para pedirle perdón, si el mequetrefe del director no hubiese estorbado su intimidad:

—Le advierto, Chambers, que tenemos todas las plazas cubiertas, salvo las de esta ala. Pero no creo que le apetezca trabajar con... —se puso de puntillas para susurrarle al oído—: una asesina psicopática, como esta Fanny Riffel. —Enseguida recuperó la inflexión disertativa—: Con pacientes tan complejos. Se requiere una preparación específica. No crea que cualquiera puede soportarlos.

Chambers se volvió hacia él, por primera vez desde que entraran en la habitación. Había fruncido los labios, que de repente adquirieron una calidad cárdena, y sus ojos se incendiaron de rencor:

—¿Usted cree que será más difícil de soportar que las torturas del Vietcong? ¿Se le ocurre preparación más específica?

—No creo que éste sea el momento ni el lugar...

Fanny apreció que su ángel redentor se esforzaba por mantener la compostura: un segundo antes, podría haber despedazado con sus propias manos al director; ahora adoptaba una estrategia de camelo:

—Créame, sabré bregar con ellos. Comprendo sus reticencias; pero déjeme demostrar que sirvo para ese trabajo.

El director no podía desairar a los mandamases de Washington ni exponerse a un escándalo periodístico rechazando a un veterano de guerra. En la carta con membrete gubernativo se decía, más concretamente, «mutilado de guerra», pero el director no acertaba a descubrir mutilación alguna en aquel hombre membrudo, con aspecto de guerrero escandinavo y manos machacantes como el martillo de Thor, o quizá fuese Odín, el director de Chicago-Read no estaba muy versado en mitologías.

—Por favor, se lo ruego. El señor Chambers merece ese puesto.

La intervención de Fanny soliviantó un tanto al director. Podía admitir, aunque fuese a regañadientes, que un veterano de guerra se le subiese a las barbas; que una interna se subiese también se le antojaba el colmo del atrevimiento. Chambers enseguida detectó su mosqueo y dirigió a Fanny una mirada de complicidad; instantáneamente, Fanny se inhibió, como golpeada por una reconvención divina. El director los estudió a ambos, tratando de descifrar el secreto vínculo que los unía.

—¿Se conocían de antes? —preguntó.

—En absoluto, señor —mintió con aplomo Chambers—. Pero ya le dije que sirvo para este trabajo. Creo que mi aspecto les intimida.

Luego, en el despacho del director, mientras rellenaba los formularios que certificaban que el puesto le pertenecía, Chambers aún tuvo que soportar algunas prédicas y admoniciones; especial énfasis puso el director en la cautela distanciada que debía regir su trato con «los pacientes de otro sexo» (empleó este circunloquio, quizá como ejemplo de cautela y distancia), para evitar cualquier tipo de «interacción erótica». Con palabras cada vez más embrolladas y titubeantes, el director de Chicago-Read rogó a Chambers que procurara vestir más discretamente o siquiera —nada más ajeno a su intención que ofenderle— que tapase sus brazos membrudos y tatuados, que usase pantalones menos ajustados, que eligiese un calzado menos —aquí el director, sonrojadísimo y azorado, tardó en encontrar el adjetivo idóneo—, bueno, menos perturbador, usted me entiende, pues de lo contrario —al sonrojo se sumaba la redundancia—, ya sabe, los pacientes de otro sexo podrían erotizarse. A Chambers la felicidad le burbujeaba en la sangre como una gaseosa de optimismo: había conseguido coronar su misión mística, había logrado rencontrarse con su religión y su libro sagrado; el resto del mundo le importaba un ardite. Deslió la goma que apresaba su melena en una coleta, se ahuecó los cabellos de un rubio ceniciento y, taladrando con su mirada hiperbórea al director que ya apenas podía dominar el desasosiego, le inquirió con malevolencia: «¿Sólo a los pacientes? ¿Y sólo a los de otro sexo?». Por supuesto, durante los casi veinte años que trabajó en el hospital o manicomio Chicago-Read, jamás alteró su atuendo macarrísima; y el director se cuidó mucho de volver a afeárselo. Cuando se cruzaban en los pasillos, el director trataba de rehuir a Chambers para evitar que su mirada hiperbórea y su sonrisa malévola le recordasen que *sabía*, para evitar cualquier tipo de interacción erótica que hubiese desbaratado su fama de marido modélico y ejemplar padre de familia.

Poco a poco, y a medida que fue tomando confianza, Chambers empezó a hacer de su capa un sayo, seguro de que nadie le opondría reparos ni llamamientos al orden. En esto no se distinguía demasiado de otros empleados del manicomio, auténticos virtuosos en el arte del remoloneo, que facilitaban a los internos revistas pornográficas a cambio de unas monedillas, que hacían la vista gorda (también a cambio de unas monedillas) cuando los sorprendían planeando una fuga o una farra, que no oponían demasiada resistencia (esto lo hacían gratis) a sus intentonas de suicidio. El celador Chambers infringía concienzudamente las ordenanzas de régimen interno, pero entre sus motivos no figuraban la desidia ni el cambalache; su única ordenanza —la única ordenanza que ejercía jurisdicción sobre él— era el cuidado abnegado de Fanny, la redención de Fanny, acompañando su peregrinaje por el valle de las sombras hasta que acabasen los días de la tribulación. Y a esa ordenanza se entregó con un fervor que desconocía la existencia de horarios, como esos misioneros que un día descubren que el rostro de Dios no es invisible, sino que se copia en el rostro de cada una de sus criaturas desahuciadas, y abandonan las comodidades de una vida regalada para marchar a cualquier arrabal del planeta. Para Chambers, Dios estaba en Fanny, Dios era Fanny; y así, con sus atenciones y desvelos la veneraba y le expresaba su contrición. Sustituyó el empacho de medicinas por otras terapias no estrictamente químicas: le leía poemas en voz alta, con su dicción áspera y expeditiva; le compró un tocadiscos en el que escuchaban a Bach, pero también las canciones de cantantes melenudos como el celador Chambers (y aquí Fanny, que se pirraba por el baile, se aferraba a su ángel redentor y lo obligaba a menearse al ritmo de la música); también le llevó un televisor de segunda mano al que de vez en cuando había que sacudirle un mamporro en la carcasa para que interrumpiese la emisión de interferencias: Fanny no tardó en enviciarse con la serie *Los ángeles de Charlie* (Jaclyn Smith era su predilecta; en cambio Farrah Fawcett-Majors la repateaba) y las películas de romanos que protagonizaba Steve Reeves, casi tan forzudo como su ángel redentor. Pero sobre todo conversaban, conversaban durante horas y horas, mientras la noche se derramaba como un catafalco de tinta en las ventanas, mientras el silencio anegaba el mundo como un agua oscura que sólo perturbaba algún remotísimo alarido o carcajada procedente del pabellón de demenciados. Eran conversaciones divagatorias que el celador Chambers registraba en una grabadora con permiso de Fanny, ejercicios de submarinismo en su memoria atormentada por los delirios esquizofrénicos y las monomanías apocalíp-

471

ticas y la amnesia. Así supo el celador Chambers que los infortunios padecidos por Fanny no se reducían al episodio oprobioso que él había protagonizado, allá por el verano de 1959; así supo de su calvario por los páramos de la vida invisible, de los sótanos de asfixia y maleficio en los que había sido secuestrada, esos sótanos que los payasos que empezaban a promover su *revival* como musa de la transgresión y el tabú ni siquiera sospechaban. Descendió con ella hasta esas regiones abisales donde se refugia la hidra de la locura, respiró con ella el olor pútrido de los cadáveres que se amontonaban sobre su conciencia, lloró con ella el dolor de ser mil veces ofendida, mil veces violada, mil veces arrojada a un vertedero o a la cuneta de una carretera. Pero la misión del celador Chambers era también alumbrar su camino hasta la cumbre del monte Sión; y todo su afán se resumía en un esfuerzo por remover los escombros que entorpecían ese camino, hasta retrotraerse a esas parcelas de su vida que las psicopatías no habían colonizado, a esas islas de intacta pureza que se habían librado de su contaminación. No era una tarea sencilla, pues las desgarraduras de la paranoia todo lo arañaban, pero, de vez en cuando, de algún fondo de recóndita blancura, surgía un venero de luz que el celador Chambers resguardaba entre sus manos, como si fuese un pichón caído del nido, aterido y con las alas quebradas.

—¿Te he contado ya lo que me ocurrió con mi vestido de graduación?

El celador Chambers había quitado el volumen al televisor, como solía hacer siempre que Fanny se aprestaba a la confidencia. El crepúsculo favorecía la evocación elegíaca.

—Juraría que no, Fanny. —El celador Chambers contemplaba su perfil, en el que ya se avecindaba la vejez. La luz catódica agravaba sus arrugas y resaltaba las canas que ya se inmiscuían en su cabello fosco—. Pero a qué esperas.

—Ya sabes que había conseguido una beca para estudiar en el instituto de Peoria, ¿verdad? Eso creo que sí te lo he contado.

La voz se le había alborozado, porque aún la enorgullecían sus méritos académicos. El estudio había sido el refugio de una adolescencia asediada por la pobreza y los instintos incestuosos de su padre.

—Y también me has contado que fuiste la segunda de tu promoción. Y que los muchachos del instituto te eligieron la compañera más atractiva, y que predijeron que protagonizarías un *remake* de Ni-

notchka, junto a Mickey Rooney. —Al celador Chambers le gustaba enumerar sus proezas, aunque fueran nimias, porque se referían a un pasado que desmentía lo que después ocurrió—. Pero del vestido de graduación nunca me dijiste nada.

Fanny lanzó una risa perpleja y un poco abstraída:

—¡Ya ves tú! ¡Fanny Riffel protagonizando *Ninotchka!* Si ni siquiera me aceptaron de meritoria en la RKO.

—No te creas que a Mickey Rooney le fue mucho mejor —bromeó el celador Chambers—. De niño lo atiborraron de pastillas, para que no creciese, y de mayor se quedó hecho un retaco. Pero hablábamos del vestido.

—El vestido, sí. —A Fanny le costaba domeñar su tendencia a la divagación—. ¿Tú sabes los sacrificios que tuve que hacer para conseguir comprármelo? La beca cubría los estudios y poco más, ni siquiera me alcanzaba para pagar el alquiler a la patrona. Podría haber hecho como otros becarios, ir y volver a casa en autobús; pero ya sabes lo que me esperaba en casa...

—Claro que lo sé, Fanny —el celador Chambers trataba de ahuyentar a la desesperada aquellos fantasmas—, no tienes por qué volver a contármelo.

La voz de Fanny se velaba de un sibilante pavor, y en sus ojos de un azul monástico asomaban incendios de lejanías:

—La antigua serpiente, Tom, la antigua serpiente que me metía el dedo en la huchita. Luché contra ella y la vencí, antes de que tú la encadenaras por mil años.

Y acariciaba su rostro amado, en el que la barba crecía, numerosa y pugnaz como la locura, hasta que el celador Chambers besaba sus dedos, como si los contase: éste fue a por leña; éste la partió; éste encontró un huevo; éste lo frió; y este chiquirriquitín se lo comió.

—Quedamos en que no volverías sobre ese asunto, Fanny —la amonestaba—. Y si no me cuentas lo que ocurrió con tu vestido de graduación voy a enfadarme.

A Fanny le tembló por un segundo la barbilla, sacudida por una extraña unción. Su voz se hizo más delgada, como el viento que agita las copas de los árboles, como el viento que mece los bosques:

—Lo había ojeado desde principio de curso. Un vestido de organdí azul celeste que quitaba el hipo; parecía que lo hubiesen tejido las hadas de un cuento. Estaba expuesto en el escaparate de una tiendecita cercana al instituto que hacía su agosto en el mes de mayo, en vísperas de la fiesta de graduación. Sabía que si esperaba hasta entonces, alguna otra chica me lo quitaría. Pero no tenía dinero para comprarlo, y me iba a costar mucho reunirlo, porque la beca no me permitía ahorrar. Hasta tres o cuatro veces entré en la tiendecita para probármelo; tantas que los dueños empezaron a escamarse.

Todavía le duraba el rescoldo de aquel cotidiano desencanto. Chambers la imaginó deteniéndose todos los días, a la salida del instituto, ante el escaparate de la tiendecita, intentando acomodar ilusoriamente el reflejo de su cuerpo al vestido de organdí, envidiando al maniquí que lo portaba día y noche, indiferente a la caricia de su tela.

—¿No probaste a comprarlo a plazos? —dijo el celador Chambers.

—En aquella tiendecita no fiaban. Había un cartelón a la entrada que lo advertía en letras de molde: «Pagos al contado». Aun así, probé a hablar con los dueños, les expuse mi situación, conseguí que comprendieran mi flechazo con aquel vestido..., pero no me fiaron. No lo hacían por avaricia; era una norma de oro de la casa, mantenida sin excepción durante casi treinta años, incluso durante la Depresión. Pero en prueba de buena voluntad, me propusieron otra solución: retirarían el vestido del escaparate y me lo guardarían hasta la mismísima víspera de la fiesta de graduación si hacía falta, cuando ya hubiese logrado el dinero. Además, me prometieron que me harían un generoso descuento del veinte por ciento.

Fanny suspiró, y por un rato se quedó mirando el televisor mudo.

—¿Conseguiste ahorrar esa cantidad?

Había fuerzas enemigas que tironeaban de Fanny, deseosas de prolongar su condena. El celador Chambers tuvo que repetir su pregunta más perentoriamente.

—Perdona, Tom —dijo Fanny, con una voz casi gutural—. ¿Te has parado a pensar qué catástrofe tan grande sería si la antigua serpiente consiguiera liberarse y utilizara la televisión para difundir sus mensajes? La humanidad entera caería rendida a sus pies.

A veces la clarividencia de Fanny lo escalofriaba. Sobre todo considerando que, en contra de lo que ella creía, la antigua serpiente no estaba encadenada. El celador Chambers apagó el televisor, que había empezado a emitir interferencias granulosas; en su pantalla súbitamente ciega se adensaba la noche.

—Eso no ocurrirá, Fanny —afirmó, impostando una convicción que no poseía—. Sígueme contando la historia de ese vestido.

Fanny esbozó una sonrisa escuálida y friolenta, como de cigüeña que no ha emigrado a tiempo hacia regiones más cálidas:

—Aquel curso conseguí empleos como mecanógrafa y camarera. Con la miseria que me pagaban, sumada a la miseria de la beca, me iba apañando; y todas las semanas iba apartando unas migajas para el vestido. Era como la hormiguita de la fábula, trabajadora y ahorrativa. Al menos una vez al mes me pasaba por la tiendecita, para cerciorarme de que los dueños cumplían su palabra, y también para tenerlos al tanto de mis esfuerzos. Recuerdo que, allá por abril, cuando ya sólo quedaban dos o tres semanas para la fiesta de graduación, el dueño de la tiendecita, enternecido por mi constancia, quiso envolverme el vestido, para que me lo llevara a casa, aunque no pagase hasta el mes siguiente. Pero yo se lo impedí: «He aguantado todo este tiempo sin él; ahora me hace más ilusión esperar hasta la víspera». —Chasqueó la lengua, picarona—. ¿Sabes, Tom? Lo que en verdad me apetecía era chinchar a mis compañeras de clase; llegar la víspera a la tiendecita y, cuando ellas se abalanzasen sobre el vestido, escuchar al dueño: «Lo siento, pero ya lo compró la señorita Riffel». El dueño todavía insistió un poco más, pero yo me mantuve en mis trece; recuerdo que era un hombre muy pálido y delgaducho, y que se movía con una lentitud de galápago, como si no pudiese tirar de su cansancio. «Está bien, señorita Riffel —me dijo—. Si usted así lo prefiere, así será. Pero, mire, lo voy a colgar de este perchero, y si usted un día, al pasar por la calle, cambia de opinión, puede entrar y llevárselo.» Yo diría que aquel hombre tan pálido y delgaducho se estaba enamorando de mí, al menos los refunfuños de su mujer así me lo hicieron suponer. ¿Tú qué piensas, Tom?

La oscuridad borraba su rubor, también las arrugas que preludiaban su vejez, pero no lograba extinguir el azul monástico de sus ojos.

—Se me ocurren un millón de cosas más difíciles que enamorarse de ti, Fanny —dijo Chambers. Quizá él también se hubiese enternecido, como el tendero de Peoria—. Apuesto que a ese hombre pensaba lo mismo.

La mano de Fanny buscó un poco a tientas la mano de su ángel redentor, el abrigo áspero de su piel.

—Estaba enfermo de cáncer, Tom. A lo mejor sólo se había enamorado de mi juventud —conjeturó Fanny, restándose importancia—. Murió la víspera de la fiesta de graduación. Cuando las chicas del instituto fuimos a la tienda nos encontramos con la esquela en el escaparate. Ellas reaccionaron de inmediato; corrieron a otras tiendas, en busca de otro vestido parecido. Pero a mí no me servía otro vestido parecido; yo sólo quería aquel vestido de organdí. Me quedé durante horas petrificada ante el escaparate, contemplando mi tesoro inalcanzable. Estaba, en efecto, colgado de un perchero, junto al mostrador, esperando que me lo llevase —la voz se le estrangulaba—. Esperando en vano, Tom. No me atreví a llamar a la viuda del dueño; hubiese sido una desconsideración, no tenía derecho a importunarla en su duelo. Así que me quedé allí durante horas, como un pasmarote, mordiéndome la rabia. Ni siquiera me di cuenta de que había empezado a llover y me estaba calando. Y a la fiesta de graduación llegué ojerosa y hecha un guiñapo, vestida de cualquier manera con mis ropas de chica pobre.

Y el celador Chambers imaginó a la adolescente Fanny con el rostro pegado al escaparate de aquella tienda de Peoria que aprisionaba su sueño, tan morosamente concebido a lo largo de nueve meses, mientras tecleaba cartas para algún empresario analfabeto que intentaría propasarse con ella, mientras servía cafés en cualquier bar de parroquia desvelada y cejijunta, mientras asistía a las clases del instituto y rechazaba a la caterva de pretendientes que le concederían a fin de curso la palma de la belleza, mientras disputaba con la patrona el pago del alquiler, que no le cubría la exigua beca. La imaginó llorosa y desfallecida, golpeando con el vaho de su respiración el cristal del escaparate, tan cerca y tan lejos del vestido de organdí celeste que parecía que hubiesen tejido las hadas del bosque, tan cerca y tan lejos como Tántalo del agua que hubiese calmado su sed. La imaginó bajo la tromba primaveral que vaciaba las calles, sola y empequeñecida como el niño que ha extraviado a sus padres en el tumulto de una feria y que, cuando el gentío que lo ha zarandeado y apretujado se disuelve, se siente apretujado y zarandeado por una congoja más vívida, que es la losa de la soledad derrumbándose sobre él como una noche sin estrellas. La imaginó regresando a la casa de su patrona, cuando ya los autobuses habían interrumpido el servicio, asomándose a los charcos donde se refleja la luz de las farolas como un espejismo de oro sucio. El celador Chambers, inevitablemente, vinculó esa imagen de derrota con la otra imagen que aún frecuentaba sus pesadillas, Fanny Riffel caminando por Milwaukee Avenue como un mueble desportillado y a punto de descuajeringarse, su cuerpo de presentida ánfora hinchado por los barbitúricos, o quizá por la pura fermentación del dolor, sus ojos de un azul casi mineral en conversación con las nubes o las musarañas. Pero había un modo de salvarse de esa pesadilla, había un modo de salvarse con Fanny mientras el mundo se apagaba a su alrededor. El celador Chambers no deseaba otra cosa que escuchar aquellas confidencias que tenían algo de elegía y algo de ensoñación, confidencias que bastaban para refutar, siquiera durante un instante trémulo, el imperio de las sombras. A esta labor de receptor o destinatario de confidencias que tenían la fuerza de una plegaria (la boca de Fanny, convertida en una cornucopia de palabras) se entregó durante casi veinte años.

—¿Tú sabías que conocí a Dillinger? —le dijo una noche cualquiera Fanny, cuando él ya le alisaba el embozo de la cama y se disponía a velar su descanso.

El celador Chambers tenía a veces la impresión de que Fanny inventaba confidencias para colmar su necesidad de palabras que actuasen como lenitivos contra sus remordimientos. Y esta impresión, seguramente errónea, lo halagaba sobremanera.

—Estás de broma. ¿Te refieres a Dillinger, el forajido? No me lo puedo creer.

Fanny se encogía dentro de las sábanas, más divertida que malhumorada.

—Ay, Tom, no me extraña que te bautizaran con el nombre del discípulo incrédulo.

Le apartó el flequillo nevado de canas y besó su frente. Como aquel discípulo, había metido la mano en la hendidura de los clavos y en la llaga del costado, pero no por incredulidad, sino con la esperanza de que ese contacto tuviese poderes sanadores y restañase las heridas de su Dios. Dios estaba en Fanny, Dios era Fanny.

—¡Hombre de poca fe! ¿Es que vas a marcharte sin que te lo cuente? —lo reprendió Fanny, que ya empezaba a adquirir los modales de una viejecita rezongona.

El celador Chambers arrimó a la cama la mecedora que Fanny solía ocupar mientras desgranaba sus historias:

—Siempre te sales con la tuya —murmuró, con una tímida resignación que era la máscara de su curiosidad—. Así que conociste a John Dillinger. Espero que no seas una de esas petardas que aseguran que presenció su muerte, a la salida del teatro Biograph.

—A traición lo mataron, los esbirros de Hoover, menuda recua de maricones. —Desde que lo viera en televisión, llorando lágrimas de cocodrilo ante el cadáver del presidente Kennedy, Fanny había desarrollado una inquina obsesiva contra el archipámpano del FBI, a quien siempre había considerado un emisario de la antigua serpiente, ya felizmente difunto y arrojado al abismo donde su amo yacía aherrojado durante mil años—. Pero no te pitorrees de mí, Tom. Cuando lo conocí estaba lleno de vida.

—Cuenta, cuenta —la azuzó el celador Chambers, definitivamente picado por el gusanillo.

—Y conste que no soy ninguna petarda.

El celador Chambers posó su mano izquierda sobre el vientre de Fanny, que era su libro sagrado, y con la derecha parodió el ademán del juramento:

—Que conste que Fanny Riffel no es ninguna petarda. Y conste también que me retracto y acepto la pena que se me imponga.

Fanny recordaba con exactitud la fecha de aquel encuentro fugacísimo: 3 de marzo de 1934, cuatro meses y medio antes de que los federales tendieran a John Dillinger la celada letal. Las portadas de los periódicos no daban abasto para consignar el reguero de hazañas o fechorías que protagonizaba la banda del proscrito más célebre y secretamente admirado desde Robin Hood. Como el Jean Valjean de Victor Hugo, Dillinger había sido víctima de una desmesura penal: por robar en una tienda de ultramarinos y encañonar a su dueño con una pistola descargada, le cayó una condena de diez años que agostó su juventud y lo abrasó de resentimiento. Cuando por fin fue excarcelado en mayo de 1933, un mes antes de ingresar en la treintena, Dillinger decidió que emplearía hasta su último hálito en devolver con creces el daño que la sociedad le había infligido. No sabía que apenas le restaba un año para que el plomo interfiriese sus ansias de revancha; pero, aunque lo hubiese sabido, no se habría empleado con mayor desesperación y denuedo a ese designio. El Medio Oeste —Indiana, Illinois y también su Minnesota natal— nunca había vivido una conmoción semejante: bancos desvalijados, asaltos a comisarías y arsenales policiales, ensaladas de tiros, encerronas y escaramuzas, persecuciones y fugas carcelarias componían el menú diario y trepidante que se desayunaban los americanos. Para justificar su torpeza, las autoridades empezaron a divulgar infundios que aminorasen la estatura legendaria que Dillinger había empezado a cobrar a los ojos de los ciudadanos que seguían sus andanzas: se dijo que se protegía con chalecos antibalas, que recurría a la cirugía plástica para evitar que lo identificasen, que secuestraba rehenes y los usaba como escudos. Ninguna de estas infamias prosperó: nunca faltaban la ancianita que había presenciado su robo en tal o cual sucursal bancaria, o el gasolinero que había repostado su Packard convertido en un colador dispuestos a declarar lo contrario al reportero del *Chicago Tribune:* sus modales siempre eran correctísimos, sus facciones siempre idénticas (la frente despejada, la mirada de pillastre, la sonrisa esquinada bajo el bigotito ralo, las orejas de soplillo como su admirado Clark Gable), y no llevaba otro chaleco que el de su terno, siempre cortado por los mejores sastres.

En enero de 1934, Dillinger fue apresado en la remota Tucson, Arizona, donde había acordado reunirse con sus compinches para dar esquinazo a la policía, que rastreaba su pista por el Medio Oeste; algún soplón denunció el conciliábulo y Dillinger hubo de entregarse, después de ver cómo su banda era diezmada por las ráfagas de cien ametralladoras. Enseguida fue extraditado al estado de Indiana, donde recaían decenas de cargos contra él; su llegada al aeropuerto de Chicago, donde no se privó de saludar a la multitud de fotógrafos y periodistas desde la escalerilla del avión y su posterior traslado en comitiva al presidio de Crown Point, Indiana, colmó su vanidad. Nunca antes, ni siquiera en las visitas presidenciales, se había desplegado tal parafernalia de motoristas y coches celulares ululantes. Antes de ingresar en su celda de Crown Point, el alcaide de la prisión y el fiscal del condado quisieron fotografiarse con él; Dillinger accedió gustoso, y hasta se permitió algunas chanzas y bravuconerías propias de los púgiles que retan a su rival cuando coinciden con él en la báscula, unos días antes del combate. Crown Point ostentaba el marchamo de fortín infranqueable; ninguno de sus reclusos había logrado jamás burlar su cerco, pero Dillinger prometió a los periodistas allí congregados que no los defraudaría y que lograría evadirse antes del juicio; para que su promesa fuese más vinculante, cruzó una apuesta con el alcaide, que éste aceptó, a la vez que anunciaba que redoblaría la guarnición de vigilantes. «¿Es que te crees invulnerable, John Dillinger?», le preguntó, sarcástico, uno de los periodistas. «Tan invulnerable como Aquiles», repuso él, sin dimitir de la sonrisa. «Pero a Aquiles lo hirieron en el talón —insistió todavía el periodista—. ¿Cuál es tu punto flaco, si puede saberse?» Dillinger decidió que no podía dejar que lo encerraran sin antes regalar una frase que resumiera su talante y acaparase los titulares de prensa a la mañana siguiente: «Veréis, chicos —afectó vacilación, se rascó el lóbulo de una de sus orejas de soplillo, se mordisqueó el bigotito ralo—. Esto debería callármelo, pero... mi talón de Aquiles son las mujeres, qué le vamos a hacer». Y se retiró a su celda entre aplausos y aclamaciones.

—Yo aún no había nacido, Fanny, cómo quieres que lo recuerde —se quejó el celador Chambers—. Pero si hubiese estado allí, también lo habría aplaudido. Ese tío los tenía bien puestos.

—Bien puestos es poco decir, Tom. Los de John Wayne, a su lado, canicas. A las niñas del orfanato de Metamora, donde mi madre me dejó interna durante los años de la Depresión, nos volvía del revés. Robábamos a las hermanas los periódicos atrasados, para recortar sus fotos.

Fanny se abrazaba a la almohada, que le traía el aroma de tantas noches en vilo, aguardando que Dillinger cumpliera su promesa y dejase con tres palmos de narices al alcaide fatuo de Crown Point. El celador Chambers creyó distinguir en su mirada un brillo expectante, o quizá nostálgico.

—Los días iban pasando y Dillinger no rechistaba. En los programas de radio saludaban a los oyentes con la misma cantinela: «Faltan tantos días para el juicio de John Dillinger». A medida que se aproximaba la fecha, crecía el número de los escépticos. Ya sabes lo que pasa, Tom: mientras estás en la cumbre del éxito, la gente te adora; luego las cosas cambian. —Fanny esbozó un gesto de desdeñoso rencor—. Algunas niñas del orfanato de Metamora cambiaron de bando desencantadas. Empezaron a murmurar por lo bajo que Dillinger era un fanfarrón y un rufián. Lo hacían a escondidas de las hermanas que regentaban el orfanato, porque sabían que si se enteraban se llevarían un rapapolvo en condiciones; las hermanas eran partidarias a ultranza de John Dillinger, además de monjas eran mujeres. Antes de acostarnos, nos leían ese pasaje de los Hechos de los Apóstoles en el que Pedro, que ha sido prendido por orden de Herodes Agripa, recibe en su calabozo la visita de un ángel del Señor que aparta milagrosamente las cadenas de sus manos y hace que las puertas de la cárcel se abran sin forzarlas. En este mismo pasaje se dice que, mientras Pedro estuvo preso, los cristianos de Jerusalén oraban insistentemente a Dios por él. Nosotras, en el orfanato, también rezábamos insistentemente, rogando a Dios que inspirase a Dillinger en la hora de la fuga.

—Y Dios escuchó vuestras oraciones —afirmó sin ironía el celador Chambers.

Fanny dio un ligero respingo y arqueó las cejas, un poco molesta de aclarar obviedades:

—Por supuesto. Dios siempre escucha nuestras oraciones. De sobra lo sabes tú.

El juicio se había señalado para el 3 de marzo de 1934. A las cinco de la mañana de ese día, dos carceleros del presidio de Crown Point, desganados y legañosos, acudieron a la celda de John Dillinger para anunciarle que se fuera preparando, pues el furgón que lo conduciría hasta el juzgado saldría puntual del patio de la prisión una hora más tarde. Dillinger permanecía debruzado sobre su camastro; a través de los barrotes de la celda, los carceleros lo tantearon con sus porras y hasta le propinaron algún mojicón, comprobando que su cuerpo tenía la frialdad agarrotada de un cadáver. En medio de estos zarandeos, cayó del camastro un frasco de veneno vacío. «Hijo de puta. De modo que ésta era la fuga que planeabas», masculló uno de los carceleros, que corrió a avisar del suicidio al alcaide; el otro, mientras tanto, entró en la celda de Dillinger con la intención de despojar su cadáver de alguna reliquia (se conformaba con un mechón de sus cabellos, pero no descartaba circuncidarlo) que esperaba vender a alguno de esos mitómanos chalados que ya por entonces proliferaban. La sonrisa esquinada de John Dillinger interrumpió sus rapiñas; el carcelero cayó de rodillas en el suelo, implorando clemencia, cuando Dillinger lo encañonó con una pistola reluciente de grasa que, inverosímilmente, ocultaba debajo del jergón. Desarmó al carcelero y lo ordenó desvestirse, mientras él hacía lo propio; notó que el uniforme de aquel tipo más bien escuchimizado le quedaba un poco estrecho y se prometió sustituirlo pronto por un terno cortado a medida. Pudo haber probado a fugarse entonces, pero juzgó descortés no despedirse antes del alcaide, que llegó flanqueado por el otro carcelero y una pareja de policías armados de ametralladoras. «Las armas al suelo, amiguitos, o le reviento los sesos a su colega», los saludó John Dillinger, con la pistola reluciente de grasa clavada en la sien del carcelero, que ya se había meado en los pantalones. Los policías obedecieron sin demandar siquiera la anuencia del alcaide; habían leído demasiadas fábulas sobre la ferocidad de aquel forajido como para arriesgarse a oponer resistencia. Dillinger aún les solicitó que le acercasen las ametralladoras de una patadita; encajó la pistola reluciente de grasa en la cintura del pantalón y recogió ambas ametralladoras del suelo, una en cada mano. Le gustaba sentir el peso, grávido y esbelto a la vez, de aquellos artefactos dispensadores de muerte; también le gustaba escuchar su tableteo furioso y destrozón, como al niño le gustan las detonaciones de una traca de petardos, pero supo reprimir la tentación lúdica. Mandó a los cuatro que pasaran a la celda y se pusiesen en hilera contra la pared del fondo; a la fila de castigados añadió al carcelero que unos minutos antes le hubiese extirpado el prepucio de buena gana y que ahora se meaba en los pantalones, el muy cobardón. A uno tras otro los fue dejando fuera de combate, golpeándolos en la nuca con la culata de una ametralladora: «No se preocupen, es una anestesia pasajera», los tranquilizaba, antes de derribarlos; caían como fardos de estopa, fofos y dóciles. Al alcaide lo había dejado para el final; observó que había cerrado los ojos, para que la humillación del abatimiento fuese menos insoportablemente vívida. Dillinger sonrió con una sabrosa alegría; al hacerlo, sendos hoyuelos marcaban sus mejillas, como le ocurría a su admirado Clark Gable: «Cruzamos una apuesta, alcaide —le susurró, acariciándole la oreja con su bigotito ralo—. ¿O es que ya no se acuerda?».

Para su vergüenza, la recordaba nítidamente; también la recordarían los periodistas que actuaron como notarios de su petulancia, ahora tan irrisoria. «No cante victoria —se resistió a rendirse—. Todavía no ha logrado escapar.» «Tiene razón —convino Dillinger sin disputa—. Por fortuna usted me ayudará a hacerlo. Me va a sacar de esta covacha por el camino más discreto. Montaremos en su coche y conducirá hasta un descampado. Allí me cederá su asiento y nos despediremos. Le cobraré la apuesta en especie... Dígame, ¿de qué marca es su coche? Es por saber si salgo perdiendo o ganando.» La perplejidad del alcaide quizá se habría teñido de admiración si no hubiese sabido que, en el plazo de unas pocas horas, se iba a convertir en el hazmerreír de América, en diana de chistes y sátiras que demolerían para siempre su prestigio y lo convertirían en un personaje ridículo y apestado, incluso para sus propios hijos. Abandonaron el presidio de Crown Point por los pasadizos y escaleras menos frecuentados; el disfraz de carcelero de Dillinger y su desenfadada charla (le preguntaba al alcaide si ya había visto la recién estrenada *Sucedió una noche*, donde su admirado Clark Gable se pavoneaba en camiseta y tañía una trompeta que derribaba las murallas de Jericó, para seducir a Claudette Colbert) no levantaron sospechas entre los guardianes, más bien amodorrados o remolones. El automóvil del alcaide cubría de sobra la cantidad de la apuesta que en tono de chanza habían cruzado ante los periodistas que levantaban acta; tratábase de un Ford V-8 con carrocería de caoba bien encerada, salvo el capó, que era de chapa negra y brillante como el azabache. Dillinger silbó ponderativamente: «Hay que ver cómo nos cuidamos, ¿eh, alcaide?». Luego, mientras pasaban sin contratiempos las barreras y puestos de control, Dillinger le clavó el cañón de su pistola reluciente de grasa en la barriga mientras lo zahería: «Ustedes roban a los contribuyentes y guardan el dinero del robo en un banco; yo asalto el banco y dejo sin blanca a los ladrones. Dios no puede castigarme por ello; estoy seguro de que me tiene reservado un sitio a su diestra». No eran aún las seis de la mañana, pero la luz del alba ya comenzaba a nombrar sigilosamente las cosas. «Esta fuga no tiene sentido, Dillinger —dijo el alcaide, en un tardío (o quizá patético) esfuerzo por hacerlo recapacitar—. Mañana, o cualquier otro día, lo coserán a tiros. Al menos el juicio le ofrecía una posibilidad de escapar a la silla eléctrica.» El Ford se detuvo en un terreno yermo, regado de desperdicios que se habían enredado entre los abrojos y ondeaban al viento, como los jirones de un gallardete. «Ha sido un gusto, alcaide —se despidió John Dillinger; en sus labios se insinuaba un rictus de obcecación—. No se quede quieto. Podría coger una pulmonía.» Al arrancar, forzó el juego de embrague y acelerador, para que las ruedas derraparan con el chirrido característico; le gustaba dejar cicatrices de caucho en el asfalto, como rúbricas de su presencia en el lugar. «Por cierto —voceó, asomado a la ventanilla y blandiendo la pistola reluciente de grasa, cuando ya se alejaba—. El arma era de pega. Madera de pino, alcaide, madera de pino embetunada.»

—Nunca se supo si la talló con sus propias manos o si alguno de sus compinches logró introducirla en Crown Point. El caso es que coló. John Dillinger había vuelto a burlar a sus enemigos. Pero el muy tonto tenía un talón de Aquiles, como reconoció ante los periodistas —dijo Fanny, chasqueando la lengua con desabrimiento.

—Las mujeres —completó Chambers, que también cultivaba esa debilidad, aunque concentrada en una sola, que era su religión y su libro sagrado.

—Las mujeres, tú lo has dicho. El muy tonto lo primero que hizo fue ir en busca de su novia, una pindonga llamada Billie Frechette que lo estaba esperando aquí, en Chicago —añadió con encono—: ya sabes, la típica loba con pinta de mosquita muerta.

Esta intromisión de la novia expectante enfurruñaba a Fanny, quizá por mera hostilidad hacia el género femenino. El celador Chambers vindicó su memoria:

—Bueno, no creo que fuera tan pindonga, si lo estaba esperando.

Fanny se incorporó sobre la cama, como impelida por un ramalazo de celos retrospectivos:

—Una pindonga, Tom, no me lleves la contraria —sentenció, tajante—. Todas se arrimaban a él por vanidad; se les hacía el chichi agua cuando se acostaban con el hombre que traía en jaque a la policía de varios estados, el enemigo público número uno, como decían los esbirros de Hoover.

Al cruzar la frontera entre Indiana e Illinois con un coche robado, Dillinger cometió un error de principiante que a la postre le costaría la vida: un vulgar hurto se transformaba así en delito federal, la excusa que el reptiliano Hoover, embajador del Maligno, anhelaba para intervenir. A partir de ese momento, Dillinger ya no tendría que medir sus fuerzas tan sólo con policías más o menos pedáneos o timoratos; brigadas de hombres entrenados para matar, pesquisidores insomnes (el Diablo nunca duerme, y su nombre es legión) autorizados para acampar en la alegalidad y para repartir sobornos fastuosos a cargo del contribuyente iniciarían su asedio sobre el fugitivo, hasta acorralarlo en el Biograph Theatre, adonde Dillinger había acudido —de nuevo en compañía de pindongas que lo traicionaron— para ver *Manhattan Melodrama*, la última producción de la Metro protagonizada por su admirado Clark Gable. Pero mientras conducía el Ford del alcaide rumbo a Chicago por andurriales que ni siquiera figuraban en los mapas de carreteras, Dillinger no pensaba en el acecho de la jauría; en realidad no pensaba en nada, salvo en reunirse con Billie Frechette, en volver a respirar su olor de gacela adormecida, en volver a rodear su cuerpo de junco, blanquísimo y núbil, que había dejado en sus brazos un hueco de perplejidad. La recogería en Chicago y juntos se irían a St. Paul, Minnesota, donde los chicos de la banda ya les habían alquilado un apartamento bajo nombres fingidos. Dillinger proyectaba encerrarse en ese apartamento y follar con Billie hasta olvidarse de su propio nombre, hasta olvidar el curso de las esferas y el fuego del resentimiento que había sido el azogue de sus días. Pero antes tenía que llegar a Chicago por caminos invadidos de maleza, rehuyendo las rutas principales, procurando no alejarse mucho de las riberas del río Illinois, cuya corriente le servía de guía.

—Las hermanas del orfanato nos llevaron a merendar al río, para celebrarlo. Había cerca de Metamora un vado en el que podíamos bañarnos sin peligro, incluso las que todavía no sabíamos nadar. Habían cocinado una tarta que estaba para chuparse los dedos. Si no te dabas prisa en echarle el guante, te quedabas sin probarla; era la ley del hambre. Me refugié entre unos arbustos para zamparme mi cacho, cuando vi llegar el Ford, todo salpicado de barro. Se bamboleaba en los baches; y el motor apenas rugía.

Diez horas de conducción ininterrumpida, tras más de dos semanas sin pegar ojo preparando obsesivamente su fuga (y anticipando no menos obsesivamente su rencuentro con Billie Frechette), lo habían dejado para el arrastre. Fanny pensó al principio que podría tratarse de uno de esos granjeros verriondos que, aprovechando un viaje a Peoria en busca de provisiones, alquilaban una puta tiradísima y se la trajinaban entre la espesura de la ribera; en alguna otra ocasión, Fanny había espiado con inquisitivo horror sus contorsiones en la cabina de un cacharro sin amortiguadores, y había comprobado que los granjeros verriondos aflojaban la mirada en un placentero desvanecimiento antes de apartar de un manotazo a la puta, exactamente igual que su padre cuando untaba de pomada su huchita. Pero aquel Ford, aunque embarrado, no se parecía nada a esos trastos pendientes de desguace que los granjeros empleaban como retrete de sus desahogos venéreos. Fanny tardó en acomodar las facciones del conductor a los rasgos que divulgaban sus retratos: la sonrisa esquinada y algo tunanta se le había borrado de los labios, el cabello peinado hacia atrás con fijador se agolpaba sobre su frente, más bien greñoso; a sus ojos no asomaba esa especie de dulzura mordaz que derretía a las mujeres (su talón de Aquiles), sino un pozo de cansancio; y, en general, parecía algo más viejo y sombrío, algo más desgastado, algo más cenceño, algo menos apuesto, pero seguramente tampoco su admirado Clark Gable era lo que aparentaba en las películas. Además, el uniforme de carcelero, tan raquítico y pardusco, no le favorecía, precisamente. Pero era John Dillinger, el proscrito más célebre y secretamente admirado desde Robin Hood, el hombre entreverado de Dios que traía en jaque a la policía de varios estados, el enemigo público número uno, según acuñación del reptiliano Hoover. Había reclinado el cuello sobre el respaldo de su asiento para echar una cabezada, casi se podía escuchar el crujido entumecido de sus vértebras. Fanny se aproximó al Ford de puntillas, como quien sorprende el sueño de un unicornio y no quiere perturbar su descanso; al rozar con la mano la chapa del capó, sintió su ardor resollante, tan parecido a la calidez que anida en los ijares de un caballo, después de la cabalgada. Fanny aún no había cumplido los once años; ni los abusos de su padre ni las hambrunas habían logrado malear su fondo de inocencia prístina. Contempló durante varios minutos a través del parabrisas a John Dillinger, que no había reparado en su presencia, convencida de que estaba soñando; en cualquier momento las hermanas del orfanato empezarían a buscarla a gritos y el encantamiento se desvanecería. Así que se propuso aprovechar al máximo aquella visión en lo que durase; la sombra de un sauce que rompía en sus primeros renuevos moteaba el rostro de Dillinger, y la luz lenta del crepúsculo lo arrebolaba de un satisfecho bucolismo que a Fanny le recordó el descanso de Dios en el día séptimo de la creación. Se mantuvo quieta, en recogido silencio, hasta que Dillinger levantó súbitamente los párpados; pensó que echaría mano de una ametralladora, alarmado, pero en su lugar se desperezó con lasitud, como un ogro bueno, giró la manivela que hacía descender la ventanilla del Ford y le dedicó su mejor sonrisa de pillastre: «Hola, guapetona, ¿cómo te llamas?», preguntó. «Fanny, señor Dillinger», respondió ella, excusándolo de presentarse; aunque estaba hecha un flan, observó que a él le halagaba que lo reconociesen. «Veo que me traes un poco de comida —dijo, señalando la porción de tarta que empezaba a pringarle los dedos—. No sabes cuánto te lo agradezco. Estoy desfallecido.»

—En un periquete se la ventiló, fue visto y no visto —recordó Fanny, con una voz que se dividía entre el deleite y la consternación—. Mascaba a dos carrillos y me dejó sin una migaja que llevarme a la boca.

—¿Así, sin más y si te he visto no me acuerdo? Vaya jeta —lo reprobó el celador Chambers.

—¿Quieres dejar de interrumpirme y tener un poco de paciencia?

A Fanny le rugieron las tripas importunamente, mientras Dillinger se atragantaba con el último bocado. «Mierda, he metido la pata —dijo, arrepentido de su voracidad—. Ahora le contarás a tus amigas que John Dillinger es un tragaldabas, ¿no?» Fanny denegó con la cabeza; no se atrevió a hablar, para que los borborigmos no se desmandaran. Dillinger le revolvió el pelo: «¿Te habían dicho alguna vez que eres una preciosidad? Cuando seas mayor, los hombres se van a pirrar por ti». Consumida por la vergüenza, Fanny volvió a denegar; ahora la mudez no era forzada, sino forzosa, el contacto de la mano de Dillinger sobre su coronilla le había transmitido un calambre de mutismo. «¿Cómo que no, gatita? Claudette Colbert, a tu lado, una birria —le pellizcó la nariz, que quizá fuese la única parte de su cara que aún no se había sonrojado—. Y si los chicos de tu pueblo no te prestan la atención que mereces, siempre podrás llamar al viejo John Dillinger, que con mucho gusto se casará contigo.» Una arruga surcó su frente, como el arañazo de una premonición: «Aunque no creo que llegue a viejo», rezongó, en un tono aciago, para enseguida recuperar la jovialidad, mientras desplegaba un mapa de carreteras que había extraído de la bandeja del salpicadero: «Pero de momento me conformo con llegar a Chicago. ¿Qué tal andas de geografía, Fanny? Te confesaré que estoy completamente perdido». Fanny le señaló la diminuta Metamora en el mapa, condado de Woodford, entre Peoria y El Paso. Aún le restaba un largo trecho, sobre todo considerando que avanzaba dando rodeos por ramales inhóspitos que a veces lo dejaban empantanado en ninguna parte. Volvió a plegar el mapa, en un barullo de dobleces; las hermanas anunciaban a lo lejos, con palmadas, el regreso al orfanato. Dillinger la escrutó calmosamente, un poco descaradamente, como haría con las chicas que caían rendidas a sus pies, todas se arrimaban por vanidad: «No hace falta que te diga...», empezó, pero Fanny no dejó que siguiera, las dudas ofenden: «Esto queda entre nosotros, señor Dillinger. Será nuestro secreto». Creyó atisbar en su mirada la brusca chiribita de una emoción; volvió a hurgar en la bandeja de su coche: «Creo que te mereces un regalo —dijo, poniendo en sus manos la pistola tallada en madera, reluciente de betún, con que había reducido a sus carceleros—. Para que te acuerdes de John Dillinger, que te habría tirado los tejos si fueses un poco mayor». Fanny se quedó mirando la pistola de pega, que tenía algo de juguete fúnebre y enfurruñado, el primer juguete de su infancia; cuando alzó la vista, el Ford ya avanzaba, dejando roderas sobre la tierra húmeda de confidencias. Dillinger sacó el brazo por la ventanilla, en ademán de despedida; y aunque ella nunca lo supo, mientras se alejaba con un bamboleo de los amortiguadores por la trocha que lo devolvería a la carretera, mientras las ramas de los árboles y los zarcillos que salían a su paso raspaban el parabrisas del Ford como garras melladas, Dillinger no dejó de escrutarla por el espejo retrovisor hasta llegar a una revuelta, no dejó de lanzarle bendiciones y de ponderar su belleza todavía niña, y es que la belleza es cuestión de esqueleto.

—¿Y qué hiciste con la pistola? —preguntó el celador Chambers. Fuese realidad o ensoñación, o memoria sublimada, la historia lo había embebecido por completo.

Fanny se había acochado en la cama y le ofrecía la espalda, haciéndose la importante. Su voz empezaba a ser un ronroneo somnoliento:

—Hice un hoyo en aquella tierra blanda con mis propias manos. Me aterraba pensar que me sorprendiesen con ella y alguien le fuese con el chivatazo a la policía. Cada vez que volvíamos de merienda al río, procuraba escabullirme y desenterrarla un rato, para acurrucarla en mi pecho. Era nuestro secreto, ¿recuerdas?

El celador Chambers no se conformaba:

—¿Y tras su muerte? Te habrías hecho famosa con esa pistola.

Decididamente, la voz de Fanny se apagaba, o quizá fuese un rasgo de coquetería:

—A los cuatro días, en los puestos de los mercadillos se vendían miles de pistolas de madera embetunada, más o menos idénticas a la que Dillinger empleó en su fuga de Crown Point —suspiró—. Si llego a aparecer diciendo que la mía era la verdadera, se hubiesen pitorreado de mí. Como del alcaide.

—Ya. Entiendo —dijo el celador Chambers, no muy convencido.

Fanny se revolvió entonces en la cama, picada en su amor propio y en la devoción que guardaba a ese recuerdo, las dudas ofenden:

—Oye, Tom, me fastidia que me tomen por mentirosa. Cuando quieras, te llevo a Metamora y desenterramos la pistola. Recuerdo perfectamente el lugar donde la escondí.

El celador Chambers no se atrevió a advertirle que para que esa excursión pudiera realizarse, antes tendrían que planear una fuga del manicomio Chicago-Read, que quizá no fuese tan seguro como un fortín, pero del que, tan pronto como se advirtiese su ausencia, se cursarían notificaciones a la autoridad judicial; y el celador carecía de las mañas escamoteadoras que adornaban a Dillinger, y ni siquiera era invulnerable, aunque Fanny lo confundiese con un ángel bajo especie humana. Las estaciones se sucedían en la ventana, como cromos repetidos; los años discurrían en los calendarios, familiares y extranjeros como los rostros que vemos en sueños y enseguida olvidamos. La anciana Fanny y el celador Chambers envejecían juntos, abrigados contra la intemperie del tiempo por un caudal de palabras mucho más lenitivas que cualquier terapia, mucho más consoladoras que el mero olvido. El amor, en sus etapas iniciales, es una cornucopia de palabras que brotan sin tino ni descanso, deseosas de entrelazarse con las palabras también incontinentes de la persona amada; pero —como el propio Chambers me había apuntado ante la verja de la residencia Mather Gardens, en Evanston— hay muchas formas de amor, y algunas ni siquiera admiten una explicación erótica, sino más bien religiosa. El amor de la anciana Fanny y el celador Chambers participaba de una naturaleza religiosa o expiatoria: las profecías desaparecen, las lenguas cesan, la ciencia se desvanece, pero esa forma de amor que todo lo excusa, que todo lo cree, que todo lo espera, que todo lo tolera, jamás decae. Un día la junta de médicos decidió suprimir la medicación de Fanny, o reducirla a lo imprescindible (pero no sabían que, desde muchos años atrás, el celador Chambers se encargaba de tirar las pastillas por la taza del váter); otro día decretaron que se incorporase a los programas de régimen abierto, permitiéndole pasear —siempre acompañada del celador Chambers— por los alrededores y hasta cultivar un parterre en el huerto; ya por último, previa autorización judicial, cursaron una petición al departamento de servicios sociales de Illinois, solicitando su admisión en un esta-

blecimiento más acorde para una persona que ya no precisaba tratamiento psiquiátrico y, en cambio, empezaría pronto a reclamar cuidados geriátricos. Aún hubieron de pasar unos cuantos meses hasta que
le encontraron acomodo en la residencia Mather Gardens de Evanston; el propio celador Chambers fue el encargado de comunicarle el
traslado, mientras escarbaban con sus propias manos la tierra del
parterre, que no era blanda como la tierra de la ribera del río Illinois
donde Fanny escondió la pistola de pega de Dillinger, sino más bien
una tierra entumecida que aún albergaba el cadáver del invierno, su
corazón apretado de nieve. Estaban sembrando semillas de lilas, que
germinarían con las primeras lluvias.

—¿Y tú qué harás, Tom? Porque tu obligación es permanecer a mi
lado, acompañar mi peregrinaje por el valle de las sombras.

En las manos de Fanny ya se arracimaba la artrosis, con nudosi-
dades que atirantaban su piel de quebradizo pergamino. No apartaba
la mirada de la tierra removida para no delatar el curso de las lágrimas que ya no podía contener.

—No hables tan alto, Fanny —se alarmó el celador Chambers, temeroso de que alguna de las enfermeras que patrullaban el huerto los
oyese—. Intentaré que me contraten en esa residencia.

—Pero allí no necesitarán loqueros —objetó Fanny.

Espolvoreaba las semillas en el hoyo que acababan de excavar; de
ellas nacerían arbustos que cimbrearían sus racimos de flores al
viento, como los guerreros nacidos de los dientes del dragón que custodiaba la Fuente Castalia chocaban sus armas. Pero Fanny no estaría
allí para verlo.

—Ya me las apañaré como pueda —dijo el celador Chambers, cu-
briendo con un puñado de tierra las semillas para hacerlas fértiles—.
Puedo trabajar de jardinero, por ejemplo.

—¿Jardinero? Pero si ni siquiera conoces los nombres de las plantas.

—Me los aprenderé de pe a pa —alardeó insensatamente el celador Chambers—. Y aprenderé también a segar el césped, y a podar
los árboles.

Fanny sonrió, reconfortada; sabía que su ángel protector sería capaz de adiestrarse en cualquier disciplina con tal de estar a su lado.
Se enjugó las lágrimas con las manos sucias de tierra, que tiznaron
sus mejillas.

—¿Cultivarás lilas en el jardín?

—Las lilas más perfumadas del estado de Illinois. Todas las mañanas llevaré un ramo a tu habitación.

Fanny aspiró el aire todavía friolento de febrero, anticipándose a la floración de la primavera.

—¿Te he contado que de niña una vez pegué la campanada con una guirnalda de lilas?

El amor como una cornucopia de palabras que nos salvan, mientras la muerte desfila por la tierra.

—Juraría que no, Fanny. Tanto tiempo juntos y todavía me guardas secretos.

Acababa de cumplir siete años; era la época fiera de la Depresión, cuando los orfanatos se llenaban de niños famélicos y errabundos, cuando los campos se negaban a brindar su cosecha. El gobernador Louis L. Emmerson anunció una visita al orfanato de Metamora; las hermanas organizaron cuestaciones entre los vecinos de los contornos, para que donasen ropas y abalorios a las niñas internas, que así podrían recibir al gobernador sin el guardapolvo grisáceo que velaba sus harapos. Los donativos, más bien escasos, no bastaron para renovar el vestuario de todas las niñas; las monjas, después de emplearse como costureras, zurciendo y remendando ropas que no valían ni para abastecer una trapería, tuvieron que resignarse a sortearlas. Las niñas agraciadas con aquellos harapos no cabían en sí de gozo; eran vestidos desmedrados, blusas de estampado empalidecido por la lejía; medias con costuras como un laberinto de varices; canesúes de un tejido más frágil que las telarañas después de tantos cientos de lavaduras. A quienes nada obtuvieron en el reparto, como Fanny, las hermanas les recomendaron que extremasen su aseo, pues la pobreza hermoseada por el jabón resulta más decente que la pobreza distraída con adefesios. Fanny no lamentó demasiado que el azar no la eligiese en tan menesterosa tómbola y, en la víspera de la visita del gobernador, aprovechando una excursión al río, recolectó un ramo de lilas. Para arrancarlas, Fanny tuvo que abrirse paso entre una nube de mariposas que libaban de aquellas flores, introduciendo su espiritrompa en las corolas diminutas y extendiendo la envergadura mitológica de sus alas, en las que se cobijaba la escritura de Dios (porque Dios también tiene escrituras jeroglíficas, que refutan y niegan las escrituras del Diablo). Había mariposas de cobre moteado y vuelo solemne, también mariposas de un luto azulado con salpicaduras blancas que agitaban las alas con cierto engreimiento aristocrático, y otras más atolondradas, en cuyo terciopelo oscuro se dibujaba una franja de voluptuosa sangre, y otras de un oro jaspeado de cardenillo que revoloteaban en su derredor en un zigzag desquiciado, acariciándole las pantorrillas, manchando sus manos de un polvillo como el azafrán, abanicando su rostro con su pululación de enjambre manso. Pero ninguna tan hermosa, ni tan altiva, ni tan rabilarga como una que se sostenía en el aire sin apenas agitar las alas, que reproducían los colores del tigre; a veces, se tropezaba entre los racimos de lilas con otra mariposa de distinto sexo, y juntas iniciaban una inaccesible danza nupcial, elevándose hasta más allá de las nubes, en un tirabuzón crepitante de luz, como llamas de Pentecostés; otras veces, cansada de su condición volátil, se posaba y mostraba el dibujo inconcebible de sus alas, rayadas de negro y amarillo, con cenefas de azul cobalto y ocelos de un rojo que tiraba al ocre; las alas posteriores las remataban sendas guías que parecían escarapelas o timones que la ayudasen a dirigir su vuelo majestuoso.

—No te creas que les gustó mucho que invadiese su territorio y las dejase sin merienda —dijo Fanny—. Si en vez de antenas hubiesen tenido cuernos, me hubiesen embestido con ganas. Me volví al orfanato con mi ramo de lilas que conservé frescas hasta la mañana siguiente en una botella con agua. Cuando me levanté, antes de que llegara el gobernador Emmerson, entretejí una guirnalda y me la encasqueté en la cabeza, como si fuese una corona de espinas. No sé —vaciló, un poco avergonzada—, quizá te parezca un poco ridículo.

Habían tapado las semillas del parterre; la tierra removida se abultaba un poco sobre la hierba circundante, como un túmulo en miniatura.

—¿Por qué habría de parecérmelo? Seguro que estabas guapísima. Ya me hubiese gustado verte.

—Pues las niñas del orfanato se reían de mí. Supongo que aquella guirnalda les resultaba tan grotesca y pretenciosa como a mí sus vestidos de segunda o tercera mano, que se tenían que prender con imperdibles para que no se les cayesen a cachos. Salimos al patio y nos pusimos en fila, para recibir al gobernador, que llegaba acompañado del alcalde de Metamora y un séquito de pelotas. Las monjas nos habían enseñado a hacer una pequeña reverencia.

Era casi mediodía; el cielo sin nubes se había llenado de una luz polinizada, casi comestible. Entonces, cuando el gobernador Emmerson empezaba a saludar a las niñas en hilera, Fanny vio venir hacia ella una muchedumbre de mariposas de toda tribu y nación que salvaban la tapia del patio y se dirigían hacia ella, hacia su guirnalda de lilas que las convocaba con su perfume. Fanny cerró los ojos, para evitar que su parpadeo espantase el aleteo unánime y voluptuoso de las mariposas que se posaban sobre sus cabellos, que libaban las flores que ceñían su frente, que se cortejaban, en una promiscuidad de razas y especies, que extendían sus alas en las que se engastaban el ágata y el zafiro, la esmeralda y el lapislázuli, el ópalo y la turquesa, el topacio y el berilo, el rubí y el ónice, el jaspe y la amatista, la turmalina y la calcedonia y piedras aún más preciosas que no figuran en los catálogos de los joyeros, piedras vivas con irisaciones y vislumbres inéditos que cambiaban su disposición a cada poco y abrevaban el sol. Se había abierto un silencio en el que convivían el arrobo y la envidia; Fanny levantó los párpados muy lentamente, como si se desperezase de un sortilegio que la había mantenido dormida durante mil años, y vio a las niñas del orfanato congregadas en su derredor, vio a las monjas sujetándose con manos atónitas las tocas de almidonados plastrones, vio al gobernador y a su séquito de pelotas boquiabiertos y estupefactos. «Le saluda Fanny Riffel, natural de Chillicothe», se presentó, con una leve flexión de las rodillas que no llegó a ahuyentar a las mariposas, demasiado entretenidas en sus libaciones.

—El gobernador, en lugar de estrecharme la mano, como a las demás niñas, me la besó y la sostuvo un rato entre las suyas. Se había olvidado de los discursos.

El celador Chambers acarició el cabello de Fanny, que ya era níveo, y creyó sentir que sus dedos se manchaban de un polvillo fino como el azafrán. Luego miró el cielo sin nubes, que también se había llenado de una luz polinizada y comestible. La urgencia de un sollozo volvía a enroscarse en la garganta de Fanny:

—¿Y si no te contratan como jardinero? Entonces, ¿qué haremos?

Posó las yemas de sus dedos sobre los párpados de Fanny, abrumados de arrugas. Con involuntaria soberbia, formuló la respuesta que llevaba madurando desde hacía meses o años:

—Entonces nos fugaremos. Echaremos a volar, como las mariposas.

Hubo un tiempo en que, cada vez que montaba en el metro, me entregaba al mismo juego adivinatorio que el protagonista de aquel cuento de Julio Cortázar, *Manuscrito hallado en un bolsillo*, creo que se titulaba. Si coincidía en un vagón con una mujer que me gustaba, trataba de figurarme cuál sería su estación de destino, y me imponía la obligación de seguir yo también ese itinerario elegido arbitrariamente. Como la realidad no solía coincidir con mi deseo, dejé escapar a muchas mujeres cuyo perfil, reflejado en una ventanilla, había llegado a subyugarme por unos minutos. A veces, este juego se prolongaba durante varias estaciones, incluso sobrevivía a la elección fatídica de los trasbordos, pero in extremis nunca se coronaba con el éxito, porque la mujer elegida (que para entonces ya había sorprendido mi espionaje, y me miraba con el rabillo del ojo, confundiéndome con un carterista o un obseso sexual), después de abandonar el vagón en la misma estación que yo, elegía un enlace distinto al que yo había predeterminado, o salía a la superficie por un acceso que yo no había considerado entre las variantes de mi acertijo. El desánimo que me embargaba cuando una de esas mujeres azarosas se desgajaba de la ruta imaginaria que yo le había adjudicado sólo era comparable a la ilusión renovada que me acometía cuando, en el siguiente trayecto, otra mujer distinta reclamaba mi atención y me obligaba a reanudar el juego. A la postre, estos devaneos adivinatorios me inculcaron una humildad de índole casi metafísica, haciéndome sentir como un insignificante náufrago ante un inmenso océano de probabilidades que se multiplicaban en progresión geométrica hasta aturdirme.

Un día cualquiera dejé de practicar este juego en su modalidad estrictamente erótica, pero ideé otra variante que aún sigue azuzando mi fantasía. Consiste en reconstruir la biografía de los pasajeros con los que comparto vagón: un retazo de diálogo, un gesto de apremio o laxitud, una indumentaria reveladora de su oficio me bastan como premisa para este ejercicio de detectivismo ficticio. Esas vidas que efímeramente rozan la nuestra, como líneas tangentes que apenas entrevistas se alejan, me sirven para ejercitar el músculo de la imaginación. ¿Adónde se dirigirá ese hombre esquinado que mira con desconfianza en su derredor? ¿Habrá concertado una cita con su amante, cuyos caprichos sufraga a costa de racanearle dinero a sus hijos? ¿O será un empleado de alguna sucursal bancaria que diariamente sustrae de la caja una cantidad insignificante, diez o doce euros, para poderse sufragar la entrada dominical para el partido de fútbol? ¿O más bien un agraciado en el último sorteo de lotería que viaja en metro para no suscitar sospechas sobre su recién adquirida fortuna? Las posibilidades divagatorias no se acaban nunca, siempre hallan refresco en las nuevas remesas de pasajeros que se incorporan en cada parada del trayecto. Incluso cuando el metro duerme, en esas horas clandestinas en que los trenes se cobijan en la madriguera de una vía muerta, puede que algún viajero sin hogar, algún inquilino de la vida invisible, se quede a dormir allí, bajo el bostezo cóncavo de los túneles en los que quizá cada noche se organicen aquelarres o partidas de mus o reuniones espiritistas. ¿Quién puede poner freno a la imaginación?

Llevaba casi tres horas viajando de un extremo a otro de la línea, como uno de esos armatostes que los viajeros se dejan olvidados adrede, para no tener que cargar con ellos hasta casa, para no tener que afrontar la bronca del cónyuge que les recrimina su manía de agenciarse las maulas que otros desechan. Era la fiesta de San Isidro y, aunque los mafiosos no concedan asueto a sus secuaces, la gente no madrugaba, prefería quedarse remoloneando entre las sábanas hasta que llegaba la hora de sacar a los niños de jira campestre o de juntarse con los otros miembros de la peña para convencerse de que la corrida vespertina a la que no podrán asistir (no les quisieron hacer rebaja en los precios abusivos) será una charlotada. Los vagones iban casi desiertos, sólo concurridos por algunos juerguistas que alargaban la farra de la noche anterior y por algunos ecuatorianos que regresaban baldados a su ergástulo, después de esquilmarse por un jornal misérrimo en algún trabajo estajanovista, quizá desplumando pollos o cargando reses en el matadero. Cuando ya empezaba a mentalizarme de mi fracaso, la vi en un andén, con el rimero de ejemplares de *La Farola* y el niño que pronto arrancaría a andar en cabestrillo; era la gitana rumana a la que un día sujeté de la cintura, para evitar su caída, cuando el súbito impulso de una curva la empujó contra mí. Las dos palabras que entonces pronunció cuando ya se hallaba en el andén, cuando ya el tren anunciaba su partida con un concierto de chirridos («Gracias, amigo»), me habían acompañado como un estribillo o ensalmo desde entonces, respaldando mi metamorfosis. Y pensaba, quizá quiméricamente, que el eco de esa gratitud también anidaría en algún recoveco de su memoria. La muchacha gitana no entró en mi vagón, sino en el más rezagado del tren; pero no me preocupé de salir a su encuentro, pues sabía que la ruta inexorable de su colecta (repetida día tras día, como si los ciclos cósmicos que rigen el eterno retorno se hubiesen pasado de revoluciones) la traería, de vagón en vagón, de parada en parada, hasta mí. Entretuve la espera imaginando algunos pasajes previsibles de su biografía a partir de los pocos elementos que me había procurado su contemplación, cuando en otras ocasiones había coincidido con ella en el metro: la piel tatuada por los soles del éxodo, los ojos que ya se habían olvidado de segregar lágrimas, las aristas del hambre aguzando su esqueleto, la mirada compungida y como avergonzada de que el mundo siguiese girando, impertérrito en su órbita. Imaginé su infancia sin juegos, montada en una camioneta de quinta o sexta mano en la que se agruparían varias generaciones, huyendo siempre de los bandos y edictos que les impedían acampar en tal o cual término municipal, huyendo de los soldados de Ceaucescu, que tratarían de apartarlos del cómputo demográfico. La imaginé apenas discernible entre la muchedumbre de hermanos y hermanas que atestarían la camioneta, sin apenas sitio para tenderse a dormir. Imaginé el traqueteo de esa camioneta por los caminos fragosos de Moldavia y Bucovina; imaginé la impertinente y pertinaz lluvia percutiendo sobre la chapa del techo y filtrándose entre las junturas de las portezuelas mal encajadas; imaginé el golpeteo de los peroles que la familia arrastraba en su trashumancia (quizá se ganasen el sustento como hojalateros, reparando cacharros desportillados, poniendo parches y remaches a las cazuelas mordidas por la herrumbre), cuyo estruendo espantaría a las alimañas que acechaban su paso por los caminos, emboscadas entre la maleza. Imaginé también su pubertad vigilada por los varones del clan, su noviazgo por asignación con el vástago de otro clan amigo, su boda en una campa reverdecida por las lluvias de abril, el pañuelo que proclamaba su virginidad, la algarabía dichosa de las horas siguientes, cuando el cielo y los árboles y la música y el valiente vino y el congreso de las flores celebraban el desposorio. La imaginé por la noche en el tálamo dispuesto en la camioneta de quien ya era su marido, un muchacho poco mayor que ella que la miraba con orgullosa avaricia; imaginé el acceso difícil de la carne en la vía que pronto dejaría de ser angosta, cuando se sucedieran los churumbeles, también condenados a una infancia sin juegos como ella misma. La imaginé ajetreada en mil faenas que asegurasen la subsistencia de la familia, mientras el marido holgazán o fantasioso se reunía con los otros hombres del clan, proyectando el viaje a una nueva tierra de Canán, España la llamaban; la imaginé con los senos demolidos por las sucesivas lactancias, engañando el hambre de su prole con ensaladas de hierbas silvestres y con la miel que ella misma robaba de los panales, a costa de que las abejas expoliadas le acribillaran la piel de burujones que le envenenaban la sangre. Imaginé el viaje hacia ese Eldorado de pacotilla, rumbo al poniente, en una comitiva de hasta veinte camionetas y caravanas, a través de una Europa que reservaba a los de su raza los suburbios más depauperados, los oficios más oprobiosos o delictivos; elegirían siempre carreteras secundarias o terciarias, entre taludes y escarpaduras, para evitar el pago de peajes, y a la hora del crepúsculo enviarían a las mujeres a limosnear por las ciudades que iban dejando atrás en el mapa. La imaginé curtiéndose en las añagazas y señuelos de la mendicidad; quizá fue su marido holgazán o fantasioso quien le propuso acompañarse en sus cuestaciones de alguno de los churumbeles que componían su creciente prole, así excitaría más convincentemente la lástima de los viandantes que pasaban a su lado acelerando el paso, recelosos de asomarse a la vida invisible. La imaginé, por fin, en Madrid, instalada en un campamento de la carretera de Burgos, sustituyendo las ensaladas de hierbas silvestres y la miel de los panales por potajes que incorporaban a sus ingredientes desechos rescatados de los cubos de basura. La imaginé resignada a vender ejemplares de *La Farola* por la línea de metro que le habían adjudicado por sorteo; resignada también a que sus hijos mayores —apenas nueve o diez años— se estrenaran en la disciplina del hurto, afanando teléfonos móviles a los incautos que se detenían ante un semáforo con el cacharrito pegado a la oreja. Imaginé su abatido disgusto cuando, una vez por semana, un rumano de raza blanca, secuaz de alguna mafia dedicada al trapicheo y quizá también a otros crímenes menos veniales, llegaba al campamento en su cochazo y, reprimiendo una mueca de grima, avanzaba a través de los desperdicios hasta su camioneta, en la que se encerraba con su marido cada vez más holgazán y menos fantasioso para regatear el precio de los móviles robados, que luego él vendería en el mercado negro por cantidades que lo decuplicaban. La imaginé herida por un resentimiento sordo, hastiada de respirar el mismo aire infestado de moscas, hastiada de vivir. ¿Quién puede poner freno a la imaginación?

—Hola, amigo. ¿Periódico?

Nada más entrar en el vagón se había dirigido a mí. Sorprendí, al fondo de su mirada, algo parecido a un cabrilleo de reconocimiento. No había olvidado mis manos que un día ciñeron su cintura, para evitarle una caída. El niño que sostenía en un cabestrillo dormía mecido por los traqueteos del tren. Creo que le di una cantidad exorbitante, porque se quedó mirándola con una especie de pasmo dubitativo.

—Todavía no sé cómo te llamas —le dije.

La muchacha gitana —no tendría más allá de veinticinco años, aunque fuesen años largos y negros y torcidos como su trenza— lanzó una mirada ponderativa al resto de los viajeros y decidió que no merecía la pena malgastar energías en el intento de ablandarlos. Mi limosna, por lo demás, casi le justificaba el día.

—Michalela me llamo. ¿Por qué preguntas?

El halago y la desconfianza ante mi curiosidad se mezclaban en una mistura precavida. Al pronunciar su nombre sin el encorsetamiento de un idioma extraño, su voz había sonado más frágil y lastimera, más musical también.

—Quería pedirte un favor, Michalela.

Ahora la desconfianza engulló la reminiscencia del halago:

—¿Por eso tan generoso? —me reprochó; y a la desconfianza se sumaba el chasco—. Nada puedo darte, nada vendo.

—No quiero comprarte nada, Michalela —repetía su nombre, para aferrarme al espejismo de cordialidad que invocaba—. Pero pensé que podrías conseguirme un número de teléfono.

Habría sido hermosa si, en el juego de dados donde se adjudican nuestros destinos, le hubiera correspondido una combinación menos aflictiva. De esa belleza que no pudo ser o que si fue se desbarató sin tiempo a formarse del todo sólo sobrevivía el brillo de sus cabellos, que copiaban el vuelo de un cuervo. Se estaba empezando a poner nerviosa.

—No tengo teléfonos —dijo, y se pasó las manos por el cuerpo, imitando los modos bruscos de un cacheo—. Ningún teléfono.

Mis juegos adivinatorios no estaban tan desacertados, después de todo.

—No me has entendido. Sólo quiero saber un número de teléfono.

Por la megafonía anunciaron la proximidad de la siguiente estación. Preguntó con una inflexión expeditiva:

—Qué número.

—Es el de un tal Vasile Morcea. Rumano, como tú. Quizá hayas oído hablar de él, tiene fama de...

Michalela me miraba incrédula y horrorizada, más allá de lo que se pueda expresar, como si estuviese contemplando mi cuerpo despedazado y arrojado en una cuneta. El tren ya se detenía, con un chirrido de máquina enmohecida.

—Estás loco —dictaminó con sequedad, pero ese veredicto ya se lo había escuchado a Laura—. Estás loco y quieres estar muerto.

Las puertas automáticas se abrieron y Michalela salió en estampida, como si huyese de un aparecido. Corrí detrás de ella por el andén vacío; si los pasajeros del metro no hubiesen estado dormitando su cansancio, habrían pensado que perseguía a una carterista.

—Marcha. No tienes derecho.

Caminaba cabizbaja hacia la embocadura que conducía a la superficie, protegiendo su secreto. La falda fúnebre se le enredaba entre las piernas, ensotanándola con el revuelo de la prisa.

—Ya sé que no tengo derecho. Pero me juego mucho. De ese número depende una vida. O dos.

Me avergonzaba recurrir a estas formas del chantaje sentimental; supuse que esa misma vergüenza la habría experimentado Michalela muchas veces, mientras mendigaba por los vagones del metro.

—No conozco a ese hombre. Marcha.

—Pero alguien que tú conozcas lo conocerá —insistí—. Alguien en tu poblado tendrá algún tipo de trato con él, o con alguno de sus compinches.

Michalela se detuvo, acezante, ante las escaleras. El niño, sacudido por los zarandeos, había despertado y lloraba con ferocidad: el hambre es una tiranía que impone sus horarios. Acomodó al niño entre sus brazos y me pidió en un tono que ardía de cólera y frustración:

—Por favor, no mires.

Michalela me cargó con el rimero de ejemplares de *La Farola* y me volvió la espalda, para sacarse de la blusa uno de los senos que yo había imaginado demolidos y amamantar a su hijo, seguramente el benjamín de una prole que no se contaría con los dedos de una mano. Cuando volvió a hablar, parecía menos tensa:

—¿Son importantes esas vidas? ¿Tanto importantes para arriesgar la tuya?

—Mucho más importantes que la mía.

Siguió amamantando a su hijo de pie, mientras le susurraba ternezas en rumano, que es un idioma lastimero y demasiado próximo al nuestro, demasiado dolorosamente próximo. Las ternezas se iban convirtiendo en un estribillo, y el estribillo en una nana. Pasó un tren, como una cabalgata de espectros; su estruendo no conseguía perturbar el recogimiento de la madre, la glotonería instintiva del hijo. Cuando el niño quedó por fin ahíto, Michalela se recompuso pudorosamente la blusa.

—Todavía no me has dicho cómo te llamas.

—Alejandro me llamo —respondí, imitándola—. Te prometo que nada de esto te salpicará. Nunca volverás a saber de mí. Nunca mencionaré tu nombre.

Asintió. En su voz cabía una tristeza del tamaño del universo:

—Yo no prometo nada. Pero lo intentaré. ¿Cuándo quieres la respuesta?

Ayer, anteayer; ojalá el tiempo avanzase hacia atrás, ojalá pudiéramos invertir su fluencia. Me abstuve de formular estas insensateces:

—¿Podría ser esta noche? —Michalela frunció el ceño, un poco constreñida por mi petición, que sonaba a exigencia—. ¿Te parece a las doce, en la estación de Lago?

Quizá las reservas lingüísticas de Michalela fuesen demasiado reducidas para exponer su contrariedad; o quizá comprendió que mi apremio no admitía mayores aplazamientos. Volvió a mirarme con fijeza, como antes había hecho en el vagón, tratando de descifrar el móvil de mi locura. Ignoro si llegó a vislumbrar algo, o si tan sólo sintió esa nostalgia ancestral que se despierta en nosotros cuando descubrimos que una persona cualquiera podría ser nuestro hermano, allá en las genealogías remotas de la sangre, allá en el barro común con que ambos habíamos sido moldeados, en el primer capítulo del Génesis. Michalela tomó el rimero de ejemplares de *La Farola* que yo le había sostenido, mientras amamantaba a su hijo, y corrió para que no se le escapara otro tren, que ya se disponía a partir sin ella, aburrido de repetir el mismo itinerario. Se despidió de mí apretando la palma de su mano extendida contra el cristal de las puertas automáticas, que se clausuraron una décima de segundo después de que ella las traspasase; alrededor de sus dedos se condensó la transpiración, como un halo de tibieza que sellase nuestro pacto. Quise corresponder a ese gesto haciendo coincidir los contornos de mi mano con los de la suya, pero el tren ya se internaba en el túnel, desalojando el aire estancado y calentorro que allí dentro se refugiaba. Me quedé solo en el andén durante unos minutos, hermanado con las barreduras que se desperdigaban entre las vías, como esperando que me recogieran con escoba y badil. Al rato, tomé un tren en dirección contraria, para reunirme con Bruno.

Entre los episodios más divulgados de la vida de San Isidro Labrador, patrón de Madrid, se cuenta aquel milagro de los ángeles que se encargaban de uncirle los bueyes y de arar sus tierras, permitiendo así que el santo pudiera entregarse a la oración. Siempre me había caído simpático este santo, paniaguado de la Providencia, que no la hinca mientras unos ángeles esquiroles le hacen el trabajo; y me hubiese gustado disfrutar de sus mismas prerrogativas en muchas ocasiones, pero nunca tan vivamente como aquella tarde de su festividad, cuando Bruno y yo fuimos a la Casa de Campo montados en nuestra tartana, para incorporarnos a la reata de automóviles que hacían la ronda de la prostitución. Otras veces, al pasar por aquellos parajes agrestes invadidos por un ejército de putas que compendiaba todas las razas del atlas, había reparado en ellas muy someramente, como el visitante tentado por el pintoresquismo que entra en una exposición avícola y pronto se cansa de la sucesión de jaulas donde se exhiben gallinas cluecas y ponedoras. Ahora que conocía la condena de esclavitud que pesaba sobre aquellas mujeres, descubría, más allá de sus visajes obscenos y sus vestimentas tan sucintas, los estigmas del cautiverio: el hastío que les pesaba sobre los párpados como un caracol viscoso, el color levemente somnoliento o vináceo que tiene la carne cuando la anestesia la repugnancia, el dolor que asomaba a sus ojos nocturnos en los que ya se presentía la dignidad espantable de la muerte. Abundaban las africanas de muy escasos veinte años, que no se conformaban con insinuarse en los márgenes de la carretera y salían al asalto de la clientela, contoneando sus culos que desafiaban las leyes de la gravedad. Recién llegadas a Madrid, sus proxenetas les confiscaban el alma mediante rituales de vudú y magia negra, aprovechándose de su credulidad supersticiosa; así, convencidas de que el día que dejasen de prostituirse caerían fulminadas, se entregaban a su oficio con una belicosidad que sus clientes confundían con el entusiasmo. Se lanzaban sobre los coches, acariciaban a los conductores con sus uñas feroces, los invitaban a ejercer el derecho de cata introduciendo por la ventanilla las tetas tristes, como campanas sin música, o les volvían la espalda, para que ponderaran la exacta disposición de sus grupas respingonas. Si el cliente finalmente rechazaba sus servicios, estallaban en un guirigay de insultos y maldiciones que ponía en entredicho su virilidad, y enseguida repetían su asedio con el siguiente conductor, que las miraba engolosinado, sin saber por cuál decidirse. Cuando por fin elegía a una de ellas, el coche abandonaba la reata y se desviaba hacia un caminejo donde se consumaba la transacción, generalmente breve y melancólica.

Aparcados en los arcenes de la carretera, o emboscados entre la espesura, había coches que aparentemente se confundían con los de la clientela; pero en realidad eran las oficinas móviles o puestos de centinela de los capataces del lenocinio. Desde allí, vigilaban los movimientos de sus pupilas con estricto interés recaudatorio; si advertían que algún cliente demandaba servicios que no se incluían en la tarifa pactada o trataba de ponerse farruco, intervenían de inmediato, administrando tundas que dejaban al gorrón sin ganas de fornicio durante una temporada nada corta, al menos hasta que sus huesos volvían a soldarse. De vez en cuando hacía su aparición rutinaria una patrulla policial que provocaba la instantánea desbandada de la clientela y concedía a las putas un respiro que aprovechaban para comerse un bocadillo de mortadela; pero al poco la actividad recuperaba su cadencia. A medida que nos acercábamos al lago de la Casa de Campo, el paisaje humano cambiaba de continente: las esclavas negras, selváticas y feraces, eran sustituidas por esclavas de los países del Este, mujeres mucho más flacas y zancudas en cuya mirada parecía cobijarse el frío de la tundra y el vértigo ilegible del alfabeto cirílico. Aunque su atavío no difería demasiado del que las africanas empleaban como señuelo —botas acharoladas con plataformas que disimulaban la cojera de la tristeza, chupas toreras muy condecoradas de cremalleras y herretes, bragas de baratillo, recargadas y chillonas—, atraían a una clientela muy diversa; pues si la vestimenta prostibularia añadía a las negras un espejismo de gracia sandunguera muy a propósito para hombres de sexualidad rudimentaria y directa, esas mismas prendas otorgaban a las esclavas una complicación de zarinas apócrifas —una tristeza despectiva y humillada a un tiempo— que convocaba a individuos de psicología más peligrosa, para quienes el desahogo venéreo se enturbia con anhelos próximos a la psicopatía. Quizá por ello aquellas mujeres evitaban los reclamos aspaventeros; quizá por ello la presencia de sus proxenetas resultaba mucho más patente y disuasoria.

—Se supone que Elena tendría que estar por aquí —me dijo Bruno.

Ambos albergábamos la tímida esperanza de que, a la postre, el contrahecho Bismili nos hubiese señalado una pista errónea. Bruno enfiló nuestra tartana hacia un paseo menos concurrido de puteros, escoltado de castaños reventones de flores que empezaban a desprenderse de sus racimos; los pétalos que alfombraban el suelo añadían al paraje un prestigio de invierno improvisado. Olía a tierra removida, a primavera enferma de sífilis, a secretos que se pudren entre la fronda nunca visitada por el sol. Una furgoneta que avanzaba en sentido contrario al nuestro frenó a escasos veinte o treinta metros, sin detener la trepidación del motor. Del asiento del copiloto descendió un tipo de aspecto fúnebre o carcelario —un chirlo le cruzaba la jeta,

como una sonrisa suplementaria— que se cercioró de que ningún coche policial circulase por los alrededores, antes de abrir la puerta
trasera de la furgoneta. Mansas y cabizbajas, salieron nueve o diez
mujeres que corrieron a refugiarse entre los castaños, perfectamente
conocedoras del lugar que cada una tenía asignado. El tipo del
chirlo en la jeta les iba repartiendo palmadas en el culo y les dirigía
palabras admonitorias en rumano, a las que las muchachas asentían
sin osar despegar los labios. La última en salir se distinguía de las
demás por la barriga de embarazada, cuya desnudez velaba con ambas manos; fuera de esta circunstancia, tenía una delgadez de cigüeña pisoteada que en nada recordaba a la muchacha opulenta que
había conocido en mi vuelo a Chicago, la muchacha que llegué a
besar y acariciar en un hotel o varadero de espectros próximo al
aeropuerto O'Hare. La habían disfrazado con una especie de jersey
con flecos en las mangas que no alcanzaba a taparle el vientre y un
pantaloncillo de cuero rojo que dejaba asomar sus muslos entecos;
pero más doloroso aún que el uniforme de fulana resultaba el maquillaje chirriante, que convertía su rostro en una máscara de obscenidad. De su hombro huesudo colgaba un bolso que parecía
pesarle como una lápida; caminaba con una especie de levedad rec-
tilínea, como si el cansancio la tornase más ágil o ingrávida. Comprendí que la habían empastillado, para que rindiese mejor durante
las próximas horas.

—No puede ser cierto, no puede ser cierto...

Repetí esta frase hasta diez o quince veces, como quien pronuncia
un ensalmo o una letanía, con el deseo inconcebible de borrar o al
menos detener el universo físico. Pero el milagro no se produjo; Elena
se alejaba por el paseo, bajo el palio de los castaños que seguían des-
prendiendo su nieve floral, hasta apostarse junto al tronco que tenía
asignado. El tipo del chirlo en la jeta observó aprobatoriamente la
distribución de las muchachas y las arengó brevemente en rumano;
supuse que les estaría recordando las cantidades y el número de servicios que deberían satisfacer, si no deseaban que las castigase por
flojas. Sus amenazas no causaron especial impresión entre las esclavas, que ya tenían bien aprendida la cartilla; pero cuando por el
fondo del paseo apareció un coche suntuario, de cristales tintados y
chapa muy bruñida, sus semblantes se demudaron: la tristeza exánime cedió paso a un miedo multiforme, que en algunas se expresaba

mediante una tiritona, en otras mediante una palidez de cirios, en otras mediante un encogimiento que las arrugaba y envejecía. El coche avanzó muy lentamente, con solemnidad de catafalco y sigilo de pantera; el ronroneo sordo de su motor, la levísima crepitación de los neumáticos al aferrarse al asfalto, delataban la calmosa crueldad del depredador. También el tipo del chirlo en la jeta reaccionó con una especie de marcialidad lacayuna que no excluía el zarpazo del miedo; cuando el coche se detuvo, se inclinó ante la ventanilla del conductor, para rendir su parte de guerra y atender las instrucciones del mando.

—Parece que por fin vamos a conocer a ese tal Morcea —dijo Bruno, anticipándose al gesto del tipo del chirlo en la jeta, que nos señaló sin demasiado énfasis, tomándonos seguramente por un par de puteros irresolutos—. Tú déjame hacer a mí.

El cochazo de Morcea se arrimó a nuestra tartana; mientras descendía el cristal tintado de la ventanilla del copiloto, me golpeó una vaharada de olores voluptuosos y repugnantes a un tiempo, un motín de olores estabulados que mezclaba el perfume espeso de las putas de postín y el hedor agrio de las colillas apuradas hasta el filtro, los efluvios del alcohol regurgitado y el pestazo de los flujos venéreos, de los cuerpos muy bailados, de las noches roncas de orgasmos y risotadas. Respirar aquel aire viciado me removió el estómago con una impresión casi física de resaca.

—Qué, amigos —nos interpeló—. ¿De miranda?

Vasile Morcea tenía una voz gélida y conminatoria, a juego con sus facciones espiritualizadas por el mal, como de eremita del vicio. Gastaba un bigote muy hirsuto que entoldaba sus labios casi cárdenos; unas gafas de sol espejeantes velaban su mirada, pero no lograban mitigar del todo su irradiación de perversidad insondable. Conducía el auto una de esas fulanas que los millonarios alquilan, después de hojear un catálogo de papel cuché; tenía un aspecto de valquiria gótica, adelgazada por una dieta de yogures con bífidus activo y rayas de coca, con sus retoques de silicona aquí y allá. Otra fulana casi idéntica —quizá fuesen hermanas, o criaturas clónicas fabricadas en algún laboratorio clandestino— se rebullía en el asiento trasero, con las bragas en los zancajos y un colocón que la hacía gangosear. Me pregunté cuánto le habría costado a Morcea la juerguecita incestuosa.

—Hay que inspeccionar el material antes de decidirse —respondió Bruno, impostando una grosería que me dejó anonadado—. Usted va bien servido, en cambio. Ya podía compartir con los pobres.

Morcea se quedó mirando durante unos segundos a Bruno, con una especie de ofendida perplejidad, antes de estallar en una risa de hiena. Había posado una mano laberíntica de sortijas, casi un guantelete, sobre el muslo de la fulana choferesa, que se abrió instintivamente de piernas, para favorecer la prospección.

—Qué graciosillo, el gordinflón —dijo, cuando al fin se apaciguó su hilaridad. Aunque hablaba con un acento muy marcado, dominaba los coloquialismos—. Así que no tenéis pasta para pagaros una churri de esta categoría, ¿eh? —Se volvió hacia la choferesa—. ¿Te dejarías follar gratis por el gordinflón?

La fulana esbozó un mohín de desganado asco:

—Vasile, por favor, basta de bromas.

Morcea sacó la cabeza por la ventanilla, para refrescar sus pulmones con un poco de aire fresco. El cóctel de drogas que viajaba por su sangre le producía exudaciones frías.

—Estáis espantándome a la clientela. Si no os movéis cagando leches voy a tener que enfadarme.

Lo había dicho desapasionadamente, con una violencia protocolaria y abstracta. Reconocí en ese tono de adusta malignidad las estrategias de la antigua serpiente. El copioso miedo se inmiscuía en mi organismo, como una yedra que me privase de resuello.

—¿Es que no me habéis oído? —estalló Morcea, golpeando su puño o guantelete sobre la chapa del automóvil—. ¡Aire!

Bruno logró arrancar la tartana, tras algunas tentativas fallidas. A través del espejo retrovisor vimos alejarse el coche de Morcea, lento como una barcaza funeral; su motor apenas rugía, parecía envuelto entre algodones. Creí distinguir en ese ruido amortiguado una escritura del Diablo; también en las monedas de luz que lograban filtrarse entre la enramada de los castaños y moteaban el parabrisas de nuestra tartana, y en el chirlo que cruzaba la jeta al machaca de Morcea, y hasta en los pétalos que cándidamente alfombraban el suelo. Las muchachas rumanas que se repartían a ambos márgenes del camino nos miraban sin vernos; en sus facciones, estragadas por una prematura decrepitud, se distinguía el marchamo con el que las huestes del infierno marcan a sus condenados.

—Para un momento, por favor —le dije a Bruno, cuando ya avistábamos a Elena.

Estaba acuclillada sobre la hierba, alimentando a unos pájaros con las sobras del rancho frugal que le repartirían sus raptores. Pese a su aspecto depauperado —el espinazo y las costillas se le marcaban bajo la piel, sus muslos entecos que en otro tiempo habían albergado el tacto hospitalario del papel biblia estaban salpicados de equimosis—, mantenía intacta la sonrisa convulsiva e ingenua, la expresión beatífica que distingue a los presos de una cárcel de amor. Como aquellos tres mancebos que el rey Nabucodonosor mandó arrojar a un horno en llamas, Elena había aprendido a sobrevivir en el infierno, había logrado que el fuego no chamuscara la entereza de su amor, eucaristía para todos. Bruno hizo caso omiso de mi petición.

—He dicho que te pares.

—¿Es que quieres que nos rajen? —Manejaba el volante con una sola mano, mientras me zamarreaba con la otra—. ¿No puedes esperar unas horas?

Elena hablaba con los pájaros en un idioma franciscano, ajena a nuestra proximidad. Reparé en su vientre, muy abultado ya, casi parturiento; había algo milagroso en la pujanza de aquella vida que seguía creciendo, como esas flores anémicas que brotan entre los escombros y se empeñan en seguir ilustrando el mundo. Quise abrir la portezuela en marcha, pero Bruno me lo impidió; el forcejeo le obligó a descuidar la conducción por unos segundos, y la tartana estuvo a punto de empotrarse contra el tronco de un castaño. Con un volantazo, Bruno se internó en un caminejo borrado por la maleza.

—Si no te controlas, vas a echarlo todo a perder —me reprendió—. Son sólo unas horas.

Trataba de mostrarse convincente, pero la voz se le resquebrajaba de augurios funestos. Volví la cabeza; la maniobra brusca había roto el ensimismamiento de Elena, que se asomaba curiosa al caminejo. Parecía poco probable que la distancia y la luz ya declinante le permitieran distinguir mis facciones; pero por un instante acudió a sus labios una sonrisa alborozada, que enseguida se transformó en un rictus de dolor. Se había llevado ambas manos al vientre.

—¿Lo has visto? Tiene contracciones. En cualquier momento puede dar a luz.

La tartana avanzaba dando tumbos por un terreno mal allanado. El crepúsculo se derrumbaba sobre la Casa de Campo, como un mueble viejo arrojado desde los desvanes del cielo.

—Se ha puesto las manos en el vientre, nada más. Eso no quiere decir que tenga contracciones. Puede haber notado que el niño patalea, simplemente.

Habíamos llegado al cauce de un arroyo seco; un talud muy pronunciado nos impedía seguir. Bruno hizo recular la tartana, para ocultarla detrás de unos jarales.

—Además —agregó, yugulando la respiración del motor—, las contracciones pueden durar días, incluso semanas. No podemos variar nuestros planes, sería un suicidio.

Encendió la pipa, para que la nicotina aplacase su miedo. Si uno se detenía a considerarlo con frialdad, nuestros planes eran igualmente suicidas; sólo que, además, habían sido premeditados, lo que los hacía doblemente insensatos, pues el riesgo que arrostramos por un puro impulso espontáneo es más soportable que el riesgo que acometemos a sabiendas, del mismo modo que la muerte imprevista es menos cruel que la certeza de nuestra muerte venidera, para la que sin embargo estamos más preparados, pues la sabemos inexorable. Me sentía como si me hallase en un velatorio y, al acercarme a la vitrina tras la que se expone el ataúd para inquirir la identidad del difunto, me enfrentase con mi propio cadáver.

—¿Te fijaste en ese tipejo? —me preguntó Bruno de repente—. Irradiaba algo maligno.

Asentí, vagamente consolado de que compartiese mis percepciones. Desde nuestro escondrijo se avistaban las vías del metro, que al llegar a la Casa de Campo abandonaban su madriguera subterránea y proseguían su andadura campo a través, como costurones que cicatrizasen el paisaje; también la desembocadura del paseo de los castaños, por donde habría de emerger la furgoneta conducida por los esbirros de Morcea con su cargamento de esclavas, cuando la procesión de los puteros empezase a ralear, allá en las grutas de la madrugada. Por el momento, las reatas de automóviles proseguían su itinerario sonámbulo por aquel prostíbulo entreverado de bosque; aunque la oscuridad era cada vez más espesa, los puteros se resistían a encender los faros, por un resto de pudor o un anhelo de clandestinidad. Poco a poco, la Casa de Campo se iba vaciando de domingueros, se iba ahondando de sombras y gemidos, se iba hundiendo entre los arrecifes de la noche.

—El Diablo existe, Bruno. Su nombre es legión —me sorprendí musitando.

La fronda nos vedaba piadosamente la contemplación de aquel infierno que se extendía ante nosotros. Pero resonaban en el aire sin estrellas suspiros y llantos y hórridas querellas en diversas lenguas, palabras de dolor y airado acento, voces altas y roncas que se fundían en un tumulto de almas molturadas. *Lasciate ogni speranza, voi ch'intrate.*

—Lo conseguiremos, ya lo verás —trató de animarme Bruno, pero su voz sonaba herrumbrosa y tristísima—. Es cuestión de no flaquear. Arrepentirse ya no tiene sentido.

Me acordé de Orfeo, que al desobedecer el mandato de Hades y girarse para comprobar si Eurídice lo seguía por los pasajes tortuosos del Tártaro, la perdió para siempre. Un pesimismo presagioso se había apoderado de mí:

—Antes, cuando pegaste ese volantazo, miré hacia atrás. Juraría que Elena me reconoció.

Bruno encendió su pipa. La llama del mechero alumbró su desazón.

—Olvídalo. Seguro que son sólo figuraciones tuyas.

—Me sonrió —insistí—. Pude verlo.

—No te obceques —se solivió. Pero quizá, tanto como mi porfía, lo irritasen sus propias aprensiones—. Yo mismo la miré a través del retrovisor. Cuando se asomó al camino, ya estábamos muy lejos. Los arbustos tapaban el coche. Vete tú a saber por qué sonreía, si es que sonreía.

La combustión del tabaco llenaba la tartana con una fragancia de pebetero. De algún modo supersticioso, Elena había vinculado la culminación de su sacrificio con el alumbramiento de su hijo; y ambas circunstancias confluían aritméticamente con mi liberación, con el desenlace final de mi secuestro. Elena ni siquiera necesitaba verme para saber que estaba a punto de reunirse conmigo; esa certeza le había sido revelada meses antes, igual que a Fanny Riffel le había sido revelado que un ángel de las huestes celestiales descendería a la Tierra para alumbrar su peregrinaje hasta la cumbre del monte Sión. El pensamiento lógico repudia estas premoniciones; pero ni Fanny ni Elena se atenían a tan restrictiva dictadura, ambas creían —como yo mismo— en otra forma de pensamiento, llamémoslo mágico o irracional (un fusible, un interruptor que salta), que era a la vez su salvación y su condena. Dejamos pasar las horas, saboreando la exasperante destilación de los minutos, que se enredaban entre las manecillas del reloj, minuciosos y lentos como una tortura malaya. A cada minuto, crecía mi ansiedad, pues imaginaba a Elena (¿quién puede poner freno a la imaginación?) asaltada por hombres abyectos que desaguarían en ella su veneno, que arañarían su vientre grávido, que se excitarían mirándose en sus ojos de cierva vulnerada, ojos en los que convivían el verde del mar Mediterráneo, el verde esmeralda y el verde veronés, con sus jaspeados de pardo y amarillo. Se acercaba la hora convenida con Michalela; cuando ya me disponía a abandonar la tartana, Bruno me cogió del brazo:

—No mires atrás —me dijo—. No vuelvas la cabeza.

Descendí por el talud y caminé por el cauce seco del arroyo que discurría paralelo a la vía férrea, separados por ringleras de pinos que sofocaban con sus copas el estruendo de los trenes en estampida y las blasfemias que los puteros proferían al correrse. El lago de la Casa de Campo, que durante el día había acogido las naumaquias de los domingueros, tenía ahora una quietud honda, como de laguna Estigia que se ha tragado la barca de Caronte. Por los paseos adyacentes deambulaban las muchachas eslavas que no habían logrado juntar la cantidad que les exigían sus proxenetas, al final de cada jornada. Habían perdido su prestigio de zarinas apócrifas y la desesperación las empujaba a ofrecerse por un precio muy rebajado a esos carroñeros pacientes que merodean a su presa durante horas, hasta que confirman que ha dejado de respirar. Antes de alcanzar la boca de metro, me abordaron no menos de veinte, todas ellas urgidas por allegar el dinero que las librase de la consabida paliza, todas ellas con el maquillaje descompuesto y el cabello desgreñado y las medias flojas y una amenaza de síncope enredada en los tobillos. En el andén de la estación, bajo el cobertizo que protegía de la intemperie, escuché, o me pareció escuchar un ruido fricativo, similar al que hacen los transistores cuando, al sintonizar una emisora, la aguja del dial deja atrás voces y músicas cercenadas. Espanté estos espejismos acústicos recordando el consejo que Bruno acababa de hacerme, recordando el ejemplo aleccionador de Orfeo. A aquellas horas de la noche, los intervalos entre tren y tren se extendían durante casi veinte minutos, una porción de tiempo durante la cual el pasajero que aguarda en el andén puede llegar a olvidarse de su nombre y de su familia y a sentirse impelido a no regresar nunca a casa, dejando pasar ese último tren que recoge a los noctámbulos, ese último tren conducido por un maquinista dormido que cumple su itinerario sin detenerse en algunas estaciones, dejando a su paso una estela de pasajeros que han de conformarse con pernoctar en la estación clausurada súbitamente ciega (alguien apagó los fluorescentes) que les transmite su humedad de catacumba. Volví a escuchar ese ruido fricativo un segundo antes de que la llegada del tren hiciera retumbar el cobertizo; en uno de sus vagones viajaba Michalela, liberada ya del niño lactante que la acompañaba en sus recorridos pedigüeños, liberada también del rimero de ejemplares de *La Farola*. Corrí a su encuentro, pues la lobreguez de la estación parecía retraerla.

—¿Lo conseguiste?

Michalela me tendió una hojilla arrancada de una libreta, donde figuraba escuetamente una combinación numérica.

—Es un error —me dijo—. Morcea tiene mucho peligro.

Había un honrado deseo de protección en sus palabras, por lo demás tan lacónicas. Sonreí como disculpándome:

—Supongo que sí. ¿Te resultó difícil hacerte con él?

Michalela esbozó un gesto ambiguo y se encogió de hombros, rehuyendo la respuesta por modestia. Me pregunté, antes de que el tren reanudara la marcha, si, para agenciarse ese número de teléfono le habría bastado con hurgar a hurtadillas en la agenda de su marido holgazán, o si habría tenido que sonsacarlo con argucias más capciosas y sibilinas, o si habría necesitado recurrir a un informante que al día siguiente la delataría ante Morcea. Seguro que, en cualquier caso, no le habría resultado tan sencillo como a mí me resultó en su día alargar instintivamente los brazos y ceñir su cintura para evitar que trastabillara. Esta vez tuve tiempo de estrechar su mano, pequeña y áspera como un erizo.

—Suerte, amigo —se despidió, antes de que pudiera mostrarle más efusivamente mi gratitud.

Pero no me hablaba a mí, no hablaba a nadie en el vagón vacío, quizá en esas dos palabras resumía una despedida confusa y una plegaria y un desiderátum. Las puertas automáticas se cerraron con prontitud de resorte, y el tren se precipitó en la noche con su escándalo de luces inútiles. Aún me quedé unos pocos minutos más en el andén, aspirando a boqueadas el aire póstumo de la noche, que anestesiaba mi miedo y aplacaba el hervor de la sangre. Cuando me reuní otra vez con Bruno en la tartana, se había interrumpido casi por completo el merodeo de los puteros, que ya regresaban a sus respectivas casas, donde excusarían su tardanza ante la esposa escamada con las mismas coartadas de siempre: el semanal partido del siglo que se prolongaba en una celebración con los amigotes por los bares aledaños al estadio; la cena de negocios con el intempestivo proveedor que, recién llegado de Cuenca o de la Patagonia, no respetaba las festividades locales; el trabajo acumulado en la oficina que les exigía ponerse al día, para facilitar la tarea de los auditores que a la semana siguiente revisarían las cuentas de la empresa. Excusas archisabidas que improvisarían sin remordimiento, confiados en que la verdad permanecería encerrada a buen recaudo en los sótanos de la vida invisible, allá donde su pestilencia de secreto que se pudre no pudiera infectar el beso con el que bendecían a sus hijos al acostarlos, el beso casto y amantísimo que estampaban en su frente, después de alisarles el embozo de la sábana, después de apagarles la luz de la mesilla, después de escuchar su respiración tibia que ya se rinde al sueño. Pero no hay secreto que no acabe fermentando, como no hay ahogado que, tras hundirse y reposar en el lecho de un río, no acabe emergiendo a la superficie, convertido en una monstruosa caricatura de carne corrompida. Quien lo probó lo sabe.

A eso de las tres de la noche vimos aparecer por la desembocadura del paseo de los castaños la furgoneta que transportaba a Elena, junto a las otras esclavas que compartían su condena. La trepidación del motor infamaba la noche; parecía como si apenas pudiera tirar de su carga, como si al peso de las rumanas escuálidas sumase el peso incontable de los vejámenes que habían padecido durante las últimas horas, de los pecados que sus clientes les habían contagiado, el peso de la náusea y el peso del despecho y el peso del desaliento. Bruno condujo a cierta distancia, con los faros apagados, aprovechando el rastro de luz que iba dejando la furgoneta en su itinerario sinuoso por la Casa de Campo, también el resplandor mellado de la luna, que asomaba entre las copas de los pinos, un poco asustada de nuestra osadía. El runrún monótono de la tartana (Bruno no cambiaba de marcha, para no delatarnos) me invadía poco a poco la conciencia, como un flujo de dulzura que amordazase el miedo y me lavara con un baño de calma y triunfase tímidamente sobre la efervescencia de mi sangre. Mis sentidos de repente adquirieron un poder de sugestión y una capacidad retentiva próximos a la hiperestesia: mi vista distinguía las formas movedizas del sotobosque, el escalofrío argentado de la luna sobre la maleza; mi olfato aspiraba el aroma embriagador de la resina, el olor encarnizado de las fieras que dormían en el zoológico próximo; mi oído detectaba el cabrilleo de las aguas de un arroyo sobre un lecho de guijarros, el parpadeo alborotado de las lechuzas y los topos. Me pregunté si estas dotes recién adquiridas no preludiarían ese estado de desazonada vigilia que hace más vívida, más dolorosamente vívida, la ejecución del condenado al patíbulo; me pregunté si esa capacidad de alerta, casi animal, para asomarme a la vida íntima del mundo no sería en realidad una reacción defensiva de mi organismo ante el peligro de muerte que se cernía sobre nosotros. La furgoneta conducida por los esbirros de Morcea dejó atrás la Casa de Campo y enfiló hacia el barrio de Aluche, infringiendo despreocupadamente los semáforos, que a esas horas sólo regulaban el tráfico de espectros. Finalmente, se internó en una de esas calles que desprecian el decoro urbanístico, nacidas a rebufo del furor inmobiliario, con bloques de edificios diseñados por arquitectos con vocación de churreros y arbolitos raquíticos en los alcorques y farolas que vomitan una luz de quirófano sobre el asfalto. Desde la cabina de la furgoneta abrieron por control remoto el portón metálico de un garaje; el chirrido de los goznes atronó el barrio entero, intimidante como el del rastrillo de una mazmorra. Bruno había orillado nuestra tartana; leí en una placa municipal troquelada con pésimo gusto el nombre de la calle.

Se encendieron al poco las lámparas de un piso en la cuarta planta. Recordé simultáneamente al adolescente Chambers, apostado en la esquina de LaSalle con Elm Street, tratando de imaginar libidinosamente la desnudez de Fanny Riffel a través de la silueta que su cuerpo recortaba sobre unos estores estampados; recordé a Jim, el vendedor de aspiradoras a domicilio, despidiéndose de su amada Fanny en el portal de aquel edificio contiguo al cementerio de San Bonifacio y aguardando unos pocos minutos en la acera, antes de alejarse con las manos remetidas en los bolsillos y la cabeza empachada de fantasías conyugales; recordé a Bruno, oculto en el bulevar del paseo del Prado, mientras Elena se azacaneaba en el cuarto de la pensión, poseída de una hiperactividad que evocaba la de un alquimista encerrado en su laboratorio, fundiendo en sus atanores y destilando en sus alambiques las sustancias que le depararían la piedra filosofal. Ajusté el espejo retrovisor para mirar el reflejo de mi rostro, del que ya no me avergonzaba; luego miré a Bruno, que había empezado a morderse inmoderadamente las uñas, con la vista fija en el piso o ergástulo donde los esbirros de Morcea estarían haciendo balance del dinero recaudado por sus esclavas, antes de entretenerse apaleando a las que no hubiesen alcanzado la cantidad exigida, antes de elegir a las que esa noche violarían mancomunadamente, a veces eran las mismas, porque el apaleamiento seguido de violación o viceversa enardecía su lujuria. Decidí que no convenía diferir más nuestra intervención; a escasos diez o doce metros de nuestra tartana, interrumpiendo la sucesión de alcorques, habían plantificado una cabina que parecía pintiparada para que los terroristas declarasen la autoría de un atentado y los suicidas anticipasen su designio. Mientras marcaba la combinación que Michalela me había escrito en la hojilla de una libreta, me pareció volver a escuchar ese ruido fricativo, como de emisión radiofónica cercenada, que ya escuchara en el andén de la estación; pero la calle tenía ese aire despojado de las geografías soñadas por De Chirico. Me llegó a través del auricular la voz gélida y conminatoria de Vasile Morcea, su insondable irradiación de malignidad:

—¿Qué pasa?

Lo imaginé derrengado sobre una cama de una habitación de hotel, o en algún chalé de las afueras, pagado a tocateja con el dinero embetunado que juntaba con sus tráficos ilícitos. Lo imaginé convaleciendo de la farra maratoniana y el atracón de drogas que había durado hasta aquella misma tarde, cuando nos lo cruzamos en el paseo de los castaños. Lo imaginé flanqueado por las dos fulanas clónicas o incestuosas, que se turnarían, insomnes, para abrillantarle el glande a cambio de una raya de coca o de un yogur con bífidus activo.

—La poli va a registrar tu piso de la calle Camarena —dije al fin, apurando al máximo su impaciencia—. Tienen orden judicial.

El soplo no parecía alarmarlo; o quizá estuviese curtido en este tipo de situaciones y la alarma no se revistiese de síntomas pánicos. Dijo, con aplomo y sequedad:

—¿Cuándo? —Y añadió enseguida, antes de que yo pudiera responder—: ¿Y tú quién eres?

—Esta misma noche. Date prisa en vaciarlo, porque están a punto de dejarse caer. —A mí, en cambio, me faltaba el aplomo que exigía mi representación; el corazón me había trepado a la garganta, con aurículas y ventrículos y todo su intrincado sistema de drenajes—. Tú pones la pasta y nosotros nos encargamos de darte el chivatazo, para tenerte contento. ¿Qué más da quién sea?

Esta respuesta, tan elusiva como presuntuosa, no satisfizo completamente a Morcea, que rezongó algún exabrupto en rumano. Antes de cortar la comunicación, protestó:

—Está bien. Pero ya empieza a joderme tanto misterio.

Mientras mantenía este breve diálogo con Morcea, pasaron a una velocidad despavorida un par de automóviles que parecían perseguirse; uno de ellos se refugió con un derrape en una calle transversal, el otro prosiguió su estampida en línea recta, hasta que su petardeo se extravió entre los bloques de viviendas repetidos. Regresé a la tartana junto a Bruno.

—¿Crees que habrá picado? —me preguntó.

—Enseguida vamos a comprobarlo.

Esperábamos que el silencio se poblara de una barahúnda de increpaciones en rumano y un estrépito de muebles destripados y cajones que se vuelcan, para vaciarlos de armas y de alijos comprometedores; esperábamos incluso que Morcea apareciera en su coche suntuario, para dirigir la espantada y cerciorarse de que sus machacas no dejasen rastros que lo incriminasen. Pero todo transcurrió más discretamente: el tipo del chirlo en la jeta se asomó a una de las ventanas del ergástulo, comprobó que la calle estaba expedita y dio instrucciones a las esclavas para que se dispersaran sin alboroto. El eco de su arenga nos llegaba, ininteligible y calmoso, incluso levemente desganado, mientras las primeras muchachas se asomaban al portal, zarandeadas por la histeria y la desorientación; no habían tenido tiempo de quitarse sus disfraces putescos, pero antes de desperdigarse a la carrera por las calles adyacentes, se descalzaron de los zapatos de tacón y las botas de plataforma que espigaban su estatura.

Liberadas de estos jaeces que pregonaban su esclavitud, fugitivas y descalzas por la calle escrutada por la luz de las farolas, me recordaron a esos pájaros que, después de un cautiverio de años, comprueban, tras escabullirse de la jaula, que se han olvidado de batir las alas. El portón del garaje volvió a rasgar la noche con su chirrido de goznes mal engrasados y la furgoneta irrumpió en la calle, con el ímpetu de un toro que sale del chiquero. Apenas un instante después, como si ejecutase una coreografía mil veces ensayada, surgió del portal el tipo del chirlo en la jeta: cargaba un par de macutos que arrojó al interior de la furgoneta y, antes de subir al asiento del copiloto, escudriñó la calle con una especie de petulancia retadora. Las ruedas de la furgoneta dejaron un arañazo de goma sobre el asfalto.

—¿Por qué hacemos esto, Bruno? —pregunté, como si acabara de salir de un trance.

—Ya sabes, el demonio de la perversidad —me dijo, sin asomo de ironía—. A veces, para salvarse, hay que destruirse.

En torno a las farolas pululaban polillas y falenas; en su tumulto giratorio descubrí una escritura del diablo. Los baldosines de la acera incorporaban bajorrelieves de inspiración azteca; en su geometría atosigante descubrí una escritura del diablo. El portal del edificio donde se hallaba Elena estaba forrado de un sucedáneo de mármol; en sus vetas ocres descubrí una escritura del diablo. En una pared se alineaban los buzones del vecindario, tupidos de pasquines y prospectos publicitarios; en los rótulos de tipografía sensacionalista que anunciaban rebajas y cholletes descubrí una escritura del diablo. El terrazo de la escalera lo moteaban chinas rojizas; en su conglomerado descubrí una escritura del diablo. La puerta del ergástulo estaba entornada; en el cuchillo de luz procedente del rellano que auscultaba la oscuridad del interior, descubrí una escritura del diablo. También en el hervor de mi sangre, también en el sudor que había aflorado en la frente de Bruno, también en el tembleque que nos conmovía a ambos. El Diablo existe, y su nombre es legión.

—Hemos venido a buscarte, Elena —anuncié desde el vestíbulo.

Todavía dos esclavas que no habían abandonado el ergástulo se cruzaron con nosotros en el pasillo; me bastó reparar en el miedo multiforme que deformaba su expresión (una tiritona, una palidez de cirios, un encogimiento que las arrugaba y envejecía) para comprender que habíamos sido víctimas de una encerrona. Laura tenía razón, deberíamos haber atendido sus consejos y acudido a la policía. Éramos un par de fatuos irresponsables que jugaban a ser mesías.

—Adelante, chicos, estáis en vuestra casa —nos dio la bienvenida Morcea. La hilaridad teñía su voz gélida y conminatoria.

Aun estando a oscuras, el ergástulo resplandecía con un fulgor pálido, semejante a esa fosforescencia que emiten los cadáveres. Los dormitorios, despojados de mobiliario, tenían el suelo ocupado por colchones sobre los que se arrebujaban unas pocas sábanas costrosas. Intercambié con Bruno una mirada de resignado acabamiento; quizá todavía estuviésemos a tiempo de salir huyendo, pero ambos sabíamos que no íbamos a hacerlo. Los sollozos de Elena, entrecortados y apenas audibles, eran un señuelo que no podíamos ignorar.

—Con lo bien que se había portado Elena desde el primer día... —Las palabras de Morcea nos guiaban hasta el fondo de la casa—. Estaba convencida de que follándose a medio Madrid atraería a su amado. Pobrecita, está como una regadera. Pero esta tarde, de repente, se niega a trabajar. Dice que ya no es necesario, que su amado ha venido a buscarla. «Vaya, qué lástima —pensé—, tendremos que deshacernos de ella, con lo que rendía.» Pero resulta que la loquita tenía razón. Resulta que su amado ha venido a buscarla.

Si no aparezco, ofrenda tu amor a los vientos y llena el mundo de tu amor, eucaristía para todos. Morcea apretaba contra sí a Elena, con un brazo oprimía su vientre grávido, con el otro sujetaba su cuello; empuñaba un machete militar, de hoja corva y filo en sierra. Una lámpara de mesilla rodaba por el suelo; en su vaivén, la pantalla lanzaba hacia el techo una luz ambarina que proyectaba en contrapicado sombras como cipreses bamboleantes, otra escritura del diablo.

—Así que lo que parecía un trabajo sencillito, liquidar a una huelguista, se va a convertir en una escabechina.

Elena seguía ataviada con el jersey de flecos en las mangas que no alcanzaba a cubrirle la barriga y el pantaloncito de cuero rojo que dejaba asomar sus muslos entecos; el maquillaje derretido formaba chafarrinones en sus pómulos y mejillas, pero quizá fuesen magulladuras de una paliza reciente.

—Déjala marchar —propuse, a sabiendas de que el ofrecimiento carecía de consistencia—. Quédate con nosotros a cambio y déjala marchar. No dirá nada a la policía.

La risita de hiena acudió a sus labios, corva como el machete que amenazaba con rebanar la garganta de Elena.

—Qué curioso. Elenita acababa de proponerme lo mismo, pero al revés. Debéis de pensaros que me chupo el dedo.

Elena apenas se sostenía en pie; habló con una especie de dicha gemebunda:

—Cuánto te he amado, Alejandro... Todos los días le he hablado de ti a nuestro hijito.

Sobre su pantaloncito afloraba una mancha oscura e invasora. En un principio, pensé piadosamente que el miedo aflojaba su uretra; pero, al reparar en las contracciones de su vientre, comprendí que había roto aguas.

—Lo que me alucina —proseguía Morcea— es que pensarais que me ibais a engañar tan fácilmente. La idea de la llamada con el chivatazo es de retrasados mentales. ¿Me tomáis por un imbécil, o qué? —Puesto que Elena no ofrecía resistencia, Morcea se permitió extraer de un bolsillo del pantalón un teléfono móvil; pulsó el botón de rellamada y enseguida cortó la comunicación—. Y con qué facilidad picasteis el anzuelo... Visteis que mis chicos se abrían y ya os pensasteis que todo el monte era coser y cantar —su dominio de los coloquialismos tenía sus limitaciones—. Pues ya los tenéis de vuelta, majetes. Les encantará sacaros de excursión.

Bruno y yo ni siquiera lo escuchábamos, nuestras miradas confluían en el vientre de Elena, que se tensaba en las inminencias del parto. Morcea la impulsó contra nosotros, propinándole un rodillazo en la espalda; ambos nos apresuramos a asistirla, para que no cayese desfallecida. Morcea se llevó la mano al sobaco, donde anidaba la funda de una pistola que no habíamos advertido mientras utilizó a Elena como escudo. Ahora, sin deshacerse del machete, nos encañonaba con la pistola, reluciente de grasa como la que Dillinger empleó para fugarse de la cárcel, pero ésta no creo que fuese de pega.

—Hala, todos a la furgoneta. Por la escalerita como niños buenos.

Por fin la lámpara había cesado en su vaivén y fijaba con nitidez de aguafuerte las facciones de Morcea, excavaba de arrugas su rostro enjuto y poblaba de sombra sus cuencas oculares, como huras donde se hubiese refugiado la antigua serpiente.

—A qué esperáis. Andando.

Dio un paso al frente y apoyó el cañón de la pistola en el vientre de Elena, como si quisiera auscultar sus convulsiones. Elena miró sin sobresalto aquel artilugio dispensador de plomo y se abrazó a mí lánguidamente:

—No te preocupes, Alejandro. Nuestro hijito es invulnerable. Nuestro amor lo hace invulnerable.

Y sus ojos glaucos sonreían, idiotizados o enceguecidos por alguna droga. Al sostenerla contra mi pecho, sentí el latido remotísimo de su corazón, que ya casi se negaba a seguir bombeando sangre, concediéndole el relevo al otro corazón que pugnaba por conquistar su independencia.

—Sabía que la fuerza de mi amor te liberaría —musitaba, con un ronroneo—. Sabía que escucharías su señal.

Impacientado, Morcea nos empujó hasta la escalera, obligándonos a iniciar el descenso. Encabezaba el desfile Bruno, con quien no me atrevía a intercambiar palabra, avergonzado de haberlo arrastrado conmigo hasta las catacumbas de la vida invisible; lo cerraba Morcea, que en cada descansillo pulsaba el interruptor de la luz, para evitarnos tropiezos. Elena ya había renunciado a mover las piernas, dejaba que fuese yo quien cargase con su cuerpo, que se dilataba mansamente, para facilitar el advenimiento de una nueva vida. En el rellano del primer piso, Morcea se tropezó con la primera contrariedad: los interruptores no funcionaban, o las bombillas se habían fundido; me sorprendió esta súbita avería, pues apenas diez minutos antes, cuando subimos Bruno y yo, los plafones hortérisimas habían repartido su luz sin regateos. La oscuridad nos obligó a bajar el último tramo de escaleras con mayores precauciones, palpando las paredes y avanzando siempre un pie medroso, como si tras cada peldaño se abriese un socavón. Pero estábamos demasiado atenazados para probar una jugarreta, además la salida a la calle la obstruía la furgoneta con el motor encendido, preparada para la excursión que concluiría en algún descampado de las afueras, donde la carne muerta sirve de abono para las malvas. Cuando Morcea comprobó que las lámparas del portal tampoco funcionaban creció su enojo y rezongó una blasfemia en su lengua vernácula. Bruno empezó entonces a carcajearse; la risa le nacía en el fondo de las tripas y ascendía ufana hasta los pulmones, para adquirir resonancia, antes de pulsar las cuerdas vocales. Era una carcajada estentórea que al principio tomé por un síntoma de locura; pero cuando se interrumpió y pude escuchar otra vez aquel ruido fricativo, similar al que hacen los transistores cuando sintonizan una emisora, cuando pude entrever en la oscuridad del portal un tráfago de figuras borrosas que rodeaban a Morcea, enarbolando pistolas que tampoco parecían de pega, cuando la calle se emborrachó con el vagido de las sirenas comprendí lo que estaba sucediendo. De la furgoneta que supuestamente nos iba a llevar de excursión salieron media docena de agentes (ellos también parecían representar una coreografía mil veces ensayada) que nos trasladaron en volandas hasta la calle, mientras sus compañeros apostados en el portal desarmaban y reducían a Morcea.

—Laura tenía razón —me dijo Bruno con acento un poco contrito, como si me pidiese disculpas por haber salvado nuestras vidas—. Finalmente me convenció y acudimos juntos a comisaría.

Elena navegaba por los mares de la inconsciencia; el líquido amniótico empapaba sus pantaloncitos de cuero y enguantaba mis manos con su olor ancestral y febril. A la sensación exultante que me producía saberme vivo se añadía cierto humillado desconcierto:

—Entonces, todo lo que hemos estado haciendo...

—También ha tenido su mérito, ¿no te parece? Hemos hecho de cebo y, además, casi lo conseguimos.

Al reclamo del revuelo, el barrio entero se desperezaba. Una pareja de agentes nos abrió camino entre los curiosos que ya empezaban a congregarse en torno al portal. Bruno y yo condujimos a Elena hasta una ambulancia que aguardaba, dispuesta para cualquier emergencia. Allí, sentada en el asiento del copiloto se hallaba Laura; sacudía la cabeza, en señal de incredulidad, y se mordía los labios. Nuestras miradas se tropezaron, entre el aturdimiento y el sonrojo, como las de dos viejos conocidos que, tras años o siglos de separación, ya apenas recuerdan el vínculo que los unió, aunque barrunten que resultará muy difícil recomponerlo. Sonreí muy tenuemente, tratando de concentrar en ese gesto mínimo una petición de perdón. Demasiado tardía, quizá; o más bien superflua, ahora que la vida invisible nos había convertido en personas distintas de las que se amaron en otro tiempo, ahora que la lealtad y la pasión antiguas eran añicos que costaría mucho recolectar.

Bruno había convenido con el inspector al mando que nos dejase marchar a Laura y a mí sin tomarnos declaración, tras prometer que a la mañana siguiente nos presentaríamos en su despacho. Tan pronto como los enfermeros acomodaron a Elena en una camilla, la ambulancia embistió la noche.

Epílogo

Chambers había prometido a Fanny que acompañaría su peregrinaje por el valle de las sombras. Y cumplió su promesa. Supe lo ocurrido por la edición electrónica del *Chicago Tribune*, que durante un par de semanas concedió a la noticia un tratamiento preferente, mientras pudo suplir la ausencia de informaciones verídicas o siquiera verosímiles sobre el «rapto» (así designaban los reporteros lo que no era sino una fuga de mutuo acuerdo) con aportaciones morbosas sobre los protagonistas. Supongo que fue el desvelamiento de la identidad de Fanny Riffel lo que magnificó la repercusión de una noticia que, en circunstancias normales, sólo habría ocupado una gacetilla en la sección de sucesos, para ingresar de inmediato en los anales del olvido. Pero, al descubrir que la septuagenaria «raptada» era aquella *pin-up* de los años cincuenta que había merecido el remoquete de Reina de las Curvas, los reporteros del *Chicago Tribune* se toparon, casi por accidente, con uno de esos veneros periodísticos que estimulan la curiosidad del público lector, siempre deseoso de que su credulidad sea retada con revisiones folletinescas del pasado. Tirando del ovillo, los reporteros lograron saber que Fanny Riffel, antes de ser destinada a la residencia de ancianos Mather Gardens de Evanston, había permanecido internada durante veinte años en el hospital (o manicomio) Chicago-Read; lograron saber que dicho internamiento había sido decretado por sentencia judicial, después de que Fanny asesinara muy truculentamente a un vendedor de aspiradoras a domicilio; lograron saber que su raptor, un veterano del Vietnam que había sufrido cautiverio en Hanoi, había trabajado como celador en Chicago-Read, y más tarde como jardinero en Mather Gardens, hasta que la dirección del establecimiento, al observar la «fijación morbosa» (así designaban los periódicos el vínculo mucho menos trivial que los unía) que profesaba a su residente, decidiese despedirlo; lograron saber que, desde entonces, el susodicho Chambers merodeaba cada mañana la verja de la residencia Mather Gardens, con el propósito obsesivo de perturbar los paseos por el jardín de Fanny Riffel. Con estos ingredientes, convenientemente aderezados de figuraciones calenturientas, los reporteros del *Chicago Tribune* urdieron una historia por entregas en la que un fan con desviaciones gerontófilas consumaba por fin el rapto que llevaba planeando desde hacía años o décadas, quizá desde que, allá en la adolescencia, descubriera a la vivaracha Fanny Riffel, mientras abastecía sus fantasías onanistas hojeando revistas para adultos. Por supuesto, en sus reportajes, nunca llegaron a atisbar los páramos de vida invisible por los que había transitado Fanny Riffel durante los años que mediaron entre su retiro como proveedora de fantasías lúbricas y su periplo psiquiátrico; tampoco la epopeya de sordidez y redención que había poblado los días de Chambers. Yo era el único hombre en el mundo que conocía esas regiones de sombra; sólo yo era guardián de un secreto que abrevaba los horrores del infierno, discurría por un purgatorio de expiaciones y albergaba el anhelo o la nostalgia de un paraíso quizá inexistente.

El único testimonio sobre la desaparición (rapto, en la jerga sensacionalista) de Fanny Riffel lo proporcionaba una enfermera o guardesa con cara de malas pulgas que, en la entrevista concedida a los reporteros del *Chicago Tribune,* no se recataba de despotricar contra Chambers, empleando para ello un tono rezumante de resentimiento y animadversión. Recordé que se trataba de la misma mujer que tanto denuedo había empleado en impedir el contacto entre Fanny y Chambers a través de la verja que rodeaba Mather Gardens (las manos atezadas de Chambers aferradas a las muñecas de Fanny, como si quisiera echar raíces en ellas; los labios de Fanny ungiendo con su saliva aquellas manos que tantas veces habían acariciado indulgentes su rostro, que tantas veces habían exorcizado sus pesadillas y aplacado sus convulsiones); yo mismo había presenciado la escena que probablemente se repitiese todos los días, en aquella mañana en que acepté —no sin recelos— convertirme en depositario de las confidencias de Chambers y en cronista de los años más infaustos de Fanny Riffel. Según declaraba la guardesa, Fanny había resultado agraciada con una de las diez entradas que un equipo de béisbol local, los Chicago Cubs, había regalado a los ancianitos de Mather Gardens, para que asistieran al partido que los enfrentaría a Los Ángeles Dodgers. La guardesa había sido la encargada de apacentar a los expedicionarios hasta el estadio de Wrigley Field; en el barullo de la entrada, mientras los ancianitos entorpecían el acceso de los hinchas a través de los torniquetes, la guardesa descuidó durante unos segundos la vigilancia de Fanny. Cuando quiso arreglar su negligencia, Fanny se había esfumado entre el gentío; la guardesa requirió la ayuda de un vigilante jurado que, ocupado en cachear a los hinchas de aspecto más jaranero, ni siquiera había reparado en Fanny. Tampoco los demás ancianitos que componían la expedición habían advertido su huida; uno de ellos expresó su extrañeza de que Fanny no hubiese querido regalar su entrada a otros residentes forofos del béisbol, deporte por el que ella nunca había mostrado interés; otro apostilló que, además, el partido coincidía con la emisión de su serie favorita, *Xena, la princesa guerrera*, de la que no se perdía ni un capítulo. La guardesa no necesitó más datos para comprender lo sucedido; se abrió paso entre la muchedumbre hambrienta de hazañas deportivas que avanzaba en dirección contraria y corrió cuanto pudo (era cincuentona y tetuda) hasta alcanzar la calle. Aún tuvo tiempo de ver pasar delante de sus narices el inconfundible Dodge de Chambers, convaleciente de mil averías y sin embargo rejuvenecido para el rapto; Chambers hizo sonar el alborozado claxon, y Fanny asomó por la ventanilla una mano en la que la guardesa creyó distinguir un ademán de despedida. Pero a lo mejor le estaba haciendo la higa.

Aquel despiste ensuciaba un expediente laboral que había logrado mantener impoluto durante más de treinta años; de modo que la guardesa no se privaba de tildar a Chambers de psicópata peligroso, y remataba la entrevista con un irrisorio llamamiento cívico en el que instaba a los lectores del *Chicago Tribune* a colaborar con la policía en la captura de la pareja. «No olvidemos —concluía para sembrar la alarma— que ambos padecen algún tipo de perturbación; la mezcla de ambas puede resultar explosiva.» Quizá como tributo a otra época en que menudearon aquellas parejas de delincuentes prófugos y desesperadamente románticos que ayudaron a elaborar la épica americana, el *Chicago Tribune* publicó los retratos de Fanny Riffel y Thomas Chambers; en las semanas sucesivas no faltaron las aportaciones de chivatos que aseguraban haberlos visto en lugares tan apartados como Crown Point, Indiana, Sioux Falls, Dakota del Sur o Mason City, Iowa. Los avistamientos eran en exceso confusos, los itinerarios zigzagueantes o absurdos y, además, no se tenía constancia de que la pareja hubiese perpetrado ningún delito, de modo que la atención informativa fue remitiendo, hasta que un día la peripecia bizantina de Fanny y Chambers ingresó en los desvanes del olvido. Sólo yo entendí el nexo invisible que existía entre Crown Point y Sioux Falls y Mason City y otras localidades igualmente anodinas o triviales; todas ellas habían sido escenario de algún episodio —atraco a un banco, evasión carcelaria, escaramuza con la policía— más o menos memorable en la muy accidentada vida del forajido John Dillinger. Y supe que, entre las estaciones de aquel memento nómada, se incluiría una visita al vado del río Illinois donde la niña Fanny sorprendió el sueño del proscrito más célebre y secretamente admirado desde Robin Hood. Y supe que, ante la mirada al principio un poco escéptica y luego curiosa y por fin suspensa de Chambers, la anciana Fanny se habría agachado sobre la tierra blanda y escarbado un hoyo para extraer de él la pistola de pega que Dillinger le regaló, la pistola reluciente de betún que le había servido para engañar a sus carceleros y que, después de casi setenta años, quizá ya sólo fuese un pedazo de madera podrida que se desmenuzaba entre las manos. Y supe, puesto que era primavera, que los arbustos de lilas que perfuman las riberas del río Illinois estarían florecidos y bulliciosos de mariposas. Y supe que, para celebrar el hallazgo de la pistola legendaria, Chambers habría entretejido una guirnalda de lilas y ceñido con ella la cabeza de la anciana Fanny, que en unos pocos minutos se convertiría en la niña Fanny, cuando las mariposas extendiesen sobre sus cabellos nevados las alas jeroglíficas en las que se engastaban el ágata y el zafiro, la esmeralda y el lapislázuli, el ópalo y la turquesa, el topacio y el berilo, el rubí y el ónice, el jaspe y la amatista, la turmalina y la calcedonia, y

piedras aún más preciosas que no figuran en los catálogos de los joyeros, piedras vivas con irisaciones y vislumbres inéditos. Y supe
que, mientras Fanny viviera, Chambers estaría a su lado, respaldando sus latidos (y la antigua serpiente arrojada al abismo) y abri-
gando su desvalimiento (y la antigua serpiente encadenada por mil
años); y supe que, cuando Fanny muriera, Chambers dejaría crecer
esa parte de nosotros que desea morir, dejaría que esa parte se apode-
rase de él, hay que perderse para salvarse.

Como en las riberas del río Illinois, también en Madrid es primavera. Elena está deseosa de obtener el alta médica, para pasear con su hijo
recién nacido por los mismos parques que paseó en invierno, cuando ese hijo se gestaba en sus entrañas; pero aún habrán de pasar
algunas semanas para que ambos puedan abandonar el hospital —quizá sea verano para entonces—, pues el niño nació sietemesino y enclenque y la madre llegó al parto casi exánime y arañada por mil
enfermedades recolectadas durante su travesía por los páramos de la
vida invisible, cuando su amor que llenaba el mundo fue eucaristía
para todos. Todavía hoy los médicos que velan por la salud de ambos
se maravillan de que hayan sobrevivido a padecimientos tan atroces y
sorteado contagios que los habrían condenado en vida al lazareto de
los apestados; pero la vida es terca como esas flores anémicas que brotan entre los escombros, y existen ángeles benefactores que reparten
aleatoriamente su protección. A cada día que pasa, Elena vence una
más de las muchas afecciones que injuriaban su cuerpo: ha superado
sin contratiempos la adicción a las drogas que le suministraban sus
proxenetas; las blenorragias y demás cochambres venéreas con que la
remuneraron los muchos hombres y homínidos que la asaltaron se
han lavado sin dejar ni rastro; una lozanía entusiasta ha borrado su
delgadez de cigüeña pisoteada; las heridas han cicatrizado; las contu-
siones y magulladuras han retirado su cerco de lividez de una piel
que ya nunca más será macilenta. Ni siquiera el recuerdo de los muchos suplicios padecidos durante los últimos meses logra inmutar su
fervor vitalista; diríase que, al evocarlos —sin horror, sin aspaviento,
como quien recapitula con alegre estoicismo las estaciones de un vía
crucis que no concluye en el Gólgota, sino en la resurrección—, expe-
rimentase una suerte de orgullo retrospectivo, pues su sacrificio no ha
sido baldío. Ahora por fin estoy a su lado, ahora por fin puedo escuchar el crecimiento arborescente de su amor que llena el mundo.

Afirman los manuales de psiquiatría, tan engreídos y sabiondos, que la paranoia que aflige a Elena es irreductible. Cuando me miro en sus ojos glaucos (verde del mar Mediterráneo, verde esmeralda, verde veronés, con sus jaspeaduras pardas y amarillas) me pregunto si, además de irreductible, no será contagiosa; pero no me formulo esta pregunta con zozobra, sino más bien con presentida felicidad, pues entiendo que el día en que por fin Elena me contagie su paranoia (me contagie su amor arborescente) se habrá completado su sanación, puesto que yo también seré un prisionero gustoso de su misma cárcel. De momento, para propiciar el contagio, he conseguido un pase que me permite visitarla sin restricciones, incluso pernoctar en el hospital. Durante el día, el trasiego de médicos y enfermeras nos impone un deber de circunspección; también nos resulta enojosa la presencia de sus familiares valencianos, a quienes hemos preferido ocultar los padecimientos soportados por Elena durante su estancia en los páramos de la vida invisible; incluso la compañía de Bruno y de Laura nos coarta, pues nos impide entregarnos a esos coloquios íntimos, divagatorios, insensatos que son la mejor transferencia del espíritu y el mejor agente del contagio. En cambio, cuando la noche entra de puntillas en el hospital, nuestras bocas se transforman en cornucopias de palabras que se enredan entre sí, como pájaros que intercambian sus jaulas, inventando un futuro compartido que me asusta y al mismo tiempo me gratifica. Ese futuro incluye, por supuesto, al niño sietemesino y enclenque que se recupera en la sala de prematuros, encerrado en una incubadora que parece un invernadero para bonsáis. Cada dos o tres horas —a veces en intervalos aún más cortos, con ansiedad de padres primerizos— Elena y yo tomamos el ascensor que nos deposita en la planta de pediatría y pedimos permiso a las enfermeras de guardia para entrar en la sala de prematuros, que es el tabernáculo de nuestra religión. El niño duerme, exiliado del tiempo que rige los vanos afanes de los hombres, casto y voluptuoso como el cisne que ignora su belleza o el rocío que estremece la hierba. A veces manotea, como si espantase una telaraña, o frunce el morrito, o se desentumece con esa dulce fragilidad que muestran los cachorros, cuando el sol hiere las brumas de su letargo. Entonces aprovechamos para examinarlo más de cerca (nuestro hálito absorto se condensa en el cristal de la incubadora) y concluimos que es el vivo retrato de su madre, de la que ha heredado la nariz chata y los labios carnosos y las facciones redondeadas y los pies menudos y hasta el vaivén de su respiración, que desafía y ensordece el universo. Cada vida que nace es un enigma que excede nuestra capacidad comprensiva; antes que ocuparnos estérilmente descifrando su filiación, conviene que nos entreguemos a ella con alborozo y pavor, con exultación y angustia, como los pájaros se entregan al aire que los sostiene.

—En cambio, sus ojos son clavaditos a los tuyos —me contradice Elena.

Miro al niño que acaba de despertarse y ya reclama imperiosamente el biberón con un llanto que crece sobre sí mismo.

—¿Cómo dices?

—Marrones y pensativos como los tuyos —insiste—. Así los soñé desde el principio. Sólo espero que el día de mañana, si tiene que usar gafas, elija un modelo menos horroroso que el tuyo. En cuanto me den el alta, voy a comprarte un modelo nuevo de gafas, es lo único que no soporto de ti.

Mientras Elena me reprende, me inclino sobre la incubadora para examinar más de cerca los ojos de ese niño, que copian incomprensiblemente los míos, marrones y pensativos y a lo mejor miopes. La vida invisible se congrega en esos ojos, numerosa y hormigueante como un escalofrío. El niño, nuestro hijito, me sonríe, el amor es el hilo, el amor es irreductible y se contagia.

AGRADECIMIENTOS

Una vez más, mi infalible padre y mi infalible Iñaqui se encargaron de mecanografiar mi tortuoso manuscrito; tampoco se les cayeron los anillos por ejercer de recaderos cuando la redacción de este libro me mantuvo enclaustrado entre cuatro paredes. Mi esposa María, espejo en el que me contemplo, me suministró incesante documentación y fue la sufrida destinataria de mis estallidos de cólera y el bálsamo de mis desolaciones; también mi madre, siempre desvelada y siempre solícita, tuvo que apechugar con mis berrinches y mis neuras. Gonzalo Santonja, que tiene algo de fraile trinitario, me regaló su amistad y su aliento. Mónica Martín se convirtió en hada madrina para rescatarme de algunos embrollos. Marcos fue mi proveedor de libros a fondo perdido. Ira Silverberg, Toni Munné y Peter Mayer me aclararon algunas dudas. Los libros de Carlos Castilla del Pino fueron mi brújula en las geografías de la locura; los de Steve Sullivan, Isabel Andrade, Richard Foster y Mark Rotenberg me ayudaron a modelar a la *pin-up* Fanny Riffel.

Mientras *La vida invisible* incorporaba páginas a su relato, María y yo soñamos a Jimena, que ya está a punto de lanzarse a andar. Ciertamente, el amor es irreductible y se contagia.

Madrid, marzo de 2003